KB183488

이한우의

태종실록

재위 6년

새로운 해석, 예리한 통찰

이한우의 **태종실록**

재위 6년

이한우 옮김

삶과 세계에 대한 뿌리 깊은 지혜,
그 치밀한 기록

2001년부터 2007년까지 7년 동안 『조선왕조실록』을 완독했으니 올해가 바로 완독을 끝마친 지 10년이 되는 해다. 그동안 관심은 사서 삼경을 거쳐 진덕수(眞德秀)의 『대학연의(大學衍義)』, 『심경부주(心經附註)』에 이어 지금은 『문장정종(文章正宗)』 그리고 반고(班固)의 『한서(漢書)』 번역으로 확장돼왔다.

원점인 2001년으로 돌아가보자. 나는 왜 『조선왕조실록』을 다 읽기로 결심한 것일까? 그것은 다름 아닌 선조들의 정신세계를 탐구해 우리의 정신적 뿌리를 확인해보려는 것이었다. 그런데 정작 7년간의 실록 읽기가 끝났을 때는 이룬 것보다 앞으로 해야 할 일이 많음을 깨달았다. 우리 선조들의 뛰어난 능력과 치열했던 삶의 태도를 확인했지만 그 뿌리를 제대로 알지 못했던 것이다. 그래서 완독을 끝내자마자 시작한 것이 한문(漢文) 공부다. 위에서 언급한 책들은 한문 공부를 마치고서 우리나라에 번역되지 않은 탁월한 한문책들을 엄선해 우리말로 옮긴 것이다. 이때 중요한 것은 '우리말'이다.

우리말이란 대한민국에서 일정한 교육을 받은 사람들이 편안하게 쓰는 말을 뜻한다. 과도한 한자 사용을 극복하고 지나친 순우리말 또한 일정하게 거리를 뒀다. 그리고 쉬운 말로 풀어 쓸 수 있는 한자어는 가능한 다 풀어냈다. 그래서 나는 '덕(德)'이라는 말은 '은덕(恩

德)'이라고 할 때 외에는 쓰지 않는다. '다움'이 우리말이다. 부덕(不德)도 그래서 '부덕의 소치'라고 하지 않고 '임금답지 못한 때문'이라고 옮긴다.

특히 정치를 다룬 역사서에서 중요한 용어가 '의(議)'와 '논(論)'이다. 그런데 실록 원문에서는 분명히 이 둘을 엄밀하게 구분해 '의지(議之)', '논지(論之)'라고 표현했는데, 번역 과정에서 의(議)도 의논이라고 번역하고 논(論)도 의논이라 번역하면 이는 원문의 뜻을 크게 왜곡하는 것이다. 의(議)란 책임 있는 의견을 내는 것을 말한다. 의정부(議政府)를 논정부(論政府)라고 해서는 안 되는 것과 같다. 논(論)은 일반적으로 책임을 떠나 어떤 사안에 대한 논리적 진단을 하는 것이다. 오늘날 '논객(論客)'이 그런 경우다. 그러나 '의객(議客)'이란 말은 애당초 성립할 수가 없다. 다만 법률과 관련해서는 의(議)보다 논(論)이 중요하다. 그래서 '논죄(論罪)'나 '논핵(論劾)'이라는 말은 현실적 구속력을 갖는다. 재판은 의견을 내는 것이 아니라 기존 법률에 입각해 죄의 경중을 논리적으로 가려내는 일이라는 점에서 논(論)이지 의(議)가 아닌 것이다. 이처럼 기존의 실록 번역은 예나 지금이나 정치에서 대단히 중요한 역할을 할 수밖에 없는 의(議)와 논(論)을 전혀 구분하지 않아 의미를 제대로 전달하지 못한다. 사실

이런 예는 일일이 거론하기 힘들 만큼 많다.

이런 우리말화(化)에 대한 생각을 직접 번역으로 구현해내면서 다시 실록을 읽어보았다. 기존의 공식 번역은 한자어가 너무 많고 문투도 1970년대 식이다. 이래가지고는 번역이 됐다고 할 수가 없다. 게다가 너무 불친절해서 역주가 거의 없다. 전문가도 주(註)가 없으면 정확히 읽을 수 없는 것이 실록이다. 진덕수의 『문장정종』 번역을 통해 한문 문장의 문체에 어느 정도 눈을 뜨게 된 것도 실록을 다시 번역해야겠다는 결심을 부추겼다. 특히 실록의 뛰어난 문체가 기존의 번역 과정에서 제대로 드러나지 못했다는 인식이 있었기 때문에 이 점을 개선하는 데 많은 노력을 쏟았다. 그리고 사소한 오역은 그냥 두더라도 심한 오역은 주를 통해 바로잡았다. 누구를 비판하려는 것이 아니라 미래를 향한 개선의 기대를 담은 것이다.

물론 이런 언어상의 문제 때문에 실록 번역에 뛰어든 것은 아니다. 실은 삶에 대한, 그리고 세계에 대한 깊은 지혜를 얻고 싶어서다. 이런 기준 때문에 여러 왕의 실록 중에 『태종실록(太宗實錄)』을 번역하기로 결심했다. 일기를 포함한 모든 실록 중에서 『태종실록』이야말로 어쩌면 오늘날 우리에게 반드시 필요한 지혜를 담고 있는지 모른다고 생각했기 때문이다.

지난 10년간 사서삼경과 진덕수의 책들을 공부하고 옮기는 과정에서 공자의 주장에 대해 새롭게 눈뜰 수 있었다. 그것은 다름 아닌 '일[事]'의 중요성이다. 성리학이 아닌, 공자의 주장으로서의 유학은 리더가 일하는 태도를 가르치는 이론이다. 기존의 학계는 성리학의 부정적 영향 때문인지 유학을 철학의 하나로만 국한해서 가르치는 경향이 있다. 그러나 내가 공부한 바에 따르면 공자는 리더의 바람직한 모습 그리고 그런 리더가 되기 위한 수양 과정을 지독할 정도로 치밀하게 이야기하고 가르쳤던 인물이다.

이런 깨우침에 기반을 두고서 이번에는 공자가 제시했던 지도자상을 태종이 얼마나 체화하고 구현했는지를 확인하고 싶었다. 이런 부분들을 주를 통해 드러낼 것이다. 그렇게 할 때 경학과 역사가 통합된 경사(經史) 통합적인 공부가 될 수 있다.

그렇다면 '왜 세종이 아니고 태종인가?'라는 질문을 던질 수 있겠다. 물론 세종의 리더십을 탐구하는 것도 대단히 중요하다. 그러나 그의 아버지 태종의 리더십을 충분히 탐구하지 않으면 세종에 대한 탐구는 피상적인 데 그칠 우려가 있다. 따라서 이 작업은 추후 세종의 리더십을 제대로 탐구하기 위한 기초 작업이기도 하다는 점을 밝혀둔다.

이 책에는 새로운 시도가 담겨 있다. '실록으로 한문 읽기'라는 큰 틀에서 번역을 진행했다. 월 단위로 원문과 연결 독음을 붙인 것도 그 때문이다. 번역문 중에도 어떤 말을 번역했는지를 대부분 알 수 있게 표시했고 번역 단위도 원문 단위와 거의 일치하기 때문에 어떤 문장을 어떻게, 심지어 어떤 단어를 어떻게 옮겼는지를 남김없이 알 수 있도록 했다. 물론 '착할 선(善)', '그 기(其)', '오를 등(登)' 수준의 뜻풀이는 생략했다. 아무런 의미가 없기 때문이다. 이러한 장치를 통해 조금이라도 살아 있는 한문을 익히고 우리 역사와 조상들의 사고방식을 가까이하는 데 도움이 되기를 바란다.

역주는 워낙 방대한 작업이기 때문에 앞에서 언급했다고 해서 다시 언급하지 않는 것이 아니라 그때그때 필요하면 중복되더라도 다시 달았다. 편집의 아름다운 완결성을 다소 희생하더라도 독자들의 읽는 재미와 속도를 감안했기 때문이다.

재위 1년 단위로 한 권씩 묶어 태종의 재위 기간 18년-18권을 기본으로 하고, 태조와 정종 때의 실록에 있는 기록과 세종 때의 실록에 담긴 상왕으로서의 기록을 묶은 2권을 별권으로 삼아 모두 20권으로 구성했다. 이를 통해 우리 사회에 태종의 리더십에 대한 제대로 된 탐구가 시작되기를 기대한다.

21세기북스 김영곤 대표의 결단이 없었다면 이 책은 세상에 나오지 못했을 것이다. 이 자리를 빌려 깊이 감사드린다. 더불어 계획 초기부터 함께 방향을 고민했던 정지은 팀장과 편집 실무자들에게도 고맙다는 말을 전한다. 해박한 지식과 한문 실력으로 이번 작업을 도와준 주태진 편집위원께도 감사드린다. 그리고 함께 공부하는 즐거움을 누리고 있는 우리 논어등반학교 대원들께 진심으로 고맙다는 말을 전하고 싶다. 마지막으로 내 글쓰기 작업의 원동력인 가족들에게도 깊은 감사를 올린다.

2017년 12월 서울 상도동 보심서실(普心書室)에서

탄주(灘舟) 이한우

| 일러두기 |

1. 실록은 무엇보다 인물과 역사적 배경이 중요하기 때문에 문맥에서 필요한 범위 내에서 충실하게 주(註)를 달았다.

2. 기존의 번역 중 미세한 오역이나 번역이 누락된 경우는 번역의 어려움을 감안해 지적하지 않았지만 중대한 오역이거나 향후 한문 번역에서 같은 잘못이 반복될 수 있다고 판단되는 경우에는 주를 통해 지적했다.

3. 간혹 역사적 흐름에 대한 설명이 필요한 경우 간략한 내용을 주로 달았다. 그러나 독자들의 해석과 평가에 영향을 미치지 않도록 최소한의 범위에서만 언급했다.

4. 『논어(論語)』를 비롯해 동양의 고전들을 인용한 경우가 많은데 기존의 번역에서는 출전을 거의 밝히지 않았다. 그러나 당시 우리 선조들이 실제 정치를 행사하는 데 고전의 도움을 얼마나 받았는지를 알려면 그들의 말과 글 속에 동양 고전들이 얼마나 자연스럽게 녹아 있는지를 살피는 것이 중요하다. 하여 확인 가능한 고전 인용의 경우 주를 통해 그 전거를 밝혔다.

5. 분량이 워낙 방대하기 때문에 설사 앞서 주를 통해 언급한 바 있더라도 다시 찾아보는 번거로움을 덜기 위해 중복이 되더라도 다시 주를 단 경우가 있음을 밝혀둔다.

6. '원문 읽기를 위한 도움말'의 경우 단조로운 문장은 그대로 두고 한문 문장의 독특한 구조를 보여주는 구문에 초점을 맞췄다.

7. 한자는 대부분 우리말로 풀어쓰고 대괄호([ ]) 안에 독음과 함께 한자를 표기했다. 그래서 '천명(天命)'이라고 표기한 경우도 있지만 대부분 '하늘의 명[天命]'이라는 방식으로 표기했다. 또한 한자 단어의 경우 독음을 붙여쓰기로 표기하여 한문 문장을 이해하는 데 도움이 되고자 했다.

8. 문단 맨 앞의 'ㅇ' 표시는 같은 날 다른 기사임을 구분한 것이다.

차례

태종 6년 병술년
1월

一月

임진일(壬辰日-1일) 초하루에 상(上)이 세자와 백관을 거느리고 황제에게 제의 정월[帝正]을 요하(遙賀)[1]했다. 정전(正殿)에 앉아서 조하(朝賀)를 받고 여러 신하에게 잔치를 베풀었는데 오도리(吾都里), 올량합(兀良哈), 일본 객사(客使)가 모두 조하에 참여했다. 상이 말했다.

"일본 사신의 조하를 받는 것은 혹시라도[歟] 참람하지 않을까? 또 이웃 나라 사신이 배열(拜列)에 있는 것은 어딘가 불편할 듯하다."

좌우에서 대답했다.

"예전에도[振古=太古] 이와 같았습니다[如玆=如此]."

여러 신하에게 잔치를 베풀어주고 일본 객사도 모두 전상(殿上)에 앉았다.

계사일(癸巳日-2일)에 햇무리가 졌다.

병신일(丙申日-5일)에 사헌부에서 소를 올려 좌부대언 맹사성(孟思誠) 및 전의감(典醫監) 판사(判事) 이주(李舟)와 감(監) 평원해(平

---

1 외방에 있는 신하나 외방에 나가 있는 봉명사신(奉命使臣)이 조정의 하례(賀禮)에 참여하지 못할 때 멀리서 군주(君主)의 상징인 궐패(闕牌)에 대신 하례하던 일을 말하는데 망궐례(望闕禮)라고도 한다.

原海)² 에게 죄줄 것을 청했으나 그들을 용서했다. 상이 이주, 원해 등이 조제한 상표초원(桑螵蛸元)³을 먹고 구토를 하고 정신이 몽롱했는데 이에 당직 중이던 상호군 권희달(權希達) 등에게 그것을 먹어보게 했더니 그 독성이 역시 그러했다. 사헌부에서 주와 원해 및 약방대언(藥房代言)⁴ 맹사성 등을 탄핵했다. 소는 이러했다.

'임금이 병이 있어 약을 먹으면 신하가 이를 먼저 맛보고[先嘗], 선상 아비가 병이 있어 약을 먹으면 아들이 이를 맛보는 것은 임금과 아비를 중히 여겨서 의약을 삼가기 때문에 그렇게 하는 것입니다. (그런데) 지금 이주와 원해가 어약(御藥)을 조제하면서 포구(炮灸)⁵하는 절차를 잃어 드디어 상의 옥체[上體]를 미령하게 했으니[不寧] 그 상체 불녕 불경(不敬)하고 불충(不忠)한 죄가 큽니다. 사성은 어제를 감시하는 [監劑] 명을 받들고서도 자세히 살피지 못했고, 특히 먼저 맛보는 도 감제 리를 잃었으니 또한 징계하지 않을 수 없습니다.'

상이 (사헌부) 장령 이명덕(李明德)을 불러 일깨워 말했다.

"임금이 약을 먹으면 신하가 먼저 맛보는 것이 예(禮)이기는 하나, 내가 신하로 하여금 먼저 맛보게 아니한 것은 나의 잘못이요, 신하의 죄가 아니다. 또 주 등이 어찌 나를 병들게 할 마음이 있었겠는가! 그를 다시 논하지 말라."

---

2 일본에서 귀화한 의원이다.

3 뽕나무에 붙은 당랑(螳螂-사마귀)의 알둥지로 만든 약(藥)이다.

4 전의감(典醫監)의 내의원(內醫院)에서 궁중의 탕약을 조제할 때 이를 감시 감독하던 대언(代言)을 가리킨다. 곧 병방대언(兵房代言)인 좌부승지(左副承旨)를 말한다.

5 약을 병의 증상에 맞게 정해진 방법으로 가공 처리하는 일을 말한다.

정유일(丁酉日-6일)에 주문사(奏聞使)[6] 호조참의 이현(李玄)이 베이징[北京]에서 돌아왔다. 현이 예부(禮部)의 자문(咨文)을 가지고 왔다. 자문은 이러했다.

'영락(永樂) 3년(1405년) 12월 초 4일에 조선국(朝鮮國) 자문(咨文)에 의준하면 "배신(陪臣) 이행(李行) 등이 베이징에서 돌아와서 황제의 명을 전하기를 '동맹가첩목아(童猛哥帖木兒)를 어찌하여 보내오지 않는가? 네가 돌아가거든 국왕에게 말하여 곧 다시 보내오게 하라'고 했습니다. 그 연유에 대해 배신(陪臣) 이현을 보내 글을 가지고 가 이자(移咨)하고 시행합니다"라고 했는데 조사해보니 금년 7월 25일 아침 일찍 본부관(本部官)이 차견해 온 이행(李行) 등을 봉천문(奉天門)에 인도했으나 제주(題奏)에는 국왕에게 회답해준 문서가 하나도 없었으며 성지(聖旨)를 받들기를 "사신(使臣)이 매번 돌아갈 때마다 그들에게 문서를 줄 것이 없다. 그들의 아뢴 글이 맹가첩목아(猛哥帖木兒)가 말한 것과 같지 아니함이 많으니 맹가첩목아가 올 때를 기다려 말이 스스로 있을 것이다"라고 했습니다. 당시에 이행(李行) 등이 성지(聖旨)를 면전에서 들었고, 본부에서도 앞서 일을 가지고 두 번씩이나 전달해주어 각자 돌아가게 했습니다. 지금 자문(咨文)은 전에 받든 원래의 뜻과 같지 아니하니 이는 배신 이행(李行) 등이 전달한 바가 착오가 있는 것입니다. 사리가 본국(本國)에 이자

---

6 중국과의 사이에 외교적으로 알려야 할 일이 있을 때 임시로 파견했던 비정기적인 사절이다. 그 성격이나 기능은 진주사(陳奏使)와 같다. 주청사(奏請使)가 내용을 알리고 그에 대한 답변을 청하는 성격이 강한 반면 주문사는 단순히 알리고자 하는 의도에서 파견됐다. 조선 전기에는 이 명칭이 많이 보이나 후기에는 진주사와 주청사가 주로 파견됐다.

(移咨)하는 것이 합당하므로 알려드리는 것이니 금후(今後)로는 일체의 사무를 처리할 때 모름지기 문서에 의거하여 준결(准決)해야 할 것입니다. 또 구두로 전달하거든 사리상 자세하게 점검하여 시행하는 것이 마땅합니다.'

예부관(禮部官)이 또 이현에게 일러 말했다.

"당신 나라에서 전에 스스로 말하기를 '일본과 교통(交通)하지 않는다'라고 하더니 지금 중국 사신이 일본에서 돌아와 고하기를 '조선 사신이 먼저 거기 와 있더라'라고 했습니다. 또 황제(皇帝)가 이미 동맹가첩목아를 초안(招安)한 것이 당신네 나라 덕분이 아닌 것을 당신은 아시오? 당신네 나라에서 곧 맹가첩목아를 입조(入朝)시키겠다고 말하니 이는 당신네 나라의 속임수[奸軌]이오."

이때 마침 일본 사신이 명나라 조정에 입조(入朝)하니 상사(賞賜)가 매우 두터웠고, 또 서열(序列)도 이현의 윗자리를 차지했다고 했다.[7]

○ 여진 만호(女眞萬戶) 검교 한성윤(檢校漢城尹)[8] 최야오내(崔也吾乃)에게 술 10병을 내려주었다.

무술일(戊戌日-7일)에 백악(白嶽)의 성황신(城隍神)[9]에게 녹(祿)을

---

7 동맹가첩목아 문제로 쌓인 조선에 대한 불신을 노골적으로 드러낸 것이다.

8 이것은 조선에서 내려준 관직이다.

9 민간에서 숭배하는 마을의 수호신이다. 고려시대에는 각 고을의 수령(守令)과 향리(鄕吏)로 하여금 관내의 성황신을 제사하도록 제도화했으며 제수 비용을 충당하는 위전(位田)을 지급했고 전쟁에서 승리했을 때 성황신에게 사례하는 제사를 지내기도 했다. 조선시대에 들어와서는 음사(淫祀)로 규정돼 금지됨에 따라 점차 민간신앙으로 정착했다. 마을

주었다. 이전에는[前比] 송악(松嶽)의 성황신에게 녹을 주었는데 한
양으로 도읍을 정했기 때문에 옮겨서 준 것이다.

경자일(庚子日-9일)에 상이 친히 종묘에 관제(祼祭)[10]를 지낸 다음 백
관을 거느리고 덕수궁(德壽宮)에 나아가 문안하고 매화 1분(盆)을 올
리고서 태상왕에게 헌수하니 이로 인해[爲之] 지극히 즐겼다[罄懽=
極懽].

신축일(辛丑日-10일)에 호조판서 이지(李至)를 보내 원단(圓壇)에서
기곡제(祈穀祭)[11]를 지냈다.

○ 풍해도 기민(飢民)을 진휼했다. 도관찰사 신호(申浩)가 보고했다.
'신주(信州), 문화(文化), 안악(安岳), 재령(載寧) 등 여러 고을은 실농
(失農)이 더욱 심하니 청컨대 각 관아에 보관 중인[所儲] 묵은쌀[陳
米]과 콩 및 을유년에 선납(先納)한 참밀[眞麥]로 구제해주십시오.'
그것을 따랐다.

계묘일(癸卯日-12일)에 태백성(太白星-금성)이 세성(歲星-목성)을 범
했다.

어귀의 고갯마루에 있는 고목이나 돌무더기로 신을 상징하고 숭배했으며 옆에 당(堂)을
짓기도 했다.

10 땅에 술을 부어 강신(降神)을 빌던 제례(祭禮)다.

11 정월 첫 신일(辛日)에 그해의 풍년(豊年)을 기원하던 나라의 제사다. 원단(圓壇)에서 행하
고 임금이 친제(親祭)했으나 대신(大臣)을 보내 섭행(攝行)시키기도 했다. 기곡대제(祈穀
大祭)라고도 한다.

갑진일(甲辰日-13일)에 정탁(鄭擢)을 사면해 도성 밖 지방의 편한 곳에 가서 살게 해주었다[京外從便].[12] 사헌부에서 다시 소를 올려 안 된다고 했으나 모두 윤허하지 않았다.

○ 공사(公私)의 연음(宴飮)을 금지했다. 사헌부에서 수재(水災)와 한재(旱災)가 서로 잇달아서 벼와 곡식 등이 제대로 자라지 못하니[不登] 공사의 쓰임새가 모자란다[窘竭]고 말씀을 올린 때문이다.

○ 전 충청도 병마도절제사 김용초(金用超)[13]가 졸(卒)하니 빈소에 사제(賜祭)했다. 용초는 (경상도) 의성현(義城縣) 사람으로 성품이 질박하고 곧으며[質直] 무재(武才)가 있었다. 아들이 셋이니 화(華), 경(鏡), 감(鑑)이다.

정미일(丁未日-16일)에 달이 태미(太微)[14]에 들어갔다.

---

12 중도부처를 줄여 부처(付處)라고도 한다. 관원을 유배시킬 때 어떤 중간 지점을 지정하여 거기에 머물게 하는 것으로, 이는 3등 이하의 죄에 해당되는 것이다. 유배지는 황무지, 바닷가, 섬 등 지방관이 지정했다. 귀향(歸鄕)을 허락하지 않은 대신 유배지에서 가족과의 동거는 묵인했다. 왕족, 중신(重臣) 등의 정치범 외에는 배소(配所)에 유폐(幽閉)하는 일이 없이 대개 방치해두었다. 기록상 부처되는 곳을 구체적으로 밝히지 않거나, 기한이 명시되지 않는 것이 특색이다. 중도부처는 여러 종류가 있는데 형벌이 무거운 순서대로 나열하면 아래와 같다. 부처본관(付處本貫), 부처본향(付處本鄕), 사장부처(私莊付處), 원방부처(遠方付處), 외방부처(外方付處), 자원부처(自願付處)이고 한결 가벼운 형벌로는 자원류(自願流), 외방종편(外方從便), 경외종편(京外從便)이 있다.

13 충정왕 때 문과에 급제했다. 문관이면서도 무예(武藝)가 뛰어나 활쏘기와 말타기를 능가하는 사람이 드물었다. 공민왕과 함께 사냥하면서 날아가는 새를 백발백중으로 맞히고 100발자국 밖의 나뭇잎을 맞혀 말 한 필을 상으로 받기도 했다. 1390년(공양왕 2년) 왜구가 양광도에 침범하자 밀직부사로서 정도전(鄭道傳) 등과 함께 왜구 100여 명을 사살하면서 평정했고, 조선 건국에 참여하여 개국원종공신(開國原從功臣)이 됐으며, 호남도 병마도절제사(湖南道兵馬都節制使)와 충청도 병마도절제사를 거쳐 관찰사를 지냈다.

14 별자리 이름으로 태미원(太微垣)이라고도 한다. 천자가 직접 다스리는 궁정으로 오제가 거처하고 열두 제후의 부서가 된다. 그래서 고대 중국의 천문학에서는 달이 태미에 들어

○ 충청도와 강원도 정부(丁夫-장정) 3,000명이 도성(都城)에 이르렀다. 덕수궁(德壽宮)과 창덕궁(昌德宮)에 부역하는 이가 각각 1,000명씩이고 한성부(漢城府)에 600명인데 이들은 개천 파는 일을 맡았다. (그 밖에) 군자감(軍資監), 풍저창(豊儲倉),[15] 광흥창(廣興倉),[16] 사온서(司醞署)에 각각 100명씩인데 관청 건물[廨宇]을 수리하는 일을 맡았다.

○ 일본국 지좌전(志佐殿)의 사인(使人)이 예궐하여 하직하니 의복을 차등 있게 내려주고 명하여 음식을 대접했다. 지좌전에게는 은종(銀鍾)과 은우(銀盂-은사발) 각각 1벌씩과 저포(苧布)·마포(麻布) 각각 5필씩, 호피(虎皮)·표피(豹皮) 각각 2장씩, 송자(松子-잣) 100근, 쌀과 콩 각각 100석씩을 보냈다.

○ 유청(柳靑) 올량합(兀良哈) 다시곤거(多時昆車) 등 19인을 오음회(吾音會)[17]에 두도록 명했다. 동북면 찰리사(東北面察理使)가 올적합(兀狄哈) 등이 와서 투항한 것을 아뢰었기 때문이다.

무신일(戊申日-17일)에 서쪽에 붉은 기운이 있었다.

가는 것은 신하가 임금을 범하려는 것의 상징으로 풀이했다.

15 중앙의 제반 경비를 주관하던 관서다. 이곳은 취급 업무의 중요성에 비춰 경비를 엄히 했고 미곡을 출납할 때에는 포도청(捕盜廳)에서 특별히 부장(部將)을 파견해 경비하게 하고 부신(符信)을 발급해 출입을 제한했다. 장흥고(長興庫)에 폐합된 이후에는 내시(內侍)의 급료, 노인들의 세찬(歲饌), 사신들의 사미(賜米)를 관장했다.

16 백관의 녹봉을 관장하던 관서다.

17 함경북도 회령이 여진의 영토였을 때 이들이 부르던 지명이다. 알목하(斡木河)라고도 한다. 고려 말 오도리(吾都里-알타리(斡朶里))의 추장 동맹가태무르(童猛哥帖木兒)가 삼성(三姓) 지방에서 이곳에 옮겨와 우리나라와 수교하고 명나라에 복속하여 명나라 지방관이 됐다.

기유일(己酉日-18일)에 사헌부에서 맹사성(孟思誠), 이주(李舟) 등에게 죄줄 것을 다시 청했으나 윤허하지 않았다.

○ 왜선(倭船) 6척이 (전라도) 장흥부(長興府) 주포(周浦)를 침범해 병선 1척을 약탈해 갔다.

임자일(壬子日-21일)에 올량합 만호 보리(甫里) 등이 예궐해 하직하니 보리에게는 옷 1벌과 갓과 신을 하사하고, 천호 고리(古里) 등 3인에게는 각각 옷과 신을 하사한 다음 동상(東廂-동쪽 행랑)에서 음식을 대접하도록 명했다.

○ 오도리 천호 김회대(金回大), 올량합 천호 김저화(金著和) 등 6인이 와서 정조(正朝)의 예물로 토산물을 바치니 면포(綿布)와 저포(苧布) 각각 1필씩을 내려주었다.

을묘일(乙卯日-24일)에 유성(流星)이 정수(井宿)[18]에서 나와 묘수(昴宿)[19]에 들어갔는데 모양이 용(龍)과 같고 정청색(正靑色)이었다. 서운관(書雲觀)[20] 사진(司辰) 위사옥(魏思玉)이 당직이었는데, 이를 발견하

---

18 별자리 28수(二十八宿)의 하나로 8개의 별로 이뤄져 있으며 주천도수(周天度宿) 가운데 33도를 맡고 있다.

19 28수의 하나로 서방백호 7수(宿) 중 네 번째에 해당된다.

20 고려 말부터 조선 초까지 기상관측 등을 관장하던 관서다. 천변지이(天變地異)를 관측·기록하고, 역서를 편찬하며, 절기와 날씨를 측정하고, 시간을 관장하던 곳이다. 고려시대는 태복감(太卜監), 사천대(司天臺), 사천감(司天監), 관후서(觀候署) 등의 명칭으로 바뀌어 오다가 1308년(충렬왕 34년) 서운관으로 개칭됐다. 당시의 관원은 정3품에 해당하는 제점(提點) 1인의 책임 아래 20인에 이르는 직원으로 구성됐다. 고려시대의 서운관은 천문대로서 개성에 첨성대를 가지고 일식과 월식, 5행성의 운행, 혜성과 유성의 출현 등을 관

지 못한 까닭에 순금사에 내려 장(杖) 60대를 치고 파직시켰다.

병진일(丙辰日-25일)에 박은(朴訔, 1370~1422년)[21]을 전라도 도관찰사, 조박(趙璞)을 서북면 도순문사, 권진(權軫)을 강원도 도관찰사로 삼고, 맹사성(孟思誠)을 다시 좌부대언으로 삼았다.

○ 경상도 도절제사 유용생(柳龍生)에게 술을 내려주었다. 경상도

찰했다고 『고려사』「천문지(天文志)」에 기록돼 있다. 서운관에서는 원시적인 방법이기는 하지만 일식과 월식을 예보하고, 태양 흑점과 1264년(원종 5년)과 1374년에는 2개의 보기 드문 큰 혜성을 관측했다. 조선 건국 후 서운관의 기능은 그대로 계승되어 1395년(태조 4년) 권근(權近) 등이 돌에 새긴 천문도인 「천상열차분야지도(天象列次分野之圖)」를 제작했다. 1466년(세조 12년)에 관상감으로 개칭됐다.

21 조선이 개창된 뒤에도 지금주사(知錦州事)가 되었고, 고과(考課)에 정최(政最)의 성적을 받아 좌보궐(左補闕)에 임용되었다. 1394년(태조 3년) 지영주사(知永州事)로 있을 때 방원(芳遠)에게 충성할 것을 약속했다. 1397년 사헌시사(司憲侍史)를 거쳐 이듬해 발생한 무인정사(戊寅靖社), 즉 1차 왕자의 난 때 지춘주사(知春州事)로서 방원의 집권을 위해 지방 군사를 동원했다. 이어 사헌중승(司憲中丞)·판사수감사(判司水監事)를 지내고, 1400년(정종 2년) 지형조사(知刑曹事)로 있을 때 발생한 2차 왕자의 난에서 역시 방원을 도와 공을 세웠다. 그리하여 방원이 왕세자가 된 1400년에는 세자좌보덕(世子左輔德)으로 그를 보필했다. 좌산기상시(左散騎常侍)에 오른 뒤 1401년 태종의 즉위 후 중용되어 형조·호조·병조·이조의 4조 전서(典書)를 두루 역임하고, 좌명공신(佐命功臣) 3등으로 반남군(潘南君)에 봉해졌다. 그 뒤 강원도 도관찰출척사(江原道都觀察黜陟使)·한성부윤·승추부 제학(承樞府提學)을 역임하고, 이때인 1406년(태종 6년) 전라도 관찰사로 있을 때는 제주도의 동불(銅佛)을 구하러 온 명나라 사신을 예의로 잘 접대해 칭송을 받았다. 이듬해 진향사(進香使)로서 명나라에 다녀온 뒤 참지의정부사 겸 사헌부 대사헌에 올랐다. 이어 형조판서에 옮겼다가 1409년에는 서북면 도순문찰리사 겸 평양부윤으로 평양성 축성을 마쳤다. 1412년에는 관향인 반남이 나주에 속하자 금천군(錦川君)으로 개봉되었으며, 겸 판의용순금사사(兼判義勇巡禁司事)가 되어 옥무(獄務)에서 신장(訊杖)의 사용 횟수를 1차 30인으로 정해 합리적인 행정제도를 시행했다. 1414년 이조판서 때에는 고공(考功)의 행정제도를 개선했다. 1416년 47세의 나이로 우의정이 되어 소년입각(少年入閣)의 예에 들었으며 이어 부원군으로 진봉되고 좌의정 겸 판이조사에 올랐다. 충녕대군 (忠寧大君)이 세자로 책봉될 무렵부터 심온(沈溫)과 대립해 1418년(세종 1년) 심온의 옥사 때에는 심온의 반대 입장에서 관여했다는 세평을 듣고 있다. 1421년 병으로 좌의정을 사직하고 이듬해에 죽었다.

내이포(乃而浦) 수군 만호 신식(辛息)이 관할하는 천호 이현부(李賢阜)가 왜선 1척을 포획했다고 보고하니 이순몽(李順蒙)을 보내 용생에게는 술을 내려주고, 식에게는 기(綺)와 견(絹) 각각 1필씩을, 현부에게는 면포 각각 1필씩을, 격군(格軍) 각 1명당 쌀과 콩[米太] 각각 1석씩을 내려주었다. 영선 두목(領船頭目)과 사관(射官)은 이름을 기록해 보고하도록 명했는데 장차 벼슬로 상 주려고 함이었다.

정사일(丁巳日-26일)에 항복한 왜인[降倭] 임온(林溫), 등곤(藤昆), 오문(吳文), 박생(朴生) 등에게 유의(襦衣-겨울용 저고리) 각각 둘씩을 내려주고 산남(山南)²² 사람 옥지(玉芝), 오인(吳仁), 나만(羅萬), 나도(羅道), 박남(朴南) 등에게는 면포(綿布)와 주포(紬布) 각각 1필씩과 면자(綿子-목화씨) 1근을 내려주었다. 이때 왜구가 바닷가에 있는 지방을 침략했는데, 임온 등이 종군(從軍)하여 스스로 공을 세우기[自效]를 청한 까닭으로 상을 주어서 보낸 것이다.

○ 왜선(倭船) 16척이 제주(濟州)를 침략했는데 주병(州兵)이 이를 격퇴하고 1급(級)²³을 베었다.

무오일(戊午日-27일)에 사간원에서 글을 올려 토목의 역사를 중지할 것을 청했다.

---

22 당시 제주도를 남북으로 나눠 산북과 산남으로 불렀다.

23 옛날 중국에서는 한 명을 벨 때마다 계급이 한 등급씩 올랐기 때문에 죽인 사람의 수를 셀 때 급(級)이라고 했다.

○ 좌군총제 김계지(金繼志, ?~1410년)[24]와 우군총제 이밀(李密) 등 10인에게 논밭과 노비[田口]를 차등 있게 내려주었다. 임오년(壬午年- 1402년) 동북면(東北面)의 공로를 시상한 것이다.[25] 상이 뜻을 내려 [下旨] 말했다.

'김계지와 이밀은 분발하여 몸을 돌보지 않고 의로움을 위해[見義] 적진에 깊숙이 들어가 환난(患難)을 막았으므로 공이 1등이 될 만하니 전지 50결(結)과 노비 5구(口)를 내려준다. 상호군 박순(朴淳)과 호군 송류(宋琉)는 의로움에 몸을 바쳐[徇義=殉義] 자기 목숨을 가볍게 여기고 환난을 막으려 하다가 몸이 죽는 데 이르렀고 상호군 김옥겸(金玉謙)은 마음을 다해 의로움에 몸을 바쳐 맨 먼저 와서 고했으므로 2등이 될 만하니 전지 40결과 노비 4구를 내려준다. 경상도 도관찰사 김희선(金希善), 동북면 도순문사 여칭(呂稱), 전 광주목사(廣州牧師) 김정준(金廷雋) 등은 마음을 다해 의로움에 몸을 바쳐 미리 대비하여 안녕을 도모했고, 상호군 안우세(安遇世)·최저(崔沮)는 마

---

24 안변부사 조사의(趙思義)가 난을 일으키자 안변에 파견돼 교서를 반포하고 민심을 위무했다. 이때인 1406년 좌군총제 재직 중 조사의의 난 평정에 기여한 공으로 군공 1등에 등제되면서 토지와 노비를 하사받았고 곧 전라도 병마도절제사로 파견됐다. 1407년 삼군총제로 있을 때 명나라에 관마 진헌을 위한 진헌관마색(進獻官馬色)이 설치되면서 그 제조(提調)를 겸임했다. 1408년 전라도 도절제사 때 천거한 만호 박광계(朴光桂), 허승량(許承亮)이 탐관오리로 죄를 받게 되자 천거의 책임을 추궁당한 뒤 면직됐다. 그러나 곧 풍해도(황해도) 병마도절제사 겸 판해주목사에 기용됐고, 1409년 전렵군(田獵軍)의 수를 가정(加定)하고 자제패(子弟牌)를 만든 뒤 이들의 부방(赴防)을 면제하게 한 일로 다시 면직됐다. 그 후 전국에 걸친 11도 병마도절제사의 설치와 함께 다시 강원도 병마도절제사에 서용됐으며 1410년에 사직했다. 무예에 능했고, 태종의 신임을 받으면서 경·외의 군정에 기여한 바가 많았다.

25 조사의의 난을 평정한 공을 평가한 것이다.

음을 다해 의로움에 몸을 바쳐 어려운 데를 도망쳐서 돌아왔으므로 3등이 될 만하니 전지 30결과 노비 3구를 내려준다.'

기미일(己未日-28일)에 중군총제 설미수(偰眉壽, 1359~1415년)[26]를 보내 경사(京師)에 가게 했다. 성절(聖節)을 하례하기 위함이었다. 이조(吏曹)에 명했다. "이제부터 사신이 입조(入朝)할 때마다 의원(醫員) 1인을 압물(押物)[27]이나 타각부(打角夫)[28] 중에 하나로 임명해 보내서 [差遣] 약재(藥材)를 무역하도록 하라."[29]
차견

──────────

26 원래 원나라의 고창(高昌) 사람으로서 고려에 귀화했다. 아버지는 숭문감승(崇文監丞) 설손(偰遜)이며, 설장수(偰長壽)의 아우다. 1376년(우왕 2년) 문과에 급제했다. 내외관직을 두루 역임하고, 1401년(태종 1년) 판각문사(判閣門事)가 됐다. 그 뒤 공조전서(工曹典書), 판한성부사(判漢城府事), 중군총제(中軍摠制), 병조참지, 참지의정부사(參知議政府事), 지의정부사 등을 역임했다. 1403년에는 계품사(啓稟使)로, 1406년에는 성절사로, 이듬해에는 천추사로 명나라에 다녀오고, 이어 사은사로 두 차례, 전후 다섯 번에 걸쳐 명나라에 다녀왔다. 이는 설미수가 중국어에 능통했기 때문인데, 항상 마필이나 금은 등 공물의 감면을 주선하여 외교적 성과를 올렸다. 1407년에는 참지의정부사로 재직 중 둔전제(屯田制)의 실시를 건의해 실행하게 했고, 호조와 공조의 판서를 거쳐 1410년 예조판서, 이듬해 검교 판한성부사(檢校判漢城府事)를 지냈으며, 1414년 다시 예조판서를 거쳐 검교 우참찬(檢校右參贊)에 이르렀다. 효우(孝友)가 뛰어나 항상 공손하고 근신했으며, 네 형이 모두 먼저 죽자 어린 조카들을 잘 돌보아 길렀다.

27 조선조 때 외국에 왕래하는 사신 일행의 모든 물건을 운송하던 관원이다.

28 조선조 때 외국에 가는 사신 일행의 모든 물건을 감수(監守)하던 관원이다.

29 원래 압물이나 타각부는 통사(通事), 즉 역관의 직함이다. 역관은 항시 사역원에 출사(出仕)하고 정기취재(定期取才)에 응시해야 했는데 이때 성적이 상등인 자를 통사, 중등인 자를 압물(押物) 또는 압마(押馬), 하등인 자를 타각부(打角夫) 등으로 불렀다. 통사에도 여러 종류가 있었는데, 상통사(上通事)·차상통사(次上通事)·소통사(小通事) 등이 그것이다. 특히 명나라로 파견되는 사신을 따라가는 부경통사(赴京通事)는 중요시되어 취재 기피자(取才忌避者)나 취재성적 불량자 및 부경순번(赴京順番)을 어긴 자 등은 임명되지 못하거나, 일정 기간 임명이 금지되는 등 그 선임과 파견 과정이 매우 엄격했다. 이들의 주요 임무는 외국 사행을 따라가 통역에 종사하는 것이었으나 국용(國用)에 소요되는 서적, 약재, 악기 등을 무역하기도 했다.

○ 전 군자감(軍資監) 조사덕(曹士德)을 춘주(春州-춘천)에 유배(流配) 보냈다. 애초에 한성부 판사(判漢城府事) 이행(李行)이 계품사(計稟使)로 입조(入朝)했다가 돌아와 선유(宣諭-황제의 지침)를 전해 말했다.

"동맹가첩목아(童猛哥帖木兒)를 경사(京師)로 보내는 것이 마땅하다."

이에 조정의 의논이 결정되지 못했다. 이윽고[旣而=已而] 동맹가첩목아가 스스로 명나라 서울로 간다는 말을 듣고 이에 급히 이현(李玄)을 보내 맹가첩목아가 미처 이르기도 전에 바로[徑] 주달(奏達)하니 예부관(禮部官)이 말하기를 "선유(宣諭)한 뜻은 본래 이와 같지는 않았습니다"라고 하고는 마침내 기록한 원본(原本)을 보여주고 본국에 자문(咨文)을 보내기를 "이행이 성지(聖旨)를 잘못 전했습니다"라고 했었다.

사헌부에서 행(行)을 핵문(劾問)하니 행이 말했다.

"나는 중국말[華語]을 잘 모르고 오직 통역하는 사람[舌人]만 믿었을 뿐입니다. 그때의 일록(日錄)이 갖춰져 있으니 살펴볼 수 있을 것입니다."

또 조사덕을 핵문하니 사덕이 말했다.

"행과 더불어 직접 면대해 선유(宣諭)를 받들었으니 잘못된 것이 없습니다."

헌부에서 아뢰었다.

"사덕은 망령되게 잘못 전했고[訛傳] 행은 예부에 물어보지 아니하고[不質] 일방적으로 사덕의 말만 믿었습니다. 청컨대 그들의 죄를 다스리소서."

상은 행이 통역하는 사람의 말을 믿은 것이라 하여 단지 사덕만 유배 보냈다.

○ 의정부에서 말씀을 올려 입조(入朝)하는 사신의 (사사로운) 매매(買賣) 행위를 금지하도록 청하니 그것을 따랐다. 아뢰어 말했다.

"금은(金銀)은 본국에서 나지 아니하므로 연례 진헌(年例進獻)[30]과 별례 진헌(別例進獻)[31]도 마련하여 준비하기[辦備]가 어렵습니다. (그런데) 입조하는 사신을 수행하는 사람들은 대체(大體)를 돌아보지 아니하고 몰래 금은을 끼고 가고, 또 저포(苧布)와 마포(麻布)를 많이 가지고 가고, 또 서울의 장사치[商賈]들이 몰래 압록강에 이르러 호송군(護送軍)을 꾀어서 이름을 바꿔 대신 가서 요동에 이르러 무역을 해 중국에 비웃음을 당하고 있습니다. 금후로는 사신의 행차는 엄격하게 고찰(考察)하여 전과 같이 못 하게 해야 할 것이요, 그 진헌하는 물색(物色)과 몸에 따른 행리(行李)[32]는 전에 정한 근수(斤數) 외에는 수량을 과잉(過剩)되게 싣고 가지 못하게 해야 할 것입니다. 만일 법령을 어겨 현저하게 드러나는 자에 대해서는 사신과 서북면 도순문사(西北面都巡問使)가 헌사(憲司)로 하여금 엄격하게 다스리도록 하여 범인은 가산(家産)을 적몰(籍沒)하고 몸을 수군(水軍)에 채워 넣게 해야 합니다."

---

30 해마다 중국에 정조사(正朝使), 동지사(冬至使), 성절사(聖節使)를 파견할 때 의례적으로 보내던 물건으로 인삼(人蔘), 저포(苧布), 마포(麻布) 등을 가리킨다.

31 특별한 일이 있을 때 중국에 보내던 물건으로 그 물목(物目)은 일정하지 않았다.

32 여행자가 휴대하는 행장(行裝)이다.

○사간원에서 토목의 역사를 정지할 것을 다시 청했다. 소는 이러했다.

'근래에 토목의 역사 때문에 소를 올려[上達] 전하의 유의(留意)하심을 입었는데 이에 말씀하기를 "군인은 조만간[不日] 돌려보낼 것이요, 재목은 태상궁(太上宮)에 쓸 것이다"라고 하셨습니다. 신 등이 가만히 보건대 근래에 신도(新都)의 역사로 인해 물가에 있는 산은 거의 다 벌목(伐木)했습니다. 이로 인해 (지금은) 벌목하는 자가 깊은 산골에 들어가야 겨우[僅] 쓸 만한 재목을 얻을 수 있습니다. 길이 험하고 운반이 힘들어 백성의 힘이 고달프고 농사짓는 소가 죽으니[物故] 어찌 능히 농사를 잘 지어서[易=治] 추수하는 기쁨[西成之慶][33]을 누릴 수 있겠습니까? 또 신도에는 이전의 대궐이 오히려 완전하고 새 궁궐이 이미 이룩되었으므로 신 등은 다시 지을 장소가 없을까 두렵습니다. 태상왕의 궁(宮)은 각 도에서 선공감(繕工監)에 연례 공납(年例貢納)하는 재목으로 그 용도에 이바지해도 부족하지 아니할 것입니다. 엎드려 바라옵건대 지금 충청도와 강원도 두 도에 별례 공납(別例貢納)하는 재목을 곧 정지시켜 전하가 백성들을 불쌍히 여기시는 뜻을 보이셔야 합니다.'

상이 의정부에 내려 깊이 토의하게 하고 또 따르지 않을 뜻을 슬쩍 보이니[微示] 의정부에서 뜻에 맞춰[希旨] 말했다.

"외방의 재목은 베기를 이미 끝마쳤으니 오직 운반만 하는 것은

---

33 서성(西成)은 가을철의 일을 완성하는 것이니 곧 가을걷이를 말한다. 『서경(書經)』 「요전(堯典)」편에 나오는 말이다.

며칠 안 걸리는 일입니다. 만약 농사철에 이르게 되면 곧 정지함이 마땅합니다."

○ 처음으로 별와요(別瓦窯)[34]를 두었다. 의정부 참지사 이응(李膺)을 제조(提調), 전 전서(典書) 이사영(李士穎)과 김광보(金光寶)를 부제조(副提調)로 삼고, 중 해선(海宣)을 화주(化主)[35]로 삼았다. 해선이 일찍이 나라에 말했다.

"신도(新都)의 대소 인가(大小人家)가 모두 띠[茨=茅]로 집을 덮어
_{자 모}
중국(中國) 사신이 왕래할 때 보기가 아름답지 못하고 또 화재가 두렵습니다. 만약 별요(別窯)를 설치하고 저에게 기와 굽는 일을 맡겨 사람마다 값을 내고 이를 사 가도록 허락한다면 10년이 되지 않아 성안의 여염(閭閻)이 모두 기와집[瓦屋]이 될 것입니다."
_{와옥}

나라에서 옳다고 여겨 여러 도(道)에서 승려와 장인[僧匠]을 차등
_{승장}
있게 징발해 그 역(役)에 나아가도록 했다. 충청도와 강원도에서 각

---

34 이때인 1406년(태종 6년)에 승려 해선(海宣)의 청원으로 처음 설치됐으며 설치 당초부터 와서(瓦署)와 같이 제조(提調)와 부제조(副提調) 등 관리를 두었다. 그러나 실제 운영은 해선을 화주(化主)로 삼아 담당하게 하고 기술자를 제외한 일반 노무자 역시 승려들을 각 절에서 동원하여 충당했다. 별와요는 한때 기근으로 인한 수요 감퇴로 폐지되었다가 1424년(세종 6년)에 해선이 다시 설치할 것을 건의했고 또 새로운 운영 방안도 제시됐다. 1431년에는 서울의 동북부와 서남부, 중부에 별와요 각 1개소씩을 증설했다. 관설 제와장으로서의 별와요는 그 설치 목적이 민수용 기와를 공급하는 데 있었고, 따라서 공급 대상도 양반가보다 일반 민가에 치중하여 보급하려 했다. 그러나 그 운영을 승려들이 주관하고 있었으므로 관설 제조장이면서도 영리를 추구하게 돼 제품은 서민층보다 구매력이 높은 양반층을 대상으로 판매됐다. 임진왜란 이후 사영 제와장이 발전함으로써 민수용 기와는 물론 관수용 기와까지도 사영 제와장이 공급하게 돼 이때에 와서는 유명무실화하고 별와요는 폐지됐다.

35 불교 용어다. 신도들의 집을 돌며 절에 필요한 양식, 물건, 비용 등의 시물(施物)을 얻는 소임 또는 그 일을 맡은 승려를 가리킨다.

각 승려 50명과 와장(瓦匠) 6명이요, 경상도에서 승려 80명과 와장 10명이요, 경기도와 풍해도에서 각각 승려 30명과 와장 5명이요, 전라도에서 승려 30명과 와장 8명이었다.

○ 산천단(山川壇)[36]을 고쳐 쌓도록 명했다. 예조에서 아뢰었다.

"산천단이 숭례문(崇禮門) 밖 마을 사이에 있어서 불편합니다. 청컨대 남산(南山)의 남쪽[陽][37] 율현(栗峴)[38] 서동(西洞)에 단(壇)을 쌓게 해야 합니다."

그것을 따랐다.

---

36 산천에 제사를 지내는 제단이다. 주로 기우제 등을 지낸다.

37 산의 남쪽은 양(陽), 북쪽은 음(陰)이라 하고 강의 남쪽은 음(陰), 북쪽은 양(陽)이라 한다. 한양(漢陽)은 곧 한강의 북쪽이라는 뜻이다.

38 서울 남산 기슭의 후암동과 용산고등학교가 있는 방향으로 가기 위해서는 밤고개를 넘어야 한다. 고갯마루에 밤나무가 많은 데서 붙여진 이름이다.

壬辰朔 上率世子百官 遙賀帝正. 坐正殿受朝賀 宴群臣
임진 삭 상 솔 세자 백관 요하 제정 좌 정전 수 조하 연 군신

吾都里 兀良哈 日本客使 皆與朝. 上曰: "受日本使之朝 無乃僭
오도리 올량합 일본 객사 개 여조 상왈 수 일본 사지조 무내 참

歟? 且以鄰國之使 在於拜列 似未便也." 左右對曰: "振古如茲."
여 차이 인국 지사 재어 배열 사 미편 야 좌우 대왈 진고 여자

賜群臣宴 日本客使 皆坐於殿上.
사 군신 연 일본 객사 개 좌어 전상

癸巳 日珥.
계사 일이

丙申 司憲府上疏請左副代言孟思誠及判典醫監事李舟 監
병신 사헌부 상소 청 좌부대언 맹사성 급 판 전의감 사 이주 감

平原海罪 原之. 上餌李舟 原海等所劑桑螵帩元 嘔吐悅惚 乃使
평원해 죄 원지 상 이 이주 원해 등 소제 상표초 원 구토 황홀 내사

當直上護軍權希達等服之 其毒亦然. 司憲府劾舟 原海及藥房
당직 상호군 권희달 등 복지 기독 역연 사헌부 핵주 원해 급 약방

代言孟思誠等. 疏曰:
대언 맹사성 등 소왈

'君有疾飲藥 臣先嘗之; 父有疾飲藥 子先嘗之 所以重君父而
군 유질 음약 신 선상 지 부 유질 음약 자 선상 지 소이 중 군부 이

愼醫藥也. 今舟與原海劑御藥 失炮灸之節 遂使上體不寧 其不敬
신 의약 야 금 주 여 원해 제 어약 실 포구 지절 수사 상체 불녕 기 불경

不忠之罪大矣. 思誠承命監劑 不能精察 殊失先嘗之義 亦不可
불충 지죄 대의 사성 승명 감제 불능 정찰 수실 선상 지의 역 불가

不懲.'
부징

上召掌令李明德諭之曰: "君飲藥 臣先嘗之 禮也 予不使臣
상 소 장령 이명덕 유지 왈 군 음약 신 선상 지 예야 여 불사 신

先嘗 予之過也 非臣下之罪也. 且舟等豈有心於病我哉? 其①勿
선상 여지 과야 비 신하 지죄 야 차 주 등 기 유심 어병 아재 기 물

更論."
갱론

32

丁酉 奏聞使戶曹參議李玄回自京師. 玄齎禮部咨文而來. 咨曰:

'永樂三年十二月初四日 準朝鮮國咨: "該陪臣李行等自京師

回 傳欽奉 '該猛哥帖木 怎麽不送將來? 爾回去 國王說的 更送

他來.' 等項 緣由 差陪臣李玄 齎文移咨施行." 查得 本年七月

二十五日早 本部官將引差來人李行等於奉天門 題奏合無回與

他國王文書 奉聖旨: "着使臣每回去 無文書與他. 他的奏詞 與

猛哥帖木說的多不同 等猛哥帖木來時 自有說話." 欽此. 當卽

李行等面聽聖旨 本部又將前因 再行傳與各人 回還去訖. 今咨

前因 查與元奉旨意不同 現是陪臣李行等所傳差訛 理合移咨

本國知會. 今後一應事務 須憑文書爲準. 又有口傳事理 宜字細

參詳施行.'

禮部官又謂玄曰: "汝國在前自云: '不與日本交通.' 今朝廷

使臣回自日本 告曰: '朝鮮使臣 先已在彼矣.' 又皇帝已招安

童猛哥帖木 不因汝國 汝知之乎? 汝國言: '將令猛哥帖木入朝.'

此汝國之奸軌也." 時日本使適入朝 朝廷賞賜甚厚 且序其班於

李玄之上云.②

賜女眞萬戶檢校漢城尹崔也吾乃酒十瓶.

戊戌 給白嶽城隍神祿. 前比 給祿於松嶽城隍神 以定都漢陽

故移給之.

庚子 上親祼宗廟 率百官詣德壽宮問安 進梅花一盆獻壽 太上

爲之罄懽.
위지 경환

辛丑 遣戶曹判書李至 祈穀于圓壇.
신축 견 호조 판서 이지 기곡 우 원단

賑豐海道飢. 都觀察使申浩報: '信州 文化 安岳 載寧等數郡
진 풍해도 기 도관찰사 신호 보 신주 문화 안악 재령 등 수군

失農尤甚 請以各官所儲陳米太及乙酉年先納眞麥賑濟.' 從之.
실농 우심 청 이 각관 소저 진미 태 급 을유년 선납 진맥 진제 종지

癸卯 太白犯歲星.
계묘 태백 범 세성

甲辰 宥鄭擢 京外從便. 司憲府再上疏以爲不可 皆不允.
갑진 유 정탁 경외 종편 사헌부 재 상소 이위 불가 개 불윤

禁公私宴飮. 司憲府上言 水旱相仍 禾穀不登 公私用度窘竭
금 공사 연음 사헌부 상언 수한 상잉 화곡 부등 공사 용도 군갈

故也.
고야

前忠淸道兵馬都節制使金用超卒 賜祭于殯. 用超 義城縣人 性
전 충청도 병마도절제사 김용초 졸 사제 우 빈 용초 의성현 인 성

質直 有武才. 三子 華 鏡 鑑.
질직 유 무재 삼자 화 경 감

丁未 月入太微.
정미 월입 태미

忠淸 江原道丁夫三千至都. 德壽宮 昌德宮赴役各一千名;
충청 강원도 정부 삼천 지도 덕수궁 창덕궁 부역 각 일천 명

漢城府六白名 掌開鑿川渠; 軍資監 豐儲 廣興倉 司醞署 各一百
한성부 육백 명 장 개착 천거 군자감 풍저 광흥창 사온서 각 일백

名 掌修葺廨宇.
명 장 수즙 해우

日本國志佐殿使人詣闕辭 賜衣服有差 命饋之. 遣志佐殿銀鍾
일본국 지좌전 사인 예궐 사 사 의복 유차 명 궤지 견 지좌전 은종

銀盂各一事 苧麻布各五匹 虎豹皮各二張 松子一百斤 米豆各
은우 각 일사 저 마포 각 오 필 호 표피 각 이장 송자 일백 근 미두 각

一百石.
일백 석

命置柳靑 兀良哈 多時昆車等十九人于吾音會. 東北面察理使
명치 유청 올량합 다시곤거 등 십구 인 우 오음회 동북면 찰리사

啓兀狄哈等來投也.
계 올적합 등 내투 야

戊申 西方有赤氣.
무신 서방 유 적기

己酉 司憲府復請孟思誠 李舟等罪 不允.
기유　사헌부　부청　맹사성　이주　등죄　불윤

倭船六艘 寇長興府 周浦 掠兵船一艘而去.
왜선　육　소　구　장흥부　주포　약　병선　일소이거

壬子 兀良哈萬戶甫里等詣闕賜 賜甫里衣一襲 笠 靴 千戶古里
임자　올량합　만호　보리　등예궐　사　사　보리　의　일습　입　화　천호　고리

等三人各衣 笠 命饋於東廂.
등　삼인　각의　입　명궤　어　동상

吾都里千戶金回大 兀良哈千戶金著和等六人 來獻正朝土物
오도리　천호　김회대　올량합　천호　김저화　등　육인　내헌　정조　토물

各賜縣苧布各一匹.
각사　면　저포　각　일필

乙卯 流星出井入昴 形如龍 色正靑. 書雲司辰魏思玉當直
을묘　유성　출정입묘　형여용　색정청　서운　사진　위사옥　당직

不之覺③ 下巡禁司杖六十 罷之.
부지각　하　순금사　장　육십　파지

丙辰 以朴訔爲全羅道都觀察使 趙璞西北面都巡問使 權軫
병진　이　박은　위　전라도　도관찰사　조박　서북면　도순문사　권진

江原道都觀察使 復以孟思誠爲左副代言.
강원도　도관찰사　부이　맹사성　위　좌부대언

賜慶尙道都節制使柳龍生酒. 慶尙道乃而浦水軍萬戶辛息所管
사　경상도　도절제사　유용생　주　경상도　내이포　수군　만호　신식　소관

千戶李賢阜 捕倭船一艘以聞 遣李順蒙 賜龍生酒 賜息綺絹各
천호　이현부　포　왜선　일소　이문　견　이순몽　사　용생　주　사　식　기견　각

一匹 賢阜縣布各一匹 格軍每一名米太各一石. 領船頭目 射官
일필　현부　면포　각　일필　격군　매　일명　미태　각　일석　영선　두목　사관

命錄名以聞 將以賞職也.
명　녹명　이문　장이　상직　야

丁巳 賜降倭林溫 藤昆 吳文 朴生等襦衣各二 山南人玉芝
정사　사　항왜　임온　등곤　오문　박생　등　유의　각　이　산남　인　옥지

吳仁 羅萬 羅道 朴南等縣布紬布各一匹 縣子一斤. 時 倭寇侵掠
오인　나만　나도　박남　등　면포　주포　각　일필　면자　일근　시　왜구　침략

沿海之地 溫等求從軍自效 故賞而遣之.
연해　지지　온등구　종군　자효　고상이　견지

倭船十六艘寇濟州 州兵擊却之 斬一級.
왜선　십육　소구　제주　주병　격각　지　참　일급

戊午 司諫院上書請止土木之役.
무오　사간원　상서　청지　토목　지역

賜左軍摠制金繼志 右軍摠制李密等十人田口有差. 錄壬午東北
사　좌군　총제　김계지　우군　총제　이밀　등　십인　전구　유차　녹　임오　동북

之功也. 下旨曰:

'繼志與密 奮不顧身 見義深入 以杜患難 可爲一等 賜田五十

結 奴婢五口. 上護軍朴淳 護軍宋琉 徇義輕生 欲沮患難 以致

殞身; 上護軍金玉謙 盡心徇義 首先來告 可爲二等 賜田四十結

奴婢四口. 慶尙道都觀察使金希善 東北面都巡問使呂稱 前廣州

牧使金廷雋 盡心徇義 備預圖寧; 上護軍安遇世 崔沮 盡心徇義

逃難來歸 可爲三等 賜田三十結 奴婢三口.'

己未 遣中軍摠制偰眉壽如京師. 賀聖節也. 命吏曹:"自今每當

使臣入朝之時 以醫員一人 於押物打角夫中差遣 貿易藥材."

流前軍資監曹士德于春州. 初 判漢城府事李行 以計稟使

入朝 還傳宣諭曰:"童猛哥帖木宜發赴京." 朝議未決 旣而 聞

猛哥帖木已自赴京 乃急遣李玄 及猛哥帖木未至 徑奏之. 禮部

官曰:"宣諭之旨 本不如此" 乃以錄本示之 移咨本國曰:"李行

誤傳聖旨矣." 憲府劾問行 行曰:"吾不曉華語 惟憑舌人耳. 其時

日錄具在 可考也." 又劾曹士德 士德曰:"與李行面奉宣諭 非誤

也." 憲府啓:"士德誣妄訛傳; 李行不質諸禮部 偏信士德之言

乞治其罪."上以行憑舌人之言 只流士德.

議政府上言 請禁入朝使臣買賣 從之. 啓曰:"金銀不産本國

年例別例進獻 亦難備辦. 入朝使臣從行人等 不顧大體 潛挾金銀

且多齎苧麻布 又京中商賈潛至鴨綠江 說誘護送軍 冒名代行 至

遼東買賣 貽笑中國. 今後使臣行次 嚴加考察 毋得如前 其進獻

物色及隨身行李 依前定斤數外 不得剩數重載. 如有犯令現露者

使臣及西北面都巡問使 令憲司痛行糾理 將犯人籍沒家産 身充

水軍."

司諫院再請停土木之役. 疏曰:

'近以土木之役上達 蒙殿下留意 乃曰: "軍人則不日遣還 若

材木則太上所需." 臣等竊謂近因新都之役 水濱之山 伐之幾盡.

是以伐木者 采入山谷 僅得可用之材. 道途之阻 轉輸之苦 民力

勞瘁 耕牛物故 安能易其田疇 得見西成之慶乎? 且新都舊闕

尙完 新宮旣成 臣等恐更無營構之所矣. 若太上之宮 則將各道

繕工監年例之材 以供其用 不爲不足. 伏望今忠淸 江原兩道別例

材木 卽令停止 以示殿下恤民之意'

下議政府擬議 且微視以不從之意. 政府希旨言: "外方材木

伐之已畢 惟轉輸不日事也. 若至農時 卽當停罷."

始置別瓦窯. 以參知議政府事李膺爲提調 前典書李士穎

金光寶爲副提調 僧海宣爲化主. 海宣嘗言於國曰: "新都大小

人家 皆蓋以茨 於上國使臣往來 瞻視不美 且火災可畏. 若置

別窯 使予掌以燔瓦 許人人納價買之 則不滿十年 城中閭閻 盡

爲瓦屋矣." 國家然之. 發諸道僧匠有差 使赴其役. 忠淸 江原道

各僧五十名 瓦匠六名 慶尙道僧八十名 瓦匠十名 京畿 豐海道

各僧三十名 瓦匠五名 全羅道僧三十名 瓦匠八名.
각승 삼십 명 와장 오명 전라도 승 삼십 명 와장 팔 명

命改築山川壇. 禮曹啓: "山川壇在崇禮門外閭里間 不便. 乞於
명 개축 산천단 예조 계 산천단 재 숭례문 외 여리 간 불편 걸 어

南山之陽栗峴西洞 築壇." 從之.
남산 지 양 율현 서동 축단 종지

| 원문 읽기를 위한 도움말 |

① 其勿更論. 여기서 其는 '이에[於是]' 또는 '그래서[故]'의 뜻이다.
기 물 갱론 기 어시 고

② 且序其班於李玄之上云. 이때 云은 '~했다고 한다'는 간접의문문을 만들
차 서 기 반 어 이현 지 상 운 운
어준다.

③ 不之覺. 不覺之가 도치된 것이다.
부지각 불각 지

38

태종 6년 병술년
2월

二月

임술일(壬戌日-1일) 초하루에 각 도 도관찰사에게 왕지부월(王旨斧鉞)[1]을 주지 말 것을 명했다. 의정부에서 아뢰었다.

"왕지부월은 외방(外方) 사람이 늘상 있는 일로 보아 공경하거나 두려워하는 바가 없습니다. 지금부터는 평상시에는 이를 정지하고 만일 긴급하게 변방의 변고가 있은 뒤에야 내려주어 보내야 합니다."

그것을 따랐다.

○ 공안부(恭安府)[2] 소윤(少尹) 신임(申臨)을 강원도에 보내 벌목하고 운반하는 일을 독려하게 했다.

을축일(乙丑日-4일)에 서북(西北-평안도) 백성들이 강을 건너 매매(買賣) 행위를 하는 것을 금지했다. 의정부에서 아뢰었다.

"의주(義州) 백성 주부개(朱夫介) 등 4인이 몰래 마필(馬匹)을 가지고 국경 밖의 사람에게 팔았다가 일이 발각되어 도망 중에 있고, 성주(成州-평안도 성천)의 중 해선(海禪)은 동북면(東北面-함경

---

1 외방에 나가는 사신이나 관원에게 임금이 직접 내려주던 작은 도끼와 큰 도끼를 가리킨다. 부월(斧鉞)은 왕명(王命)이나 왕지(王旨)를 상징하는 것이기 때문에 이렇게 부르는데 곧 현지에서의 살생권(殺生權)을 위임받는다는 뜻이 들어 있다.
2 상왕(上王)인 정종(定宗)의 공어(供御)를 맡아보던 관아다.

도)을 거쳐 마침내 강을 건너서 깊이 들어갔습니다. 빌건대 동북면 각호(各戶)의 마필은 그 털빛[毛色]과 나이[齒歲]를 상고하여 문적(文籍)에 기록하고 낙인을 찍을 것이며, 만일 매매하거나 죽거나 잃은 것이 있으면 반드시 관(官)에 고하게 해야 합니다. 그 낙인이 없는 말과 각 도의 행장(行狀)[3]이 없이 갔다가 돌아오는 자는 모두 다른 사람이 진고(陳告-신고)하는 것을 허락하여 말 1필마다 베 50필을 징수해 진고한 사람에게 상(賞)으로 충당해주도록 하고, 말 주인[馬主]은 법률에 의해 죄를 결정하고 마필은 관에서 몰수해야 합니다. 행장(行狀)이 없는 승려는 다른 사람이 진고하는 것을 허락하여 승려가 가진 물건을 거둬서 진고한 사람에게 상으로 충당해주고, 그 승려는 각각 그 본적지에 선군(船軍)으로 채워 넣게[充定] 해야 합니다."

그것을 따랐다.

○ 동북면의 굶주림을 진휼했다. 도순문사 여칭(呂稱)의 보고를 따른 것이다.

병인일(丙寅日-5일)에 사헌부에서 소를 올려 용관(冗官)[4]을 쓸어 없앨 것[汰=汰去]을 청했다. 소는 대략 이러했다.

'국가에서 전조(前朝-고려)의 폐단을 없애고 새로운 한 시대[一代]의 제도를 세워 일찍이 용관을 쓸어 없앴으나 도태하지 못한 것이 아직

---

3   여행증이나 통행증을 뜻한다.
4   놀고먹는 쓸데없는 관직을 뜻한다.

도 많습니다. 한성부(漢城府)[5]와 같은 데에 판사(判事)[6]와 윤(尹)[7]이 있으면 겸판사(兼判事)와 겸윤(兼尹)을 두는 것은 마땅하지 않습니다. 유후사(留後司)[8]는 유후(留後)가 있으면 부유후(副留後)가 있을 필요가 없습니다. 삼군(三軍)에는 마땅히 도총제(都摠制), 총제(摠制), 동지총제(同知摠制) 각각 1인씩을 두어야 하지만 첨총제(僉摠制)는 없앨 수 있습니다.[9]

---

5   개성부(開城府) 제도(制度)를 그대로 계승했다. 1392년 7월 17일 개성 수창궁(壽昌宮)에서 고려왕조를 대신하여 왕위에 오른 태조 이성계(李成桂)는 고려왕조의 직제에 따라서 개성부에 판윤(判尹-판사) 2명, 윤(尹) 2명, 소윤(少尹) 2명, 판관(判官) 2명을 두었으며 1394년 11월 26일 한성(漢城)으로 천도한 후에 한양부(漢陽府)를 한성부로 개칭하고 판사(判事)를 판부사(判府事)로 개칭했다.

6   국초(國初)에 각 관아(官衙)의 으뜸 벼슬로, 삼사(三司)의 판삼사사(判三司事-종1품), 중추원(中樞院)의 판중추원사(判中樞院事-정2품), 도평의사사의 판도평의사사(判都評議使司事), 내시부의 판내시부사(判內侍府事-종2품), 사평부(司平府)의 판사평부사(判司平府事), 사평순위부(司平巡衛府)의 판사평순위부사(判司平巡衛府事), 내부시의 판내부시사(判內府寺事-정3품), 사농시의 판사농시사(判司農寺事-正三品), 전중시(殿中寺)의 판전중시사(判殿中寺事-정3품), 종부시(宗簿寺)의 판종부시사(判宗簿寺事-正三品), 상서사(尙瑞司)의 판상서사사(判尙瑞司事), 전농시(典農寺)의 판전농시사(判典農寺事), 통례문(通禮門)의 판통례문사(判通禮門事), 합문(閤門)의 판합문사(判閤門事) 등에 두었다. 그 후에 『경국대전』의 편찬으로 관제가 정비돼 돈녕부(敦寧府)와 의금부의 판사만 남고 다른 관아의 판사는 모두 제조로 대치되는데 1품은 도제조(都提調), 2품은 제조, 3품은 부제조(副提調)라고 했다. 돈녕부·의금부의 판사를 각각 판돈녕부사·판의금부사라 했고, 품계는 종1품이었다. 한성부 판사 혹은 판한성부사는 한성부(漢城府)의 으뜸 벼슬로 품계는 정2품이며 1466년(세조 12년)에 한성부윤(漢城府尹)으로 고쳤다.

7   중국에서는 전국시대에 초(楚)나라가 재상을 윤이라고 불렀고 그 후에 한나라 때부터는 수도권의 장관으로 군수와 동격이다. 전한(前漢) 때에는 장안의 경조윤, 후한(後漢) 때에는 낙양의 하남윤이 있었다. 우리에게도 이런 전통이 이어져 주로 수도권 책임자를 윤이라고 불렀다.

8   조선 초기에 개성(開城)을 맡아 다스리던 유후(留後)가 행정 사무를 보던 관아다. 1394년(태조 3년)에 도읍을 개성에서 한양(漢陽)으로 옮기고 그 이듬해에 개성부를 다스리는 관아인 부(府)를 유후사(留後司)로 고쳐 유후, 부유후(副留後) 등의 관원을 두었다. 1438년(세종 20년)에 다시 유후사를 부로 고치고 유수(留守), 부유수(副留守) 등을 두었다.

9   조선 건국 후 최고 군령 기관인 삼군도총제부는 1393년(태조 2년) 의흥삼군부(義興三軍府)로, 이어서 1401년(태종 1년) 사병(私兵) 혁파와 함께 승추부(承樞府)로 개편됐다. 그러나 중앙군은 여전히 중·좌·우의 3군으로 편제돼 각 군의 도총제(都摠制), 총제(摠制), 동

승녕부(承寧府)[10]와 공안부(恭安府)에는 마땅히 사윤(司尹)을 두어야 하지만 판사와 윤은 없앨 수 있습니다. 십사(十司)에는 각각 상호군 1명, 대호군 2명을 두었으나, 순금사(巡禁司)와 호위사(扈衛司)[11]에는 마땅히 다른 관원으로 하여금 그것을 겸임하게 해야 할 것입니다. 단지 이뿐만이 아니라[不寧惟是] 그 여러 관료(官僚) 중에서 없앨 만한 불녕 유시 것과 줄여야 할 만한 것이 어찌 없겠습니까? 성중애마(成衆愛馬)[12]의

지총제(同知摠制) 등이 의흥삼군부 또는 승추부로부터 군령을 전달받아 다시 각 군에 소속된 하급부대에 전달하고 있었다. 그 후 이들 3군의 총제들을 묶어서 1403년 독자적 군령 기관으로 다시 삼군도총제부를 설치했고 이때 첨총제(僉摠制)가 추가로 설치됐다. 관직으로는 3군에 각각 도총제, 총제, 동지총제, 첨총제 외 겸총제(兼摠制) 또는 겸상호군 (兼上護軍)을 두었다. 또한 경력(經歷), 도사(都事) 이하의 행정직도 각각 설치돼 군별로 도총제부가 기능하는 형태를 갖췄다.

10 조선 태조가 정종에게 양위하고 태상왕(太上王)으로 있을 때 세운 관서다. 1400년(정종 2년) 6월 왕세제 방원(芳遠)의 간청으로 태상궁(실제는 상왕궁)을 세워 궁호를 덕수궁, 부호를 승녕부라 했다. 그리고 관제를 정해 반차(班次)를 삼사(三司) 1인, 윤(尹) 2인, 소윤 (少尹) 2인, 판관(判官) 2인, 승(丞) 2인, 주부(主簿) 2인을 설치했다. 이어서 판사 우인렬 (禹仁烈) 등이 상왕전에 나가 하례(賀禮)를 올리자 상왕의 노여움이 조금 풀렸다는 기록이 실록에 보인다. 승녕부는 그 뒤 1408년(태종 8년) 5월 태상왕이 돌아가 삼년상을 치르고 다음 해 6월에 전농시(典農寺)에 합병됐다.

11 조선시대 충호위(忠扈衛)를 가리킨다.

12 성중관(成衆官)이라고도 했다. 고려 전기에는 내시(內侍), 다방(茶房), 별감(別監), 사의(司衣), 사이(司彝), 사순(司循), 사문(司門), 사준(司樽), 사옹(司饔) 등 문반(文班)에 소속돼 숙위(宿衛)하거나 왕에게 근시(近侍)한 궁관(宮官)을 이르던 말이었다. 몽골의 간섭이 시작된 고려 후기 이후에는 궁중 시위(侍衛) 강화의 필요에 따라 둔 충용(忠勇), 우달치(迂達赤), 속고치(速古赤-시구르치), 별보(別保) 등의 시위군사까지도 성중관이라 하여 동일 관서에 수십·수백 명씩 집단을 이뤄 소속된 하급관리를 지칭하게 됐다. 조선시대에는 고려 이래의 궁관(宮官)과 시위군사 이외에 녹사(錄事), 지인(知印) 등 서리 (胥吏)와 별시위(別侍衛), 내금위(內禁衛), 충순위(忠順衛), 충의위(忠義衛), 충찬위(忠贊衛), 족친위(族親衛) 등에 소속된 금위군사(禁衛軍士) 및 상림원(上林園), 도화원(圖畵院), 액정서(掖庭署), 전악서(典樂署) 등의 잡직(雜職) 관서의 관리, 봉상시(奉常寺) 소속의 재랑(齋郞)·무공(武工) 등 제관(祭官), 각사(各司)의 영사(令史)·서리(書吏)·연리(掾吏)·전리(典吏) 등 이전(吏典), 사헌부(司憲府)의 감찰, 삼관(三館)의 봉례(奉禮), 각 전(殿)의 행수(行首)와 견룡(牽龍) 등 동일 관서에 집단으로 소속된 관리를 성중관 혹은 성중애마라고 했다.

44

경우에도 별시위(別侍衛)[13]와 별사금(別司禁)이 있으면 응양위(鷹揚
衛)[14]는 폐지하는 것이 좋습니다. 바라건대 정부(政府)와 전조(銓曹-
이조와 병조)로 하여금 벼슬 이름에 따라 실상을 점검하여 없애고 줄
이기[汰省]를 정밀하게 해야 합니다. 그리고 도목(都目)에서 거관(去
官)하는 자의 경우 3품을 허락하지 않음으로써 명기(名器-벼슬)를 무
겁게 해야 할 것입니다."[15]

의정부에 내려 말했다.

"도목(都目)에 거관(去官)하는 법을 깊이 토의하여 보고하라."

의정부에서 말씀을 올렸다.

"3품의 직임(職任)은 매우 중요하므로 오로지 뛰어난 인재[賢材]를
써서 조정을 높이는 것입니다. 고려 공민왕(恭愍王) 때 성중관(成衆
官)으로서 도목(都目)에 우두머리가 되는 자는 뛰어난지 어리석은지
[賢愚]는 논하지 않고 3품으로 거관(去官)하게 하여 명기(名器)를 어
지럽게 했습니다. 이제 국초(國初)를 당해 쇠잔한 시대의 일을 법으
로 삼을 수는 없으니 무릇 3품 도목에 오른 자를 일절 없애고 다만
4품으로만 거관(去官)하게 해야 합니다. 그 전에 4품에 도목에 오른
자는 주상전(主上殿) 행수(行首-관직명으로 일종의 호위병이다) 외에

---

13 1400년(태종 1년)에 고려 말 이래의 성중관(成衆官)을 폐지하는 대신 설치한 국왕의 친병
    이었다가 뒤에 위병(衛兵)으로 바뀌었다.
14 친위부대의 하나다.
15 도목이란 곧 도목정사(都目政事)를 가리킨다. 도목정사란 음력 6월과 12월에 이조와 병조
    에서 중앙과 지방의 관리의 치적을 종합 조사하여 그 결과에 따라 영전, 좌천 또는 파면
    을 시키던 일이다. 거관이란 임기를 마치고 떠나는 것인데 3품 이상은 이조나 병조의 인
    사 대상에서 배제해야 한다는 뜻이다.

각전(各殿) 행수(行首)는 다만 5품으로 거관(去官)하도록 허락하며, 수녕부(壽寧府) 행수(行首)·견룡(牽龍)[16]으로서 직무를 맡은 바가 없는 것은 마땅히 혁거(革去)해야 할 것입니다."

그것을 따랐다.

○ 단주지사(端州知事)[17] 어사한(魚思漢)의 직첩을 거두고 외방부처(外方付處)했다. 사한(思漢)이 내승(內乘)[18]의 종마(種馬)에게 먹일 콩을 훔쳐서 썼고 또 천호 정인기(鄭仁奇)가 준 말을 (뇌물로) 받았기 때문이다.

정묘일(丁卯日-6일)에 한간(韓幹)을 (경기도) 여흥(驪興)으로 유배 보냈다. 검교(檢校) 공조참의 한간은 본래 내수(內豎-내시)였다. 요리[烹飪]를 잘해 총애를 받아 상림원(上林園)[19] 별좌(別坐)가 됐는데 그
팽임

---

16 고려시대 궁궐을 지키던 숙위군(宿衛軍)이다. 주로 대전(大殿)을 숙위했지만, 동궁(東宮)을 숙위하는 동궁견룡이 따로 설치돼 있었으며 충렬왕 때부터는 제비주부(諸妃主府)의 숙위에도 동원됐다. 또한 국왕의 의위(儀衛)와 왕태자의 노부(鹵簿)에도 시종했다. 견룡지유(牽龍指諭)·견룡행수(牽龍行首) 등의 직제가 갖춰져 있었으며, 산원(散員)·대정(隊正) 등 말단 무관으로서 충당됐다. 그러나 항상 국왕과 가까이하여 총애를 받았으므로 권귀(權貴)의 자제들이 다퉈 이 자리에 오르려 했다 한다. 1274년(충렬왕 1년) 숙위 조직으로서 홀치(忽赤)가 설치된 이후에도 폐지되지 않았다. 그러나 설치 및 폐지 시기와 조직, 규모 등에 대해서는 구체적으로 자세히 알 수 없다. 이 기록을 보면 조선 초에도 유지됐음을 확인할 수 있다.

17 단주는 본래 여진족(女眞族)이 차지했던 땅인데 1107년(예종 2년) 윤관(尹瓘)의 여진 정벌로 여기에 복주(福州)를 설치하고 방어사(防禦使)를 두어 다스렸다. 그 후 일시 원나라의 영토가 됐다가 공민왕(恭愍王) 때 수복해 1382년(우왕 8년) 단주로 개명하고 안무사(按撫使)를 두어 다스렸다. 1413년(태종 13년) 단천군이 됐다.

18 여말선초(麗末鮮初)에 궁중(宮中)의 승여(乘輿-가마)를 맡아보던 관아다.

19 원래는 중국 한나라의 궁궐 정원 이름이었다. 조선시대 장원서(掌苑署)의 옛 명칭이다. 1394년(태조 3년) 7월에 동산색(東山色)을 상림원으로 개칭하고 천신(薦新) 진상(進上)과

46

사(司)의 미곡을 훔쳐서 썼다. 사헌부에서 탄핵하여 죄줄 것을 청하니 명하여 순금사에 가두고 도둑질한 미곡을 징수하고서 유배를 보냈다.

○ 충청도 관찰사 성석인(成石因, ?~1414년)[20]이 글을 올려 토목의 역사를 정지할 것을 청했다. 글은 대략 이러했다.

'이제 상국(上國-중국)은 북쪽으로 맹가첩목아(猛哥帖木兒)를 초유(招諭)하고 남쪽으로 일본(日本)과 통호하면서 우리나라 이현(李玄)의 서열(序列)을 왜사(倭使)의 아래에 두었습니다.[21] 전하께서는 충청도와 강원도 두 도의 백성들을 징발하여 토목의 역사에 이바지하게 하고 또 두 도의 백성으로 하여금 재목을 많이 베게 하여[斫=伐] 백성의 힘이 빠질 대로 빠졌습니다[瘁]. 양전(量田)을 아직 끝마치지 못했는데 제련하는 일[吹鍊]이 날로 성하며 나무 베기를 다 하지 못했는바 공역(工役)을 바야흐로 일으키니 신은 근본(백성)을 튼튼하게 하고 백성을 우대하여 기르는[固本遵養] 도리가 아닌 듯하여 두렵습니다. 청컨대 나무 베는 역사를 정지하고 또 공역하는 정부(丁夫-장정)들을 놓아 보내야 합니다.'

사신 접대 등에 들어가는 각종 과일들의 공급을 관장했다. 1465년(세조 11년) 7월에는 다른 관서에서 취급하던 과실들을 모두 상림원에서 관장하도록 했다. 또한 배 등의 과수(果樹)를 직접 재배하기도 했는데 1466년(세조 12년) 1월에 장원서로 바뀌었다.

20 아버지는 창녕부원군(昌寧府院君) 성여완(成汝完)이고 형들이 성석린(成石璘)과 성석용(成石瑢)이다. 1377년(우왕 3년) 문과에 급제해 고려에서 지평(持平), 경연강독관(經筵講讀官)을 역임했다. 조선에서 강원도 도관찰사·충청도 도관찰사를 거쳐 경연관·대사헌, 예문관 대제학과 형조·호조·예조 등의 판서를 지냈다. 예조판서로서 조정의 일을 토의하던 중에 졸도해 순직했다.

21 이런 대외적 위기 상황에서 백성들을 힘들게 하면 곤란하다는 논지를 전개한 것으로 보이는데 생략하면서 너무 줄여 이 부분은 다소 생뚱맞아 보인다.

상이 글을 머물러두고 (유사에) 내려보내지 않았으나 부역하는 정
부가 추위에 어는[寒凍] 자가 많다는 말을 듣고 기한을 정해 독촉하
지 말 것을 명했다.
_{한동}

무진일(戊辰日-7일)에 이조(吏曹)에서 인재를 골라 뽑는[銓選]²² 법
을 올렸다.
_{전선}

'하나, 현관(顯官)²³ 6품 이상이 각각 산관(散官)²⁴ 3품 이하의 현량
(賢良)을 천거하되 그 출신 내력(出身來歷)과 문무(文武)의 재간(才
幹), 내외 조계(內外祖系)를 이름 밑에 갖춰 써서 본조(本曹-이조)에
올리게 한다. 일찍이 현임(顯任)을 지낸 자는 단지 직명(職名)만 쓰게
하며 사사로이 청하는 단자(單子)²⁵는 모두 금단한다.

하나, 문음(門蔭)과 공음(功蔭)²⁶을 서용(敍用-임용)하는 법은 이미
이뤄진 규정이 있으나 그 밖의 자제들은 벼슬에 나아갈[仕進] 길이
_{사진}
없다. 올해부터는 18세 이상으로서 재간(才幹)이 있는 자는 대소관
(大小官)으로 하여금 천거하게 하고, 아울러 내외 조부(內外祖父)의
직명을 기록하여 본조에 올리면 본조에서 서예(書藝)·산학(算學)·율

---

22 전(銓)은 '저울질하다[衡]'라는 뜻이다.
_형
23 조선시대 직사(職事-직무)가 있는 9품(九品) 이상의 문무관직(文武官職)을 이르는 말
   이다. 일명 실직(實職), 정직(正職), 정임(正任) 등으로 불리기도 했다. 반면 직함(職銜)은
   있으나 직사가 없는 것을 허직(虛職), 영직(影職)이라고 했다.
24 일정한 관직이 없고 관계(官階-품계)만 보유하던 관원을 말한다.
25 사람의 이름과 청탁 내용 등을 적은 종이를 가리킨다.
26 문음이나 공음은 둘 다 음서(蔭敍)제도다. 음서에도 여러 가지 유형들이 있지만 이 둘은
   각각 문무 5품 이상 관리의 자손을 대상으로 한 문음(門蔭)과 공신 자손이나 특별한 공
   훈이 있는 관리의 자손을 대상으로 시행한 공음(功蔭)을 가리킨다.

학(律學)으로 그 유능과 무능을 시험해 비로소 서용을 허락한다.

하나, 무릇 보거(保擧)[27]한 것이 탐오(貪汚)하고 불법한 자나 비열하고 재주가 없는 자나 일찍이 죄명(罪名)이 있는 자는 즉시 본조에서 헌사(憲司)로 이문(移文)하여 논죄한다.

하나, 수령으로서 그 직임에 적당치 아니한 자는 감사가 마땅히 임기에 구애됨이 없이 곧바로 내쫓아[貶黜] 실봉(實封)하여 보고한다.

하나, 서울과 지방의 대소관(大小官)이 천거한 모든 인재는 직품(職品)을 유형별로 나눠 일일이 기록해 책으로 만들고, 매번 전주(銓注-인사 선발)할 때를 맞아 그 품계에 따라 계문(啓聞-보고)하여 제수하게 하되 3년에 한 차례를 일정한 법규[恒式]로 삼는다. 만일 재주를 가진 이 가운데 빠뜨린 자가 있으면 연한에 구애됨이 없이 실봉하여 특천(特薦)하게 한다.'

○ 상속자가 없는 노비는 사촌에 한하여 나눠 주는[分給] 법을 폈다[申]. 의정부에서 말씀을 올렸다.

"형조도관(刑曹都官)의 장신(狀申-보고의 일종)에 의거하면 지난 을유년(乙酉年-1405년) 9월 판지(判旨) 가운데 있는 한 조문에 '자식이 없고 상속자가 없는 노비는 사촌에 한하여 나눠 주고 사촌이 없는 경우에는 속공(屬公)한다'라고 했는데 요즘 판지(判旨-임금의 뜻)가 있기 전(前)에 속공된 노비를 가지고 관(官)에 소송하는 자가 매우 많습니다. 빌건대 수판(受判) 전에 이미 일찍이 속공된 것은 거론하지 말고, 수판 이후에 자식이 없어 상속자가 없는 것부터 비로소 사촌에

---

27 현량(賢良)을 보증하고 천거하는 일을 말한다.

한해 지급하고, 사촌이 없는 경우에는 곧바로 속공하게 해야 합니다."

그것을 따랐다.

○ 항복한 왜인 등륙(藤陸), 등현(藤賢)에게는 주포(紬布), 면포(綿布), 유의(襦衣)를 내려주고 피고사지(皮古沙只)에게는 면포, 주포 각각 1필씩과 면자(綿子-목화씨) 1근을 내려주었다. 장차 전라도에서 왜적을 잡도록 하기 위함이었다.

기사일(己巳日-8일)에 상이 (태상왕이 머무는) 덕수궁(德壽宮)에 나아가 기거했다.

○ 일본 국왕의 사신인 승려 주당(周棠) 등이 궐에 이르러 하직하니 명하여 음식을 대접했다. 상관인(上官人)·부관인(副官人)에게 각각 청목면(青木綿) 1필, 홍주(紅紬) 2필, 육홍주(肉紅紬) 1필, 면자(綿子) 1근, 저마포(苧麻布) 6필, 초립(草笠) 1개, 위피화(韋皮靴) 양정구(涼精具)[28] 각각 1개씩을, 반인(伴仁) 6명에게는 각각 청목면(青木綿) 1필·홍주(紅紬) 1필·저포(苧布) 1필을, 선주(船主) 2명에게는 각각 청목면(青木綿) 1필·홍주(紅紬) 1필을, 통사(通事) 2인에게는 각각 청목면(青木綿) 1필·홍주(紅紬) 1필, 면자(綿子) 1근을 내려주었다.

경오일(庚午日-9일)에 동북면(東北面) 단주(端州-지금의 단천)에 흙비[土雨]가 총 14일 동안 내렸다.
토우

---

28 속을 시원하게 해주는 환약이다.

신미일(辛未日-10일)에 상이 동교(東郊)에서 매사냥[放鷹]을 구경하
고 고니[天鵝]를 잡자 즉시 덕수궁에 바쳤다. 날이 오후가 돼가도록
무릇 수라를 맡은 자[執膳者]가 모두 미처 진상(進上)하지 못했고
어가(御駕)를 따르는 내시와 더불어 술만 올리기에 그냥 궁으로 돌
아왔다. 대언 권완(權綏, ?~1417년)[29]이 아뢰어 말했다.

"이번에 수라를 맡은 자들이 미처 수라를 올리지 못했는데 어찌
그들을 다스리지 않습니까?"

상이 말했다.

"오늘 나가서 사냥한 것은 상례(常例)가 아니었다. 만약 이들을 벌
한다면 밖에 있는 사람들이 반드시 나를 입방앗거리[口實=託言]로
삼을 것이다."

○ 영성군(寧城君) 오사충(吳思忠, 1327~1406년)이 졸했다. 그 선대
는 연일현(延日縣) 사람이었는데 뒤에 영원진(寧遠鎭)으로 옮겼다. 아
버지 오순(吳洵)은 장원급제해 간의대부(諫議大夫)로 벼슬을 끝마
쳤다. 사충은 지정(至正) 을미년(乙未年-1355년)에 급제해 여러 관직
을 거쳐 사헌집의(司憲執義)와 좌사의 대부(左司議大夫)에 이르렀는

---

29 1390년(공양왕 2년) 대호군으로 연복사조성도감별감(演福寺造成都監別監)이 되어 공사를
지휘했다. 태종이 즉위하기 전부터 태종과 친분이 깊었던 까닭으로 이 무렵 승정원 대언
(承政院代言)으로 발탁됐고 그 후에 예문관 제학을 거쳐 계품사(啓稟使)가 되어 명나라
에 다녀왔다. 1411년 경기도 관찰사로 부임했는데 이듬해 조세 징수의 성적이 좋지 않고,
조운을 막히게 했다는 대간의 탄핵을 받고 영주로 유배되던 중 특사로 풀려났다. 1416년
휴관(休官) 중에 개인적으로 소장한 소합유(蘇合油) 3근을 지신사 유사눌(柳思訥) 등과
공모해 내약방(內藥房)에 들여보낸 사건으로 의금부에 하옥된 뒤 외방으로 유배됐으나
곧 풀려나 직첩을 환급받았다.

데 일을 만나면 과감하게 말해 쟁신(爭臣)[30]의 풍채가 있었다. 우리 태상왕이 즉위하자 호조전서(戶曹典書)를 제수하고 익대개국공신(翊戴開國功臣)의 호(號)를 내려주었다. 갑술년(甲戌年-1394년)에 중추원 부사(中樞院副使)에 오르고 교주(交州) 강릉도(江陵道) 관찰사가 되었다. 그때 정도전(鄭道傳)과 남은(南誾)이 모두 임금의 총애를 받았는데 춘주지사(春州知事) 신방우(辛邦祐)는 도전이 천거한 사람이었다. 세력을 믿고 마음대로 직임(職任)을 떠나므로 사충이 이를 안핵(按劾)했다. 도전이 사충에게 핵문하지 말기를 부탁했으나[屬]_촉 그는 사양하며 말했다.

"공은 바야흐로 묘당(廟堂)[31]에 앉아 호령(號令)을 베푸는데 어찌 사람으로 하여금 사사로운 글로 국법을 폐하게 하시오? 만약 도당(都堂)[32]의 첩문(牒文)이 있어 죄인을 풀어놓기를 허락하면 내가 어찌 감히 따르지 않겠소이까?"

끝내 그 죄를 다스렸다. 은이 일찍이 삼척 만호(三陟萬戶)가 되었던 까닭으로 옛 친구가 많이 있었는데, 그가 강릉도(江陵道)의 병마(兵馬)를 맡게 되자 관군(官軍) 가운데 계급 차례를 건너뛰어 벼슬을 준 자가 심히 많았다. 사충이 엄격하게 핵실(覈實-실상을 가려냄)을 가하여 그 차례를 뛰어넘은 자는 모두 말[馬]_마을 내게 하여 진헌(進獻)이나 노자비용[盤纏]_{반전}으로 쓰는 데 채워 넣었다. 은이 핵문하지 말기

---

30 쟁신(諍臣)과 같은 말로 임금의 잘못이 있으면 다퉈 말을 하는 신하를 가리킨다.

31 종묘(宗廟)와 명당(明堂)이라는 뜻으로 조정(朝廷)을 일컫기도 했고, 의정부(議政府)를 달리 이르던 말이기도 하다. 여기서는 후자다.

32 조선 초 의정부를 달리 이르는 말이다.

를 잇따라 청했으나 사충은 이 역시 따르지 않았다. 병자년(丙子年-1396년)에 정당문학(政堂文學)으로 올랐다가 경기좌도 도관찰사로 나갔는데 임기(任期)가 차서 교체되려는 무렵에 거실(巨室-권문세가)의 가노(家奴)가 양가(良家)집 처녀를 강간(强奸)한 사건이 일어나니 사충이 국문(鞠問)하기를 신속하게 했다. 주인집에서 그 옥사(獄事)를 늦추기를 청하자 사충이 말했다.

"내가 만약 처단하지 아니하면 뒤에 오는 자가 반드시 이를 석방할 것이다."

서둘러 법대로 처리했다.

갑신년(甲申年-1404년)에 사평부 판사(司平判府事)로서 군(君)에 봉해져 사제(私第)로 물러났다가 졸했을 때 나이가 80세였다. 철조(輟朝)하고 예장(禮葬)하여 치제(致祭)했다. 시호(諡號)는 공희(恭僖)라고 했다.[33] 사충은 키가 작달막하고 치밀하면서도 일처리가 빨랐으며

---

33 시호제도에 관한 상세한 내용은 조선시대에 와서 징비됐다. 특히 국왕이나 왕비가 죽은 경우에는 시호도감(諡號都監)을 설치하고 도제조(都提調)·제조(提調)·도청(都廳)·낭청(郎廳) 등을 임명해 시책(諡冊-국왕과 왕비가 죽은 뒤 시호를 올릴 때 쓰는 책으로, 옥으로 만든 옥책과 금으로 도금한 금보가 있음)을 올리도록 했으며, 증시 절차가 엄숙하게 진행됐다. 국왕을 제외한 일반인의 경우는 봉상시(奉常寺)에서 주관해 증시했다. 그 절차는 때에 따라 약간의 다름이 있었으나 통상적으로는 다음과 같다.
① 시호를 받을 만한 사람이 죽으면 그 자손이나 인척 등 관계 있는 사람들이 행장(行狀)을 작성해 예조에 제출한다. ② 예조에서는 그 행장을 검토한 뒤 봉상시에 보낸다. 봉상시에서는 행장에 근거해 합당한 시호를 평론해서 세 가지 시호를 정해 홍문관에 보낸다. 이를 시장(諡狀)이라고 한다. ③ 홍문관에서는 응교(應敎) 이하 3인이 삼망(三望)을 의논한 뒤 응교 또는 부응교가 봉상시정 이하 여러 관원과 다시 의정한다. 의정부의 사인(舍人)·검상(檢詳) 중 1인이 이에 서경해 시장과 함께 이조에 넘긴다. ④ 이조에서는 시호망단자(諡號望單子)를 작성해 국왕에게 올려 낙점을 받는다. 이때 시호망단자는 삼망이 일반적이었으나 단망(單望)인 경우도 있었다. ⑤ 국왕의 낙점 후에 대간의 서경을 거쳐 확정된다. 이 시호 서경에서는 후보로 올랐던 시호는 제외되고 확정된 시호만을 올린다. 이와

[精悍] 법을 지키고 흔들리지 않았는데 늙을수록 더욱 강건했다. 첩
의 아들이 오계종(吳繼宗)³⁴이다.

임신일(壬申日-11일)에 전 함안군 지사(咸安郡知事) 강회숙(姜淮叔)
을 지방으로 유배 보냈다. 회숙(淮叔)은 처음에 안(安)씨에게 장가
들어 두 아들을 두었는데 얼마 안 돼[旣而] 안씨를 버리고 홍(洪)씨
에게 장가들었다가 또 불화하여[不諧=不和] 다시 안씨와 사통했고
게다가 홍씨의 어미 윤씨를 능욕(凌辱)했다. 윤씨가 헌사(憲司)에 고

같은 과정으로 확정된 시호는 국왕의 교지로 증시된다. 시호를 의정할 때는 세 가지 시
호를 올리는 것[三望]이 원칙으로 되어 있었다. 이순신(李舜臣)의 경우, 봉상시에서 의논
한 세 가지 시호는 '충무(忠武)'·'충장(忠壯)'·'무목(武穆)'이었다. 그리고 이때 의논한 자
의(字意)는 '일신의 위험을 무릅쓰고 임금을 받드는 것[危身奉上]'을 '충(忠)'이라 하고, '쳐
들어오는 적의 창끝을 꺾어 외침을 막는 것[折衝禦侮]'을 '무(武)'라 한다. '적을 이겨 전
란을 평정함[勝敵克亂]'을 '장(壯)'이라 하고, '덕을 펴고 의로움을 굳게 지킴[布德執義]'을
'목(穆)'이라 풀이했다. 이 가운데 시호 서경을 거쳐 확정된 시호는 '충무'였다. 시호에 사
용하는 글자의 수도 정해져 있었는데, 그 수는 때에 따라 달랐다. 『주례(周禮)』의 시법에
는 다만 28자요, 『사기(史記)』의 시법에는 194자이다. 1438년(세종 20년) 봉상시에서 사
용하던 글자도 바로 이 194자였다. 이때 봉상시에서는 글자수의 부족으로 시호를 의논할
때 사실과 맞게 하기가 어렵다는 점을 들어 임금에게 증보할 것을 아뢰었다. 이에 세종의
명에 따라 집현전에서는 새로 107자를 첨가했다. 이리하여 우리나라에서 시법에 쓸 수
있는 글자는 모두 301자가 되었다. 그러나 실제로 자주 사용된 글자는 문(文)·정(貞)·공
(恭)·양(襄)·정(靖)·양(良)·효(孝)·충(忠)·장(莊)·안(安)·경(景)·장(章)·익(翼)·무(武)·
경(敬)·화(和)·순(純)·영(英) 등 120자 정도였다. 그러나 그 한 글자의 뜻도 여러 가지로
풀이되어 시호법에 나오는 의미는 수천 가지라 할 수 있다. 예를 들면 '문(文)'은 '온 천하
를 경륜해 다스리다[經天緯地]', '배우기를 부지런히 하고 묻기를 좋아하다[勤學好問]', '도
덕을 널리 들어 아는 바가 많다[道德博聞]', '충신으로 남을 사랑한다[忠信愛人]', '널리 듣
고 많이 본다[博聞多見]', '공경하고 곧으며 자혜롭다[敬直慈惠]', '총민하고 학문을 좋아
한다[敏而好學]' 등 15가지로 쓰였다.

34 기존 번역은 이렇게 돼 있다. 그러나 본부인과의 사이에 자식이 없어 첩의 아들이 집안
종통을 이었다[繼宗]는 뜻으로 풀이할 수도 있다. 반드시 첩의 아들 이름이 계종이 아닐
수도 있다는 말이다.

소하니 헌사(憲司)에서 이를 다스려 홍씨와 이혼시키고[離異] 회숙
_{이이}
의 죄를 청한 때문이었다.

○ 형조도관(刑曹都官)을 5품 아문(衙門)으로 삼고 의랑(議郎) 2명
을 혁파해 정랑(正郎)과 좌랑(佐郎) 각 1명씩을 더 두었다.

○ 추증법(追贈法)을 정했다. 이조에서 아뢰었다.

"홍무(洪武) 27년(1394년) 6월 모일에 본조(本曹)에서 수판(受判)하
기를 '6품 이상으로서 3대(代)를 제사 지내야 사람은 죽은 부모를 추
증(追贈)하여 부(父)는 대품(對品)[35]으로 하고, 조부와 증조부는 각
각 단계별로 1등씩 감하되, 비(妣-부인)도 아울러 같으며, 공신(功臣)
은 2등을 더한다'라고 했습니다. 그러나 공신의 아비는 당초 공을 상
줄 때에 2등을 더 올리는 것이 좋습니다. 그 후에 아들의 관직에 따
라 가봉(加封)하는 데에도 또한 2등을 뛰어 올리는 것은 실로 영구
히 세상에 전하는 법으로서는 적당하지 못합니다. 금후로는 가봉(加
封)할 때 2등을 뛰어 올리는 것은 없애고 각 품(品)에서 조(祖)와 부
(父)를 추증하는 예에 의하소서."

그것을 따랐다.

○ 유량(柳亮)을 형조판서, 이문화(李文和)를 예조판서, 윤곤(尹
坤, ?~1422년)[36]을 좌군도총제, 김남수(金南秀, 1350~1423년)[37]를 우

---

35 벼슬의 품위(品位)가 대등한 것을 말한다.

36 1400년(정종 2년) 이방원이 이방간(李芳幹)의 난을 평정하고 왕위에 오르는 데 협력한 공으
로 좌명공신(佐命功臣) 3등에 책록되고 우군동지총제(右軍同知摠制)로 파평군(坡平君)에 봉
작됐다. 이 무렵 1406년 좌군도총제(左軍都摠制)로 있을 때 다른 사건에 연루, 파직돼 파평
현에 유배됐다가 1418년 세종이 즉위하자 평안도 관찰사로 기용된 뒤 우참찬까지 지냈다.

37 전형적인 무신이다. 태조 때에 순제등처병마사(蓴堤等處兵馬使), 이조·예조·병조의 전서

군도총제, 한규(韓珪, ?~1416년)[38]를 겸 우군총제, 이종무(李從茂, 1360~1425년)[39]를 겸 좌군총제(左軍摠制), 연사종(延嗣宗, 1360~1434년)[40]을 겸 중군총제로 삼았다.

(典書), 중군동지총제(中軍同知摠制)를 역임했다. 1402년(태종 2년) 충청도 도절제사 재직 중에 '재물을 탐하여 백성들을 소요시킨다'는 사헌부의 탄핵을 받고 파직돼 장단에 유배 됐다. 1407년 중군도총제, 이어 충좌시위사상호군(忠佐侍衛司上護軍)을 겸임했다. 이듬해 에는 태조가 피병을 위해 김남수의 집에 왔다. 1409년 명나라의 요청에 따른 군마의 진헌 을 위한 진헌관마색(進獻官馬色)이 설치되자, 이천우(李天祐)·설미수(偰眉壽)·윤사수(尹 思修)와 함께 제조(提調)가 됐다. 또한 11도 도절제사의 설치로 충청도 도절제사가 되었다. 1410년 여진족이 동북면을 침략하자 길주도 도안무찰리사(吉州道都安撫察理使)로 파견 됐다. 1412년 삼군별시위(三軍別侍衛)·응양위절도사(鷹揚衛節度使)·별사금제조(別司禁提 調) 등이 설치되면서 이홍발(李興發)과 함께 별시위좌일번절제사(別侍衛左一番節制使)가 되었다. 이어 지의정부사 겸 판사복시사(知議政府事兼判司僕寺事)·공조판서를 역임했다.

38 무신이다. 태조 때 전라 수군대장군을 지내고, 1400년(정종 2년) 방간(芳幹)의 난을 평정 하고 태종이 왕위에 오르는 데 협력한 공으로 1401년(태종 1년) 좌명공신(佐命功臣) 4등 에 책록됐으며 면성군(沔城君)에 봉해졌다. 1403년 8월 중군총제(中軍摠制)가 됐고, 이때 인 1406년 우군총제를 겸했으며, 1408년 개성유후사(開城留後司)·호익상호군(虎翼上護 軍)·우군도총제(右軍都摠制), 1412년 중군절제사가 됐다.

39 1397년(태조 6년) 옹진만호로 재직중 왜구가 침입해 성을 포위하자 끝까지 싸워 격퇴하 였다. 그 공으로 첨절제사에 올랐다. 1400년(정종 2년) 상장군으로 2차 왕자의 난 때 방 간(芳幹)의 군사를 무찔러 좌명공신(佐命功臣) 4등에 녹훈되고 통원군(通原君)에 봉해 졌다. 의주의 병마절제사를 거쳐 이때인 1406년(태종 6년) 좌군총제(左軍摠制)가 되고 이 어 우군총제를 겸했으며, 이해에 장천군(長川君)으로 개봉(改封)됐다. 1419년(세종 1년) 삼군도체찰사에 올랐다. 이해 왜선 50여 척이 비인현의 도두음곶(都豆音串)에 침입해 병 선을 불태우고 약탈하며, 절제사 이사검(李思儉)을 해주·연평곶(延平串)에서 포위하는 등 침입이 잦았다. 이에 조정에서는 적의 허점을 틈타 왜구의 소굴인 대마도(對馬島)를 공 격하기로 결정하고, 그에게 전함 227척, 군량 65일분, 군졸 1만 7,285명을 거느리고 대마 도를 정벌하도록 했다. 이에 정벌군을 지휘해 대마도를 공략, 대소 선박 129척과 가호(家 戶) 1,940여 호를 소각했으며 적 114급(級)을 참수하는 등 대승을 거두었다. 귀국한 뒤에 불충한 김훈(金訓), 노이(盧異) 등을 정벌군에 편입시켰다는 대간의 탄핵을 받아 삭직되 어 상원(祥原)에 유배됐다. 이듬해 복관되고 1421년 부원군(府院君)에 봉해졌으며, 다음 해 사은사로 다시 명나라에 다녀왔다. 그러나 동행한 정희원(鄭希遠)의 불경한 행동을 직 계하지 않아 1423년 과천에 부처(付處)됐다가 이듬해 풀려나와 복관됐다.

40 무신으로, 2차 왕자의 난 때 정안군파(定安君派)에 가담했다. 정안군이 세제로 책봉되고 등극하는 과정에서 공로가 많은 사람을 포상할 때 좌명공신(佐命功臣) 4등에 책록됐다.

계유일(癸酉日-12일)에 사간원에서 소를 올려 명목 없는 행차[行幸]
를 정지해줄 것을 청했다. 소는 대략 이러했다.

'거둥(擧動)은 임금된 자의 큰 절도[大節]이고 열렬함과 믿음[誠信]
은 다스림을 행하는 데 있어 큰 보배[大寶]입니다. 엎드려 살펴보건
대 이달 10일에 거가(車駕)가 교외에 나가서 마음대로[恣=擅] 치달
리니, 가만히 생각건대 험난한 흙탕길에 말이 만약 놀라서 거꾸러지
기라도 하면[驚蹶] 예측 못 할 우환이 있을까 두려웠습니다. 전하께
서 마음대로 하시어[縱=恣] 스스로 몸을 가볍게 여기시면 마침내 종
묘와 사직은 어찌되겠습니까? 지난번에 몰래 행차하시던[潛行] 날에
신 등이 말씀을 올리니 곧 그리하겠다는 뜻[兪允]을 내리시고는 마
침내 다시 유렵(遊獵-유람과 사냥)의 행차를 하셨습니다. 이것이 바
로 공자(孔子)가 말한 "기뻐하기만 하고 실마리를 찾지 않으며[悅而
不繹], 따르기만 하고 잘못을 고치지 않는다[從而不改]"⁴¹는 것이니

이해에 태종은 갑사(甲士-중앙시위군)와 의용자(毅勇者) 300인을 차출해 진위대를 구성
하고 내갑사(內甲士)라 했는데, 이숙번(李叔蕃)·조연(趙涓)·한규(韓圭) 등과 더불어 내갑
사의 통수권자가 됐다. 1402년 우군동지총제(右軍同知摠制)에 임명되고, 1407년 판한성
부사 겸 우군총제가 됐으며, 뒤에 상장군·호조전서 등을 역임했다. 1410년 동북면 병마
도절제사로 야인의 침입을 방어했으며, 이해에 길주도 도안무찰리사가 되어 경원부(慶源
府)와 경성(鏡城)을 수복하는 전과를 올렸다.

41 『논어(論語)』「자한(子罕)」편에 나오는 공자의 말 중의 일부다. 우선 공자의 말 전체를 보
아야 한다. "바르게 타이르는 말[法語之言]은 따르지 않을 수 있겠는가? 잘못을 고치는
것이 중요하다. 완곡하게 에둘러 해주는 말[巽與之言]은 기뻐하지 않겠는가? 그 실마리를
찾는 것이 중요하다. 기뻐하기만 하고 실마리를 찾지 않으며, 따르기만 하고 잘못을 고치
지 않는다면 내 그를 어찌할 수가 없다." 그런데 뒷부분이 중요하다. 공자는 "만일 (에둘
러서 타이르는 말을 들었을 때) 기뻐만 하고 실마리를 찾지 않는다든가 (곧장 타이르는 말
을 들었을 때) 겉으로 따르기만 하고 진심으로 잘못을 고치지 않는다면 나는 그를 어찌
할 수가 없다"라고 말한다. 결국 중요한 것은 기뻐하는 데 그치지 않고 실마리를 찾아야
하고 따르는 데 그치지 않고 잘못을 고쳐야 한다는 것이다. 사간원에서는 태종의 아픈

열렬함과 믿음이 실효(實効)를 거두지 못할까 두렵습니다.

옛날에 당(唐)나라 정관(貞觀)[42] 때 위징(魏徵, 580~643년)[43]이 십점(十漸)[44]을 드려 경계하니 태종(太宗)은 그 말을 아름답게 여겨[嘉納]가납 드디어 그 끝마침을 잘하는 아름다움[克終之美=有終之美]극종 지 미 유종 지 미를 이루었습니다. 전하께서는 빼어난 다움[盛德]성덕을 갖고서 삼대(三代-하·은·주)의 정치를 본받으시면서 오직 허물을 고치는[改過]개과 한 가지 일만은 당 태종보다 기꺼이[肯]긍 아래에 머물려 하십니까? 바라건대 이제부터 전하께서는 몰래 행차하시는 허물을 고치시고 말을 내달리는 즐거움을 경계하셔야 합니다.'

지점을 정확하게 지적한 것이다. 즉 열렬함과 믿음 모두를 동시에 버린 것이 아니냐는 통렬한 지적이다.

42 치세를 이룬 당 태종의 연호다.

43 수나라 말 혼란기에 무양군승(武陽郡丞) 원보장(元寶藏)의 전서기(典書記)가 되었다가 원보장을 따라 이밀(李密)에게 귀순했다. 다시 이밀을 따라 당고조(唐高祖)에게 귀순하여 고조의 장자 이건성(李建成)의 측근이 됐다. 비서승(秘書丞)이 돼 여양(黎陽)에서 이적(李勣) 등에게 항복을 권했다. 두건덕(竇建德)에게 포로로 잡혔다가 두건덕이 패한 뒤 당나라로 돌아와 태자세마(太子洗馬)가 되었다. 황태자 이건성이 동생 이세민(李世民)과의 경쟁에서 패했지만 그의 인격에 끌린 태종 이세민의 부름을 받아 간의대부(諫議大夫) 등의 요직을 역임한 뒤 나중에 재상으로 중용됐다. 정관(貞觀) 2년(628년) 비서감으로 옮겨 조정에 참여했다. 학자를 불러 사부서(四部書)를 정리할 것을 건의했다. 정관 7년(633년) 왕규(王珪)를 대신해 시중(侍中)이 되었다. 평소 담력과 지략을 가져 굽힐 줄 모르고 직간(直諫)을 거듭해 황제의 분노를 샀지만 조금도 흔들림이 없었다. 정관 16년(642년) 태자태사(太子太師)가 되고 문하사(門下事) 일도 그대로 맡았다. 병으로 죽자 황제가 "무릇 구리로 거울을 만들면 의관을 단정히 할 수 있고, 옛날로 거울을 삼으면 흥망을 알 수 있으며, 사람으로 거울을 삼으면 득실을 밝힐 수 있다. 짐은 일찍이 이 세 가지를 가져 내 허물을 막을 수 있었다. 지금 위징이 세상을 떠나니 거울 하나를 잃어버렸도다"라며 애석해했다. 그가 한 말은 간언의 중요성을 잘 정리한 『정관정요(貞觀政要)』에 잘 나와 있다.

44 중국 당(唐)나라 위징(魏徵)이 정관 13년(639년)에 5개월 동안 비가 내리지 않아 가뭄이 들자 태종(太宗)에게 올린 열 가지 경계다. 점차로 나빠지는[漸]점 풍속의 개혁을 요구한 소에서 유래한 것이다. 흔히 십점소(十漸疏)라고 한다.

상은 불쾌해하며[不悅=不快] 말했다.

"내가 일찍이 대간(臺諫)에게 명하기를 '무릇 사람을 죽여야 하는 형벌이나 국정(國政)의 큰일은 소(疏)를 갖춰 아뢰고 그 밖의 (작은) 일들은 궐에 나아와 말하라'고 했는데, 지금 간관(諫官)이 긴급하지 아니한 일을 가지고 여러 차례 봉장(封章)을 해서 올리는 것은 어째서인가?"

갑술일(甲戌日-13일)에 박신(朴信), 신경원(申敬原), 성엄(成揜) 등을 사면해 경외종편(京外從便)하게 했다.

○ 전라도 암타도(巖墮島)[45]의 염부(鹽夫)에게 쌀과 콩을 내려주었다. 왜선 6척이 암타도를 노략질하니 염부가 2명을 쏘아 죽이며 물리쳤고 붙잡혔던 사람 2명이 도망쳐 왔다.

을해일(乙亥日-14일)에 달이 태미원으로 들어갔다.

병자일(丙子日-15일)에 상이 동교(東郊)에서 매사냥을 구경하고 고니와 기러기와 꿩을 잡자 말로 내달리게 하여 급히 덕수궁(德壽宮)

---

45 전라남도 신안군의 암태면에 있는 섬이다. 부속 섬으로 추포도, 당사도, 초란도, 진목도 등이 있다. 원래는 3개의 섬으로 분리되어 있었으나 토사의 퇴적으로 하나의 섬으로 연결되었다. 고려시대에 이자겸(李資謙, ?~1126년)이 유배됐던 곳으로 유명하며 일제강점기에는 암태도 소작쟁의 운동이 일어났던 곳이다. 돌이 많이 흩어져 있고 바위가 병풍처럼 둘러싸여 있다고 하여 암태도라는 이름이 붙었다. 『고려사지리지』에 '암타도'라고 수록되어 있다. 『신증동국여지승람』(나주)에 "암타도(巖墮島)는 속칭 암태(巖泰)라 하며 주위가 45리다"라고 기록하고 있으며, 『여지도서』(나주)에는 "민간에서는 흔히 '암태도'라고 부른다. 둘레는 45리다"라고 했다. 『호남읍지』(나주)에서도 암타도에 관한 기록이 나온다.

과 인덕궁(仁德宮-상왕궁)에 바쳤다.

정축일(丁丑日-16일)에 사간원에서 말씀을 올려 유람과 사냥[遊田]
을 하지 말 것을 청했다. 소(疏)는 대략 이러했다.

'근래에 몰래 행차하시는 일로 인해 소를 갖춰 아뢰었으나 아직 그
리하겠다는 윤허[兪允]를 받지 못했고, 또 어제 교외에 놀러가셨다
가 드디어 유람과 사냥을 즐기셨습니다. 옛날의 빼어난 왕들[聖王]
은 봄에는 밭갈이를 살펴[省耕] 부족한 것을 도왔고 가을에는 추수
를 살펴 넉넉지 못한 것을 도왔으니 백성을 위하는 일이 아닌 것이
없었습니다. (그런데) 지금 전하가 교외에 나가시는 것은 백성을 위한
일입니까, 유람과 사냥을 위한 것입니까? 엎드려 바라옵건대 가볍게
출궁하여 유람하지 마시고 올곧게[端] 구중(九重-궁궐)에 머물면서
임금다움과 정사[德政]를 닦고 밝히신다면 만세에 다행일 것입니다.
전(傳)에 이르기를 "군자의 허물은 일식이나 월식과 같아서 (잘못이
있을 적에 사람들이 모두 보고)[46] 그 허물을 고쳤을 적에는 사람들이
모두 우러러 본다"[47]라고 했고 억(抑)의 1편(篇)이 '시아(詩雅)'[48]에 실

---

46 이 부분은 생략돼 있다.
47 『논어(論語)』 「자장(子張)」편에 나오는 공자의 제자 자공(子貢)의 말이다. 흔히 이는 허물
   에 대한 소인의 태도와 대비해서 읽을 때 그 뜻이 더 살아난다. 역시 「자장(子張)」편에 나
   오는 공자의 또 다른 제자 자하(子夏)의 말이 그것이다. "소인의 허물은 (그것을 고치려 하
   지 않고) 반드시 꾸며대는 데 있다." 이런 맥락에서 보면 사간원의 소는 이어지는 시와 함
   께 본다면 태종에 대한 상당히 강도 높은 비판이라 할 수 있다.
48 『시경(詩經)』 「대아(大雅)」편에 있는 '억(抑)'이라는 시의 첫 번째 편을 가리킨다. "빈틈없
   는[抑抑=密] 위엄과 거동 / 임금다움의 한 귀퉁이[隅]일 뿐 / 사람들도 말하네. / 똑똑
   한 사람[哲]치고 어리석지 않은 이가 없다고 / 일반 백성들의 어리석음은 참으로 원래 그

려 있으니 엎드려 바라옵건대 깊이 생각하셔야 할 것입니다.'

상이 소를 보고 말했다.

"간관(諫官)이 이 따위[此等] 일을 반드시 소독(疏牘)⁴⁹에 쓰는 것
은 무엇 때문인가? 이는 다름이 아니라 단지[特=只] 자기 명예나 낚
고[釣名] 내 허물을 드러내려는 것일 뿐이다."

좌우에서 모두 말했다.

"간관들의 말은 대개 그 직책을 다하고자 하는 것입니다."

○ 충청도와 강원도의 역도(役徒)들을 풀어주었다.

무인일(戊寅日-17일)에 종친 의안대군(義安大君) 화(和) 등을 불러
편전(便殿)에서 술자리를 베풀었다.

기묘일(己卯日-18일)에 올적합(兀狄哈) 김문내(金文乃)⁵⁰ 등이 (동북
면) 경원(慶源)의 소다로(蘇多老-용당 부근)를 침략하니 병마사 박령
(朴齡, ?~1434년)⁵¹이 격퇴시켰다. 애초에 야인(野人)들이 경원 요새

렇다 처도 / 뛰어난 이의 어리석음은 참으로 도리에 어그러지도다."

49 독(牘)은 서찰이나 문서 등을 뜻한다. 즉 소장(疏章)과 같은 말이다.

50 만주 목단강(牧丹江)의 고주(古州-구주(具州)) 지역에 살던 혐진 올적합(嫌眞兀狄哈)의 추
장이다. 『용비어천가』에 의하면 'Kimuna(乞木那)'라고 했다.

51 조선 개국 초 여러 관직을 거쳐 판사재(判司宰), 호조전서(戶曹典書), 판통례(判通禮), 병
조참의(兵曹參議) 등을 역임했다. 외직으로는 1398년(태조 7년) 강주진첨절제사 겸 강화
부사(江州鎭僉節制使兼江華府使)가 된 뒤 강계절제사, 경원삭주병마사, 홍주목사 등을 거
쳐 1419년(세종 1년) 황해도 도절제사 겸 판해주목사가 됐다. 이때 태종과 함께 세종이
해주 등 여러 곳을 순행하자 관찰사 이숙무(李叔畝)와 같이 맞이했는데 세종은 비록 도
백과 수령의 차서(次序)가 있으나 박령이 구신(舊臣)임을 들어 관찰사보다 상좌에 앉도록
명하고 어의(御衣)를 하사하는 한편 환궁 뒤 자헌대부(資憲大夫)로 승품시켰다. 1421년

아래에 이르러 소금, 철(鐵)과 소, 말[馬] 등을 무역했다[市=交易]. 명나라에서 건주위(建州衛)⁵²를 세워 어허출(於虛出)⁵³을 지휘(指揮)로 삼아 야인을 초유(招諭)하게 되자 경원에서 절교(絶交)하고 무역하지 않으니 야인들이 격분하여 원망하고, 건주(建州) 사람이 또 이를 부추겨[激] 마침내 경원 지역에 들어와 노략질을 한 것이다. 령이 (처음에는) 가벼이 여겨 수십 기(騎)를 거느리고 나아가니 야인들이 기병으로써 옆에서 갑자기 튀어나오자[突出] 령은 놀라 말을 채찍질해 물러났다. 조금 있다가[俄而=已而] 관병(官兵)이 잇따라 도착하니 령이 이들을 거느리고 싸웠는데 한 사람이 계책을 올려 말했다.

"야인들은 활을 잘 쏘기[善射] 때문에 그들과 예봉(銳鋒)을 다투기는 어렵습니다. 만약 칼과 같은 짧은 무기들을 들고서 죽기 살기로 싸우면[鏖戰] 승부가 결판날 것입니다."

곧장 적진(敵陣)을 돌파해 들어가니 많은 병사가 이를 뒤따랐고 문내(文乃)의 아들을 죽이자 야인들은 이에 목마(牧馬) 14필을 약탈

좌군도총제(左軍都摠制)에 오르고 그해 사은사(謝恩使)로 명나라에 다녀왔다. 근검하고 무예에도 능통했다.

52 위는 원래 군대의 연대 정도를 가리키는 말이었는데 이를 국외에 설치하게 되면서 그 부대가 주둔하는 부락의 명칭이 됐다. 위가 처음 설치된 것은 1403년이고, 설치 장소는 건주, 즉 길림(吉林) 부근의 휘발천(輝發川) 상류에 있는 북산성자(北山城子)였다고 한다. 얼마 후 두만강 가의 회령(會寧)에 건주좌위(左衛)가 설치됐고, 이어 동쪽에 모련위(毛憐衛) 우위(右衛)가 증설됐다. 건주위는 후에 혼하(渾河) 부근으로 이전했는데, 이때 좌·우위가 같이 이동했다. 건주위는 한때 세력을 확대한 적도 있으나 조선 세조 때 명나라와 조선의 협격(挾擊)을 받은 후부터 세력이 쇠퇴했다. 청 태조(淸太祖) 누르하치(奴兒哈赤)는 건주좌위 출신이다.

53 올량합(兀良哈)의 대추장(大酋長)이다. 명(明)나라 조정으로부터 건주위 지휘사(建州衛指揮使)에 임명됐다. 이만주(李滿住)의 조부(祖父)다.

해 떠나갔다. 관군 가운데 죽은 자는 4인이었다.

○ 박자안(朴子安)을 공안부 판사(恭安府判事), 김승주(金承霔)를 공조판서, 이원(李原)을 의정부 참지사로 삼았다.

신사일(辛巳日-20일)에 검교 공조참의(檢校工曹參議) 윤명(尹銘)[54]을 보내 일본에 가게 했다. 보빙(報聘)[55]하기 위함이었다. 국왕에게 은병(銀瓶) 1개, 은관자(銀灌子-은주전자) 1개, 은종(銀鍾) 1개, 초모자(草帽子) 1개, 사피화(斜皮靴) 1개, 호피(虎皮)·표피(豹皮) 각각 10령(領), 저포(苧布)·마포(麻布) 각각 20필, 백지(白紙) 100장, 만화석(滿花席)·잡채화석(雜彩花席) 각각 20장, 인삼 100근, 송자(松子) 500근, 동(銅) 1,000근을 보냈다. 명(銘)이 (울산 근처) 서생포(西生浦)에 이르러 배가 파선돼 죽은 자가 5명이었는데 다시 배와 노를 수리한 다음에 가도록 명했다.

○ 이조판서 이직(李稷), 의정부 참찬사 이숙번(李叔蕃)·윤저(尹柢, ?~1412년),[56] 공조판서 김승주(金承霔)에게 명해 종묘의 재궁(齋宮)[57]

---

54 1400년 회례사(回禮使)로 일본에 다녀온 적이 있다.

55 이웃 나라의 방문을 받은 데 대한 답례를 하는 것이다.

56 고려 말기부터 이성계(李成桂)를 시종한 인연으로 조선왕조가 건국되자 1392년(태조 1년) 상장군으로 등용됐다. 1395년 형조전서가 돼 고려 왕족들을 강화나루에 잡아다가 수장(水葬)하는 데 앞장섰다. 1396년 상의중추원사(商議中樞院事)가 됐으며, 1397년 경상도 절제사로 재직 중에 박자안(朴子安)의 옥사에 관련돼 한때 투옥됐다가 풀려났다. 1400년(정종 2년) 상진무(上鎭撫)가 됐으며 다음 해인 1401년(태종 1년) 이방간(李芳幹)의 난을 평정하고 태종이 왕위에 오르는 데 협력한 공으로 좌명공신(佐命功臣) 3등에 책록됐다. 같은 해 사평우사(司平右司)가 되고 칠원군(漆原君)에 봉해졌다. 1402년 참판승추부사(參判承樞府事)가 됐으며 이조판서를 거쳐 이때 참찬으로 있다가 1408년 찬성사에 이르렀다.

57 종묘에서 제사를 지내기 전에 재계(齋戒)하는 공간이다.

을 감독해 짓게 했다.

○ 강무(講武)[58]할 장소를 토의했다. 상이 (의정부 참찬사) 이숙번·윤저와 의견을 나누며[議] 말했다.

"전날 정부(政府)에서 인주(仁州-인천), 안산(安山), 부평(富平), 광주(廣州) 등지를 강무할 장소로 삼을 것을 청했다. 내가 볼 때 (그곳들은) 토질이 진흙탕이고 산과 골이 험난하고 막혀서 달리고 쫓는데 불편하고 또 배를 타고 물을 건너야 하는 어려움이 있다. 땅이 평탄하여 달리고 쫓기에 편리한 철원(鐵原)만 못하다. 또 철원 등지는 벼와 곡식이 풍년이 들어[豊稔] 그 (말이 먹을) 마른 꼴[芻藁]을 공급하는 데 백성들이 힘들어하지 않을 것이다. 나의 이번 행차에 대해 도당(都堂-의정부)과 대간(臺諫)에서는 모두 옳지 못하다고 하는데

---

58 조선시대 왕의 친림 하에 실시하는 군사훈련으로서의 수렵대회를 뜻한다. 1396년(태조 5년) 의흥삼군부(義興三軍府)의 건의에 따라 의식 규례가 마련됐다. 그 뒤『국조오례의』에 자세한 의례 절차가 정비됐다. 조선 초기의 강무는 서울에서는 사계절 끝 무렵, 지방에서는 봄·가을 두 계절에 수렵을 하여 잡은 동물로 종묘사직과 지방사직에 제사하고 잔치를 베풀었다. 후기에는 봄·가을 두 차례만 하도록 규정했으나 거의 시행되지 않았다. 절차를 보면 다음과 같다. 행사 7일 전에 병조에서 인원을 징발하여 사냥할 들판에 경계를 표시하고, 당일 새벽까지 군사를 집합시킨다. 그 뒤 병조에서 사냥하는 영(令)을 나눠 지시하면 군사들은 사냥터를 포위하는데 전면은 틔워놓는다. 왕의 수레가 사냥터에 이르면 북을 치고 사냥이 시작된다. 여러 장수가 북을 치고 행진하여 들어가면 몰이하는 기병을 출동시킨다. 그 뒤 임금이 말을 타고 남쪽으로 향하고 대군, 왕자 등도 말을 타고 왕의 앞뒤에 도열한다.

담당자가 짐승을 몰아오면 첫 번째 몰이에 유사(有司)가 활과 화살을 정돈하고, 두 번째 몰이에 병조에서 활과 화살을 올리며, 세 번째 몰이에 임금이 짐승의 왼쪽에서 활을 쏜다. 몰이 때마다 반드시 임금이 세 짐승을 쏜 후에 여러 왕자들이 활을 쏘고 장수와 군사들이 차례로 쏜다. 이를 마치고 몰이하는 기병이 철수하면 백성들의 사냥이 허락된다. 행사가 끝날 무렵, 병조에서 사냥터에 기를 올리면 여러 장수가 북을 치고 군사들이 함성을 지른다. 잡은 짐승은 모두 기 밑에 모으고 왼쪽 귀를 벤다. 큰 짐승은 관(官)에서 가지고 작은 짐승은 개인이 가지고 간다. 짐승을 잡아 좋은 고기는 사자를 시켜 종묘에 보내 제사를 지내고, 나머지는 그 자리에서 요리하여 잔치를 베풀었다.

내가 생각할 때 옛 제왕(帝王)들은 사냥하는 데 일정한 장소가 있었으니 어찌 도성(都城) 가까운 곳에 원유(苑囿)를 설치했겠는가? 반드시 백성들이 살지 않고 비어 있는 먼 땅을 골라서 만들었을 것이다. 이따금 우활(迂闊)한 무리들이 생소한 말을 내세워 말리지만, 내 뜻은 정해졌으니 경들은 정부에 내 뜻을 밝게 일깨워[明諭] 사냥하는
명유
장소를 다시 정하도록 하라."

또 우대언 윤사수(尹思修)에게 일러 말했다.

"너[爾]는 일찍이 경기도 관찰사를 지냈으니 경기도 안의 주(州)와
이
현(縣)들을 모조리 다[悉皆] 순행(巡行)했을 것이다. 인주(仁州)나 부
실개
평(富平)이 광주(廣州)의 경안(慶安)이나 수곡(水谷)의 거리가 몇 리(里)나 되느냐?"

사수가 대답했다.

"모두 하루면 도착할 수 있습니다."

상이 말했다.

"나의 이번 행차가 백성들에게 폐가 있지 않을까?"

사수가 말했다.

"이번 행차[行幸]는 예전과 다릅니다. 백성들이 제공해야 하는 것
행행
은 다만 꼴뿐이고 다른 폐는 없습니다. 다만 감사와 수령이 행차하시는 향방을 미리 알지 못하면 공억(供億)[59]하는 데 어려움이 있을 것이니 가는 곳을 일찍이 정하는 것이 더 낫습니다."

상이 그렇다고 여겼다.

---

59 음식물을 준비하여 접대하는 것을 가리킨다.

임오일(壬午日-21일)에 상이 동교(東郊)에서 매사냥을 구경하고 고니를 잡자 곧바로 덕수궁에 바쳤다. 이날 새벽에 상이 대언 김과(金科)에게 일러 말했다.

"내가 잠시 교외에 나가고자 한다."

과(科)가 말했다.

"지금 아조(衙朝)[60]로 인해 각사에서 궐문(闕門)에 모였는데 만약 몰래 나가서 유행(遊行)하시게 되면 각사에서는 반드시 그것이 명목이 없는 것임을 알게 될 것입니다."

상이 말했다.

"네가 어찌 나를 말리느냐?"

곧바로 나가서 여러 장상(將相)들과 더불어 교외(郊外)에서 술자리를 베풀고 말했다.

"김과로 하여금 이를 보게 하는 것도 어찌 참으로 유쾌하지 않겠는가!"

계미일(癸未日-22일)에 사헌부에서 강무를 정지할 것을 청했으나 답하지 않았다. 아뢰어 말했다.

"금년은 천도(遷都)로 인해 대소 신민(大小臣民)들이 모두 궁궐을 짓는 일로 수고로웠습니다. (그런데) 이제 만약 먼 지방으로 행차를

---

60 고려시대와 조선시대에 매월 여섯 번씩, 곧 5일마다 육부(六部-육조)와 대성(臺省)의 관원들이 조회하여 임금에게 정사에 관한 일들을 보고하는 것을 말한다. 조선시대에는 처음에는 1일·6일·11일·16일·21일·26일로 날짜에는 다소의 변화가 있었으나, 뒤에 줄어서 1일·11일·21일·25일의 사아일(四衙日)로 바뀌었다.

하시면 시위갑사(侍衛甲士) 또한 모두 힘겨워할 것이니 청컨대 이번 행차를 정지하시어 이 백성들을 다행하게 하십시오."

상이 말했다.

"(강무하는 일은) 군사의 일이라 염려하지 않을 수 없다."

갑신일(甲申日-23일)에 좌군총제 이화영(李和英, ?~1424년)[61]에게 전지(田地)와 노비를 내려주었다. 임오년(壬午年-1402년) (조사의의 난 평정에 따른) 2등공신(二等功臣) 김옥겸(金玉謙)의 예(例)에 의거해 전지 40결(結)과 노비 4구(口)를 주도록 했다.

을유일(乙酉日-24일)에 구도(舊都-개경)의 매개정(每介井) 남정(藍井)과 근당(芹塘-미나리 뚝방)에서 개구리가 모두 저절로 죽었다.

정해일(丁亥日-26일)에 상이 덕수궁(德壽宮)에 나아가 거처했다. 장차 강무(講武)할 것을 고하기 위함이었다.

---

61 할아버지는 여진 금패천호(金牌千戶) 아라불화(阿羅不化)이고, 아버지는 태조 배향공신(配享功臣)이며 개국공신 1등 청해백양렬공(靑海伯襄烈公) 이지란(李之蘭)이다. 1392년 태조가 즉위하면서 동북면 유력자들을 대거 공신에 책봉할 때 사복시정에서 상장군에 올라 개국원종공신에 책봉되었으며, 1395년(태조 4년) 공신전 15결과 특전을 명문화한 녹권(錄券)을 받았다. 1398년 보공대장군(保功大將軍)을 거쳐 1400년 태종이 즉위해서도 아버지가 좌명공신(佐命功臣) 2등에 책봉되는 등 일족이 각별한 우대를 받았다. 아버지가 죽자 시묘(侍墓)를 하기 위해 북청에 기거하던 중 1402년(태종 2년) 이성계를 재옹립하려는 조사의(趙思義) 등 동북면 사람의 반란이 발생하자 탈출해 태종에게 귀부해 난을 조기에 종식시키는 데 공헌했다. 1406년 도총제(都摠制), 3년 후 지의정부사(知議政府事)를 거쳐 1415년 참찬, 1423년 판좌군도총제(判左軍都摠制)가 되고 판우군부사(判右軍府事)에 이르렀다.

○ 조계사(曹溪寺) 중[釋] 성민(省敏)이 신문고(申聞鼓)를 쳤다. 승도(僧徒)들이 (나라에서) 절의 수를 줄이고 노비와 전지를 삭감했기 때문에 날마다 정부에 호소해 예전대로 회복하도록 요구했으나 정승 하륜(河崙)은 답하지 않았다. 이에 성민이 그 무리 수백 명을 거느리고 신문고를 쳐서[撾鼓] 아뢰었으나 상은 끝내 허락하지 않았다.

○ 대간(臺諫)에서 강무 행차를 뒤따를 것을 청하니 그것을 따랐다. (대간에서) 아뢰었다.

"강무는 명목이 없는 행차가 아니므로 각사에서 마땅히 모두 시위(侍衛)해야 하건만 전하께서는 다만 백성들을 편하게 하려고 하여 군관(軍官), 갑사(甲士), 내시(內侍)들만 거느리고 행차하려 하십니다. 그러나 대간은 (임금의) 귀와 눈이 되는 관원(官員)으로 하루라도 좌우를 떠날 수 없으니 청컨대 따라가게 해주십시오."

상이 말했다.

"근래에 대간이 행차를 따라가기만 하면 반드시 일을 일으키니[生事] 내가 거느리고 가지 않으려 하는 것이다. 또 강무하는 곳이 멀지 않으니 만약 내가 허물이 있고 신하가 법을 범하는 일이 있으면 반드시 마땅히 듣게 될 것이다. 들으면 마땅히 간언할 것인데 어찌 꼭 따라갈 필요가 있는가?"

다시 아뢰어 말했다.

"신 등이 시위하려고 하는 것은 반드시 전하의 과실을 엿보고자 함이 아니고 다만 귀와 눈이 되는 근신(近臣)으로서 따라가지 않을 수 없어서일 뿐입니다."

이숙번이 아뢰어 말했다.

"이번 행차는 명목이 없는 것이 아니니 마땅히 대간과 형조로 하여금 어가(御駕)를 따르게 해야 할 것입니다."

무자일(戊子日-27일)에 여의손(呂義孫)[62]을 진도(珍島)로 유배 보냈다. 의손(義孫)이 일본에 이르렀을 때 마침 명나라 사신이 이르렀는데 의손의 통역[譯者] 황기(黃奇)가 중국말과 일본말에 능통하다 하여 마침내 명나라 사신에게 빼앗겼다. 또 상국(上國)에서 일본에 유시(諭示)하여 우리나라를 협공(挾攻)한다는 말을 듣고도 돌아와서 계문(啓聞-보고)하지 않고 다른 사람들에게 사사로이 말했다. 사헌부에서 그가 사명(使命)을 받들고서 삼가지 못하고 정직하지 못한 죄를 탄핵하니 상이 그 향리(鄕里)에 안치할 것을 명했다. 헌부에서 다시 소를 올려 말했다.

'신 등이 생각건대[以謂] 의손의 죄는 법률로 용서할 수 없는데 도리어 성은(聖恩)을 입었다 할 것이니, 왜냐하면 지위가 높은 품계에 이르러 이미 늙으면 향리(鄕里)로 돌아가게 돼 있습니다. 이는 사람이라면 누구나 하고 싶은 정이온데 여기에 어찌 죄악을 징계함이 있겠습니까! 또 본조(本朝)에서 사대교린(事大交隣)하여 사신을 차견(差遣-파견)한 지가 한두 해가 아닌데 이제 의손의 죄를 용서하게 되면 후세에 본을 보일 수 없습니다. 엎드려 바라옵건대 대의(大義)로 결단하여 법대로 시행해야 합니다.'

---

62 1396년(태조 5년) 제주목사로 재직 시 임금으로부터 비단과 쌀 30석을 하사받았다. 1404년(태종 4년) 전서로 있던 여의손이 일본국에 보빙사로 다녀왔다. 이때 사신으로서의 역할을 제대로 하지 못했다 하여 지금 문제가 된 것이다.

이에 진도(珍島)로 유배 보냈다.

○ 일본 국왕 원도의(源道義)가 사신을 보내 내빙(來聘)하고 『대장경(大藏經)』을 청했다. 구주 절도사(九州節度使) 원도진(源道鎭)이 사람을 보내 토산물을 바치고 붙잡혀 있던 사람들[俘虜]을 돌려보냈다.

기축일(己丑日-28일)에 경기에서 강무했는데 광주(廣州) 동염창(東鹽倉)의 들에 머물렀다[次]. 이날 저녁에 도관찰사 전백영(全伯英)이 행악(行幄)[63]에 나아와 향연(享宴)을 베풀었다.

경인일(庚寅日-29일)에 유성(流星)이 대각(大角) 남쪽에서 나와 천부성(天掊星) 남쪽으로 들어갔는데, 크기가 술잔만 했다.

---

63 임금이 행차(行次)할 때 임시로 머물도록 마련한 장막 시설을 말한다.

壬戌朔 命勿賜各道都觀察使王旨斧鉞. 議政府啓曰: "王旨
임술 삭 명 물사 각도 도관찰사 왕지 부월 의정부 계왈 왕지

斧鉞 外方之人 視爲常事 無所敬畏. 自今以後 常時則停之 如有
부월 외방 지인 시위 상사 무 소경외 자금 이후 상시 즉 정지 여유

緊急邊警 然後賜送" 從之.
긴급 변경 연후 사송 종지

遣恭安府少尹申臨于江原道 督伐木輪轉之役.
견 공안부 소윤 신임 우 강원도 독 벌목 수전 지역

乙丑 禁西北之民越江買賣. 議政府啓:
을축 금 서북 지민 월강 매매 의정부 계

"義州民朱夫介等四人 潛將馬匹 賣諸境外人 事發在逃: 成州
의주 민 주부개 등 사인 잠 장 마필 매저 경외 인 사발 재도 성주

僧海禪 歷東北面 逐越江深入. 乞將東北面各戶馬匹 考其毛色
승 해선 역 동북면 수 월강 심입 걸 장 동북면 각호 마필 고 기 모색

齒歲 籍記烙印 如有買賣故失 必須告官: 其無烙印馬匹及無
치세 적기 낙인 여유 매매 고실 필수 고관 기 무 낙인 마필 급 무

行狀往還者 竝許人陳告 每一匹徵布五十匹 給告人充賞: 馬主
행장 왕환 자 병 허인 진고 매 일필 징포 오십 필 급 고인 충상 마주

照律決罪 馬匹沒官: 無行狀僧人 許人陳告收取所持物色 給告人
조율 결죄 마필 몰관 무 행장 승인 허인 진고 수취 소지 물색 급 고인

充賞: 其僧各於本貫 船軍充定" 從之.
충상 기승 각 어 본관 선군 충정 종지

賑東北面飢. 從都巡問使呂稱之啓也.
진 동북면 기 종 도순문사 여칭 지 계야

丙寅 司憲府上疏請汰冗官. 疏略曰:
병인 사헌부 상소 청태 용관 소 약왈

'國家革前朝之弊 立一代之制 嘗汰冗官 而未汰者尚多. 如
국가 혁 전조 지폐 입 일대 지제 상태 용관 이 미태자 상다 여

漢城府有判事 尹 則不應置①兼判事兼尹: 留後司有留後 則不必
한성부 유 판사 윤 즉 불 응치 겸판사 겸윤 유후사 유 유후 즉 불필

有副留後也. 三軍宜置都摠制 摠制 同知摠制各一人 而僉摠制
유 부유후 야 삼군 의치 도총제 총제 동지 총제 각 일인 이 첨총제

可汰也: 承寧 恭安府 宜置司尹 而判事 尹可革也: 十司則各置
<small>가태 야 승녕 공안부 의치 사윤 이 판사 윤 가혁 야 십사 즉각치</small>

上護軍一員 大護軍二員 而巡禁 扈衛司則宜以他官兼任. 不寧
<small>상호군 일원 대호군 이원 이 순금 호위사 즉의 이 타관 겸임 불녕</small>

惟是 其於庶僚 豈無可汰可省者乎? 至於成衆愛馬 有別侍衛
<small>유시 기어 서료 기무 가태 가생 자호 지어 성중 애마 유 별시위</small>

別司禁 則鷹揚衛可革也. 願令政府 銓曹 循名考實 精加汰省:
<small>별사금 즉 응양위 가혁 야 원령 정부 전조 순명 고실 정가 태생</small>

其都目去官者 不許三品 以重名器.'
<small>기 도목 거관 자 불허 삼품 이중 명기</small>

下議政府曰: "都目去官之法 擬議以聞." 政府上言:
<small>하 의정부 왈 도목 거관 지법 의의 이문 정부 상언</small>

"三品職任甚重 專用賢材 以尊朝廷. 前朝恭愍之時 成衆官
<small>삼품 직임 심중 전용 현재 이존 조정 전조 공민 지시 성중관</small>

都目 爲頭者 不論賢愚 三品去官 以濫名器. 今當國初 不宜以
<small>도목 위두 자 불론 현우 삼품 거관 이람 명기 금당 국초 불의 이</small>

衰世之事爲法. 凡呈三品都目者 一皆革去 只許四品去官: 其前呈
<small>쇠세 지사 위법 범정 삼품 도목 자 일개 혁거 지허 사품 거관 기 전정</small>

四品都目者 除主上殿行首外 各殿行首 只許五品去官: 壽寧府
<small>사품 도목 자 제 주상전 행수 외 각전 행수 지허 오품 거관 수녕부</small>

行首 牽龍 無職掌 宜革去."
<small>행수 견룡 무 직장 의혁거</small>

從之.
<small>종지</small>

知端州事魚思漢職牒收取 外方付處. 思漢盜用內乘孳馬糧豆
<small>지 단주 사 어사한 직첩 수취 외방 부처 사한 도용 내승 자마 양두</small>

且受千戶鄭仁奇所贈馬也.
<small>차수 천호 정인기 소증 마야</small>

丁卯 流韓幹于驪興. 檢校工曹參議韓幹 本內豎也. 以善烹飪
<small>정묘 유 한간 우 여흥 검교 공조 참의 한간 본 내수 야 이선 팽임</small>

見幸 爲上林園別坐 盜用其司米穀. 司憲府劾之請罪 命囚于
<small>견행 위 상림원 별좌 도용 기사 미곡 사헌부 핵지 청죄 명수 우</small>

巡禁司 徵所竊米穀 流之.
<small>순금사 징 소절 미곡 유지</small>

忠淸道都觀察使成石因 上書請停土木之役. 書略曰:
<small>충정도 도관찰사 성석인 상서 청정 토목 지역 서 약왈</small>

'今上國北招猛哥帖木 南通日本 而序我李玄於倭使之下. 殿下
<small>금 상국 북초 맹가첩목 남통 일본 이서아 이현 어 왜사 지하 전하</small>

發忠淸 江原兩道之民 供土木之役 又使兩道之民 多斫材木 民力
<small>발 충청 강원 양도 지민 공 토목 지역 우사 양도 지민 다작 재목 민력</small>

瘁矣. 量田未畢 而吹鍊日繁; 斫木未盡 而工役方興 臣恐非固本
쵀의　　양전 미필　이 취련 일번　작목 미진　이 공역 방흥　신 공비 고본

遵養之道也. 請停斫木之役 且放工役丁夫.'
준양 지 도 야　청정 작목 지 역 차 방 공역 정부

書留中不下 然聞役丁多寒凍 命勿程督.
서 유중 불하　연문 역정 다 한동　명 물 정독

戊辰 吏曹上銓選之法:
무진　이조 상 전선 지 법

'一, 顯官六品以上 各擧散官三品以下賢良 其出身來歷 文武
일　현관 육품 이상　각거 산관 삼품 이하 현량　기 출신 내력　문무

才幹 內外祖系 具書名下 呈本曹. 曾經顯任者 但書職名 私請
재간　내외 조계　구서 명하　정 본조　증경 현임 자　단서 직명　사청

單子 一皆禁斷.
단자　일개 금단

一, 門蔭功蔭敍用之法 已有成規 其他子弟 未有仕進之路. 自
일　문음 공음 서용 지 법　이유 성규　기타 자제　미유 사진 지 로　자

今年 十八歲以上有才幹者 令大小官薦擧 幷錄內外祖父職名 呈
금년　십팔 세 이상 유 재간 자　영 대소관 천거　병록 내외 조부 직명　정

本曹 曹以書算律 試其能否 方許敍用.
본조　조 이 서산율　시 기 능부　방허 서용

一, 凡保擧 若貪汚不法者 猥劣不才者 曾經罪名者 卽本曹
일　범 보거　약 탐오 불법 자　외열 부재 자　증경 죄명 자　즉 본조

移文憲司論罪.
이문　헌사 논죄

一, 守令不稱其職者 監司宜卽貶黜 不苟期限 實封以聞.
일　수령 불칭 기직 자　감사 의 즉 폄출　불구 기한　실봉 이문

一, 凡京外大小官所擧人才 類分職品 開寫成冊 每當銓注
일　범 경외 대 소관 소거 인재　유분 직품　개사 성책　매당 전주

隨品啓聞除授 三年一次 以爲恒式. 如有懷才遺逸者 不苟年限
수품 계문 제수　삼년 일차　이위 항식　여유 회재 유일 자　불구 연한

實封特薦.'
실봉 특천

申無傳繼奴婢限四寸分給之法. 議政府上言:
신 무전계 노비 한 사촌 분급 지 법　의정부 상언

"據刑曹都官狀申 去乙酉年九月判旨內一款: '無子息無傳繼
거 형조 도관 장신　거 을유년 구월 판지 내 일관　무자식 무전계

奴婢 限四寸分給 無四寸者屬公.' 今以判前屬公奴婢 訟于官者
노비　한 사촌 분급　무 사촌 자 속공　금 이 판전 속공 노비　송 우 관 자

頗多. 乞受判前已曾屬公者 勿擧論; 受判以後 無子息無傳繼者
파다　걸 수판 전 이증 속공 자　물 거론　수판 이후　무자식 무전계 자

方許限四寸決給: 無四寸者乃屬公."
방 허 한 사촌 결급 무 사촌 자 내 속공

從之.
종지

賜降倭藤陸 藤賢紬布綿布襦衣 皮古沙只縣布紬布各 一匹 縣
사 항왜 등륙 등현 주포 면포 유의 피고사지 면포 주포 각 일필 면

(子)一斤. 將使捕倭于全羅道也.
자 일근 장 사포왜 우 전라도 야

己巳 上詣德壽宮起居.
기사 상예 덕수궁 기거

日本國王使僧周棠等詣闕辭 命饋之. 賜上副官人各靑木縣一匹
일본 국왕 사승 주당 등 예궐 사 명 궤지 사 상 부관인 각 청목 면 일필

紅紬二匹 肉紅紬一匹 縣子一斤 苧麻布六匹 草笠一 韋皮靴
홍주 이필 육 홍주 일필 면자 일근 저마포 육필 초립 일 위피화

涼精具各一. 伴人六名各靑木縣一匹 紅紬一匹 苧布一匹. 船主
양정구 각일 반인 육명 각 청목 면 일필 홍주 일필 저포 일필 선주

二名各靑木縣一匹 紅紬一匹 通事二人各靑木縣一匹 紅紬一匹
이명 각 청목 면 일필 홍주 일필 통사 이인 각 청목 면 일필 홍주 일필

縣子一斤.
면자 일근

庚午 東北面端州 雨土凡十四日.
경오 동북면 단주 우토 범 십사 일

辛未 上觀放鷹于東郊 獲天鵝 卽獻于德壽宮. 日下午 凡
신미 상 관 방응 우 동교 획 천아 즉 헌 우 덕수궁 일 하오 범

執膳者 皆不及進上 與隨駕內侍但進酒 卽還宮. 代言權綏啓曰:
집선자 개 불급 진상 여 수가 내시 단 진주 즉 환궁 대언 권완 계왈

"今執膳者皆不及 盍②治之?" 上曰: "今日出遊 非常例也. 若罪
금 집선자 개 불급 합 치지 상왈 금일 출유 비 상례 야 약죄

此輩 則外人必以予爲口實矣."
차배 즉 외인 필 이여 위 구실 의

寧城君 吳思忠卒. 其先 延日縣人 後徙寧遠鎭. 父洵壯元
영성군 오사충 졸 기선 연일현 인 후사 영원 진 부순 장원

及第 終於諫議大夫. 思忠 至正乙未及第 歷官至司憲執義
급제 종어 간의대부 사충 지정 을미 급제 역관 지 사헌 집의

左司議大夫 遇事敢言 有爭臣風采. 我太上卽位 授戶曹典書
좌사의대부 우사 감언 유 쟁신 풍채 아 태상 즉위 수 호조 전서

賜翊戴開國功臣之號. 甲戌 陞中樞院副使 觀察交州江陵道時
사 익대 개국 공신 지호 갑술 승 중추원 부사 관찰 교주 강릉도 시

鄭道傳 南誾皆被寵眷 知春州事辛邦祐 道傳所薦也. 怙勢擅離
정도전 남은 개 피 총권 지 춘주 사 신방우 도전 소천 야 호세 천리

職任 思忠按之. 道傳屬思忠勿問 思忠謝曰: "公方坐廟堂施號令

豈可教人以私書 廢國典也? 若有都堂牒 許令放罪 則吾烏敢

不從!" 竟治其罪. 闇曾爲三陟萬戶 故多有故舊 及其掌江陵道兵

也 官軍越次授職者甚衆. 思忠痛加考覈 其越次者 悉令差馬 以

充進獻盤纏之數. 闇連請勿問 思忠亦不從. 丙子 進政堂文學 出

爲京圻左道都觀察使 及任滿當見代 有巨室家奴强奸良家處女

思忠鞫之急 主家請緩其獄 思忠曰: "予若不斷 後來者當釋之矣."

亟置於法. 甲申 判司平府事 封君就第 及卒 年八十. 輟朝禮葬

致祭 賜謚恭僖. 思忠短小精悍 守法不撓 老而益壯. 妾子繼宗.

壬申 流前知咸安郡事姜淮叔于外方. 淮叔初娶安氏 有二子

旣而棄之 娶洪氏 又不諧 復通安氏 且嫚辱洪氏之母尹氏. 尹氏

訴于憲司 憲司治之 離異洪氏 請淮叔罪.

以刑曹都官爲五品衙門 革議郎二員 加置正郎佐郎各一員.

定追贈法. 吏曹啓:

"洪武二十七年六月日 本曹受判: '六品以上應祭三代者追贈

考妣(父)對品 祖、曾祖各遞降一等 妣竝同 功臣則加二等.' 然

功臣之父 當初賞功之時 超二等可矣 其後隨其子職加封 亦超

二等 實未便於永世流傳之法. 今後加封時 除超二等 依各品祖父

追贈例."

從之.

以柳亮爲刑曹判書 李文和禮曹判書 尹坤左軍都摠制 金南秀
이 유량 위 형조 판서　이문화 예조 판서　윤곤 좌군 도총제　김남수

右軍都摠制 韓珪兼右軍摠制 李從茂兼左軍摠制 延嗣宗兼中軍
우군 도총제　한규 겸 우군 총제　이종무 겸 좌군 총제　연사종 겸 중군

摠制.
총제

癸酉 司諫院上疏 請止無名行幸. 疏略曰:
계유 사간원 상소 청지 무명 행행 소 약왈

‘擧動 人君之大節; 誠信 爲治之大寶. 伏見今月十日 車駕出郊
거동 인군 지 대절　성신 위치 지 대보　복견 금월 십일 거가 출교

以恣馳騁 竊謂險阻泥濘之路 馬若驚蹶 恐有不測之患. 殿下縱
이자 치빙 절위 험조 니녕 지로 마약 경궐 공유 불측 지환 전하 종

自輕 乃宗廟 社稷何? 曩者潛行之日 臣等上言 卽賜兪允 尋復
자경 내 종묘 사직 하　낭자 잠행 지일 신등 상언 즉사 유윤 심부

遊幸. 此孔子所謂悅而不繹 從而不改也 恐非誠信之實效. 昔唐
유행 차 공자 소위 열이 불역 종이 불개 야 공비 성신 지 실효 석당

貞觀之時 魏徵以十漸陳戒 太宗嘉納其言 遂致克終之美. 以殿下
정관 지시 위징 이 십점 진계 태종 가납 기언 수치 극종 지미 이 전하

之盛德 動法三代之治 獨改過一事 肯居太宗之下乎? 願自今
지 성덕 동법 삼대지치 독 개과 일사 긍거 태종 지하호　원 자금

殿下改潛行之失 戒馳騁之樂.’
전하 개 잠행 지실 계 치빙 지락

上不悅曰: “予嘗命臺諫 凡殺罰及國政大事 則具疏以聞 其他
상 불열 왈 여상 명 대간 범 살벌 급 국정 대사 즉 구소 이문 기타

事 詣闕言之. 今諫官以不緊之事 屢上封章 何歟?”
사 예궐 언지 금 간관 이 불긴 지사 누 상 봉장 하여

甲戌 宥朴信 申敬原 成揜 京外從便.
갑술 유 박신 신경원 성엄 경외 종편

賜全羅道嚴墮島鹽夫米豆. 倭船六艘寇嚴墮島 鹽夫射殺二名
사 전라도 암타도 염부 미두　왜선 육소 구 암타도 염부 사살 이명

却之 被虜人二名逃來.
각지 피로인 이명 도래

乙亥 月入太微.
을해 월 입 태미

丙子 上觀放鷹于東郊 獲天鵝雁雉 馳獻于德壽宮及仁德宮.
병자 상 관 방응 우 동교 획 천아 안치 치헌 우 덕수궁 급 인덕궁

丁丑 司諫院上言請勿遊田. 疏略曰:
정축 사간원 상언 청물 유전 소 약왈

‘近以潛幸之事 具疏以聞 未蒙兪允 又於前日 出遊郊外 遂
근 이 잠행 지사 구소 이문 미몽 유윤 우어 전일 출유 교외 수

爲遊田之樂. 古之聖王 春省耕而補不足 秋省斂而助不給 無非
위 유전 지락 고지 성왕 춘 성경 이보 부족 추 성렴 이조 불급 무비

爲民事者. 今殿下之出郊外 爲民事乎? 爲遊田乎? 伏望毋輕出遊
위민 사자 금 전하 지출 교외 위민 사호 위 유전 호 복망 무경 출유

端居九重 修明德政 以幸萬世. 傳曰君子之過也 如日月之食 更
단거 구중 수명 덕정 이행 만세 전왈 군자 지과 야 여 일월지식 경

也人皆仰之 抑之一篇 載在詩雅 伏惟深思焉.'
야 인개 앙지 억지 일편 재재 시아 복유 심사 언

上覽疏曰: "諫官以此等事 必書諸疏牘 何也? 此無他 特釣名
상람 소왈 간관 이 차등 사 필서저 소독 하야 차 무타 특 조명

而暴予過耳." 左右皆曰: "諫官之言 蓋欲盡其職也."
이 폭여과 이 좌우 개왈 간관 지언 개 욕진 기직 야

放忠清 江原道役徒.
방 충청 강원도 역도

戊寅 召宗親義安大君和等 置酒于便殿.
무인 소 종친 의안대군 화 등 치주 우 편전

己卯 兀狄哈 金文乃等 寇慶源之蘇多老 兵馬使朴齡擊却之.
기묘 올적합 김문내 등 구 경원 지 소다로 병마사 박령 격 각지

初 野人至慶源塞下 市鹽鐵牛馬. 及大明立建州衛 以於虛出爲
초 야인 지 경원 새하 시 염철 우마 급 대명 입 건주위 이 어허출 위

指揮 招諭野人 慶源絶不爲市 野人憤怨 建州人又激之 乃入慶源
지휘 초유 야인 경원 절 불위 시 야인 분원 건주인 우 격지 내입 경원

界抄掠. 齡易之 率數十騎赴之 野人以騎兵從傍突出 齡驚策馬
계 초략 령 어지 솔 수십 기 부지 야인 이 기병 종방 돌출 령경 책마

而退. 俄而官兵繼至 齡率以戰. 有一人獻計曰: "野人善射 難與
이퇴 아이 관병 계지 령 솔이전 유 일인 헌계 왈 야인 선사 난여

爭鋒. 若執短兵塵戰 則勝負決矣." 卽突陣而入 衆從之 殺文乃子
쟁봉 약집 단병 오전 즉 승부 결의 즉 돌진 이입 중 종지 살 문내 자

野人乃掠牧馬十四匹而去. 官軍死者四人.
야인 내 략 목마 십사 필 이거 관군 사자 사인

以朴子安爲判恭安府事 金承霍工曹判書 李原參知議政府事.
이 박자안 위 판 공안부 사 김승주 공조판서 이원 참지 의정부 사

辛巳 遣檢校工曹參議尹銘如日本. 報聘也.③ 遺國王銀瓶一
신사 견 검교 공조 참의 윤명 여 일본 보빙 야 유 국왕 은병 일

銀灌子一 銀鍾一 草帽子一 斜皮靴一 虎豹皮各十領 苧麻布各
은 관자 일 은종 일 초 모자 일 사피 화 일 호표피 각 십 령 저 마포 각

二十匹 白紙一百張 滿花席 雜彩花席各二十張 人蔘一百斤 松子
이십 필 백지 일백 장 만화석 잡채 화석 각 이십 장 인삼 일백 근 송자

五百斤 銅一千斤. 銘至西生浦船敗 死者五人 命再修船檝以去.
오백 근 동 일천 근 명지 서생포 선패 사자 오인 명 재수 선즙 이거

命吏曹判書李稷 參贊議政府事李叔蕃 尹柢工曹判書金承霑
명 이조 판서 이직 참찬 의정부 사 이숙번 윤저 공조판서 김승주

監營宗廟齋宮.
감영 종묘 제궁

議講武之所. 上與李叔蕃 尹柢議曰:"前日 政府請以仁州 安山
의 강무 지소 상여 이숙번 윤저 의왈 전일 정부 청이 인주 안산

富平 廣州等處 爲講武之所. 予以爲土性泥濘 山谷險阻 不便
부평 광주 등처 위강무 지소 여이위 토성 니녕 산곡 험조 불편

馳逐 且有乘舟渡水之難. 不如鐵原地平而便於馳逐也. 且鐵原
치축 차유 승주 도수 지난 불여 철원 지평 이편어 치축 야 차 철원

等處 禾穀豊稔 其於芻蕘之供 民不病也. 予之此行 都堂 臺諫皆
등처 화곡 풍임 기어 추고 지공 민불병 야 여지 차행 도당 대간 개

以爲不可 予則以爲古之帝王 田有常所 豈於都城近地 置苑囿
이위 불가 여즉 이위 고지 제왕 전유 상소 기어 도성 근지 치 원유

也? 必擇民所不居閑曠遠地而爲之也. 往往迂闊之輩 發生冷之
야 필 택민 소불거 한광 원지 이 위지 야 왕왕 우활 지배 발생 냉지

言以止之 然予志有定 卿等明諭予志于政府 更定田狩之所."又
언이지지 연 여지 유정 경등 명유 여지 우 정부 갱정 전수 지소 우

謂右代言尹思修曰:"爾曾觀察京畿 畿內州縣 悉皆巡行. 仁州
위 우대언 윤사수 왈 이 증 관찰 경기 기내 주현 실개 순행 인주

富平 距廣州 慶安 水谷幾里乎?"思修對曰:"皆一日可到也."上
부평 거 광주 경안 수곡 기리 호 사수 대왈 개 일일 가도 야 상

曰:"予之此行 無乃有弊於民乎?"思修曰:"今之行幸不如古 民
왈 여지 차행 무내 유폐 어민 호 사수왈 금지 행행 불여 고 민

之所供 但芻蕘耳 更無他弊. 但監司守令未得預知行幸向方 難於
지 소공 단 추요 이 갱 무타 폐 단 감사 수령 미득 예지 행행 향방 난어

供億 不如早定所之也."上然之.
공억 불여 조정 소지 야 상 연지

壬午 上觀放鷹于東郊 獲天鵝 卽獻德壽宮. 是日曉 上謂代言
임오 상관 방응 우 동교 획 천아 즉헌 덕수궁 시일 효 상위 대언

金科曰:"予欲暫出郊外."科曰:"今因衙朝 各司會闕門 若潛出
김과 왈 여욕 잠출 교외 과왈 금인 아조 각사 회 궐문 약 잠출

遊幸 則各司必知其無名矣."上曰:"汝何止予乎?"卽出 與諸
유행 즉 각사 필지 기 무명 의 상왈 여하 지여 호 즉출 여제

將相置酒於郊 乃曰:"使金科見之 亦豈不快樂哉!"
장상 치주 어교 내왈 사 김과 견지 역기 불 쾌락 재

癸未 憲府請停講武 不報. 啓曰:"今年因遷都 大小臣民 皆
계미 헌부 청정 강무 불보 계왈 금년 인 천도 대소 신민 개

勞於營作. 今若行幸遠地 則侍衛甲士 亦皆困苦 請停此行 以幸
로어 영작 금약 행행 원지 즉 시위 갑사 역개 곤고 청정 차행 이행

斯民." 上曰:"軍事 不可不慮也."

甲申 賜左軍摠制李和英田口. 命依壬午二等功臣金玉謙例

給田四十結 奴婢四口.

乙酉 舊都每介井 藍井 芹瑭 蛙皆自死.

丁亥 上詣德壽宮起居. 告將講武也.

曹溪釋省敏擊申聞鼓. 僧徒以減寺額削民田 日訴于政府 求
復古 政丞河崙不答. 於是省敏 率其徒數百 撾鼓以聞 上終不許.

臺諫聽從講武之行 從之. 啓曰:"講武非無名行幸也 各司宜皆
侍衛 殿下但欲便民 只率軍官甲士內侍以行. 然臺諫 耳目之官
不可一日離於左右 請從行." 上曰:"近來臺諫從行則必生事 故予
不欲率行矣. 且講武之所不遠 若予有過失 臣有犯法 必當聞之.
聞則當諫 何必從行乎?" 復啓曰:"臣等之欲侍衛者 非必欲覘
殿下之失也 但以耳目近臣 不可不從耳." 李叔蕃啓曰:"此行非
無名 宜令臺諫刑曹從駕."

戊子 流呂義孫于珍島. 義孫至日本 適大明使臣至 義孫譯者
黃奇 能通華語及日本語 乃爲明使奪去. 又聞上國謫日本挾攻
我國之語 其還也 不以啓聞 私語於人. 司憲府劾其奉使不謹不直
之罪 上命置其鄕. 憲府復上疏言:

'臣等以謂義孫之罪 律不當赦 反蒙聖恩 位至崇秩 旣老歸鄕.
此人情所欲 何懲惡之有哉! 且本朝事大交隣 差遣使臣 歲

非一二 今釋義孫之罪 無以示後. 伏望斷以大義 依法施行.
비일 이 금석 의손 지 죄 무이 시후 복망 단 이 대의 의법 시행

乃流之珍島.
내 유지 진도

日本國王源道義 遣使來聘 請大藏經; 九州節度使源道鎭
일본 국왕 원도의 견사 내빙 청 대장경 구주 절도사 원도진

使人獻土物 發還俘虜.
사인 헌 토물 발환 부로

己丑 講武于京畿 次廣州東鹽倉之原. 是夕 都觀察使全伯英
기축 강무 우 경기 차 광주 동염창 지원 시석 도관찰사 전백영

詣行幄設享.
예 행악 설향

庚寅 流星出大角南 入天掊星南 大如杯.
경인 유성 출 대각 남 입 천부성 남 대여배

| 원문 읽기를 위한 도움말 |

① 則不應置. 이때의 應은 當과 같다. '마땅히 ~하다'라는 뜻이다. 따라서
  즉불 응치   응   당
  不應은 不當과 같다.
  불응   부당

② 盍治之? 盍은 동사로는 '덮다', '가리다' 등의 뜻이 있지만 주로 부정의문
  합치지 합
  사로 '어찌 ~ 아니하느냐'라는 뜻으로 많이 사용된다.

③ 報聘也. 짧지만 以~也 구문에서 以가 생략된 것이며 '왜냐하면 ~ 때문
  보빙 야   이 야   이
  이다'라는 뜻이다.

태종 6년 병술년
3월

三月

신묘일(辛卯日-1일) 초하루에 어가(御駕)가 수원(水原) 장족역(長足驛)[1] 남교(南郊)에 머물렀다.

임진일(壬辰日-2일)에 어가가 금주(衿州) 안양사(安養寺)[2] 남교에 머물렀다. 좌정승 하륜(河崙) 등이 어가를 기다려서 향연을 베풀고자 했는데 상이 먼저 사람을 보내 못 하게 하고서 또 륜 등을 도성으로 돌아가게 했다.

계사일(癸巳日-3일)에 궁(宮)으로 돌아왔다. 어가가 한강(漢江) 중방원(重房院)[3]에 이르렀을 때 늙은 할미 국화(菊花)와 여승[尼] 지회(志니

---

1 고려시대부터 수원에는 장족역(長足驛-수원시 원천동), 동화역(同化驛-봉담면 동화리), 해문구화역(海間仇火驛-마도면 해문리), 청호역(菁好驛-오산시 대원동)의 4개 역이 설치돼 있었다.

2 경기도 안양시 만안구 석수1동 산27번지에 있는 사찰이다. 900년(신라 효공왕 4년)에 훗날 고려 태조가 된 왕건이 금주(지금의 시흥)와 과주(지금의 과천) 등의 지역을 정벌하려고 삼성산을 지나다가 산꼭대기의 구름이 5가지 빛을 띠는 것을 보고 이상하게 여겨 사람을 시켜 살피게 했다고 한다. 이에 구름 밑에서 능정(能正)이란 노스님을 만났는데 자세한 이야기를 들어보니 왕건의 뜻과 같으므로 지금의 장소에 안양사를 창건했다고 한다. 안양시의 명칭도 이 절에서 유래했다.

3 조선시대 한양 근처의 고양군(高陽郡)에는 역(驛)과 비슷한 기능을 했던 원(院)들이 있었다. 북쪽 방면에 인후원(仁厚院)과 흥복원(興福院)이 있었으며 서쪽에는 신원(新院-원당읍 신원리), 동쪽 방면에는 덕수원(德水院)과 중방원(重房院), 동남쪽 방면에는 이태원(梨泰院)이 있었다.

會)와 소경 김송(金松), 한용(韓龍) 등이 어가 앞에 알현하니 상이 불쌍히 여겨 쌀과 콩 각각 1석씩을 내려주었다.

갑오일(甲午日-4일)에 상이 덕수궁(德壽宮)에 나아갔다가 무슨 일이 있어[有故] 들어가보지 못하고 그냥 돌아왔다.
   유고

○ 동북면(東北面)이 굶주리니 창고 곡식을 내어[發倉] 진휼했다.
                                                    발창
도순문사(都巡問使) 여칭(呂稱, 1351~1423년)[4]의 청(請)을 따른 것이다. 상이 말했다.

"지난해에 여칭이 수재(水災)를 보고하지 않아[不申=不報] 내가 사
                                             불신 불보
람을 시켜 힐책했더니, 이에 말하기를 '만약 한 사람이라도 굶어 죽는 자가 있으면 신이 그 허물을 떠안겠습니다'라고 했다. 심하도다, 그 기망(欺罔)함이여! 그러나 내가 어찌 칭 한 사람 때문에 한 도(道)의 백성이 먹을 양식을 끊겠느냐?"

마침내 허락하고 더불어 긴요하지 아니한 일은 내버려두고 오직 농사의 일에만 힘쓰도록 명했다.

○ 항복한 왜인 오문(吳文)과 등곤(藤昆)이 전라도 선군(船軍-수군)

---

4 1392년 조선이 개국되자 양광·경상·전라도의 조전부사(漕轉副使)가 됐다. 그 뒤 강원도 관찰사로 나갔다가 돌아와서 의정부 참지사가 됐다. 1400년(정종 2년) 병조 전서(典書)가 되고, 1402년(태종 2년) 태상왕이 된 태조가 북쪽 지방을 순행할 때에 동북면의 도순문 찰리사(都巡問察理使)로 배종했다. 1404년에 사은사가 되어 명나라에 들어가서 왕실의 계통이 잘못 전해진 것을 바로잡는 데 힘쓰는 한편 그때 명나라에 억류되어 있던 우리 동포들을 본국으로 송환하는 데 노력했다. 명나라에서 돌아와 곧 서북면의 도순문찰리 사로 병마도절제사를 겸했다. 1407년에 개성유후사유후(開城留後司留後)를 거쳐 1413년 좌군도총제(左軍都摠制)가 됐고, 그해에 형조판서가 됐다. 1414년 의정부 지사가 됐으며 그해에 흠문기거부사(欽問起居副使)가 돼 명나라에 다녀와서 곧 사직, 은거했다.

을 거느리고 왜적을 붙잡아 갈도(葛島)[5]에 이르렀다가 바람을 만나 익사했다. 문(文) 등이 선군 55명을 거느리고 장흥부(長興府)의 작은 배를 탔는데, 매우 세찬[太急] 바람을 만나 배가 뒤집어졌다. 부의(賻儀)를 차등 있게 내려주도록 명해 오문과 등곤 두 사람에게는 각각 쌀과 콩 10석과 종이 50권을, 영선(領船)[6] 장의(張義)와 두목(頭目) 고귀생(高貴生)에게는 쌀과 콩 각각 8석을, 사관(射官) 박자송(朴自松) 등 3인과 격군(格軍) 김부(金富) 등 9인과 사공(沙工) 서원(徐原), 인해(引海)[7] 황충(黃忠)에게는 각각 쌀과 콩 6석을 내려주었다. 그 사관 고적(高迪)과 격군 유천(劉天) 등 39명은 조령(條令)을 따르지 않은 채 우매하고 배에 익숙하지 못한 자로 하여금 대신 배를 타게 했다가 파선됨에 이르렀기 때문에 전라도 도관찰사로 하여금 추핵(推劾)하여 아뢰게 했다.

을미일(乙未日-5일)에 동북면 도순문사(東北面都巡問使-여칭)가 그 도(道)의 사의(事宜-주요 사안)를 올렸다. 아뢰어 말했다.

"경원(慶源) 지역에 흩어져 사는 군인과 백성들은 함께 성(城) 가까이에 모여 살면서 농사를 생업으로 삼고 있습니다[業農]. 초적(草賊)이 나오는 요로(要路) 가운데 망을 볼 수 있는 높은 봉우리에 봉

---

5 전라남도 해남군 송지면에 있는 섬이다.
6 조선시대 배로 공물(貢物) 따위를 실어 나를 때, 그 배를 몰고 목적지까지 가는 책임을 진 이속(吏屬)의 벼슬 또는 그 벼슬아치를 말한다.
7 조선시대 각 도의 수군에 소속된 병선에 승선해 뱃길을 인도하는 일을 담당하던 군인을 가리키는 말로 각각의 병선에는 1인의 인해가 배속됐다.

수(烽燧)를 설치하고 삼가 척후(斥堠)활동을 부지런히 하여 만약 침입하는 적(賊)이 있으면 병마사(兵馬使)⁸가 정장(丁壯-장정)을 거느리고 가서 변고에 대응하게 해야 합니다."

그것을 따랐다.

병신일(丙申日-6일)에 경기와 황해도의 굶주림을 진휼했다.

○ 하정사(賀正使)⁹ 강사덕(姜思德, ?~1410년)¹⁰ 등이 베이징에서 돌아왔다. 통사 조현(曹顯)이 아뢰어 말했다.

"오도리 만호(吾都里萬戶) 동맹가첩목(童猛哥帖木) 등이 입조(入朝)하니 제(帝)가 맹가첩목에게 건주위(建州衛) 도지휘사(都指揮使)를 제수하고, 인신(印信)과 삽화 금대(鈒花金帶)를 내려주었으며 그 아내 복탁(幞卓)에게 의복(衣服), 금은(金銀), 기백(綺帛-비단류)을 내려주었

---

8 고려 때 생겨난 병마사에는 중앙군의 전투 동원을 위해 조직된 5군(五軍)의 지휘관인 각기 중·전·후·좌·우군 병마사, 임시변통으로 조직된 부대의 지휘관인 행영(行營) 병마사, 사태에 따라 추가 파견된 부대의 지휘관인 가발(加發) 병마사 등이 있었다. 이들은 평시에는 임명되지 않고, 비상시 군의 출동이 필요할 때 임명됐다. 이 제도는 북방의 특수 지역인 동계(東界)·북계(北界)의 양계(兩界)에 각기 군사·행정을 담당하는 기구로 두어졌다. 구성은 병마사(3품) 1인, 지병마사(知兵馬事, 3품) 1인, 병마부사(兵馬副使, 4품) 2인, 병마판관(兵馬判官, 5~6품) 3인, 병마녹사(兵馬錄事) 4인이었다.

9 정월 초하루에 중국 임금에게 신년 하례를 드리기 위해 파견하는 사신이다. 정조사(正朝使) 혹은 정단사(正旦使)라고도 하는데, 동지사(冬至使)·성절사(聖節使)와 더불어 삼절사(三節使)의 하나이다. 이는 무슨 일이 있을 때마다 보내던 임시 사절이 아니라 정례 사행(定例使行)이었다.

10 1397년(태조 6년) 남포진첨절제사를 거쳐 형조전서, 우군총제, 우군도총제, 길주도 도안무찰리사(吉州道都按撫察理使), 전라도 병마도절제사, 판승녕부사(判承寧府事) 등을 차례로 역임했다. 이때인 1406년(태종 6년)에는 하정사(賀正使)로 명나라에 다녀왔으며, 경상도 도절제사 등을 역임해 주로 경상도·전라도 해안에 출몰하던 왜구를 방어하는 데 공이 많았다. 1409년 윤목(尹穆), 이빈(李彬), 조희민(趙希閔) 등의 모반사건에 연루돼 영해에 유배, 이듬해 사사됐다.

습니다. 또 어허출(於虛出) 참정(參政)의 아들 김시가노(金時家奴)를 건주위 지휘사(建州衛指揮使)로 삼아 삽화 금대(鈒花金帶)를 내려주었습니다. 그리고 아고거(阿古車)를 모련(毛憐) 등지[11]의 지휘사로 삼아 인신과 삽화 은대(鈒花銀帶)를 내려주고 또 아난(阿難)과 파아손(把兒遜)을 모련 등지의 지휘 첨사(指揮僉事)로 삼아 광은대(廣銀帶)를 내려주었습니다."

정유일(丁酉日-7일)에 의정부에서 외임(外任)으로 나간 2품 이상이 이문(移文)[12]하는 법규[式]와 죄인이 속전(贖錢)하는 법을 올렸다. 정부에서 아뢰었다.

"각 도 도관찰사와 도순문사가 만약 병마도절제사(兵馬都節制使)[13]를 겸하면 병조(兵曹)에 이문할 때 민사(民事)에 관계된 것은 평관(平關)으로 하고, 군사(軍事)에 관계된 것은 첩정(牒呈)으로 하게 해야 합니다.[14] 도관찰사와 도순문사가 (병마도절제사와 같은) 군직(軍職)을 갖지 아니했을 경우에는 군사(軍事)와 민사(民事)를 논하지 말고 모

---

11 두만강 유역 일대 두문(豆門-토문(土門)), 수주(愁州-종성(鍾城)), 아지랑귀(阿之郎貴-국자가(局子街)), 동량북(東良北-무산대안(茂山對岸)) 등지를 말한다. 옛부터 호마(胡馬)를 생산해 morin[馬]이라는 명칭이 생겼다.

12 동등한 아문(衙門)에 보내는 공문서를 가리킨다. 공이(公移)라고도 했다. 이문(移文)은 2품 이상 중앙 관아 및 지방 관찰사 등 조선시대 최고 관서 사이에 행정적으로 협조할 필요가 있을 경우에 사용했다.

13 조선 초기에 둔 종2품의 외직 무관(外職武官)으로 1466년(세조 12년)에 병마절도사(兵馬節度使)로 고쳤다.

14 동격 관아 사이에서 수수되는 경우에는 평관(平關)이라 하고, 하급관아에서 상급관아로 올리는 문서는 관을 쓰지 않고 첩정(牒呈)을 썼다.

두 평관(平關)으로 하도록 해야 할 것입니다."

또 아뢰었다.

"『대명률(大明律)』 조문을 살펴보면 노인이나 어린아이, 폐질자(廢疾者-불치병 환자)에게는 속전(贖錢)을 거두도록 허락하고 그 동전(銅錢) 1,000문(文)은 1관(貫)이 되므로 보초(寶鈔)[15] 1관에 준(准)한다고 했습니다. 국초(國初)에는 전조(前朝-고려)의 옛 제도로 인해 동전 1관을 오승포(五升布) 15필에 준하게 했고, 무인년(戊寅年-1398년)에 이르러 형조(刑曹)에서 교지를 받기를[受敎] '장(杖) 100대와 도(徒) 3년에 처한 자는 동전 24관을 속(贖)하는 것이 마땅하다'라고 했습니다. 예(例)에 준하면 베 540필을 속해야 하니 가난한 사람은 집안이 기울고[傾家] 파산(破産)해도 그 수량을 채우지 못합니다. 죄인을 불쌍히 여기는 뜻에 어긋난 것 같습니다. 동전 1관을 오승포 10필에 준하게 한다면 경중(輕重)이 거의 마땅함을 얻을 것입니다."

그것을 따랐다.

○상호군 안우세(安遇世)를 동북면(東北面)에 보냈다. 오도리(吾都里)와 올량합(兀良哈)의 사태 변화를 탐지해서[體探] 오게 했다.

---

15 원나라의 화폐제도는 초기에는 금나라의 제도를 받아들여 교초(交鈔)를 인조(印造)하기도 했지만, 세조(世祖) 때부터 지폐전용책(紙幣專用策)을 추진하면서 중통보초(中統寶鈔)·지원보초(至元寶鈔) 등을 만들어 유통시켰다. 그런데 이것이 고려에도 유입되어 사용됐던 것이다. 특히 고려 왕실의 빈번한 원나라 왕래나 사신 파견 등의 소요 경비로 많이 사용됨으로써 다시 원나라로 흘러들어 가 유통되기도 했다. 또한 1391년(공양왕 3년)에 자섬저화고(資贍楮貨庫)의 설치와 저화(楮貨)의 인조 및 유통이 논의될 때 송나라의 회자(會子)와 함께 화폐의 표본으로 거론됐다.

무술일(戊戌日-8일)에 호군(護軍) 정계흥(鄭繼興)을 파직했다. 사헌부에서 계흥(繼興)이 우군(右軍)의 사령(使令)과 수령관(首領官)을 마음대로 매질하고[擅捶] 상관[仰官＝上官]을 힐난하고 능멸한 죄를 논했기 때문이다.

임인일(壬寅日-12일)에 (경상도) 계림(雞林), 합천(陝川) 등지에서 지진이 일어나 지붕 기와에서 소리가 났다.

○ 박신(朴信, 1362~1444년)[16]을 동북면 도순문찰리사(東北面都巡問察理使)[17]로 삼았다.

계묘일(癸卯日-13일)에 동교(東郊)에서 매사냥을 구경했다. 이날 새벽에 상이 장차 나가려고 하니 사간원 좌사간대부 송우(宋愚)가 아뢰어 말했다.

"지난번에 신 등이 아뢴 바로 인해 가벼이 궁궐을 나가 유람하지

---

16 1405년 노비변정도감(奴婢辨正都監)의 제조(提調), 다시 대사헌이 됐으나 대사헌으로서 '전후가 맞지 않는 계문(啓聞)을 올렸다'는 이유로 사간원의 탄핵을 받아 순군사(巡軍司)에 하옥됐다가 아주(牙州)로 유배를 갔다. 1406년 유배에서 풀려나 경외종편됐으며 다시 이때 동북면 도순문찰리사(東北面都巡問察理使)로 기용됐다. 1407년 참지의정부사로 기용돼 세자가 정조사(正朝使)로 명나라에 갈 때 요동까지 호종하고 돌아와 공조판서에 올랐다. 1408년 서북면 도순문찰리사 겸 평양부윤이 됐다. 1409년 정조에 활과 화살을 바쳐 학문을 전폐시키는 단서를 만들어주었다는 이유로 사헌부의 탄핵을 받기도 했다. 1410년 다시 지의정부사(知議政府事)로 기용됐으며, 그 뒤 호조판서·병조판서·의정부찬성·이조판서 등을 차례로 역임했다. 1418년(세종 1년) 봉숭도감(封崇都監)의 제조가 됐으며, 이어서 선공감제조가 되었으나 선공감 관리의 부정으로 통진현에 유배됐다가 12년만에 소환돼 얼마 후에 죽었다.

17 도순문사와 같다.

않겠다고 허락하셨는데 오늘 (보니) 거의[殆=庶] 신뢰를 잃은 듯하십
니다."
　태　서

상이 말했다.

"내가 함부로 놀고자 함이 아니라 다만 궁중(宮中)에 오래 있다 보
니 기운이 제대로 펴지지[舒暢] 못하기 때문에 잠깐 성 밖에 나가고
　　　　　　　　서창
자 하는 것일 뿐이다."

상이 대언 맹사성(孟思誠)에게 일러 말했다.

"내가 몰래 행차하는 것을 외부 사람들은 알지 못한다. (그런데) 지
금 간관(諫官)이 어찌 급히 와서 아뢰는가? 이는 분명 너희가 말을
누설한 때문일 뿐이다."

대언 등이 아뢰어 말했다.

"신 등은 궐내(闕內)의 모든 일을 누설하지 않습니다. 하물며 전하
의 거둥이겠습니까?"

상이 말했다.

"나도 승선(承宣)¹⁸이 다른 사람들에게 말을 누설하지 않았으리라

---

18 대언이나 승지를 가리키는 고려 때의 용어다. 이때는 조선 초라서 아직 관직을 고려식
　으로 부르는 유습이 남아 있었음을 보여준다. 승선제도가 정비된 것은 중추원이 설치된
　991년(성종 10년)보다 약간 늦은 시기로서 이때 좌승선 1인, 우승선 1인, 좌부승선 1인,
　우부승선 1인, 지주사(知奏事) 1인 등이 있었으며, 모두가 정3품이었다. 고려 후기에는 명
　칭이 자주 변경되어 지주사는 도승지·지신사 등으로 고쳐졌으며, 승선은 승지·대언 등
　으로 바뀌었다가 다시 승선으로 되었다. 이들이 집무하는 곳을 지주사방(知奏事房), 승선
　방이라 불렀다. 지주사방은 잘 알 수 없지만, 승선방은 승선의 명칭 변경에 따라 승지방
　또는 대언사(代言司) 등으로 바뀌었다. 승선은 왕명의 출납을 관장했는데 군왕에게 올라
　가는 백관의 장계(狀啓)·소문(疏文) 및 품달 사항 등은 이들을 거쳐야 했으며, 반대로 왕
　명이 하달될 때도 이들을 통해 행했다. 이것은 단순히 행정적·의례적인 것이 아니라 왕
　지를 받으려고 할 때는 먼저 이들과 상의해 그 가부를 결정하고 서명을 한 뒤에야 상주
　할 수 있었다. 이렇게 품달 여부의 결정권을 가지고 있었기 때문에 특별히 이들을 내상

믿는다. 다만 후일에 외부 사람들로 하여금 알지 못하게 하려 할 뿐이다."

○ 의정부에서 치부(致賻)하는 법을 아뢰니 그대로 따랐다. 정2품(正二品)은 쌀과 콩을 합해 50석을 치부하고, 종2품(從二品)은 40석을 치부하는데, 예조(禮曹)에서 때에 따라 상의 뜻을 받아 이행하기로 했다.

갑진일(甲辰日-14일)에 (전라도) 나주(羅州)와 완산(完山-전주)에 큰비가 오고 세찬 바람이 불고 천둥과 번개가 치고 물이 넘쳤다.

○ 반궁(泮宮)[19]의 바깥 마당[外廣]의 장수(丈數)를 정했다. 예조에서 아뢰어 말했다.

"삼가 『문헌통고(文獻通考)』[20]를 상고하니 '벽옹(璧雍)[21]이나 대학(大學-태학)의 바깥 마당은 24장(丈)이니 24절기(節氣)에 응한다'라고 했습니다. 지금 반궁의 외광이 12장이니 12개월에 응한 것입니다. 사람들이 집을 짓는 것을 금지하는 것이 편리하겠습니다."

그것을 따랐다.

(內相)이라고도 했다. 또한 왕명을 전선(傳宣)하는 임무도 맡았다. 전선은 사례에 따라 조지(詔旨)를 그대로 전달하기도 했으나 대부분은 선유(宣諭)의 형태로 군왕의 의사를 대변했다.

19 성균관을 가리킨다.

20 중국 송말(宋末), 원초(元初)의 학자 마단림(馬端臨)이 저작한 제도와 문물사(文物史)에 관한 저서다.

21 천자의 학교를 가리킨다.

병오일(丙午日-16일)에 제생원(濟生院)에 명해 동녀(童女)들에게 의약(醫藥)을 가르치게 했다. 검교 한성윤(檢校漢城尹) 제생원 지사(濟生院知事) 허도(許衜)가 말씀을 올렸다.

"가만히 생각건대 부인이 병이 있는데 남자 의원으로 하여금 진맥(診脈)하여 치료하게 하면 혹 부끄러움을 품고 나와서 그 병을 보이기를 즐겨하지 아니하여 사망에 이르게 됩니다. 바라건대 창고(倉庫)나 궁사(宮司)의 동녀(童女) 수십 명을 골라서 맥경(脈經)과 침구(針灸)의 법(法)을 가르쳐 이들로 하여금 치료하게 하면 거의 전하의 살리기를 좋아하는 다움[好生之德]에 보탬이 될 것입니다."
　　　　　　　　　　　　호생 지 덕
상이 그것을 받아들여 제생원으로 하여금 그 일을 맡아보게 했다.

무신일(戊申日-18일)에 여진(女眞) 검교 한성윤(檢校漢城尹) 최야오내(崔也吾乃)와 호군 동소로(童所老)에게 옷·갓·신을 내려주고, 또 동소로의 아내에게 명주·모시·삼베 각각 한 필씩을 내려주었다.

기유일(己酉日-19일)에 (명나라) 조정사신 내관(內官) 정승(鄭昇)이 왔다. 티 없이 깨끗하고 광택이 나서 곱고 좋은 세백지(細白紙)를 구하는 일과 만산 군인(漫散軍人)[22] 가운데 붙잡아 돌려보내지[刷還]
　　　　　　　　　　　　　　　　　　　　　　　　　　　　쇄환

---

22 명(明)나라의 요양(遼陽)에서 도망쳐 조선으로 나온 옛 고려의 동북면(東北面) 인민들이다. 1382년(우왕 8년)과 1383년(우왕 9년)에 호발도(胡拔都)가 침입해 포로로 잡아간 사람들로서 명(明)의 요양(遼陽)에 끌려가 동녕위(東寧衛) 군정으로 편입됐다가, 건문제(建文帝)와 영락제(永樂帝)가 제위(帝位) 다툼을 벌이는 난세(亂勢)를 틈타 고국인 조선으로 대거 도망쳐 왔다. 이들은 그 후 4차에 걸쳐 1만 5,000명이 중국으로 송환됐다.

않은 자를 찾는 일 때문이었다. 부모를 뵈러 오는[省親] 내관 조량
(趙良) 등 6인이 승(昇)을 따라왔다. 승과 량(良) 등은 본국(조선) 출
신 화자(火者)다. 백관들이 시복(時服)²³ 차림으로 반송정(盤松亭)²⁴에
서 맞이하고 상은 창덕궁(昌德宮) 문밖에 나와서 기다렸다. 승이 먼
저 전(殿)에 오르고 상이 뒤따랐다. 승이 선유(宣諭-황제의 뜻)를 전
하고 황모란(黃牧丹)을 구했다. 상이 꿇어앉아 듣기를 마치자 승이
절하고 상이 답배(答拜)했다. 다음에 량 등이 절했는데 상은 답배하
지 않았다. 절을 마치자 전상(殿上)에서 잔치를 베풀었는데 량 등은
남행(南行-남쪽 줄)에 앉았다. 잔치를 마치고 승 등은 태평관(太平館)
으로 갔다. 황모란(黃牧丹)은 곧 황후(皇后)가 쓸 것이었다.

○ 군자감(軍資監) 박분(朴賁, ?~?)²⁵을 먼 지방에 안치(安置)하도록
명했다. 사헌부에서 아뢰어 말했다.

"삼년상(三年喪)은 천하의 공통된 상제(喪制)이므로 남의 자식이
된 자[爲人子者]는 마땅히 마음을 다해야 하는 것입니다. 분(賁)은
머리를 묶으면서부터[結髮] 글을 읽어 머리털이 희기에 이르렀으니
그 상제에 대해서는 강구(講究)하는 것이 익숙할 터인데, 그 어머니
가 죽기에 이르러 군상(君上)의 명령이 없는데도 급히 최질(衰絰-3년
상복)을 벗고서 마음대로 행동하고 슬픔을 잊어 평상시와 다를 바가
없었습니다. 신 등이 핵문(劾問)하니 분이 이에 예문(禮文)에 나오는

---

23 입시(入侍)를 할 때나 공무를 볼 때 관원들이 입던 옷으로 흉배가 없는 홍단령(紅團領)에
   사모, 대(帶), 목화(木靴)를 갖춰 입었다.
24 예전 서울 서대문 밖 의주로 서편의 천연동(天然洞)에 반송정(盤松亭)이 있었다.
25 야은 길재에게 학문의 기초를 가르쳤고 뒤에 공조참의를 지냈다.

'개가(改嫁)한 어머니는 상기(喪期)를 짧게 한다'라는 말을 끌어들여 핑계를 댔습니다만, 본인이 제사를 거행하는 자취를 상고해보면 그 어머니를 아버지의 배(配-짝)로 했으니 그 상기 단축[短喪]²⁶은 어머니가 다시 시집간 때문이 아닙니다. 또 담전(禫前)²⁷에 시복(時服) 차림으로 대궐에 이르러 사은(謝恩)함으로써 나라의 법을 범했으니 자식이 되어 불효(不孝)하고 신하가 되어 불충(不忠)하여 죄가 더할 수 없이 큽니다. 청컨대 직첩(職牒)을 거두고 그 죄를 국문하여 풍속을 바로잡아야 합니다."

상이 그 고향에 안치할 것을 명했다. (그러나) 헌사에서 그 죄를 다시 청해 먼 지방에 안치했다.

○ 한간(韓幹)을 사면해 도성 밖 어디건 편한 곳에 가서 살게 했다[京外從便].

경술일(庚戌日-20일)에 상이 태평관에 가서 정승(鄭昇) 등에게 잔치를 베풀었다.

○ 의정부에서 노비를 결송(決訟-판결)하는 조목을 아뢰었다.

"경진년(庚辰年-1400년) 정월 이전에 사헌부에서 오결(誤決)이라고 정소(呈訴)한 것을 끝마치지 못한 사건과 2월 이후에 정장(呈狀)하여 서로 쟁송하는 사건은 영락(永樂) 3년(1405년) 8월 초5일 형조 도관(刑曹都官)이 받은 교지[受教]에 의해 전결(前決)의 유무(有無)를

---

26 삼년상을 1년상으로 단축한 것을 말한다.
27 담제란 대상(大祥)을 치른 후 정일(丁日)이나 해일(亥日)에 지내는 제사를 가리킨다.

논하지 아니하고 모두 바르게 결절(決折-결정)할 것이며, 정축년(丁丑年-1397년) 이래 정장(呈狀)하여 전혀 결절하지 못한 사건과 양인(良人)과 천인(賤人)이 서로 소송하여 미결된 사건은 더욱 억울할 것이니 서울과 지방의 각사(各司)로 하여금 먼저 결절(決折)하게 해야 합니다."

그것을 따랐다.

○ 왜선 4척이 삼목도(三木島)²⁸를 침략해 민간의 배 2척을 빼앗아 갔다.

임자일(壬子日-22일)에 경상도 병마도절제사 유용생(柳龍生)에게 채견(綵絹)을 내려주었다. 용생이 보낸 진무(鎭撫) 황준(黃濬) 등이 왜선 한 척을 잡은 때문이었다. 준 등에게 차등 있게 상을 주었다.

○ 정승(鄭昇)이 (경상도) 개령(開寧-김천)으로 돌아갔다. 승과 조양(趙良) 등 6인이 각각 그 고향으로 돌아갔는데 혹 부모를 문안하기 위해, 혹 성묘하기 위해서였다. 의정부에 명해 성문(城門) 밖에서 전송하게 하고 모두 시복(時服)을 주고, 또 그 집에 쌀과 콩을 하사했으며 그 부모가 죽은 자에게는 그 주(州)와 현(縣)으로 하여금 전물(奠物-올리는 물건)을 갖추게 했다.

---

28 인천광역시의 중구에 위치하며 영종도와 용유도 사이에 있던 작은 섬이다. 『1872년 지방지도』에 "인천부의 서쪽에 위치하며 주위가 10리이고 목장이 설치되어 있다"라고 기록돼 있다. 『대동여지도』에 자연도, 즉 현재의 영종도 서쪽에 삼목도(三木島)라는 지명이 확인된다. 인천국제공항 건설을 위해 영종도·용유도·삼목도는 서로 매립돼 연결됐다. 삼목이란 '물이 드나드는 길목'이라는 유래를 갖고 있는 것으로 전한다.

갑인일(甲寅日-24일)에 의주(義州), 이성(泥城), 강계(江界) 등지에 유학 교수관(儒學敎授官)²⁹을 두었다. 서북면 도순문사 조박(趙璞)의 청을 따른 것이다.

○ 전라도와 경상도 두 도로 하여금 (명나라에) 진헌(進獻)할 백지(白紙)를 떠서 만들게 했다.

○ (황해도) 평주지사(平州知事) 권문의(權文毅, ?~?)³⁰가 호패법(號牌法) 시행을 청했다. 글은 이러했다.

'사람의 마음에는 도타움과 야박함[淳薄]의 변화가 있기 때문에
                              순박
법을 세움에 있어 상경(常經)과 권도(權道)³¹의 차이가 있게 됩니다. 명(明)나라 태조 황제(太祖皇帝)는 법령과 기강(紀綱)을 엄하게 하고 또 밝혀서 군민(軍民)의 무리에게 모두 호패(號牌)를 주었습니다. 이 때문에 백성들이 유망(流亡)할 마음을 끊어버려 호구가 증감(增減)하는 폐단이 없어졌습니다. 이는 세상의 변화에 따라 법을 바로잡는 방법입니다. 공손히 생각건대 국가에서 법을 세우고 제도를 마련한 것[立經陳紀]은 일절 중화(中華)의 제도에 따라 모조리 갖추면
    입경 진기

---

29 유생에게 학문을 가르치는 일을 담당했던 벼슬이다. 1390년(고려 공양왕 2년)에 개경(開京)의 5부(五部)와 서북면(西北面)의 부(府)·주(州)에 두고, 1391년(공양왕 3년)에 각 도의 목(牧)·부(府)에 두었다. 1392년(공양왕 4년)에 폐지했다가 곧 다시 두었다. 조선 초기에는 고려의 제도에 따라 한성의 5부와 각 도의 주·부·군·현(州府郡縣)에 두었는데 1466년(세조 12년)에 교수(敎授)로 고쳤다.

30 1383년(우왕 9년) 이방원과 함께 문과에 급제했고 벼슬은 예조참의를 지냈다. 문과 동기생으로는 김한로(金漢老), 심효생(沈孝生), 이래(李來), 윤사수(尹思修), 박습(朴習) 등이 있다.

31 정상적인 상황에서 상경(常經-일정한 원칙)을 실천하는 것이 상도(常道)요, 상도를 실천하기 어려운 특수한 상황에서의 변통(變通)이 권도(權道)다. 권(權)은 경(經)을 기반으로 하여 때에 맞고 변화에 응하는 변도(變道)다.

서 오로지 호패(號牌)만은 미치지 못해 유망(流亡)하는 것이 서로 잇따르고, 호구가 날마다 줄어듭니다. 감사와 수령(守令)이 비록 찾아서 잡는 데 정성을 다하고 있지만 그 효과를 보지 못하는 것은 진실로 호패(號牌)로 식별함이 없어서 많은 사람에게 뒤섞이기 쉽기 때문입니다. 바라건대 향장(鄕長)·사장(舍長)·이장(里長)의 법을 세워 100호에 향장(鄕長)을 두고 50호에 사장(舍長)을 두고 10호에 이장(里長)을 두어 양민(良民)과 천례(賤隷-노비)의 액수를 두루 알지 않음이 없게 하고, 중국의 제도에 의거해 모두 호패를 주어 출입할 때 지니게 해야 할 것입니다. 이와 같이 하면 유이(流移-떠돌이)하거나 도망하여 숨는 자가 용납되지 않을 것입니다. 이 법이 한 번 세워지면 사람들이 모두 토착(土着)하게 되어 일정한 생업이 있고[有恒産] 일정한 마음이 있게[有恒心] 될 뿐만 아니라[32] 실로 군사를 강하게 하고 국가를 굳건히 하는 데 한 가지 도움이 될 것입니다.'[33]

___

32 이는 『맹자(孟子)』에 나오는 말을 응용한 것이다.

33 호패의 제도는 조선시대에 들어와 1398년(태조 7년) 이래 이의 실시에 대한 논의가 꾸준히 제기됐다. 이때도 권문의의 발의가 있었지만 제대로 시행되지 못했다. 그러다가 1413년(태종 13년) 9월에 전 인녕부윤(前仁寧府尹) 황사후(黃士厚)의 건의를 받아들여 먼저 호패사목(號牌事目)을 작성하고 이에 따라 실시했다. 호패제는 그 뒤 지속적으로 실시되지 못하고 여러 차례 중단됐다. 그 치폐 과정(置廢過程)을 보면 1416년(태조 16년) 6월 폐지, 1459년(세조 5년) 2월 실시, 1469년(성종 1년) 12월 폐지, 1610년(광해군 2년) 9월 실시, 1612년 7월 폐지, 1626년(인조 4년) 1월 실시, 1627년 1월 폐지, 1675년(숙종 1년) 11월 실시 등의 변천을 겪었다. 이와 같이 호패제 실시가 때때로 중단되었던 것은 유망(流亡)이 감소되지 않았고, 양인(良人)들은 호패를 받으면 과중한 각종 국역(國役)을 부담해야 한다는 생각에서 호패 받기를 기피했기 때문이다. 심지어는 세력가에 위탁함으로써 양인의 수가 오히려 감소됐다. 이때 호패 폐지론자들은 위조패(僞造牌)·무패(無牌)·불개패(不改牌)·불각패(不刻牌)·실패(失牌)·환패(換牌) 등 호패법을 위반하는 자에 대한 치죄(治罪)로 형옥(刑獄)이 번거롭고, 이에 따라 민심이 소란한 점 등을 들어 국가에 무익하다는 입장을 제시했다. 반면 호패 실시론자들은 도적 및 백성의 유리(流離)를 방지할

의정부에 내려 깊이 토의해[擬議] 시행하게 했다.
의의

○ 전라도 수군 단무사(團撫使) 김문발(金文發, 1359~1418년)[34]이 왜적의 배 한 척을 잡았다. 문발이 항복한 왜인 만호(萬戶) 임온(林 溫)과 경상도 병선 압령(押領) 상진무(上鎭撫),[35] 어원해(魚元海) 등 과 함께 안부도(安釜島)를 수색해 적선 한 척을 잡았다. 적의 배에 탄[騎船] 자가 40여 인이었는데 모두 바다에 몸을 던져 죽었다. 8급 기선 (級)을 베어 바치니 차등 있게 상을 주었다. (그에 앞서 항왜) 오문(吳 文) 등이 이미 죽었으니 조정의 의견이 김문발을 허물하여 죄를 주 려고 했기 때문에 문발이 이를 두려워하여 공을 세워 스스로 속죄 (贖罪)하고자 했던 까닭으로 더욱 열심히 싸웠다.

○ 고려 8릉(陵)에 수호인(守護人)을 두도록 명했다. 태조의 현릉(顯 陵)에 3호(戶)를, 혜왕(惠王-혜종)·성왕(成王-성종)·현왕(顯王-현종)· 문왕(文王-문종)·충경왕(忠敬王)[36]·충렬왕(忠烈王)·공민왕(恭愍王)

수 있고 모든 백성의 신분과 직임을 밝힐 수 있으며, 호구를 장악해 군정을 확보할 수 있 어 국가에 유익하므로 복구해야 한다는 주장을 내놓았다.

34 조선 초기 1394년(태조 3년)에 수군첨절제사(水軍僉節制使) 김빈길(金賓吉), 만호 김윤검 (金允劒) 등과 함께 왜적선 세 척을 포획한 공으로 왕으로부터 활·화살·은기(銀器) 등을 하사받았다. 그리고 이때인 1406년(태종 6년) 전라도 수군단무사로서 왜적선 한 척을 포 획했다. 1407년(태종 7년)에 상호군(上護軍)이 돼 이추(李推), 대호군(大護軍) 강원길(姜元 吉)과 함께 요동의 피망민을 압송해 돌려보내는 업무를 관장했다. 경기 수군도절제사에 이어 충청·전라도 수군도체찰추포사(忠淸全羅道水軍都體察追捕使)를 역임하고, 1411년 (태종 11년) 충청도 수군절제사에 이르렀으나 병으로 사양했다. 이듬해 전라도 수군절제 사가 됐으며 1418년(태종 18년) 황해도 도관찰사를 제수받았으나 사양하고 나가지 않 았다. 왜구 토벌에 공이 많았다.

35 태종 때 친히 군정(軍政)을 통솔하고자 하여 도진무(都鎭撫), 상진무(上鎭撫), 부진무(副鎭 撫), 진무(鎭撫)를 두어 시위(侍衛)를 맡겼다. 세조(世祖) 때 부총관(副摠官)으로 고쳤다.

36 1310년(충선왕 2년) 7월 원나라는 부왕에게 충렬왕, 고종에게 충헌왕(忠憲王), 원종에게 충경왕(忠敬王)이라는 시호를 고려에 통보했다. 원나라는 고려를 제후국으로 여겨 이렇게

의 능에 각각 2호를 두고, 매호에 전지 1결(結)을 주고, 부근에 나무하고 나물 캐는 것과 불을 놓는 것을 금지했다.

○ 개화령(改火令)[37]을 내렸다. 예조에서 아뢰었다.

"삼가 『주례(周禮)』를 상고해보면 '하관(夏官),[38] 사훤(司烜)[39]이 행화(行火)[40]의 정령(政令)을 맡아 사계절마다 나라의 불[國火]을 바꿔 계절마다의 병폐[時疾]를 구제한다'라고 했습니다. 선유(先儒)가 말하기를 '불씨[火]를 오래 두고 변하게 하지 아니하면, 불꽃이 빛나고 거세게 이글거려 양기[陽氣]가 정도에 지나쳐서 여질(厲疾-안 좋은 질병)이 생기는 까닭으로 때에 따라 바꾸어 변하게 해야 한다. 그 변하게 하는 법은 찬수(鑽燧)하여 바꾸는 것이다. 느릅나무[楡]와 버드나무[柳]는 푸르기 때문에 봄에 불을 취하고, 살구나무[杏]와 대추나무[棗]는 붉기 때문에 여름에 불을 취하고, 계하(季夏-음력 6월)에 이르러서는 땅의 기운[土氣]이 왕성하기 때문에 뽕나무[桑]와 산뽕나무[柘] 같은 황색 나무에서 불을 취하고, 떡갈나무[柞]와 졸참나무

'왕'이라는 호칭을 붙였다.

37 개화란 조선시대 궁중과 각 관서에서 보관하던 불씨를 사계절마다 갈아주던 행사를 가리킨다. 이는 중국 고대의 제도, 즉 『주례(周禮)』에서 비롯된 풍습으로 계절에 따라 새로 불씨를 만들어 여러 주방에서 쓰면 음양의 기운이 순조롭게 되고 질병을 피할 수 있는 것으로 믿었다.

38 병조(兵曹)의 별칭(別稱)이다. 원래 하관은 중국 주대(周代)의 6관(六官)의 하나로 군사(軍事)를 관장했으며, 하관의 장(長)을 대사마(大司馬)라고 했다.

39 불을 담당하는 관리로, 예를 들어 매년 한식 무렵이면 마을을 돌아다니며 불 피우는 행위를 금지하게 했다.

40 절기(節氣)에 따라 불씨를 바꾸는 일을 말한다. 봄에는 느릅나무·버드나무에서, 여름에는 살구나무·대추나무에서, 가을·겨울에는 작유(柞楢-갈참나무)·괴단(槐檀-회화나무와 박달나무)에서 불씨를 얻었다.

[楢]는 희고 홰나무[槐]와 박달나무[檀]는 검기 때문에 가을과 겨울
에 각각 그 철의 방위 색[方色]에 따라 불을 취하는 것이다'라고 했
습니다. 대개 불이라는 것은 사람에게 있어서는 더욱이나 상용(常用)
되므로 그 성질을 따르지 아니할 수 없기 때문입니다. 세월이 오래되
고 법이 폐지되어 불씨를 바꾸는 법령이 오랫동안 행해지지 아니하
여 섭리(燮理)하는 도리에 미처 다하지 못함[未盡]이 있습니다. 바라
건대 사철에 불씨를 바꾸는 영(令)을 내려 경중(京中)에는 병조(兵曹)
에서, 외방(外方)에는 수령들이 계절마다 입절(入節)⁴¹하는 날과 계하
(季夏) 토왕일(土旺日)⁴²에 각각 그에 해당하는 나무를 문질러[鑽] 그
철의 불씨로 바꾸어 음식을 끓이는 데 사용하면 음양(陰陽)의 절후
가 순조롭고, 역질(疫疾)의 재앙이 없어져 섭리(燮理)하여 조화(調和)
하는 일이 갖춰지지 않는 바가 없을 것입니다."

상이 말했다.

"예천백(醴泉伯) 권중화(權仲和, 1322~1408년)⁴³가 내게 이르기를

---

41 입춘, 입하, 입추, 입동을 말한다.

42 음양오행(陰陽五行)에서 말하는 음력 6월에 토기(土氣)가 왕성한 날로 대개 입추(立秋)
   전 18일 동안을 말한다.

43 1392년 고려의 사신으로 명나라에 보은사로 갔다가 왕조가 바뀐 직후 돌아왔다. 1393년
   (태조 2년)에 삼사좌복야로서, 영서운관사(領書雲觀事)를 겸임하면서 새 도읍지 한양의
   종묘·사직·궁전·조시(朝市)의 형세도(形勢圖)를 올렸다. 그 뒤 영삼사사(領三司事)를 거
   쳐 판문하부사가 됐으며, 1396년에는 사은진표사(謝恩進表使)로 명나라에 다녀왔다.
   1398년 예천백(醴泉伯)에 봉해졌다. 1404년(태종 4년) 우의정이 됐다가 그 뒤 태종 때 영
   의정부사가 된 뒤 벼슬을 그만두었는데 평생 권력에 아부하지 않았다. 한편 의약에 정
   통해 조선 초에 고려 말경에 전해온 『삼화자향약방(三和子鄕藥方)』이 너무 간단하다 하
   여 서찬(徐贊) 등과 함께 다시 『향약간이방(鄕藥簡易方)』을 편집했다. 그리고 1399년(정종
   1년)에 조준(趙浚), 김사형(金士衡)의 명에 따라 한상경(韓尙敬)과 함께 『신편집성마우의
   방(新編集成馬牛醫方)』을 새로 편집하기도 했다. 또한 고사(故事)를 비롯해 의약, 지리, 복

'사철에 불씨를 바꾸는 것은 예전에 그 제도가 있었으나 우리나라에서는 옛 제도를 따르지 아니하여 이 때문에 화재(火災)가 일어나는 것입니다'라고 했는데 내가 잊어버리지 않고 있다."

드디어 의정부에 내려 깊이 토의하게 하여 시행토록 했다.

○ 삼사판사(三司判事)로 벼슬을 마친[致仕] 유준(柳濬)이 졸했다. 유준은 (전라도) 고흥(高興) 사람인데 첨의정승(僉議政丞) 유청신(柳淸臣, ?~1329년)[44]의 손자다. 문음(門蔭)으로 부위(府衛)에 보직(補職)

서(卜筮)에 통달하고 전서(篆書)에도 능했다.

44 몽골어를 잘해 여러 차례 원나라에 사신으로 내왕했고, 그 공으로 충렬왕의 총애를 받아 낭장에 임명됐다. 고려시대에는 부곡리가 5품을 넘을 수 없었지만 특별히 허통(許通)되어 장군에 올랐다. 이후 승진을 거듭해 1294년(충렬왕 20년)에 우승지가 되었고, 1296년에는 부지밀직사사(副知密直司事)에 임명되어 재추의 반열에 올랐다. 다음 해에 세자(뒤의 충선왕(忠宣王))의 요청에 의해 동지밀직사사(同知密直司事)·감찰대부(監察大夫)에 임명됐으며, 조인규(趙仁規)·인후(印侯)와 함께 원나라에 파견돼 충렬왕의 전위표(傳位表)를 전달했다. 1298년 충선왕이 즉위하자 광정원부사(光政院副使)로서 참지기무(參知機務)를 겸했고, 곧 판밀직사사(判密直司事)로 승진했다. 그러나 충렬왕이 복위하고 인후 등에 의해 한희유무고사건(韓希愈誣告事件)이 일어나자 이에 연루돼 원나라에 압송됐다. 1299년에 차신(車信), 최유엄(崔有渰), 오인영(吳仁永), 유복화(劉福和), 홍선(洪詵) 등 충선왕 지지자들과 함께 파직됐다. 그 뒤 다시 복직되어 도첨의찬성사(都僉議贊成事)에 올랐다. 당시 원나라에 억류되어 있던 충선왕의 환국을 위해 노력하다가 1307년 충선왕이 원나라 무종(武宗) 옹립의 공으로 실권을 장악하자 도첨의찬성사·판군부사사(判軍簿司事)로 중용됐다. 이때 원나라 황제로부터 청신이라는 이름을 받아 개명했다. 1310년(충선왕 2년) 정승에 임명되고 고흥부원군에 봉해졌으며, 곧 도첨의찬성사 고흥군으로 강등됐지만 1313년에 다시 정승에 올라 1321년(충숙왕 8년)까지 재임했다. 1320년에 원나라에서 충선왕이 고려인 환관 임백안독고사(任伯顏禿古思)의 참소를 받아 티베트로 유배됐다. 다음 해에 충숙왕 역시 참소를 받아 원나라로 소환되자 왕을 따라 원나라에 갔으며, 그곳에서 권한공(權漢功)·채홍철(蔡洪哲) 등과 함께 심왕 고(瀋王暠)와 결탁해 심왕옹립운동을 일으켰다. 그리고 원나라에 계속 머물면서 오잠(吳潛)과 함께 고려에 원나라의 내지(內地)에 설치된 행성(行省)을 두자는, 이른바 입성책동(立省策動)을 벌였으며, 충숙왕이 정사를 제대로 돌보지 못한다는 무고를 하기도 했다. 그러나 심왕옹립운동과 입성책동이 모두 실패하고 1325년에 충숙왕이 환국하자, 처벌이 두려워 고려에 돌아오지 못하고 원나라에서 죽었다. 말년의 심왕옹립운동과 입성책동 때문에 『고려사』의 간신전(姦臣傳)에 수록됐다.

되어 여러 번 옮겨 천우위 상호군(千牛衛上護軍)이 되고, 일찍이 원조(元朝)의 선명(宣命)을 받아 명위장군(明威將軍)이 되어 전라도 진변만호부(鎭邊萬戶府) 다루가치(達魯花赤)[45]를 세습하는 관원이 되었다. 준이 태상왕(太上王)의 휘하에 오랫동안 종군해 무진년(戊辰年-1388년)에 밀직부사 상의(密直副使商議)에 제수되고, 태상왕이 도총중외 제군사(都摠中外諸軍事)가 되자 준은 그대로 막부(幕府)에 소속했다. 태상왕이 즉위하여 유준을 원종공신(原從功臣)으로 삼고, 현비(顯妃-강씨)가 죽자 양가(良家)의 처녀를 골라 후궁(後宮)에 두었는데 준의 딸도 그중에 있었다. 준을 검교 참찬문하부사(檢校參贊門下府事)로 제배하고, 곧 고흥백(高興伯)의 작호를 주었다. 경진년(庚辰年-1400년)에 삼사판사로 벼슬에서 물러났다가 졸하니 나이가 86세이고 시호(諡號)는 호안(胡安)이라 했다. 아들이 셋이니 맹충(孟忠), 중경(仲敬), 계문(季文)이다.

정사일(丁巳日-27일)에 의정부에서 선교(禪教-선종과 교종) 각 종파(宗派)를 통합하고 남겨둘 사사(寺社)를 정할 것을 청했다. 아뢰어 말했다.

"본부(本府)에서 일찍이 교서를 받기를 '고려 밀기(密記)에 오른 비보 사사(裨補寺社) 및 외방(外方) 각 고을 답산기(踏山記)에 오른 사사(寺社) 가운데 신도(新都)와 구도(舊都)는 오교양종(五教兩宗)을 각각 1사(寺)씩, 외방의 목(牧)과 부(府)는 선종과 교종을 각각 1사씩,

---

45 원나라에서 총독(總督), 지사(知事) 등을 호칭한 직명이다.

군(郡)과 현(縣)은 선종과 교종 중에 1사를 잘 헤아려 남겨두도록 하라'고 하셨습니다. 지금에 와서 토의 끝에 얻은 결론은 다음과 같습니다.

신도와 구도의 각 사(各寺) 가운데 선종과 교종 각각 1사에는 속전(屬田)이 200결(結), 노비(奴婢)가 100구(口), 상양(常養)⁴⁶이 100명이며, 그 나머지 각 사에는 속전이 100결, 노비가 50구, 상양이 50명이며, 각 도 계수관(界首官)⁴⁷의 선종과 교종 가운데 1사에는 속전이 100결, 노비가 50구이고, 각 고을 읍(邑) 안의 자복(資福)⁴⁸에는 급전(給田)이 20결, 노비가 10구, 상양이 10명이며, 읍(邑) 밖의 각 사(各寺)에는 급전이 60결, 노비가 30구, 상양이 30명입니다. 만약 고려의 밀기(密記)에 오른 각 사라면 그 명목(名目)이 구도의 명당(名堂)을 비보(裨補)하는 것이니 그 신도(新都)의 명당에는 실로 덜거나 더한 것[損益]이 없습니다.

바라건대 그곳에 소속한 전지와 노비를 신도의 오교양종(五敎兩宗) 가운데 전지와 노비가 없는 각 사(各寺)에 옮겨서 급여하고, 또 정(定)한 숫자 외의 사사의 전지와 노비를 정한 숫자 내(內)의 각 사(各寺)에 옮겨서 급여하며, 그 나머지는 속공(屬公)해야 할 것입니다.

---

46 승려의 봉양을 전담하는 사람들이다.
47 지방의 행정구획을 의미하는 것으로 지방의 중심이 되는 대읍을 가리킨다. 고려에서의 경(京)·목(牧)·도호부(都護府), 조선 초기의 부(府)·목·도호부가 이에 해당한다. 그 수는 시대에 따라 많아지거나 적어지는 등 일정하지 않았으나, 대체로 고려 전기 14개소, 후기 34개소, 그리고 조선 태종 2년 25개소, 세종 때 38개소가 설치돼 있었다.
48 복을 비는 사찰을 말한다. 원찰과 비슷한 뜻이다.

조계종(曹溪宗)과 총지종(摠持宗)[49]은 합하여 70사(寺)를 남기고, 천태종(天台宗)·소자종(疏字宗)[50]·법사종(法事宗)은 합하여 43사(寺)를 남기고, 화엄종(華嚴宗)과 도문종(道文宗)은 합하여 43사(寺)를 남기고, 자은종(慈恩宗)은 36사(寺)를 남기고, 중도종(中道宗)과 신인종(神印宗)은 합하여 30사(寺)를 남기고, 남산종(南山宗)과 시흥종(始興宗)은 각각 10사(寺)를 남길 것입니다."

상이 그것을 따랐다. 그리고 말했다.

"회암사(檜巖寺)[51]는 그 도(道)에 뜻이 있어 승도(僧徒)들이 모이는 곳이니 예외로 하는 것이 좋겠다. 전지(田地) 100결과 노비 50구를 더 급여하라. 표훈사(表訓寺)와 유점사(楡岾寺)[52]도 또한 회암사의 예

---

49 고려 말과 조선 초에 있던 다라니(陀羅尼)를 중심으로 한 밀교의 한 종파다. 1407년(태종 7년)에 11종의 종파를 7종으로 축소할 때 남산종(南山宗)과 합쳐져서 총남종(摠南宗)으로 되고, 다시 1424년(세종 6년)에 7종을 선교양종(禪敎兩宗)으로 통폐합하는 과정에서 총남종은 선종에 흡수돼 그 이름을 상실했다.

50 고려 때에는 천태종만이 보이므로 고려 말기에 이르러 소자종과 법사종(法事宗)으로 양분된 것으로 추정되며 천태소자종의 종지(宗旨)는 알 수 없다. 『조선불교통사』에서 이능화(李能和)는 소자종은 고려 천태종을 세운 대각국사(大覺國師)의 제자 교웅(敎雄)으로부터 시작된 종파로 보고자 했다. 또 만덕산(萬德山) 백련사(白蓮社)의 원묘국사(圓妙國師) 요세(了世)의 종파를 천태법사종이라 하고, 재래의 천태종을 소자종이라 했다고 하는 학설도 있다. 1407년(태종 7년) 11종파가 7종파로 폐합될 때 천태법사종과 합쳐져서 다시 천태종이 됐다.

51 1328년(충숙왕 15년) 인도에서 원나라를 거쳐 고려에 들어온 지공(指空)이 인도의 나란타사(羅爛陀寺)를 본떠서 266칸의 대규모 사찰로 중창했으며, 1378년(우왕 4년) 나옹(懶翁)이 중건했다. 그러나 지공이 창건하기 전에도 1174년(명종 4년) 금나라의 사신이 회암사에 온 적이 있으며, 보우(普愚)가 1313년(충선왕 5년)에 회암사에서 광지(廣智)에게 출가한 바 있어 이미 12세기에 존재했던 사찰임을 알 수 있으나 정확한 창건연대와 창건주는 알 수 없다. 고려 말 전국 사찰의 총본산이었던 이 절의 승려 수는 3,000명에 이르렀으며 조선 초기까지만 해도 전국에서 규모가 가장 컸던 절로 조선의 태조가 왕위를 물려주고 수도생활을 했을 뿐 아니라 효령대군(孝寧大君)도 머물렀던 적이 있었다.

52 둘 다 금강산에 있는 절이다.

(例)로 하여 그 원래 속해 있던 토지와 노비는 예전 그대로 두고 감하지 말라. 정(定)한 숫자 외의 사사(寺社)도 또한 잘 헤아려 시지(柴地) 1, 2결을 주라."

무오일(戊午日-28일)에 조정에 있는 관리들로 하여금 과품(科品-품계)에 따라 정부(丁夫)를 내게 하여 도랑을 파고 도로를 닦게 했다.

○ 경기(京畿)에 기근이 들었다. 도관찰사 전백영(全伯英)이 아뢰어 말했다.

"선군(船軍)이 양식을 제대로 싸 가지고 올 수가 없으니 청컨대 관(官)에서 지급해야 합니다."

명하여 보리가 익기 전에 반달치 양식을 주게 했다.

○ 강원도의 굶주린 백성들을 진휼했다.

기미일(己未日-29일)에 사람을 보내 대마도(對馬島) 수호(守護) 종정무(宗貞茂)에게 쌀과 콩 200석을 내려주었다. 종정무가 부친상(喪)을 당했다고 알려온 때문이다.

경신일(庚申日-30일)에 왜선(倭船) 14척이 추자도(楸子島)[53]에 정박했다. 전라도 수군 첨절제사(僉節制使) 구성미(具成美)가 맞서 싸워 물리쳤는데 성미도 유시(流矢)에 맞았다.

---

53 제주특별자치도 제주시 북서쪽에 있는 추자도는 조선시대에는 대개 전라도 영암군이 관할해오던 섬으로, 조선 후기에는 주로 죄인의 유배지로 활용됐다.

辛卯朔 駕次水原 長足驛南郊.

壬辰 駕次衿州 安養寺南郊. 左政丞河崙等 候駕欲設享 上先

遣人止之 且令崙等還都.

癸巳 還宮. 駕至漢江重房院 老嫗菊花 尼志會 盲人金松 韓龍

等見于駕前 上憐之 各賜米豆各一石.

甲午 上詣德壽宮 有故未得入見而還.

東北面飢 發倉賑之. 從都巡問使呂稱之請也. 上曰: "去年呂稱

不申水災 予使人詰之 乃曰: '若有一民飢死 臣任其咎.' 甚矣 其

欺罔也! 然予豈以一稱之故而絶一道之民食哉!" 乃許之 仍命罷

不急之務 使專農事.

降倭 吳文 藤昆 率全羅道船軍 捕倭至葛島 遇風溺死. 文等

率船軍五十五名 乘長興府小船 遇風太急船敗 命賜賻有差. 文

昆二人各米豆十石 紙五十卷 領船張義 頭目高貴生米豆各八石

射官朴自松等三人 格軍金富等九人 沙工徐原 引海黃忠各米豆

六石. 其射官高迪 格軍劉天等三十九名 不遵條令 使愚惑不慣

船上者代騎① 以致敗船 令全羅道都觀察使推覈以聞.

乙未 東北面都巡問使上其道事宜. 啓曰: '慶源境散接軍民 並
於近城 聚居業農. 其草賊出來要路 通望高峯 置烽燧謹斥候 遇
有寇賊 兵馬使率領丁壯應變.' 從之.

丙申 賑京畿 黃海道飢.

賀正使姜思德等 回自京師. 通事曹顯啓曰: "吾都里萬戶
童猛哥帖木等入朝 帝授猛哥帖木 建州衛都指揮使 賜印信
鈑花金帶 賜其妻幞卓衣服金銀綺帛; 於虛出參政子金時家奴爲
建州衛指揮使 賜鈑花金帶; 阿古車爲毛憐等處指揮使 賜印信
鈑花銀帶 阿難 把兒遜 毛憐等處指揮僉事 賜廣銀帶."

丁酉 議政府上 出外二品以上移文之式及罪人贖錢之法. 政府
啓: "各道都觀察使 都巡問使 若兼兵馬都節制使 移文兵曹 係
民事則平關 軍事則牒呈; 都觀察使 都巡問使 不帶軍職 則不論
軍民事 並平關." 又啓: "按大明律文 老幼廢疾者 許收贖 其銅錢
一千文爲一貫 準寶鈔一貫. 國初 因前朝之舊 以銅錢一貫 準
五升布十五匹 至戊寅年 刑曹受敎 杖一百徒三年者 當贖銅錢
二十四貫 準例贖布五百四十匹 貧乞之人 傾家破産 尙未充數 似
違欽恤之意 若以銅錢一貫 準五升布十匹 庶得輕重之宜." 從之.

遣上護軍安遇世于東北面. 使體探吾都里 兀良哈事變而來也.

戊戌 罷護軍鄭繼興職. 司憲府論繼興擅捶右軍使令與首領官
詰埋沒仰官之罪②也.

壬寅 雞林 陜川等處地震 屋瓦有聲.
임인 계림 합천 등처 지진 옥와 유성

以朴信爲東北面都巡問察理使.
이 박신 위 동북면 도순문찰리사

癸卯 觀放鷹于東郊. 是曉 上將出 司諫院左司諫大夫宋愚等
계묘 관 방응 우 동교 시효 상 장출 사간원 좌사간대부 송우 등

啓曰:"往者因臣等所啓 許以不輕出遊 今日殆於失信." 上曰:"予
계왈 왕자 인 신등 소계 허이 불경 출유 금일 태어 실신 상왈 여

非欲恣遊 但以久居宮中 氣不舒暢 故欲暫出城外耳." 上謂代言
비욕 자유 단이 구거 궁중 기불 서창 고욕 잠출 성외 이 상위 대언

孟思誠曰:"予之潛行 外人所不知. 今諫官何遽來啓歟? 此必汝等
맹사성 왈 여지 잠행 외인 소부지 금 간관 하거 내계 여 차 필 여등

漏言耳." 代言等啓曰:"臣等闕內凡事 且不漏說. 況殿下擧動乎?"
누언 이 대언 등 계왈 신등 궐내 범사 차 불 누설 황 전하 거동 호

上曰:"予亦信承宣不漏言於人 但後日欲令外人不知耳."
상왈 여 역신 승선 불 누언 어인 단 후일 욕령 외인 부지 이

議政府啓致賻之法 從之. 正二品致賻米豆幷五十石 從二品
의정부 계 치부 지법 종지 정이품 치부 미두 병 오십 석 종이품

四十石 禮曹隨時取旨行移.
사십 석 예조 수시 취지 행이

甲辰 羅州 完山 大雨疾風雷電水溢.
갑진 나주 완산 대우 질풍 뇌전 수일

定泮宮外廣丈數. 禮曹啓曰:"謹按文獻通考 辟雍 太學外廣
정 반궁 외광 장수 예조 계왈 근 안 문헌통고 벽옹 태학 외광

二十四丈 應二十四氣. 今泮宮外廣十二丈 應十二月 禁人作家
이십 사 장 응 이십 사 기 금 반궁 외광 십이 장 응 십이 월 금인 작가

爲便." 從之.
위편 종지

丙午 命濟生院 敎童女醫藥. 檢校漢城尹 知濟生院事許衜
병오 명 제생원 교 동녀 의약 검교 한성 윤 지 제생원 사 허도

上言:"竊謂婦人有疾 使男醫診治 或懷羞愧 不肯出示其疾 以致
상언 절위 부인 유질 사 남의 진치 혹 회 수괴 불긍 출시 기질 이치

死亡. 願擇倉庫 宮司童女數十人 敎以脈經針灸之法 使之救治
사망 원택 창고 궁사 동녀 수십 인 교이 맥경 침구 지법 사지 구치

則庶益殿下好生之德矣." 上從之 使濟生院掌其事.
즉서 익 전하 호생 지덕 의 상종지 사 제생원 장 기사

戊申 賜女眞檢校漢城尹崔也吾乃 護軍童所老衣笠靴 又賜
무신 사 여진 검교 한성 윤 최야오내 호군 동소로 의립화 우사

所老妻紬 苧麻布各一匹.
소로 처주 저마포 각 일필

己酉 朝廷使臣內官鄭昇來. 以求純潔光姸好細白紙與漫散軍人
기유 조정 사신 내관 정승 래 이구 순결 광연 호 세백지 여 만산 군인

未還者也. 省親內官趙良等六人 隨昇以來. 昇與良等 本國火者
미환 자야 성친 내관 조량 등 육인 수승 이래 승여량등 본국 화자

也. 百官以時服迎于盤松亭 上出昌德宮門外候之. 昇先升殿 上
야 백관 이 시복 영우 반송정 상 출 창덕궁 문외 후지 승선 승전 상

隨之 昇傳宣諭 求黃牡丹 上跪聽訖 昇拜 上答拜 次良等拜 上
수지 승전 선유 구황 모란 상궤 청흘 승배 상 답배 차량등배 상

不答. 因設宴于殿上 良等在南行. 宴罷 昇等之太平館. 黃牡丹
부답 인 설연 우 전상 량등재 남행 연파 승등지 태평관 황 모란

乃皇后所需也.
내 황후 소수 야

命置軍資監朴賁于遐方. 司憲府啓曰: "三年之喪 天下之通喪
명치 군자감 박분 우 하방 사헌부 계왈 삼년 지상 천하 지 통상

爲人子者所當盡心. 賁結髮讀書 至于晧首 其於喪制 講之熟矣
위 인자 자 소당 진심 분 결발 독서 지우 호수 기어 상제 강지 숙의

及其母歿 無君上之命 而遽釋衰経 縱欲忘哀 無異平昔. 臣等
급 기모 몰 무 군상 지명 이 거석 최질 종욕 망애 무이 평석 신등

劾問 賁乃引禮文嫁母短喪爲辭 然考本人行祭之跡 以母配父 則
핵문 분내인 예문 가모 단상 위사 연고 본인 행제 지적 이모 배부 즉

其短喪非爲母嫁也. 且於禫前 以時服詣闕謝恩 以干邦憲 爲子
기 단상 비위 모가 야 차어 담전 이 시복 예궐 사은 이간 방헌 위자

不孝 爲臣不忠 罪莫大焉. 請收職牒 鞫問其罪 以正風俗." 命置
불효 위신 불충 죄 막대 언 청수 직첩 국문 기죄 이정 풍속 명치

其鄕. 憲司再請其罪 處之遐方.
기향 헌사 재청 기죄 처지 하방

宥韓幹京外從便.
유 한간 경외 종편

庚戌 上如太平館 宴鄭昇等.
경술 상여 태평관 연 정승 등

議政府啓奴婢決訟條目. 啓曰: "庚辰年正月以前 司憲府呈
의정부 계 노비 결송 조목 계왈 경진년 정월 이전 사헌부 정

誤決未畢事 二月以後呈狀相爭事 依永樂三年八月初五日刑曹
오결 미필 사 이월 이후 정장 상쟁 사 의 영락 삼년 팔월 초 오일 형조

都官受敎 勿論前決有無 一皆從正決折; 丁丑年以來呈狀全
도관 수교 물론 전결 유무 일개 종정 결절 정축년 이래 정장 전

不決折事及良賤相訟未決事 尤爲冤枉 令京外官司爲先決折."
불 결절 사급 양천 상송 미결 사 우위 원왕 영 경외 관사 위선 결절

從之.
종지

倭船四艘 寇三木島 奪私船二隻.
왜선 사 소 구 삼목도 탈 사선 이척

壬子 賜慶尙道兵馬都節制使柳龍生綵絹. 以龍生所遣鎭撫
임자 사 경상도 병마도절제사 유용생 채견 이 용생 소견 진무

黃濬等捕倭船一隻也. 賞濬等有差.
황준 등 포 왜선 일척 야 상 준 등 유차

鄭昇歸于開寧. 昇與趙良等六人 各歸其鄕 或覲親或掃墳也. 命
정승 귀 우 개령 승 여 조량 등 육인 각 귀 기향 혹 근친 혹 소분 야 명

議政府餞之于門外 皆贈以時服 且賜其家米豆 其父母死者 令
의정부 전지 우 문외 개 증 이 시복 차 사 기가 미두 기 부모 사자 영

州縣具奠物.
주현 구 전물

甲寅 義州 泥城 江界等處置儒學敎授官. 從西北面都巡問使
갑인 의주 이성 강계 등처 치 유학교수관 종 서북면 도순문사

趙璞之請也.
조박 지 청 야

令全羅 慶尙二道 抄造進獻白紙.
영 전라 경상 이도 초조 진헌 백지

知平州事權文毅 請行號牌之法. 書曰:
지 평주 사 권문의 청행 호패 지 법 서왈

'人心有淳薄之變 故立法有經權之異. 皇明 太祖皇帝 法令
인심 유 순박 지변 고 입법 유 경권 지이 황명 태조 황제 법령

紀綱 旣嚴且明 軍民之衆 皆給號牌. 是以民庶絶流亡之心 戶口
기강 기엄 차명 군민 지중 개급 호패 시이 민서 절 유망 지심 호구

無增損之弊. 此因世變而救之之術也. 恭惟國家 立經陳紀 一遵
무 증손 지폐 차 인 세변 이 구지 지술 야 공유 국가 입경 진기 일준

華制 纖悉備具 獨於號牌 未能及焉 流亡相繼 戶口日減. 監司
화제 섬실 비구 독 어 호패 미능 급 언 유망 상계 호구 일감 감사

守令 雖切切於探捕 未見其效者 誠以無牌以爲標 易混於衆庶
수령 수 절절 어 탐포 미견 기효 자 성 이 무패 이위표 이혼 어 중서

故也. 願立鄕舍里長之法 百戶置鄕長 五十戶置舍長 十戶置
고야 원 입 향사 이장 지법 백호 치 향장 오십 호 치 사장 십호 치

里長 良民賤隷之額 靡不周知. 依中國之制 皆給號牌 出入佩持.
이장 양민 천예 지액 미불 주지 의 중국 지제 개급 호패 출입 패지

如此則流移逃匿者 無所容矣. 此法一立 人皆土着 非特有恒産而
여차즉 유이 도익 자 무소용 의 차법 일립 인개 토착 비특 유 항산 이

有恒心也 實强兵固國之一助也.'③
유 항심 야 실 강병 고국 지 일조 야

下議政府擬議施行.
하 의정부 의의 시행

110

全羅道水軍團撫使金文發 捕倭賊船一艘. 文發與降倭萬戶

林溫 慶尙道兵船押領上鎭撫魚元海等 搜安釜島 捕賊船一艘.

賊之騎船者 可四十餘人 皆自投海中而死. 斬八級以獻 賞之有差.

吳文等旣死 朝議咎文發 欲罪之 文發懼 欲立功以自贖 故戰

甚力.

命置高麗八陵守護人: 太祖顯陵三戶 惠王 成王 顯王 文王

忠敬 忠烈 恭愍王陵各二戶 每戶給田一結 禁樵採及火焚.

下改火令. 禮曹啓: "謹按周禮 夏官 司烜掌行火之政 令四時變

國火 以救時疾. 先儒以爲: '火久而不變 則炎赫而暴熇; 陽過乎

亢 以生厲疾 故隨時而更變之. 其變之之法 鑽燧而改. 楡柳靑 故

春取之 杏棗赤 故夏取之 至季夏而土旺 故取桑柘黃色之木. 柞

楢白 槐檀黑 故秋冬. 各隨其時之方色而取之.' 蓋火之爲物 在人

尤爲常用 不可不順其性故也. 世久法廢 改火之令久不行 燮理

之道有未盡 乞下四時改火之令 京中則兵曹 外方則守令 每於

四時入節日及季夏土旺日 各鑽其木 以改時火 用諸烹飪之間 則

陰陽之候順 疾疫之災息 而變調之事 無不備矣." 上曰: "醴泉伯

權仲和謂予云: '四時改火 古有其制. 我國不遵古制 是致火災.'

予不忘也." 遂下議政府擬議以行.

判三司事致仕柳濬卒. 濬 高興人 僉議政丞淸臣之孫也. 以門蔭

補府衛 累轉千牛衛上護軍. 嘗受元朝宣命 爲明威將軍全羅道

鎭邊萬戶府達魯花赤 襲世官也. 濬久從太上麾下 戊辰 拜
진변 만호부 다루가치 습 세관 야 준 구종 태상 휘하 무진 배

密直副使商議. 太上爲都摠中外諸軍事 濬仍屬幕府. 太上卽位
밀직부사 상의 태상 위 도총 중외 제군사 준 잉속 막부 태상 즉위

以濬爲原從功臣. 顯妃④之薨 選良家女備後宮 濬之女 亦在其中.
이 준 위 원종 공신 현비 지훙 선 양가녀 비 후궁 준지녀 역재 기중

拜濬檢校參贊門下府事 尋賜爵高興伯. 庚辰 以判三司事致仕卒
배 준 검교 참찬 문하부 사 심 사작 고흥백 경진 이 판 삼사 사 치사 졸

年八十六. 諡胡安. 三子 孟忠 仲敬 季文.
연 팔십 육 시 호안 삼자 맹충 중경 계문

丁巳 議政府請定禪敎各宗 合留寺社. 啓曰: "本府曾受敎
정사 의정부 청정 선교 각종 합류 사사 계왈 본부 증 수교

前朝密記付裨補寺社及外方各官踏山記付寺社內 新舊都五敎
전조 밀기 부 비보 사사 급 외방 각관 답산기 부 사사 내 신 구도 오교

兩宗各一寺 外方牧府禪敎各一寺 郡縣禪敎中一寺量留. 今來
양종 각일사 외방 목부 선교 각 일사 군현 선교 중 일사 양류 금래

議得: 新舊都各寺內禪敎各一寺屬田二百結 奴婢百口 常養百
의득 신 구도 각사 내 선교 각 일사 속전 이백 결 노비 백구 상양 백

員: 其餘各寺 屬田一百結 奴婢五十口 常養五十員; 各道界首官
원 기여 각사 속전 일백 결 노비 오십 구 상양 오십 원 각도 계수관

禪敎中一寺 屬田一百結 奴婢五十口; 各官邑內資福 給田二十
선교 중 일사 속전 일백 결 노비 오십 구 각관 읍내 자복 급전 이십

結 奴婢十口 常養十員; 邑外各寺 給田六十結 奴婢三十口 常養
결 노비 십구 상양 십원 읍 외 각사 급전 육십결 노비 삼십 구 상양

三十員. 若前朝密記付各寺 則名爲舊都(明堂) 裨補 其於新都
삼십 원 약 전조 밀기 부 각사 즉 명 위 구도 명당 비보 기어 신도

明堂 實無損益.
명당 실무 손익

願將所屬田民 移給新都五敎兩宗無田民各寺 又將定數外寺社
원 장 소속 전민 이급 신도 오교 양종 무 전민 각사 우 장 정수 외 사사

田民 移給定數內各寺 其餘屬公. 曹溪宗 摠持宗 合留七十寺;
전민 이급 정수 내 각사 기여 속공 조계종 총지종 합류 칠십 사

天台 疏字 法事宗 合留四十三寺; 華嚴 道門宗 合留四十三寺;
천태 소자 법사종 합류 사십 삼 사 화엄 도문종 합류 사십 삼 사

慈恩宗 留三十六寺; 中道 神印宗 合留三十寺; 南山 始興宗 各
자은종 유 삼십 육 사 중도 신인종 합류 삼십 사 남산 시흥종 각

留十寺."
류 십 사

上從之. 且曰: "檜巖寺 有志其道僧徒之所聚 可於例外加給
상 종지 차왈 회암사 유지 기도 승도 지 소취 가어 예외 가급

田地一百結 奴婢五十口; 表訓 楡岾 亦是檜巖之例 其原屬田民
仍舊勿減; 定數外寺社 亦量給柴地一二結."

戊午 令在朝官吏 以科品出丁夫 開川渠治道路.

京畿饑. 都觀察使全伯英啓: "船軍不能裹糧 請官給之." 命麥
熟前給半月糧.

賑江原道飢.

己未 遣人賜對馬島守護宗貞茂米豆二百石. 貞茂告有父喪也.

庚申 倭船十四艘泊楸子島. 全羅道水軍僉節制使具成美 與戰
却之 成美亦中流矢.

| 원문 읽기를 위한 도움말 |

① 使愚惑不慣船上者代騎. 使는 愚惑不慣船上者까지를 목적어로 삼아 동사 代에 걸린다.

② 司憲府論繼興擅捶右軍使令與首領官 詰埋沒仰官之罪. 繼興 이하의 내용은 모두 죄에 걸린다. 크게 보면 계흥이 擅捶한 것과 詰埋沒한 것 두 가지가 죄목이 되는 것이다.

③ 非特有恒産而有恒心也 實强兵固國之一助也. 非特은 '단지 ~일 뿐만 아니라 ~도 또한'의 구문이다. 기존의 번역은 그 뒷부분을 有恒心으로 보았다. 그러나 非特~實~의 구조로 이해하는 것이 더 명확한 듯이 보인다.

④ 원문은 顯姚로 돼 있는 데 顯妃의 착오로 보인다.

태종 6년 병술년
4월

四月

신유일(辛酉日-1일) 초하루에 광연루(廣延樓)¹가 완성되자 의안대군 (義安大君) 화(和)와 감역제조(監役提調) 이직(李稷) 등을 불러 술자 리를 베풀었는데, 공사를 낙성(落成)했기 때문이다.

○정(定)한 숫자 외의 사사(寺社)의 전지와 노비를 (거둬서) 각사 (各司)에 분속시켰다. 의정부에서 아뢰었다.

"정한 숫자 외의 사사의 전지는 모두 군자(軍資)에 소속시켜 선군 (船軍)의 양식으로 보충하게 했습니다. 노비는 모두 전농시(典農寺)에 소속시켜 그 옛 거처(居處)에 그대로 살면서 둔전(屯田)하도록 하겠습 니다. 군기감(軍器監)에 4,000명을 소속시켜 매 1번(番)에 400구(口)씩 윤차(輪次)로 입역(立役)하고, 내자시(內資寺)²와 내섬시(內贍寺)³에 각

---

1 경복궁의 경회루를 본떠서 만든 것으로 추측되는 누각이다. 당시 규모는 경회루(慶會樓) 와 비슷했으며 현재는 남아 있지 않다. 광연루는 신하들과 함께 연회를 열거나 외국의 사신을 접대하고 잔치를 베푸는 곳으로 사용했으며 세종(世宗) 또한 광연루를 즐겨 이용 했다.

2 조선시대 종6품아문(從六品衙門)으로, 궁중으로 공급되는 쌀·국수·술·간장·기름·꿀· 채소·과일과 궁중연회, 직조(織造) 등의 일을 관장했다. 궁중연회와 직조는 후에 폐지 됐다. 1392년(태조 1년)에 내부시(內府寺)라 했으나, 1401년(태종 1년) 내자시(內資寺)로 개 칭하고 1403년에 의성고(義成庫)를 병합해 소관 사무를 정했으며 1405년(태종 5년) 육조 의 직무를 나눌 때 호조에 소속시켰다.

3 조선시대 종6품아문(從六品衙門)으로, 각 궁(各宮)과 각 전(各殿)으로 공급하는 물품과 2품(二品) 이상 관원에게 하사하는 술 및 일본인과 여진인에게 보내는 음식물과 직조물 등에 관한 일을 관장했다가, 나중에 2품 이상에게 술을 하사하는 것과 일본인, 여진인에 게 음식과 직조물을 공급하는 것을 폐지하고 기름과 식초 및 소찬(素饌)을 공급하는 일

각 2,000구씩을 소속시키고, 예빈시(禮賓寺)⁴와 복흥고(福興庫)⁵에 각
각 300구(口)씩을 소속시키고서 아울러 옛 거처에 그대로 두고 무육
(撫育)하여 사역(使役)시키겠습니다. 각 도 관찰사의 수령관(首領官)은
매번 순행(巡行)할 때마다 다니면서 그 노고를 위로하여 생업(生業)
에 편안하도록 할 것이고, 만약 수령(守令)과 향리(鄕吏)들이 즐겨 마
음을 다해 이들을 챙기지[完恤] 않는 자가 있으면 엄격하게 규찰하고
       완휼
아울러 수령관에게 제대로 그들을 깨우쳐 거행하지 못한 죄를 연좌
시켜 처벌해야 합니다."

그것을 따랐다.

○ 사헌부에 명해 정탁(鄭擢)과 이백온(李伯溫)의 고신(告身)⁶을 돌
려주게 했다.

갑자일(甲子日-4일)에 서리가 내려 풀들이 죽었다.

○ (동북면) 갑주(甲州)⁷에 모두 4일 동안 눈이 내렸는데 깊이가

를 담당했다. 1392년(태조 1년)에 설치한 덕천고(德泉庫)를 1403년(태종 3년)에 고친 것
이다.

4 조선시대 종6품아문(從六品衙門)으로, 손님들에게 잔치를 베풀어주고 종실(宗室)과 중신
(重臣)에 대한 음식 대접을 하는 일 등을 맡는다. 1392년(태조 1년)에 고려(高麗)의 제도
를 계승하여 설치했으며 서부 양생방(養生坊)에 두었다.

5 태조 3년에 숭유억불정책에 따라 도량고(道場庫)와 내제석원(內帝釋院)을 없애고 새롭게
설치한 기관이다.

6 사령장, 사첩(謝帖), 직첩(職牒·職帖), 관교(官敎), 교첩(敎牒) 등으로도 불린다. 조선시대
에는 문무관 4품 이상 고신과 문무관 5품 이하 고신의 서식이 서로 다른데, 4품 이상의
고신은 교지로 발급되며 시명지보(施命之寶)를 찍었다. 5품 이하의 고신은 문관은 이조,
무관은 병조에서 왕명을 받아 발급됐으며, '이조지인(吏曹之印)' 또는 '병조지인'을 찍
었다.

7 갑주는 본래 허천부(虛川府)로서 오랫동안 여진의 점거 하에 있었고, 또한 여러 차례 전

7촌이었다.

○ 상이 덕수궁(德壽宮)에 나아가 헌수(獻壽)했다. 의안대군 화(和)가 모시고 앉았다. 태상은 시희(侍姬) 무협아(巫峽兒)[8]에게 명해 노래를 부르게 하고 술을 권하게[侑酒] 했고, 상이 화에게 안장 달린 말을 내려주었고, 무협아에게는 저사(紵絲) 1필을 내려주니 태상이 심히 즐거워했다. 상이 크게 취해[大醉] 여러 번 술잔을 올리니 태상은 그때마다 번번이[輒] 마셨으나 취하지 않은 채 이렇게 말했다.

"내가 젊었을 때에 어찌 오늘과 같은 날이 있을 줄 알았겠는가? 다만 오래 살기[壽考]를 바랐을 뿐이다. 이제 일흔이 지났는데도 아직 죽지 않았다."

또 말했다.

"사냥하는 일은 너희들[若等=汝等]이 분명 나에게 미치지 못할 것이다. 만일 배우고 싶다면 내가 마땅히 가르쳐줄 것이다."

상이 이미 나오자 사복(司僕)[9]이 교자(轎子-가마)를 바쳤는데 상은 이를 물리치고 말을 바치도록 명했다. 화와 여러 대언(代言)이 앞에 꿇어앉자 교자를 탈 것[御轎]을 굳게 청하니 상은 그제서야 교자를 탔는데, 비단 반비(半臂-반팔옷)를 입은 채 취한 것을 부축받으며 환

란을 겪어 황폐한 지역이었다. 1391년(공양왕 3년)에 비로소 갑주(甲州)라고 부르고 만호부를 두었다. 우왕대에 변방의 방위를 맡고 있던 이성계(李成桂)가 여진(女眞)·달달(達達)·요심(遼瀋) 등과 인접한 요해지로서, 자주 이민족의 침략을 당하는 아오(我吾)·읍초(邑草)·갑주(甲州)·해양(海陽) 등 변경에 대한 방위 대책을 건의한 바 있었다. 1413년(태종 13년)에 갑산군(甲山郡)으로 고쳐졌고 1437년(세종 19년)에 진(鎭)을 설치하고 첨절제사(僉節制使)를 두었다. 1461년(세조 7년)에 갑산도호부(甲山都護府)로 승격됐다.

8 1400년(정종 2년) 8월에도 태상왕이 좋아하는 기생으로 이름이 나온다.

9 승여(乘輿)와 말에 관한 일을 담당하던 관청인 사복시의 관리다.

궁했고 여러 신하는 모두 걸어서 뒤따랐다.

○ 관공서[公處]의 노비를 판결하는 법(法)을 정했다. 의정부에서
아뢰었다.

"서울과 지방에서 송사를 판결하는[決訟] 관리가 속공 노비(屬公
奴婢)에 대해 서로 소송하는 사건이면 공처(公處)에서 힘써 변명하는
것이 없기 때문에 거의 사처(私處-개인)의 사정을 봐주어 판결을 내
리고 지급해버립니다[決給]. 금후로는 속공 노비를 판결하는 사건은
서울 안에서는 형조도관(刑曹都官)이, 지방 관청[外官]에서는 도관찰
사가 공사(供辭)를 갖춰 기록하여 이를 바탕으로 계문(啓聞-보고)하
고 뜻을 받아서[取旨] 바야흐로 판결하도록 허락하는 것을 항식(恒
式)으로 삼아야 할 것입니다."

○ 사신을 보내 정승(鄭昇) 등을 그 고향에서 위문했다. 또 전라도
에 사람을 보내 도관찰사 박은(朴訔), 도절제사 김계지(金繼志), 단무
사(團撫使) 김문발(金文發)에게 궁온(宮醞-술)을 내려주고 또 경상도
도절제사 유용생(柳龍生)에게도 내려주었으니 모두 왜적을 잡은 공
에 대해 상을 준 것이다. 용생은 선온(宣醞-궁온)을 탁주(濁酒) 9동
이[盆]에 타고[和], 이어서 그가 타던 말 한 필을 잡아서 사졸들에게
나눠 먹이며 말했다.

"오늘 선온(宣醞)은 비록 소신(小臣)을 위로하신 것이지만 왜적을
잡은 공은 실은 사졸들에게 있다."

사졸들이 모두 기뻐했다.

을축일(乙丑日-5일)에 경상도의 굶주림을 진휼했다.

병인일(丙寅日-6일)에 법을 다루는 관리[法官]에게 옥사(獄事)를 지
체하지 말 것을 가르쳤다[敎]. 상이 유사(有司)에서 올린 수도록(囚徒
錄)[10]을 보다가 노충개(盧忠愷)란 자가 옥중(獄中)에서 죽은 일이 있
음을 보고 지신사(知申事) 황희(黃喜)에게 일러 말했다.

"죽일 만하면 곧바로 죽일 뿐이다. 어찌 옥중에서 죽게 할 수 있
는가?"

그래서 이러한 명이 있었다.

○ 어사한(魚思漢)을 사면해 도성 밖 어디서건 원하는 곳에 가서
살게 했다[京外從便].

정묘일(丁卯日-7일)에 정릉(貞陵)[11]의 영역(塋域)을 정했다. 의정부에
서 아뢰었다.

"정릉이 경중(京中-도성 안)에 있어 조역(兆域)[12]이 너무 넓으니 청
컨대 능에서 100보(步) 밖에는 사람들이 집을 지을 수 있도록 허락
해야 합니다."

이를 허락했다. 이에 세력 있는 집안들이 어지러이[紛然] 다투어
좋은 땅을 차지했는데, 좌정승 하륜(河崙)이 여러 사위를 거느리고

---

10 옥(獄)에 갇힌 죄수의 성명과 죄명(罪名), 그 복역 월일(月日)을 기록한 장부를 가리킨다.
11 원래는 서울특별시 중구 정동에 있었는데 지금은 성북구 정릉동에 있다. 처음 능을 옮
   길 때 능지를 정한 곳은 안암동이었으나 산역을 시작할 때 물이 솟아나와 지금의 정동에
   자리를 정하게 됐다. 능이 성북구 정릉동으로 옮겨진 것은 1409년(태종 9년)이다. 태종은
   능을 옮긴 지 한 달이 지나자 정자각(丁字閣)을 헐고 석물을 모두 묻어 없애고 광교(廣
   橋)에 있던 흙다리가 무너지자 십이신상(十二神像) 등의 석물을 실어다 돌다리를 만들게
   했다.
12 무덤 주위 경계 지역을 말한다.

선점(先占)했다.

○ 금주(衿州-서울시 금천구 일대) 목장을 녹양(綠楊-한양 동북쪽 의정부 근처)의 교외로 옮겼다. 애초에 우리 조정에서 노는 땅[閑地]을 골라 내구마(內廐馬)와 군사(軍士)의 말을 길렀는데 노는 땅이 적어 백성들의 곡식과 밭을 해치는 일이 많았다. 경기 도관찰사 전백영(全伯英)이 말씀을 올렸다.

"금주(衿州) 목장으로 인해 백성들 200호가 집을 잃었습니다."

이에 녹양으로 옮기도록 명했다.

무진일(戊辰日-8일)에 (충청도) 금주(錦州)[13] 등지에 서리가 내렸다.

○ 종친을 불러 내정(內庭)에서 격구(擊毬)하고 이어서 광연루(廣延樓)에서 술자리를 베풀었다.

○ 왜적이 전라도 조선(漕船) 14척과 호송 병선(護送兵船) 1척을 (충청도 태안군) 안행량(安行梁)에서 빼앗아 갔다. 왜선 18척이 밤을 타서 노략질해 쌀 4,090석을 탈취해 간 것이다.

기사일(己巳日-9일)에 의안대군(義安大君) 화(和)가 광연루에서 연향(宴享)을 베풀었는데, 종친과 대신들이 모두 입시(入侍)했고 상이

---

13 금산이라는 지명은 『세종실록지리지』(금산)에 의하면 본래 백제의 진잉을군(進仍乙郡)이 었는데 신라 때 진례군(進禮郡)으로 고쳤고 고려에서는 현령으로 강등했다가, 1305년(충렬왕 31년)에 고을 사람 김신(金侁)이 원(元)에 벼슬해 요양행성참정(遼陽行省參政)이 되어 본국에 공이 있었으므로 지금주군사(知錦州郡事)로 승격했다. 1413년(태종 13년)에 예에 의해 금산군으로 고쳤다.

지극히 즐거워하다가 해가 지고서야 마쳤다.

○ 해온정(解慍亭)[14]을 창덕궁(昌德宮) 동북쪽 모퉁이에 지었다. 상이 지신사 황희(黃喜)에게 일러 말했다.

"이제 새 정자(亭子)가 완성돼 권근(權近)으로 하여금 이름을 짓게 했더니 청녕(淸寧)으로 이름할 것을 청했다. 대개 하늘이 맑고 땅이 편하다[天淸地寧]는 뜻을 취한 것인데, 적당하지 못한 듯하다. 내가 해온(解慍)[15]으로 고치고자 하는데 어떤가?"

좌우에서 말했다.

"매우 좋습니다."

상이 웃으며 말했다.

"임금이 말만 하면 신하들이 반드시 이구동성(異口同聲)으로 추켜세우는구나[譽之]. 마땅히 다시 권근과 토의해야 할 것이다."

드디어 그의 집에 가서[卽=之] 물어보도록 하니 근이 말했다.

"좋습니다."

이에 새 정자의 이름을 해온정이라고 했다.

경오일(庚午日-10일)에 (동북면) 영흥부(永興府)에 서리가 내려 곡식이 상했다.

---

14 해온정 앞에는 못이 있어 잔치를 벌이고 등(燈)놀이를 했는데, 1414년(태종 14년) 신독정(愼獨亭)으로 이름을 고쳤다.

15 해온이란 속으로 서운해하는 마음[慍]까지 푼다는 뜻이다.

신미일(辛未日-11일)에 (경상도) 군위현(軍威縣)에 서리가 내렸다.

○ 금강산(金剛山)에 눈이 내렸는데 깊이가 2척이었다.

○ 경차관(敬差官) 군자감 판사 윤향(尹向)을 충청도에 보내 도절제사 최이(崔迤)와 도관찰사 성석인(成石因)을 안문(按問)했는데, 왜적을 제대로 방어하지 못해 조선(漕船)을 약탈당한 때문이었다. 향(向)이 복명(復命)하니 명하여 좌우도 도만호(左右道都萬戶) 노중제(盧仲濟) 등 4인에게 장차 장(杖) 60대를 치고, 나머지는 각각 태(笞) 50대를 치도록 했다.

○ 병조정랑 조수(趙須)[16]와 좌랑 윤회(尹淮, 1380~1436년)[17]를 순금사에 내렸다. 이날 상이 장차 조회를 받으려고 하는데[受朝], 회(淮)가 대소 군사들의 숙위(宿衛)하는 모습을 감찰하고자 하여 서리(胥吏) 3명을 거느리고 궐문에 들어가니 문을 지키는 갑사(甲士) 이분

---

16 1401년(태종 1년) 문과에 급제했다가 1406년 병조정랑, 1409년 내섬시소윤(內贍寺少尹) 재직 중에 이웃과 불화한 사건으로 파면됐다. 다시 태종의 민무구(閔無咎) 제거와 관련돼 서형(庶兄) 조희민(趙希敏)과 아버지 조호가 사사(賜死)될 때 연루돼 이후 30여 년간 금고생활을 했다. 세종대 후기에 그 재주를 아낀 세종에 의해 성균관 사예로 서용되고, 이후 집현전 학사를 지도했다. 학문에 정진해 명성이 있었고, 특히 한유(韓愈)의 글에 정통했다.

17 윤회의 아버지 윤소종은 고려 말에 조준(趙浚) 등과 더불어 이성계(李成桂)를 도와 조선 왕조를 창건하는 데 깊이 관여했던 인물이다. 10세의 어린 나이에 벌써 『통감강목(通鑑綱目)』을 외울 정도로 총명했다. 그리하여 1401년(태종 1년) 문과에 급제한 뒤 좌정언, 이조·병조 좌랑 등을 역임하고, 1417년에는 승정원의 대언(代言)이 돼 왕을 보좌했다. 이때에 태종은 윤회의 학문과 재질을 높이 평가해 병조참의로 승진시켰다. 1420년(세종 2년)에 집현전이 설치되자 1422년에 부제학으로 발탁돼 그곳의 학사들을 총괄했다. 그 뒤로 한때 동지우군총제(同知右軍摠制)에 임명된 적도 있었지만, 주로 예문관 제학·대제학과 같은 문한직(文翰職)을 역임했다. 벼슬은 병조판서에 올랐다. 또한 정도전(鄭道傳)이 편찬한 『고려사』를 다시 개정하는 일에도 깊이 관여했고, 1432년에는 『세종실록지리지』의 편찬에 참여했다. 이어 1434년에는 『자치통감훈의(資治通鑑訓義)』를 찬집하기도 했다.

(李芬)이 서리를 들어오지 못하게 막자 회가 그 이유를 따졌으나 분(芬)이 서리를 구타하여 쫓아냈다. 회가 지신사 황희(黃喜)에게 이를 고하니 희(喜)가 말했다.

"내가 일찍이 삼군 경력(三軍經歷)[18]으로 있었는데 군사(軍士)가 죄가 있으면 바로 결벌(決罰)을 행했소이다. 지금의 병조는 바로 예전 삼군부(三軍府)이니 만일 무례하고 난폭한 갑사가 있으면 어찌 반드시 계달(啓達)한 뒤에 그 죄를 다스리겠소?"

회가 또 판서 남재(南在)에게 고하니 재(在)가 말했다.

"때가 다르고 일이 다른 것이오.[19] 갑자기 서둘러 처리해서는 안 되므로 다시 깊이 생각해볼 터이니 내가 결심하기를 기다렸다가 처리합시다."

회가 그렇게 생각지 않고서 드디어 수(須)와 함께 본조(本曹-병조)에 앉아서 분(芬)에게 태(笞) 50대를 때렸다. 상은 문을 지키는 갑사를 마음대로[擅=恣] 때렸다고 하여 회 등을 옥에 내렸다.

○ 삼군 녹사(錄事)[20] 오치(吳致)에게 장(杖) 60대를 때리고 내쳤다[黜]. 사헌부에서 말씀을 올렸다.

"삼군 녹사행수(錄事行首-녹사의 우두머리) 이전(李旬)과 장무(掌務)

---

18 경력이란 조선시대 종4품(從四品) 관직으로 초기에 충훈부(忠勳府), 의빈부(儀賓府), 의금부(義禁府), 개성부(開城府), 강화부(江華府), 오위도총부(五衛都摠府), 중추부(中樞府) 등에서 행정실무를 맡아보았다.

19 황희의 대답을 전해 듣고서 그때와는 시기도 다르고 사안도 다르다고 말한 것이다.

20 조선시대 중앙과 지방 관서의 행정실무를 맡은 서리(書吏)와 경아전(京衙前)에 속한 상급 서리(胥吏)다. 고려 말부터 조선시대까지는 8~9품의 품관녹사(品官錄事)와 품외녹사(品外錄事) 두 종류가 있었으며, 하급 행정실무를 맡은 녹사는 품외의 녹사로서 대개 집단으로 같은 관서에 있었다.

김득강(金得剛)이 옛 관례를 그대로 좇아 새롭게 배속된 녹사를 흉물(凶物)이라 부르고 포화(布貨)를 많이 긁어내[索] 술과 음식 값의 밑천으로 삼았습니다. 새롭게 배속된 녹사 조관(趙琯)과 진맹경(秦孟卿)이 이를 견디다 못 해 본부(本府)에 고했습니다. 본부에서 이전 등에게 교지(敎旨)를 따르지 아니한 죄로 핵문하여 아울러 먼 지방으로 부처(付處-유배)시키고 관(琯)과 맹경(孟卿)은 군 녹사방(軍錄事房)에 하첩(下帖)²¹하여 도로 근무하도록 했습니다. 이달 초2일에 우두머리가 되는 녹사 오치가 여러 동료의 의견을 묻지도 않고 문득 무지한 자들 밑에 있는 녹사들과 함께 마음대로 관과 맹경을 공좌(公座)에서 잡아 머리를 잡아끌고 발을 질질 끌면서 구타하여 내쫓았습니다. 난폭한 짓[頑悍]을 자행해 그 죄가 심히 크니 엎드려 바라옵건대 엄하게 죄의 책임[罪責]을 물어야 합니다."

이에 그런 명이 있었다.

○ 우군첨총제(右軍僉摠制) 조흡(曹恰)을 보내 경기좌우도 수군도절제사(京畿左右道水軍都節制使) 이지실(李之實, ?~?)²²에게 술을 내려

---

21 상관(上官)이 하관(下官)에게 첩문(帖文)을 내리는 것을 말한다. '하체'라고도 읽는다.

22 1400년(정종 2년) 방간(芳幹)의 난 때 대장군으로 활약했고 태종이 즉위하면서 남포진병마사(藍浦鎭兵馬使)가 됐다. 이때인 1406년(태종 6년) 왜구가 침입했을 때 경기좌도 수군절제사로 임명돼 전함을 수리해 왜선을 추격하도록 명령을 받았다. 그러나 그 이듬해에는 금령(禁令)을 범하고 정승 조영무(趙英茂)의 집에서 분경(奔競)을 했다는 이유로 파직을 당했다가 다시 중군동지총제(中軍同知摠制)에 복직됐다. 1408년에는 안주도 병마사·판안주목사를 거쳐 1409년 강계도 도병마사가 됐다. 1411년 각 위(衛)에 절제사를 두면서 강계절제사에 임명됐고, 이듬해에는 개천도감제조(開川都監提調)를 거쳐 응양위(鷹揚衛)의 우일번절제사(右一番節制使)가 됐다. 1417년에는 함길도 병마도절제사로 용성의 성자(城子)를 쌓기도 했으나, 이듬해 군기(軍器)를 정련(精鍊)하지 않았다는 죄로 탄핵되기도 했다. 1419년 이종무(李從茂)가 삼군도체찰사(三軍都體察使)가 돼 대마도(對馬島) 정벌

주었다. 전함(戰艦)을 수리해 왜선(倭船)을 추격해 잡도록 유시(諭示)
했다.

○ 군자감 승(丞) 박희종(朴熙宗)을 전라도 선위별감(宣慰別監)[23] 겸
경차관(敬差官)으로 삼아 첨절제사(僉節制使) 구성미(具成美)에게 궁
온(宮醞)을 내려주었는데 이는 그가 힘써 싸우다가 화살을 맞은 것
을 위로하기 위함이었다. 이와 더불어 도관찰사 박은(朴訔)과 도절제
사 김계지(金繼志) 등을 힐문(詰問)했는데 이는 조선(漕船) 호송(護
送)을 점검하는 데 실수하여 왜구에게 약탈당했기 때문이었다.

임신일(壬申日-12일)에 지리산(智異山)에 눈이 내렸는데 깊이가 2척
이었고 (동북면) 영흥부(永興府)에는 1척이었다. (서북면) 삭주(朔州)
및 (충청도) 금주(錦州-금산) 임내(任內)[24] 횡천소(橫川所), (경상도) 함

계획이 세워질 때는 충청 해도조전절제사(忠淸海道助戰節制使)가 돼 충청 지역의 병선과
수군을 관장했다. 이어 공조판서가 됐고 1424년(세종 6년)에는 과거 경주부윤 재직 당시
의 장물이 86관이 된다 하여 탄핵당해 이듬해 결국 광양으로 유배됐다.

23 고려시대에는 국왕의 명령을 각 도에 고지하기 위한 제도의 선지별감(宣旨別監)·왕지별
감(王旨別監)·왕지사용별감(王旨使用別監), 몽고군을 방어하기 위해 산성에 파견된 산성
별감(山城別監)·산성방호별감(山城防護別監), 안렴사(按廉使)를 도와 지방을 통치한 별
감, 원나라의 일본 정벌을 위해 설치된 둔전(屯田)의 경영에 필요한 농우·농구·식량 등
을 조달하기 위해 지방에 파견한 농무별감(農務別監), 각 도의 인구를 점검하기 위한 제
도계점별감(諸道計點別監), 권세가가 점탈한 토지·인구 등을 쇄환하기 위한 제도쇄권별
감(諸道刷卷別監), 국왕 등의 질병이나 천재소멸·마장제사(馬場祭祀) 등을 위해 지방에
파견된 외산기은별감(外山祈恩別監), 마장제고별감(馬場祭告別監) 등이 운영됐다. 조선시
대에는 고려시대에 비해 그 종류가 크게 줄었으나 국초 이래로 변방의 개척이나 변란의
토벌에 공이 있는 고위관리를 위로하기 위해 참상관을 선위별감(宣慰別監)으로 파견했으
며, 각 도의 군용(軍容)이나 토지 등급을 시정하기 위해 참상관 이하를 군용점고별감(軍
容點考別監)이나 전제별감(田制別監)으로 파견하기도 했다.

24 고려와 조선 초의 일종의 특수 행정구역으로 일체의 부역, 과세, 공납 등을 위임 집행하
는 곳을 말한다.

양(咸陽), 합주(陜州), 순흥(順興), (강원도) 강릉(江陵)에도 모두 눈이
내렸다.

계유일(癸酉日-13일)에 지리산과 (충청도) 옥주(沃州-옥천)에 서리가
내렸다. (강원도) 이천(伊川)과 (서북면) 안변(安邊)의 영풍(永豊)과 (강
원도) 간성(杆城)의 열산(烈山)에 눈이 내렸는데 눈이 많은 데는 2척
5촌에 이르렀다.

○ 조수(趙須)와 윤회(尹淮)를 풀어주어 복직시켰다. 남재(南在)가
아뢰어 말했다.

"회가 이분(李芬)에게 태(笞)를 친 것은 실은 신이 시킨 것입니다."

상이 말했다.

"판서가 특별히 요속(僚屬)을 구하고자 하는 것일 뿐이지 어찌 그
게 사실이겠는가?"

이에 그들을 풀어주었다.

○ 사역원 통사(司譯院通事) 사인(舍人) 배온(裵蘊)을 요동(遼東)에
보내 요동도사(遼東都司)에 자문(咨文)을 넘겼다[移咨].

'의정부 장계(狀啓)에 이르기를 "우군총제(右軍摠制) 장사정(張思
靖)²⁵의 장고(狀告)에 의거하면 의주에 사는 구노(驅奴-말 몰이 노비)

---

25 화산부원군(花山府院君) 장사길(張思吉)의 동생이다. 1392년(태조 1년) 개국공신이 돼 대
장군에 등용됐다. 1397년 중추원부사가 됐다가 곧 조전절제사로 전임돼 풍해도(豊海道)
서북 연해에서 양민을 약탈하는 왜구를 무찌르고 많이 사로잡았다. 1398년 상의중추원
사(商議中樞院事)로 있을 때 이방원(李芳遠)을 도와 정도전(鄭道傳)·남은(南誾) 등을 급
습해 살해한, 이른바 1차 왕자의 난에 협력한 공으로 정사공신(定社功臣) 2등에 책록되
고 화성군(花城君)에 봉작됐으며, 1411년(태종 11년) 성절사(聖節使)가 돼 명나라에 다녀

오철(吳哲)이 나이가 30세다. 지난 홍무(洪武) 34년[26]에 도둑이 되어 의주(義州) 백성 정송(鄭松)의 집 소를 훔쳐 도망치다가 붙잡혀 두 귀를 베이었다. 또 홍무 35년 3월경에 사정의 집 의복과 마필을 훔쳐 도망쳤으나 발자취를 쫓아가 잡아 얼굴에 자자(刺字-글자 문신)했는데 항상 불복(不服)했다. (이에) 역노(逆奴)로 사역(使役)시켜 스스로 죄악을 깨닫게 했건만 또 영락(永樂) 3년 7월경에 인이(引伊)의 아내 율이(栗伊)를 데리고 도망쳐 간 곳을 알지 못하던 중에 본년(本年-같은 해) 12월 21일 사역원 부사(副使) 강방우(康邦祐)가 경사(京師)에서 돌아오다가 장사정을 대해 말하기를 '위에 말한 도망친 종 오철이 인이의 아내와 아울러 성명을 알 수 없는 남자와 모두 세 사람이 도망쳐 요동 지방으로 갔다가 요동도사(遼東都司)에게 붙잡혀서 경사(京師)로 해송(解送)됐는데 안산참(鞍山站)의 길을 지나다가 마주쳐서 보았다'고 했으므로 이를 듣고 장고(狀告)한다고 했습니다. 바라건대 행문이첩(行文移牒)하여 시행하소서"라고 했습니다. 이 장계를 보고 이것에 의거하여 자세히 살펴보건대 위에 말한 도망한 종 오철이 이미 본국에 있을 때에도 여러 번 도둑질하여 이미 얼굴에 자자(刺字)하고 할이(割耳)했는데, 지금 따르는 자들을 데리고 도망쳐 중국(中國)으로 갔으니 본성(本性)을 고치기 어려울까 두렵습

왔다. 1417년 전주에 유배 중인 이방간(李芳幹)의 첩을 거두어 동거하다가 함부로 버린 죄로 탄핵돼 상주에 유배됐다가 다음 해 덕천에 자원안치(自願安置)됐다.

26 원래 홍무 연호는 31년까지밖에 없다. 그런데 주원장을 이은 혜제의 건문(建文) 연호를 인정하지 않고 건문 연호도 홍무로 이어진 것이기 때문에 홍무 34년은 실은 건문 3년으로 1401년이다.

니다. 예전대로 도둑질하여 심히 온당하지 못하겠으므로 번거롭게 전달(轉達)하니 본국으로 해송(解送)하여 보내주면 심히 다행이겠습니다.'

갑술일(甲戌日-14일)에 지리산과 (경상도) 영주(永州)에 서리가 내렸다.

○ 기남보국(紀南寶國)²⁷의 객인(客人)이 와서 토산물을 바쳤다. 왜놈[倭奴]의 별종이다.

왜노

을해일(乙亥日-15일)에 옥주(沃州)에 서리가 내렸다.

○ 광연루(廣延樓)에 나아가[御] 종친들을 불러 활쏘기를 구경했다.

어

병자일(丙子日-16일)에 금주(錦州)에 서리가 모두 5일 동안 내렸다.

○ 일본 서해도 단주태수(西海道丹州太守) 원영(源迎)이 사신을 보내 토산물을 바쳤다.

정축일(丁丑日-17일)에 사헌부에서 통례문 봉례랑(通禮門奉禮郎)²⁸ 오소남(吳召南)과 사재소감(司宰少監) 고진(高進)을 파직할 것을 청했다. 아뢰어 말했다.

---

27 일본 남쪽에 있는 섬나라로 보이는데 어딘지 정확히 알 수 없다.
28 조회, 의례 등의 일을 관장하던 각문(閣門)의 종6품직이다.

"『경제육전(經濟六典)』의 한 조목에 '대소 관리(大小官吏)는 하비(下批)[29]한 뒤에 경관(京官)은 3일을 기한으로 하고, 외관(外官)은 10일을 기한으로 하여 대궐에 나아가 사은(謝恩)하고 곧 관직에 나가 부임한다'라고 했습니다. 지금 소남(召南)은 관직을 받은 것이 2월 11일이고 고진은 관직을 받은 것이 3월 12일인데 지금까지[追今= 至今] 까닭 없이 관직에 나아가지[就職] 않으니 인신(人臣-다른 사람의 신하)으로서 명을 공경하고 직책을 다하는[盡職] 의리가 아닙니다. 바라건대 그 직임을 파해야 합니다."

비답(批答)하지 않았다[不報].

○ 경상도 도절제사 유용생(柳龍生)이 병마사(兵馬使) 김을우(金乙雨)와 녹도 천호(鹿島千戶) 김인상(金仁祥)을 시켜 왜선(倭船) 1척을 갈이도(葛伊島)에서 잡았는데 왜적 30여 명이 모두 바다에 빠져 죽고 9급(級)을 베어 바쳤다. 사람을 보내 내구마(內廐馬) 1필을 용생에게 내려주고 더불어 선온(宣醞)을 내려주었다. 을우에게는 단(段)과 견(絹) 각 1필, 인상 등에게는 면(綿)·주(紬)·마포(麻布) 각 1필씩을 내려주었고 영선(領船)과 두목(頭目) 이하는 공로(功勞)를 차등 있게 갖춰 기록했다.

무인일(戊寅日-18일)에 전 공조참의 유구산(庾龜山)[30]을 제주 안무

---

29 삼망(三望)을 갖추지 않고 한 사람만 적어 올려서 임금이 임명하던 일을 말한다.

30 좌찬성 유당(庾璫)의 아들이다. 음보(蔭補)로 임관, 1402년(태종 2년) 판내자시사(判內資寺事)로 의주에 파견돼 당시 요동군마(遼東軍馬) 도산(逃散) 사태를 살피고 그 뒤 안변도 호부사를 역임했다. 이때인 1406년 제주 안무진제사(濟州按撫賑濟使)가 돼 기민을 구제

진제사(濟州安撫賑濟使)로 삼았다. 그때 구산은 모친상 중이었는데 명하여 최질(衰絰)을 벗게 하여 의관(衣冠)을 내려주고 또 술과 고기를 권했으며 전라도 쌀 1,000석을 내어 제주에 가서 기민(飢民)을 진제(賑濟)하게 했다.

○ 명하여 승려들이 강을 건너가 장사를 하는 것[興利]³¹을 금지하도록 했다. 서북면 도순문사(西北面都巡問使)가 아뢰었다.

'도내(道內)에 한잡(閑雜)한 승도(僧徒)들이 초막(草幕)을 짓고 원문(願文)을 싸 가지고 자주 많이 모이는데 인삼을 거둬 쌓아놓았다가 얼음이 얼 때면 혹은 월강(越江)하여 들어갔다가 돌아오는 자도 있고, 혹은 저쪽 토인(土人)을 불러서 이끌고 돌아와서 숨어 있는 자도 있습니다. 바라건대 강계(江界), 이성(泥城), 의주(義州), 선주(宣州) 이북의 초막은 아울러 헐어버리고 중들이 의지(依止)³²하는 것을 굳게 금지해야 합니다.'

상이 허락하고 다만 초막은 허물지 말게 했다.

했다. 이해 평안도 안주성 축조를 독려하고자 첨총제(僉摠制)·선위사(宣慰使)로 임명됐으나, 어머니의 상이 끝나지 않아 다른 사람으로 대체됐다. 1408년 판원주목사(判原州牧事)로 재임할 때 명나라에 처녀진헌(處女進獻)을 위한 혼인금지령을 어기고 자녀를 혼인시킨 죄로 순금사(巡禁司)에 하옥, 직첩이 박탈되고 원방으로 부처(付處)됐다. 1457년(세조 3년) 금성대군(錦城大君) 이유(李瑜)와 함께 상왕 단종의 복위 음모에 관련된 혐의로 사형됐다.

31 조선조 때 외국과의 사무역(私貿易)을 일절 금지하고 관무역(官貿易)만 행했으나 이것으로 일반인의 경제적 욕구를 충족시킬 수 없었으므로 압록강 일대에서 조선 상인이 강을 건너가기도 하고, 중국 상인이 강을 건너오기도 하여 밀무역(密貿易)을 했다. 이것이 후일 후시(後市)의 기원이 됐다.

32 선종(禪宗)에서 승려들이 수학(受學)할 때 초막(草幕)을 짓고 선배승(先輩僧) 의지아사리(依止阿闍梨)의 지도 감독을 받으며 참선(參禪)하던 일을 말한다.

○ 서연관(書筵官)에게 명해 세자가 학문에 힘쓰도록 경계시키게 했다. 문학(文學) 정안지(鄭安止, ?~1421년),[33] 사경(司經)[34] 조말생(趙末生)에게 일러 말했다.

"이제부터 서연(書筵)에 입직(入直)하는 관원은 세자가 식사하거나 움직이거나 가만있을[動靜] 때에도 좌우를 떠나지 말고 장난을 일절 금하여 오로지 학문에만 힘쓰도록 하라. 세자가 만약 듣지 아니하거든 곧 와서 계달(啓達)하라."
동정

또 시관(侍官)을 불러 꾸짖었다[叱=責].
질 책

"요즘 듣건대 세자가 공부하기를 매우 좋아하지 않는다고 하니 실은 너희 때문이다. 세자가 만약 다시 공부에 힘쓰지 아니하면 마땅히 너희를 죄줄 것이다."

기묘일(己卯日-19일)에 명나라 내사(內使) 황엄(黃儼)·양령(楊寧)·한첩목아(韓帖木兒), 상보사 상보(尙寶司尙寶) 기원(奇原) 등이 이르니 산붕(山棚)을 맺고 나례(儺禮)를 행했다. 상이 시복(時服) 차림으로 백관을 거느리고 반송정(盤松亭)에 나가 백희(百戲)를 베풀고 맞

---

33 1401년(태종 1년) 좌우습유(左右拾遺)를 지냈는데 환자(宦者)인 승녕주부(承寧注簿) 박문실(朴文實)이 소환(小宦)으로 소사(所司)를 능욕하고 왕명을 멸시하므로 탄핵했으나 도리어 그가 탄핵당했다. 뒤이어 정언이 되었고, 1405년 헌납이 되어 이목지관(耳目之官)으로서의 소임을 다했다. 1411년 한성소윤이 됐다. 1421년 제거(提擧) 임군례(任君禮)의 대역 사건에 연좌돼 도망쳤다. 이에 의금부에서 형 안도(安道)와 장모, 처자를 잡아 가두자 자수했다. 이어 옥사가 일어나 대역으로 논단(論斷)하여 임군례는 저잣거리에서 환형(轘刑)에 처해졌다. 이에 그도 연루돼 참형당했으며 가산은 적몰되고 처자는 노비가 됐다.
34 세자시강원(世子侍講院)의 정6품 관직이다. 태조 즉위 초에는 좌우사경 각 1인을 두었는데 세조 때 정원 1인을 줄여 좌우의 명칭이 없어졌다. 그 뒤 예종 때 사서(司書)로 개정해 『경국대전』에 실리게 되었다.

이해 경복궁에 이르렀다. 칙서(勅書)는 이러했다.

'짐(朕)이 선황고(先皇考)[35]와 황비(皇妣)[36]의 은덕을 거듭 생각해 천양(薦揚)하는 제전(祭典)을 거행하고자 하여 특별히 사례감 태감(司禮監太監) 황엄 등을 보내 그대 나라와 탐라(耽羅)에 가서 동불상(銅佛像) 몇 좌(座)를 구하게 하니 잘 도와서 성사시켜 짐(朕)의 뜻에 부응(副應)하도록 하라.'

엄 등이 또 예부(禮部)의 자문(咨文)을 가지고 왔는데 한 통[件]은 이러했다.

'좌군도독부(左軍都督府)의 조회(照會)를 받아 의준하건대 해당 보정후(保定侯) 맹선(孟善)의 자문에 "혁제 연간(革除年間)[37]의 만산 토인(漫散土人)은 흠차(欽差) 천호(千戶) 왕득명(王得名) 등이 조선에 가서 초무(招撫)하여 회환(回還)시켜 직업을 회복한 자를 제외하고, 전자수(全者邃) 등 4,940구(口)가 그대로 본국에 있는데 풍해도(豊海道) 등지에서 숨어 삽니다"라고 하니 뒤이어 본국에서 김봉(金奉) 등 19명을 회환(回還)시킨 외에는 그 나머지 사람은 아직 보내오지 않고 있습니다. 또 토관(土官) 천호 고욱(高勖) 등의 관하(官下) 가속(家屬)으로 해서(海西) 등 14명이 조선으로 도망쳐 갔는데, 조회(照會)가 본부(本府)에 이르렀으므로 합하여 자문(咨文)하니 본국에서는 재촉해 모아서 번거롭지만 급히 서둘러 보내 본업(本業)을 회복하도록 시

---

35 황제의 죽은 아비를 말한다.

36 황제의 죽은 어미를 말한다.

37 없애버린 연호로 건문(建文) 연간을 말한다.

행해주소서.'

다른 한 통은 이러했다.

'해당 건주위 지휘(建州衛指揮) 맹가첩목아(猛哥帖木兒)가 주달(奏達)하기를 "그 친속(親屬) 완자(完者) 등 11명과 아울러 가속(家屬)이 현재 조선에 있다"라고 했는데 본부(本府)에서 성지(聖旨)를 받들기를 "너희 예부(禮部)에서 행문(行文)하여 글을 국왕(國王)에게 보내 알려서 저들에게 주어 완취(完聚)하게 하라"라고 했습니다.'

상이 칙서(勅書)에 절하기를 마치고 전(殿)에 올라 사신에게 연회하고 안마(鞍馬)를 주었다. 엄 등은 태평관(太平館)으로 돌아가고 상은 창덕궁(昌德宮)으로 돌아왔다. 애초에 선위사(宣慰使)[38] 박석명(朴錫命)이 먼저 이르러 아뢰었다.

"신(臣)이 엄을 보니 엄이 말하기를 '그대는 전하가 친히 믿는 신하다. 이제 그대를 보내 나를 맞이하니 이것이 나를 기쁘게 하오. 나도 황제가 친히 믿는 신하이오. 이제 나를 그대 나라에 사신으로 보냈으니 또한 전하를 무겁게 여기는 까닭이오'라고 했습니다."

엄이 벽제역(碧蹄驛)에 이르니 상이 예관(禮官)을 보내 물었다.

"우리나라에서 대인(大人)이 받들고 오는 것이 조서(詔書)인지 칙서인지를 알지 못하기 때문에 황명(皇命)을 맞이하는 예(禮)를 이제까

---

38 명나라 사신을 영접하면서부터 두어 2품관 또는 정3품 당상관(堂上官) 이상인 자로 임명했는데 정조 때 영위사(迎慰使)로 개칭했으며, 영접사(迎接使)라고도 했다. 입국하는 중국 사신은 의주(義州)부터 서울에 이르기까지 통과 지점에서 극진한 영접과 우대를 받았는데 특히 중요한 6개 처에는 선위사가 파견돼 더욱 많은 후대와 예의를 표시했다. 이들이 서울 교외에 도착해 조정에 보고하면 국왕은 백관(百官)을 거느리고 돈의문(敦義門) 밖까지 나가서 영접했다.

지 정하지 못했다."

엄이 말했다.

"칙서(勅書)입니다. 국왕이 계신 곳에 이르러 개독(開讀)할 때까지 기다릴 뿐입니다."

예관이 말했다.

"그러면 시복(時服) 차림으로 맞이하는 것이 마땅합니다."

엄이 말했다.

"공복(公服)을 착용함이 마땅합니다."

좌정승 하륜(河崙)이 엄에게 일러 말했다.

"우리나라에서 (중국) 조정의 예제(禮制)를 그대로 따라서 쓰는데, 조서(詔書)를 맞이하는 외에는 공복을 감히 착용하지 못합니다."

엄이 매우 화를 냈다. 상이 다시 예관(禮官)을 보내 그 가부(可否)를 묻고자 하여 급히 입직(入直)한 예조의 낭관(郎官)을 불렀다. 밤이 이미 깊어서 여러 번 독촉했으나 정랑(正郎) 유영(柳穎, ?~1430년)³⁹이 병으로 즉시 나아가지 못했기 때문에 상이 곧바로 영(穎)을 순금사에 가두도록 명하고 다시 좌랑 권선(權繕, ?~?)⁴⁰으로 하여금 『홍무

---

39 태종 때 예조좌랑, 좌헌납 등을 거쳐 병조지사가 됐다. 세종 때 좌부대언, 충청도 관찰사, 대사헌 등을 거쳐 한성부윤, 예조참판을 역임했다.

40 판서(判書)를 지낸 권엄(權嚴)의 손자이며 검교 한성윤(檢校漢城尹) 권상(權詳)의 아들이다. 1402년(태종 2년) 문과에 급제한 후 관직에 진출해 1406년(태종 6년) 예조좌랑(禮曹佐郎)을 지내고 1410년(태종 10년)에는 헌납(獻納)이 됐다. 1427년(세종 9년) 연안도호부사(延安都護府使)를 제수받았고 우사간(右司諫)을 지낼 당시인 1432년(세종 14년)에 종친의 서자(庶子)들이 과거에 응시하는 것을 반대하다가 옥에 갇혔다. 이후 곧바로 복직되었고 1439년(세종 21년) 예조참의(禮曹參議)까지 이르렀다.

예제(洪武禮制)』[41]를 가지고 벽제역에 달려가서 질문하게 하니 엄이
그때서야 말했다.

"그렇다면 시복 차림으로 맞이해도 좋다."

경진일(庚辰日-20일)에 상이 태평관에 가서 사신에게 연회를 베풀
었다. 이날 아침에 황엄이 그 부사(副使) 한첩목아(韓帖木兒)를 시켜
예궐하게 하여 가람향간산호모주(茄藍香間珊瑚帽珠) 1부(部), 건강
궁(建康弓) 2장(張), 채단(綵段)·금선(錦線) 각 1필, 금강자(金剛子)[42]
3관(貫), 야표(椰瓢-야자 바가지) 8과(顆) 및 여러 과실을 바치고 첩
목아도 또한 채단 8필, 홍초(紅綃) 4필, 금선(錦線) 2필을 스스로 바
쳤다. 상이 편전(便殿)에 나가서 첩목아를 만나보고, 다례(茶禮)를 베
풀어 사례했다.

○ 상이 태평관에 이르러 연회를 베풀었다. 술이 취하자 엄은 취한
것을 핑계로 먼저 방으로 들어가고, 첩목아가 말했다.

"제주(濟州) 법화사(法華寺)[43]의 미타삼존(彌陀三尊)은 원나라 때

---

41 이 책은 1381년에 명(明)나라 태조가 종래의 예제(禮制)를 새롭게 하기 위해 유신들을 시
  켜 편찬한 국가의 예식집으로 고려 말 이후 조선 세종대에『국조오례의(國朝五禮儀)』가
  만들어질 때까지 조선에서도 국가적 예법의 준칙으로 활용됐다.

42 악차(惡叉)의 열매로 만든 염주다.

43 제주도 서귀포시 하원동에 자리 잡은 법화사(法華寺)는 서기 840년경 후기 신라시대 중
  국과 일본을 무대로 활동했던 해상왕 장보고가 건립한 사찰이다. 완도 청해진의 법화사
  와 더불어 산동반도에는 법화원, 제주에는 법화사를 창건하고 바다로 나가는 사람의 안
  녕을 기원하는 한편 세계로 향하는 해상 세력의 근거지를 만들고자 한 것이다. 법화사의
  정확한 창건 연대는 전해오지 않으나 1982년부터 8차례에 걸친 발굴로 법화사지의 규모
  와 성격이 확인됐다. 특히 1992년 발굴 과정에서 발견된 명문기와편을 통해 1279년(고려
  충렬왕 5년)에 중창되었음이 밝혀졌다. 또 기록에 의하면 법화사의 노비가 280명에 달해

양공(良工)이 만든 것입니다. 저희가 곧바로 가서 가져가는 것이 마땅합니다."

상이 희롱하여 말했다.

"참으로 마땅하긴 한데 다만 부처 귀에 물이 들어갈까 두려울 뿐이오."

첩목아 등이 모두 크게 웃었다.

○ 사신의 근수(跟隨)⁴⁴와 반인(伴人)이 안장 갖춘 말을 요구하니 상이 그것을 주고자 했으나 공조에서 미리 갖춰놓지를 못했다. 상이 매우 노해 죄를 주려고 하니 하륜이 아뢰어 말했다.

"지금 반인(伴人)들이 안장 갖춘 말을 얻지 못한 데 노여워하겠지만, 우리나라가 어찌 저자들이 노여워하는 것을 두려워해야겠습니까?"

상이 말했다.

"저들이 노여워하는 것은 진실로 옳지 못하지만 우리가 저들을 대접하는 예(禮)는 마땅히 곡진(曲盡)해야 한다."

이에 안장 갖춘 말을 재촉하여 올리게 해 그들에게 내려주었다.

○ 엄 등이 직접 제주(濟州)에 가서 동불상(銅佛像)을 맞이하려 하니 누군가가 말했다.

"제(帝)가 엄 등으로 하여금 탐라(耽羅-제주)의 형세를 보게 한 것은 무슨 뜻이 있어서일 것입니다."

그 규모가 상당히 컸으리라 추측된다.

44 벼슬아치를 따라 다니는 관아의 하인을 가리킨다.

상이 그것을 걱정해 여러 신하들과 모의하고서 급히 선차(宣差)[45] 김도생(金道生)과 사직(司直) 박모(朴謨)를 보내 제주에 급히 가서 법화사(法華寺)의 동불상(銅佛像)을 가져오게 했다. 대개 만약 불상을 먼저 나주(羅州)에 가져다 두면 엄 등이 제주에 반드시 들어갈 필요가 없기 때문이었다.

○ (강원도) 이천(伊川)과 영풍(永豊)에 서리가 내렸다.

○ 명하여 선군(船軍)에게 둔전(屯田), 채곽(採藿-미역따기) 포어(捕魚) 등의 역사(役事)를 시키지 말도록 했다. 전라도 도관찰사 박은(朴뿔)이 아뢰어 말했다.

'각 도의 해도 만호(海道萬戶)가 선군을 역사시켜 둔전(屯田)하고 미역을 따고 고기를 잡게 합니다. 거두는 이익은 매우 적은데 종일 노동하다가 밤이 되어 곤하게 잠을 자므로 경비(警備)를 능히 하지 못해 방어를 놓치는[失守] 경우가 많으니 이를 혁파하는 것이 진실로 편리합니다.'
실수

그것을 따랐다.

신사일(辛巳日-21일)에 한첩목아가 태상전(太上殿)에 알현했다.

○ 올량합(兀良哈) 만호(萬戶) 보리(甫里)가 그 동생 고리(古里)를 시켜 내조(來朝)했다.

임오일(壬午日-22일)에 일본 호자전(呼子殿)의 객인(客人)이 와서 토

---

45 왕명을 전하기 위해 임시로 뽑아 보내는 관원을 말한다.

산물을 바쳤다.

○ 옥에 가뒀던 예조정랑 유영(柳穎)을 풀어주고 복직시키도록 했다. 애초에 상은 영이 위를 업신여기고 일을 기피하는 것[慢上避事]으로 보아 화가 나서 승전색(承傳色-환관) 노희봉(盧希鳳)을 시켜 묶어서 대언사(代言司)에서 장(杖)을 때리게 했다. 대언 이은(李垠)이 그를 구하고자 꾀하여 또 아뢰어 말했다.

"영은 곧 (개국공신) 이지(李至)의 사위입니다."

상의 노여움이 조금 풀려서 마침내 옥(獄)에 내렸다가 이때에 이르러 풀어주었다.

계미일(癸未日-23일)에 상이 황엄 등 네 사람을 불러 창덕궁(昌德宮)에서 연회를 베풀었는데, 엄이 중궁(中宮)을 뵙기를 청하니 상이 함께 내정(內庭)에 들어가서 드디어 해온정(解慍亭)을 둘러보고 나와 광연루(廣延樓)에서 술자리를 베풀고 상이 엄에게 안장 갖춘 말을 주었다.

갑신일(甲申日-24일)에 달단(韃靼)⁴⁶ 화척(禾尺)⁴⁷에게 소와 말을 잡는 것을 금하도록 명했다.

---

46 몽고족을 달리 이르는 말이다.

47 화척이란 원래 고려시대의 천민 계급을 뜻한다. 수척(水尺), 화척(禾尺), 무자리라고도 한다. 1425년(세종 7년) 이들을 양민화(良民化)하려는 정책에 따라 백정(白丁)이라고 이름을 바꿨다. 이들은 일반적으로 여진, 거란 등 북방민족 귀화인(歸化人)이라고 알려져 있다.

○ 행대감찰(行臺監察)⁴⁸을 경기좌우도에 나눠 보냈다. 대개 방목(放牧)하는 말이 벼와 곡식을 짓밟아 손상시키는 것을 감찰하기 위함이었다.

을유일(乙酉日-25일)에 황엄 등이 전라도에 가고, 기원(奇原)은 홀로 (도성에) 머물렀다. 의정부 지사 박석명(朴錫命)을 전라도·제주 도체찰사(全羅道濟州都體察使)로 삼아 동행하게 했다. 지신사 황희(黃喜)에게 명해 의정부와 더불어 한강에서 전송하게 했는데 엄은 새벽녘에 일어나 말을 채찍질하여 갔기 때문에 희(喜) 등이 미처 보지 못하고 돌아왔다. 대개 엄이 상이 나와서 전송하지 않는 것을 노여워해서 먼저 떠나간 것이다.

병술일(丙戌日-26일)에 벌레가 솔잎을 갉아 먹으니 조관(朝官-조정 관리) 6품 이상으로 하여금 정부(丁夫-인부)를 내게 하여 잡아서 파묻도록 했다.

○ 정승(鄭昇)이 (경상도) 개령(開寧-김천)에서 돌아오니 의정부에서 성문 밖에 술을 베풀고 맞았다[迎=迓]. 수일 뒤에 조량(趙良) 등 6인이 또한 모두 그 고향으로부터 돌아왔다. 김유연(金有延)이란 자가 있어 정승에게 부탁하여 벼슬을 받고자 하다가 일이 발각돼 의정부에서 순금사에 이첩(移牒)해 장(杖) 80대를 때렸다.

---

48 조선 초에 민간의 이해(利害), 수령의 잘잘못, 향리의 횡포, 사신(使臣)의 사물(私物)을 직접 조사하기 위해 각 도로 보내던 사헌부의 감찰이다.

○ 이조(吏曹)에서 종묘서(宗廟署)와 전농시(典農寺) 및 각사(各司)의 사의(事宜-현안)를 계달했다.

'하나, 전농시와 종묘서의 원리(員吏)들이 평상시에 공경을 다하기[致敬]를 즐겨하지 아니하여 혹은 조상(弔喪)하거나 문병(問病)하여 스스로 오염(汚染)에 나아가고 그때마다 늘 공좌부(公座簿)[49]에 문득 "오염을 범했다[犯染]"고 쓰고서 여러 날 출사(出仕)하지 아니하니 신하로서 직임을 삼가는 도리에 어긋남이 있습니다. 금후로는 고장(告狀)에 아무 곳에서 무슨 오염을 범했음을 밝혀서 쓰게 하고, 만약 전과 같이 삼가지 못하는 원리(員吏)가 있으면 저지른 허물의 이름을 표해서 붙일[標付過名][50] 것입니다.

하나, 각사(各司)의 관리가 육아일(六衙日)에 예궐하여 숙배(肅拜)한 뒤에 물러나 본 아문(衙門)에 출근하는 것이 예인데, 그 가운데 다른 사무가 있는 자가 혹 예궐하지 아니하니 인신(人臣)으로 위를 공경하는 도리에 어긋남이 있습니다. 금후로는 비록 다른 사무가 번잡한 원리(員吏)일지라도 모두 다 예궐하여 숙배한 뒤에 각각 다른 사무에 나아가게 하여 고과(考課)에 근거로 삼게[憑據] 해야 합니다.'

그것을 따랐다.

---

49 관리가 관아(官衙)에 출근할 때 그 이름을 적던 장부다. 고공사(考功司)에서 이것을 기준으로 관리의 근태(勤怠)를 평가했다. 1443년(세종 25년)부터 아일(衙日)에도 이를 설치했다고 한다.

50 관리가 허물을 저질렀을 때 그 과오(過誤)를 별지(別紙)에 써서 정안(政案)에 붙여두던 것을 말한다. 후일 도목정사(都目政事)할 때 자료로 삼았다.

정해일(丁亥日-27일)에 호조에서 아뢰어 말했다.

"여리(閭里)에 경행(經行)[51]하는 것이 예전의 도리에 부합하지 못하니 청컨대 그것을 그만두고 국행(國行)[52]을 설치해야 합니다."
그것을 따랐다.

무자일(戊子日-28일)에 덕수궁(德壽宮)[53]이 완공됐다. 감독한 관리들을 기록해 관직을 차등 있게 임명했다.

○ (상중인) 권근(權近)을 기복(起復)하여 예문관 대제학 겸 지경연 춘추 성균관사(知經筵春秋成均館事) 겸 세자우빈객(世子右賓客)으로 삼고, 신극례(辛克禮)를 의정부 참찬사로 삼았다.

○ 환자(宦者) 정덕경(鄭德瓊)에게 장(杖) 60대를 때려 (경상도) 밀양(密陽)으로 유배 보냈다. 덕경이 세자전 사옹방(世子殿司饔房)을 감독했는데 선수(膳羞-밥과 반찬)를 친히 살피지 아니했으므로 순금사에 내려 그 삼가지 아니한 것[不恪=不愼]을 징계하고 내치도록 명했다.
불각   불신

---

51 고려 때나 조선조 초엽에 매년 2월과 8월에 질병과 재앙(災殃)을 물리치기 위해 부처를 모시고 번(幡-깃발)이나 개(蓋-덮개)를 앞세우고 수백 명의 중들이 불경을 외우고 북을 치면서 성내(城內)의 큰 거리를 돌던 일을 말한다.
52 임금이 백성을 위해 지내는 7가지 제사[七祀] 중의 하나다.
칠사
53 지금의 덕수궁과는 다르다. 당시에는 선왕을 위한 궁을 일반적으로 덕수궁이라고 불렀다.

辛酉朔 廣延樓成 召義安大君和與監役提調李稷等 置酒以
신유 삭 광연루 성 소 의안대군 화 여 감역 제조 이직 등 치주 이

落之.
낙지

分屬定額外寺社田口于各司. 議政府啓:
분속 정액 외 사사 전구 우 각사 의정부 계

"定數外寺社田地 悉屬軍資 以補船軍糧餉; 奴婢悉屬典農寺
정수 외 사사 전지 실속 군자 이보 선군 양향 노비 실속 전농시

因其舊居 使之屯田. 軍器監屬四千口 每一番四百口 輪次立役;
인 기 구거 사지 둔전 군기감 속 사천 구 매 일번 사백 구 윤차 입역

內資 內贍 各屬二千口 禮賓寺福興庫各屬三百口 竝因其舊居
내자 내섬 각속 이천 구 예빈시 복흥고 각속 삼백 구 병인 기 구거

綏撫役使. 各道觀察使(之)首領官 每當巡行 循問勞苦 俾安生業
수무 역사 각도 관찰사 지 수령관 매당 순행 순문 노고 비안 생업

如有守令鄕吏不肯盡心完恤者 痛行糾理 幷坐首領官不能覺擧
여유 수령 향리 불긍 진심 완휼 자 통행 규리 병좌 수령관 불능 각거

之罪."
지 죄

從之.
종지

命司憲府 還給鄭擢李伯溫告身.
명 사헌부 환급 정탁 이백온 고신

甲子 隕霜殺草.
갑자 운상 살초

雨雪于甲州凡四日 深七寸.
우설 우 갑주 범 사일 심 칠촌

上詣德壽宮獻壽 義安大君和侍坐. 太上命侍姬巫峽兒 歌以
상 예 덕수궁 헌수 의안대군 화 시좌 태상 명 시희 무협아 가이

侑酒 上賜和鞍馬 巫峽兒 紵絲一匹 太上歡甚. 上大醉屢進爵
유주 상 사 화 안마 무협아 저사 일필 태상 환심 상 대취 누 진작

太上輒飮不醉曰: "予少也 豈知有今日乎? 但願壽考耳. 今過
태상 첩 음 불취 왈 여 소야 기지 유 금일 호 단 원 수고 이 금 과

144

七十 猶不死也." 又曰: "遊田之事 若等①必不及我矣. 如欲學之

予當敎之." 上旣出 司僕進轎子 上却之 命進馬. 和與諸代言跪

于前 固請御轎 上乃乘轎 着錦半臂 扶醉還宮 群臣皆步從.

定公處奴婢決折法. 議政府啓:

"京外決訟官吏 於屬公奴婢相訟事 則以公處無有力辨者 率

於私處 徇私決給. 今後屬公奴婢決折事 京中 刑曹都官 外官

都觀察使 具錄辭因啓聞取旨 方許決折 以爲恒式."

遣使問慰鄭昇等于其鄉. 又遣人于全羅道 賜宮醞于都觀察使

朴訔 都節制使金繼志 團撫使金文發 又賜慶尙道都節制使

柳龍生 皆賞捕倭之功也. 龍生以宣醞和濁酒九盆 仍殺所乘馬

一匹 分饗士卒曰: "今日宣醞 雖慰小臣 捕倭之功 實在士卒."

士卒咸悅.

乙丑 賑慶尙道飢.

丙寅 敎法官勿滯獄. 上覽有司所上囚徒錄 有盧忠愷者 死於

獄中 謂知申事黃喜曰: "可殺 卽殺之耳. 豈可使在獄而死乎?"

故有是命.

宥魚思漢 京外從便.

丁卯 定貞陵塋域. 議政府啓: "貞陵在京中 兆域太廣 請去陵

百步外 許人造家." 許之. 於是 豪勢之家 紛然爭占善地 左政丞

河崙 率諸壻先得之.

移衿州牧場於綠楊郊. 初 國朝擇閑地 牧廄馬及軍士之馬 閑地
이 금주 목장 어 녹양 교 초 국조 택 한지 목 구마 급 군사 지마 한지

少 多害民穀田. 京畿都觀察使全伯英上言: "因衿州牧場 失民
소 다해민 곡전 경기 도관찰사 전백영 상언 인 금주 목장 실민

二百戶矣." 乃命移於綠楊.
이백 호의 내 명이 어 녹양

戊辰 隕霜于錦州等處.
무진 운상 우 금주 등처

召宗親 擊毬內庭 仍置酒于廣延樓.
소 종친 격구 내정 잉 치주 우 광연루

倭奪全羅道漕船十四艘及護送兵船一艘于安行梁. 倭船十八艘
왜 탈 전라도 조선 십사 소급 호송 병선 일소 우 안행량 왜선 십팔 소

乘夜掠之 取米四千九十石而去.
승야 약지 취 미 사천 구십 석 이거

己巳 義安大君和設享于廣延樓 宗親大臣皆入侍 上極歡 日沒
기사 의안대군 화 설향 우 광연루 종친 대신 개 입시 상 극환 일몰

而罷.
이 파

作解慍亭于昌德宮東北隅. 上謂知申事黃喜曰: "今新亭成 使
작 해온정 우 창덕궁 동북 우 상위 지신사 황희 왈 금 신정 성 사

權近名之 請名淸寧. 蓋取天淸地寧之義也 然似不便. 予欲改以
권근 명지 청명 청녕 개 취 천청 지녕 지의 야 연 사 불편 여 욕개 이

解慍 若何?" 左右曰: "甚善" 上笑曰: "人君發言 臣下必同聲
해온 약하 좌우 왈 심선 상 소왈 인군 발언 신하 필 동성

譽之. 當更與權近議之." 遂使卽其家問之 近曰: "善." 於是 以命
예지 당 갱 여 권근 의지 수 사즉 기가 문지 근 왈 선 어시 이명

新亭.
신정

庚午 永興府隕霜傷穀.
경오 영흥부 운상 상곡

辛未 隕霜于軍威縣.
신미 운상 우 군위현

雨雪于金剛山 深二尺.
우설 우 금강산 심 이척

遣敬差官判軍資監事尹向于忠淸道 按問都節制使崔迤
견 경차관 판 군자감 사 윤향 우 충청도 안문 도절제사 최이

都觀察使成石因 不能禦倭漕船被奪之故也. 向復命 命將左右道
도관찰사 성석인 불능 어왜 조선 피탈 지 고야 향 복명 명장 좌우도

都萬戶盧仲濟等四人 杖六十 餘各笞五十.
도만호 노중제 등 사인 장 육십 여 각 태 오십

下兵曹正郎趙須 佐郎尹淮于巡禁司. 是日 上將受朝 淮欲考察
하 병조 정랑 조수 좌랑 윤회 우 순금사 시일 상 장 수조 회욕 고찰

大小軍士宿衛形狀 率吏三人 入闕門 守門甲士李芬 禁吏不得
대소 군사 숙위 형상 솔리삼인 입궐문 수문 갑사 이분 금리 부득

入 淮詰其故 芬歐吏出之. 淮以告知申事黃喜 喜曰: "予嘗爲三軍
입 회 힐 기고 분구리출지 회 이고 지신사 황희 희왈 여상위 삼군

經歷 軍士有罪 直行決罰 今之兵曹 卽昔之三軍府也. 如有無禮
경력 군사 유죄 직행 결벌 금지 병조 즉석지 삼군부 야 여유 무례

頑悍甲士 則何必啓達 然後繩其罪乎?" 淮又告判書南在 在曰:
완한 갑사 즉 하필 계달 연후 승 기죄 호 회우고 판서 남재 재왈

"時異事殊 不可倉卒 且更商量 待予區處." 淮不以爲然 遂與須坐
시이사수 불가 창졸 차갱 상량 대여 구처 회불 이위 연 수여수좌

本曹 笞芬五十. 上以②擅笞守門甲士 下淮等于獄.
본조 태분 오십 상이 천태 수문 갑사 하 회등 우옥

杖三軍錄事吳致六十而黜之. 司憲府上言:
장 삼군 녹사 오치 육십 이 출지 사헌부 상언

"三軍錄事行首李旬 掌務金得剛 仍用舊例 以新屬錄事 稱爲
삼군 녹사 행수 이전 장무 김득강 잉용 구례 이 신속 녹사 칭위

凶物 多索布貨 以充酒食之資. 新屬趙琯 秦孟卿 不能堪 愬于府
흉물 다 색 포화 이 충 주식 지자 신속 조관 진맹경 불능 감 소우부

本府劾旬等敎旨不從之罪 竝於遠方付處 將琯 孟卿 下帖軍錄事
본부 핵전등 교지 부종 지죄 병 어 원방 부처 장관 맹경 하첩 군 녹사

房 俾之還仕. 今月初二日 爲頭錄事吳致 不議諸同僚 輒與無知
방 비지 환사 금월 초 이일 위두 녹사 오치 불의 제 동료 첩 여 무지

在下錄事 擅執琯 孟卿於公座 牽頭曳足 歐擊而黜之 頑悍恣行
재하 녹사 친집관 맹경 어 공좌 견두 예족 구격 이 출지 완한 자행

其罪甚大 伏望嚴加罪責."
기죄 심대 복망 엄 가 죄책

乃有是命.
내유 시명

遣右軍僉摠制曹恰 賜酒于京畿左右道水軍都節制使李之實.
견 우군 첨총제 조흡 사주 우 경기 좌우도 수군도절제사 이지실

諭以修戰艦追捕倭船也.
유 이 수 전함 추포 왜선 야

以軍資監丞朴熙宗 爲全羅道宣慰別監兼敬差官 賜宮醞于
이 군자감 승 박희종 위 전라도 선위 별감 겸 경차관 사 궁온 우

僉節制使具成美 慰其力戰中矢也. 仍詰都觀察使朴訔 都節制使
첨절제사 구성미 위 기 역전 중시 야 잉힐 도관찰사 박은 도절제사

金繼志等 失於考察護送 致爲倭寇所掠③之故.
김계지 등 실어 고찰 호송 치 위 왜구 소략 지 고

壬申 雨雪于智異山深二尺 永興府深一尺. 朔州及錦州任內
임신 우설 우 지리산 심 이척 영흥부 심 일척 삭주 급 금주 임내

橫川所 咸陽 陜州 順興 江陵皆雪.
횡천 소 함양 합주 순흥 강릉 개설

癸酉 隕霜于智異山 沃州: 雨雪于伊川 安邊永豐 杆城烈山
계유 운상 우 지리산 옥주 우설 우 이천 안변 영풍 간성 열산

雪深者至二尺五寸.
설심 자 지 이척 오촌

釋趙須 尹淮 復其職. 南在啓曰: "淮之答李芬 臣實使之." 上
석 조수 윤회 복 기직 남재 계왈 회 지 답 이분 신 실 사지 상

曰: "判書特欲救僚屬耳 豈其實乎?" 乃釋之.
왈 판서 특 욕 구 요속 이 기 기실 호 내 석지

遣司譯院通事舍人裵蘊如遼東 移咨都司曰:
견 사역원 통사 사인 배온 여 요동 이자 도사 왈

'議政府狀啓: "據右軍摠制張思靖狀告 有義州住驅奴吳哲 年
의정부 장계 거 우군 총제 장사정 장고 유 의주 주 구노 오철 연

三十歲. 昨於洪武三十四年時分作賊 偸盜義州百姓鄭松戶牛隻
삼십 세 작 어 홍무 삼십 사년 시분 작적 투도 의주 백성 정송 호 우척

逃走 致被捉獲 割去兩耳. 又於洪武三十五年三月內 偸盜思靖戶
도주 치 피 착획 할거 양이 우 어 홍무 삼십 오년 삼월 내 투도 사정 호

衣服馬匹逃走 追蹤得獲刺面 常川不服使喚. 逆奴自知罪惡 又
의복 마필 도주 추종 득획 자면 상천 불복 사환 역노 자지 죄악 우

於永樂三年七月內 帶引伊妻栗伊逃走 不知去向間 本年十二月
어 영락 삼년 칠월 내 대 인이 처 율이 도주 부지 거향 간 본년 십이 월

二十一日 司譯院副使康邦祐回自京師 對思靖說稱: '上項逃奴
이십 일일 사역원 부사 강방우 회자 경사 대 사정 설칭 상항 도노

吳哲 將引伊妻竝不識姓名男子共三名 逃往遼東地面 蒙都司
오철 장 인이 처 병 불식 성명 남자 공 삼명 도왕 요동 지면 몽 도사

捉解京師 道經鞍山站迎見.' 聽此 告乞行移施行." 得此狀啓 據
착해 경사 도경 안산참 영견 청차 고걸 행이 시행 득차 장계 거

此竊詳 上項逃奴吳哲 旣在本國 累曾作賊 已經刺面割耳. 今來
차 절상 상항 도노 오철 기재 본국 누증 작적 이경 자면 할이 금래

帶領從伴 逃往上國 慮恐本性難改 仍前作賊 深爲不便. 煩爲
대령 종반 도왕 상국 려공 본성 난개 잉전 작적 심 위 불편 번위

轉達 解發本國前來 幸甚.'
전달 해발 본국 전래 행심

甲戌 隕霜于智異山 永州.
갑술 운상 우 지리산 영주

紀南寶國客人 來獻土物 倭奴之別種也.
기남보국 객인 내헌 토물 왜노 지 별종 야

乙亥 隕霜于沃州.
올해 운상 우 옥주

御廣延樓 召宗親觀射.
어 광연루 소 종친 관사

丙子 隕霜于錦州凡五日.
병자 운상 우 금주 범 오일

日本 西海道 丹州太守源迎 遣使來獻土物.
일본 서해도 단주 태수 원영 견사 내헌 토물

丁丑 司憲府請罷通禮門奉禮郎吳召南 司宰少監高進職. 啓曰:
정축 사헌부 청파 통례문 봉례랑 오소남 사재 소감 고진 직 계왈

"經濟六典一款:'大小官吏 自下批之後 京官限三日 外官限十日
경제육전 일관 대소 관리 자 하비 지후 경관 한 삼일 외관 한 십일

進闕謝恩 隨卽上官赴任.'今召南受職 在二月十一日; 高進受職
진궐 사은 수즉 상관 부임 금 소남 수직 재 이월 십일 일 고진 수직

在三月十二日 迨今無故不就職 無人臣敬命盡職之義 乞罷其職."
재 삼월 십이 일 태금 무고 불 취직 무 인신 경명 진직 지의 걸 파 기직

不報.
불보

慶尙道都節制使柳龍生 使兵馬使金乙雨 鹿島千戶金仁祥 捕
경상도 도절제사 유용생 사 병마사 김을우 녹도 천호 김인상 포

倭船一艘于葛伊島 倭三十餘人 皆投海而死 斬九級以獻. 遣人
왜선 일 소 우 갈이도 왜 삼십 여인 개 투해 이사 참 구급 이헌 견인

賜內廐馬一匹于龍生 仍賜宣醞. 賜乙雨段絹各一匹 仁祥等綿紬
사 내구마 일필 우 용생 잉 사 선온 사 을우 단견 각 일필 인상 등 면주

麻布各一匹 具錄領船頭目以下功勞有差.
마포 각 일필 구록 영선 두목 이하 공로 유차

戊寅 以前工曹參議庾龜山 爲濟州按撫賑濟使. 時 龜山居母喪
무인 이 전 공조 참의 유구산 위 제주 안무 진제사 시 구산 거 모상

命脫衰絰 賜衣冠 且勸酒肉 發全羅道米一千石 往賑飢民.
명탈 최질 사 의관 차 권 주육 발 전라도 미 일천 석 왕진 기민

命禁僧人越江興利者. 西北面都巡問使啓:'道內閑雜僧徒
명금 승인 월강 흥리 자 서북면 도순문사 계 도내 한잡 승도

營構草幕 齋持願文 數多聚會 收蓄人蔘 及氷凍之時 或有越江
영구 초막 재지 원문 수다 취회 수축 인삼 급 빙동 지시 혹 유 월강

入歸者 或招引彼土人回還隱接者. 乞江界 泥城 義州 宣州 以北
입귀 자 혹 초인 피 토인 회환 은접 자 걸 강계 이성 의주 선주 이북

草幕 竝令破取 堅禁僧人依止.'上許之 但勿毀草幕.
초막 병 령 파취 견금 승인 의지 상 허지 단 물훼 초막

命書筵官 戒世子勤學. 謂文學鄭安止 司經趙末生曰:"自今
명 서연관 계 세자 근학 위 문학 정안지 사경 조말생 왈 자금

以後 書筵入直官 於飮食動靜 不離左右 一禁戲事 專務勸學.
이후 서연 입직관 어 음식 동정 불리 좌우 일금 희사 전무 권학

世子若不聽從 卽來啓達"且召侍官叱之曰:"近聞世子多不好學
세자 약 불청종 즉래 계달 차 소 시관 질지왈 근문 세자 다 불호 학

實汝等致之也. 世子若不更勉 當罪汝等."
실 여등 치지야 세자 약 불갱 면 당죄 여등

己卯 朝廷內使黃儼 楊寧 韓帖木兒 尙寶司尙寶奇原等至 結
기묘 조정 내사 황엄 양령 한첩목아 상보사 상보 기원 등지 결

山棚儺禮 上以時服 率百官出盤松亭 陳百戲 迎至景福宮 勅曰:
산붕 나례 상 이 시복 솔 백관 출 반송정 진 백희 영지 경복궁 칙왈

'朕重惟先皇考 皇妣恩德 欲擧薦揚之典 特遣司禮監太監黃儼
짐 중유 선황고 황비 은덕 욕거 천양 지전 특견 사례감 태감 황엄

等 往爾國及耽羅 求銅佛像數座 尙相成之 以副朕意'
등 왕 이국 급 탐라 구 동 불상 수좌 상상 성지 이부 짐의

儼等又齎禮部咨來:
엄등 우재 예부 자래

'一件 承準左軍都督府照會:"該保定侯 孟善咨 革除年間
일건 승준 좌군 도독부 조회 해 보정후 맹선 자 혁제 연간

漫散土人 除欽差千戶王得名等 往朝鮮招回復業外 有全者逯
만산 토인 제 흠차 천호 황득명 등 왕 조선 초회 복업 외 유 전자수

等四千九百四十九 仍在本國豐海等道藏住"續該本國將金奉等
등 사천 구백 사십 구 잉재 본국 풍해 등도 장주 속 해 본국 장 김봉 등

一十九名回還外 其餘不見送到. 又有土官千戶高勗等下家小海西
일십 구명 회환 외 기여 불견 송도 우유 토관 천호 고욱 등하 가소 해서

等十四名 逃往朝鮮. 照會到府. 合咨本國催聚 煩爲作急發來
등 십사 명 도왕 조선 조회 도부 합자 본국 최취 번위 작급 발래

復業施行.'
복업 시행

'一件 該建州衛指揮猛哥帖木兒奏 有親屬完者等 一十一名幷
일건 해 건주위 지휘 맹가첩목아 주 유 친속 완자 등 일십 일명 병

家小 見在朝鮮 本部奉聖旨:"恁禮部行文書與國王知道 給與他
가소 현재 조선 본부 봉 성지 임 예부 행문 서여 국왕 지도 급여 타

完聚."'
완취

上拜勅訖 升殿宴使臣 贈鞍馬, 儼等往太平館 上還昌德宮. 初
상 배칙 흘 승전 연 사신 증 안마 엄등 왕 태평관 상환 창덕궁 초

宣慰使朴錫命先至 啓曰:"臣見儼 儼曰:'子 殿下所親信也 今
선위사 박석명 선지 계왈 신견 엄 엄왈 자 전하 소친신 야 금

遣子迎我 是喜我也. 我亦皇帝所親信也. 今使我於子國 亦所以重
견 자 영아 시 희 아야 아 역 황제 소친신 야 금 사아 어 자국 역 소이 중

殿下也.'" 儼至碧蹄驛 上遣禮官問曰: "我國未知大人齎捧是詔
전하 야　엄지 벽제역　상견 예관 문왈　아국 미지 대인 재봉 시조

與勑 故迎命之禮 至今未定" 儼曰: "勑書也. 待至國王處開讀耳."
여칙 고영명지례 지금 미정　엄왈　칙서 야　대지 국왕 처 개독 이

禮官曰: "然則當以時服迎之." 儼曰: "宜用公服." 左政丞河崙謂
예관 왈　연즉 당이 시복 영지　엄왈　의용 공복　좌정승 하륜 위

儼曰: "我國欽遵朝廷禮制 迎詔之外 不敢用公服." 儼怒甚. 上欲
엄왈　아국 흠준 조정 예제　영조 지외　불감 용공복　엄 노심　상욕

更遣禮官 問其可否 趣召入直禮曹郎 夜已深 屢督之. 正郎柳穎
갱견 예관　문기 가부　취소 입직 예조 랑　야 이심　누 독지　정랑 유영

以病未卽進 上卽命囚穎于巡禁司 更使佐郎權繕 齎洪武禮制
이병 미즉진　상 즉명수 영우 순금사　갱사 좌랑 권선　재 홍무 예제

馳至碧蹄驛質問 儼乃曰: "然則可以時服迎."
치지 벽제역 질문　엄 내왈　연즉 가이 시복 영

　庚辰 上如太平館 宴使臣. 是日朝 黃儼使其副韓帖木兒 詣闕
　경진 상여 태평관　연 사신　시일 조　황엄 사기 부 한첩목아　예궐

獻茄藍香間珊瑚帽珠一部 建康弓二張 綵段錦線各一匹 金剛子
헌 가람 향간 산호 모주 일부　건강궁 이장　채단 금선 각 일필　금강자

三貫 椰瓢八顆及諸菓實: 帖木兒亦自獻綵段八匹 紅綃四匹 錦線
삼관　야표 팔과 급 제 과실　첩목아 역 자헌 채단 팔필　홍초 사필　금선

二匹. 上出便殿 見帖木兒 設茶禮以謝.
이필　상출 편전　견 첩목아　설 다례 이사

　上至館設宴. 酒酣 儼辭以醉 先入室. 帖木兒曰: "濟州 法華寺
　상지 관 설연　주감 엄사 이취 선입실　첩목아 왈　제주　법화사

彌陀三尊 元朝時良工所鑄也. 某等當徑往取之." 上戲曰: "固當
미타 삼존　원조 시 양공 소주 야　모등 당 경 왕취 지　상 희왈　고당

但恐水入耳." 帖木兒等皆大笑.
단 공 수 입 이　첩목아 등 개 대소

　使臣跟隨伴人求鞍馬 上欲賜之 工曹不預備. 上怒甚 欲加罪
　사신 근수 반인 구 안마　상욕 사지　공조 불 예비　상 노심　욕 가죄

河崙啓曰: "今伴人怒不得鞍馬 然我國豈以彼之怒 爲足懼耶?"
하륜 계왈　금 반인 노 부득 안마　연 아국 기 이 피지 노　위 족 구 야

上曰: "彼之怒 固爲不義 在我待彼之禮 宜曲盡也." 於是 促進
상왈　피지 노 고위 불의　재아 대 피지 례　의 곡진 야　어시　촉진

鞍馬以賜之.
안마 이 사지

　儼等欲親至濟州 迎銅佛像 或曰: "帝使儼等觀耽羅形勢 意有
　엄등 욕 친지 제주　영 동불상　혹왈　제 사 엄등 관 탐라 형세　의유

所在." 上憂之 謀諸群臣 急遣宣差金道生 司直朴謨 馳往濟州
소재　상 우지　모저 군신　급견 선차 김도생　사직 박모　치왕 제주

以法華寺銅佛像來. 蓋謂若佛像先至羅州 則儼等不必入濟州也.
이 법화사 동불상 래 개위약 불상 선지 나주 즉엄등 불필 입제주 야

隕霜于伊川 永豊.
운상 우 이천 영풍

命罷船軍屯田採藿捕魚之役. 全羅道都觀察使朴誾啓曰: '各道
명파 선군 둔전 채곽 포어 지역 전라도 도관찰사 박은 계왈 각도

海道萬戶 役使船軍 屯田採藿捕魚. 收利甚微 而終日勤動 至夜
해도 만호 역사 선군 둔전 채곽 포어 수리 심미 이종일 근동 지야

困睡 不能警備 多致失守 罷之實便.' 從之.
곤수 불능 경비 다치 실수 파지 실편 종지

辛巳 韓帖木兒謁見于太上殿.
신사 한첩목아 알현 우 태상전

兀良哈萬戶甫里 使其弟古里來朝.
올량합 만호 보리 사 기제 고리 내조

壬午 日本 呼子殿客人 來獻土物.
임오 일본 호자전 객인 내헌 토물

釋禮曹正郎柳穎囚 令復職. 初 上怒穎以爲慢上避事 令承傳色
석 예조 정랑 유영 수 영복직 초 상노영 이위 만상 피사 영 승전색

盧希鳳縛 而杖於代言司. 代言李垠爲之營救 且啓曰: "穎乃李至
노희봉 박 이장어 대언사 대언 이은 위지 영구 차 계왈 영내 이지

之壻也." 上怒稍解 乃下獄 至是釋之.
지 서야 상노 초해 내 하옥 지시 석지

癸未 上宴黃儼等四人于昌德宮. 儼請見中宮 上與俱入內庭 遂
계미 상연 황엄 등 사인 우 창덕궁 엄청견 중궁 상여구입 내정 수

歷觀解慍亭而出 置酒于廣延樓 贈儼鞍馬.
역관 해온정 이출 치주 우 광연루 증엄 안마

甲申 申韃靼禾尺宰殺牛馬之禁.
갑신 신 달단 화척 재살 우마 지금

分遣行臺監察于京畿左右道. 蓋以④考察牧放馬匹踏損禾穀也.
분견 행대 감찰 우 경기 좌우도 개이 고찰 목방 마필 답손 화곡 야

乙酉 黃儼等如全羅道 獨奇原留. 以知議政府事朴錫命 爲
을유 황엄 등 여 전라도 독 기원 류 이지 의정부 사 박석명 위

全羅道 濟州都體察使以伴行. 命知申事黃喜 與議政府餞之于
전라도 제주 도체찰사 이 반행 명 지신사 황희 여 의정부 전지 우

漢江 儼晨興策馬而行 喜等不及見而還. 蓋儼怒上之不出餞也.
한강 엄 신흥 책마 이행 희등 불급 견이환 개엄 노상지 불출 전야

丙戌 蟲食松葉 令朝官六品以上 出丁夫拾而埋之.
병술 충식 송엽 영 조관 육품 이상 출 정부 습이 매지

鄭昇還自開寧 議政府置酒門外以迓之. 後數日 趙良等六人 亦
정승 환자 개령 의정부 치주 문외 이 아지 후 수일 조량 등 육인 역

皆還自其鄉. 有金有延者欲托鄭昇受職 事覺 議政府移牒巡禁司
개 환자 기향 유 김유연 자 욕탁 정승 수직 사각 의정부 이첩 순금사

杖之八十.
장지 팔십

吏曹啓宗廟典農及各司事宜. 啓曰:
이조 계 종묘 전농 급 각사 사의 계왈

'一, 典農寺 宗廟署員吏 於常時不肯致敬 或弔喪問疾 自就
일 전농시 종묘서 원리 어 상시 불긍 치경 혹 조상 문질 자취

汚染 每於公座簿 輒書犯染 累日不仕 有乖人臣謹職之義. 今後
오염 매어 공좌부 첩서 범염 누일 불사 유괴 인신 근직 지의 금후

告狀 明書於某處犯某染 若有似前不謹員吏 標付過名.
고장 명서어 모처 범 모염 약유 사전 불근 원리 표부 과명

一, 各司官吏 於六衙日 詣闕肅拜後 退仕本衙門 例也. 其中有
일 각사 관리 어 육 아일 예궐 숙배 후 퇴사 본 아문 예야 기중 유

他務者 或不詣闕 有乖人臣敬上之義. 今後雖他務煩劇 員吏竝皆
타무 자 혹 불 예궐 유괴 인신 경상 지의 금후 수 타무 번극 원리 병개

詣闕肅拜 然後各就他務 以憑考課.' 從之.
예궐 숙배 연후 각취 타무 이 빙 고과 종지

丁亥 戶曹啓: "閭里經行 不合於古 請止設國行." 從之.
정해 호조 계 여리 경행 불합 어고 청지 설 국행 종지

戊子 德壽宮成. 錄監督官吏拜官有差.
무자 덕수궁 성 녹 감독 관리 배관 유차

起復權近爲藝文館大提學 知經筵春秋成均館事 世子右賓客
기복 권근 위 예문관 대제학 지 경연 춘추 성균관 사 세자 우빈객

以辛克禮參贊議政府事.
이 신극례 참찬 의정부 사

杖宦者鄭德瓊六十 流之密陽. 德瓊監世子殿司饔房 不親省
장 환자 정덕경 육십 유지 밀양 덕경 감 세자전 사옹방 불 친성

膳羞 命下巡禁司 懲其不恪而黜之.
선수 명하 순금사 징기 불각 이 출자

| 원문 읽기를 위한 도움말 |

① 若等. 여기서 若은 '너'이기 때문에 若等은 '너희들'이다. 너를 뜻하는 말
    약등   약   약등
은 汝, 而, 爾 등도 있다.
    여 이 이

② 以擅笞守門甲士. 여기서 以는 뒤에 이어지는 내용을 이끌며 '~했다는
    이 천 태 수문 갑사   이

이유로'라는 뜻이다.

③ 所掠. 여기서 所는 이어지는 동사를 수동형으로 만든다. '노략질당하다'
   소략   소
라는 뜻이다.

④ 以. 이때의 以는 '왜냐하면 ~'이라는 뜻이다.
   이   이

태종 6년 병술년
5월

五月

경인일(庚寅日-1일) 초하루에 권근(權近)이 전(箋)을 올려 사직(辭職)했다. 전(箋)은 이러했다.

'초토(草土)[1]'에 있는 신(臣) 권근이 말씀을 올립니다. 엎드려 빼어난 은혜[聖恩]를 입어 신에게 예문관 대제학을 제수하셨습니다. 명을 듣고서 놀랍고 두려워 몸둘 바를 알지 못하겠습니다. 신이 죄악(罪惡)으로 집안의 재앙을 만나는 데 이르러 신의 아비 선신(先臣) 권희(權僖)가 갑자기 성대한 시대[盛代]를 하직한 지 이제 겨우 두어 달이 지났습니다. 몸이 최질(衰絰)에 있어 힘써 상제(喪制)에 따라 죄와 허물을 면하기를 생각하고 오히려 소임을 다하지 못할까 두려워하고 있습니다. 또 신의 몸이 다병(多病)하여 기력이 여위고 파리하여[臝瘁] 귀가 먹고 눈이 어두워 임질(淋疾)이 더욱 심해 소변이 잦아 그치지 아니하고 기운의 통하고 막힘이 일정하지 아니하여 몸의 시리고 아픔[酸痛]이 참기 어렵습니다. 신이 슬픔을 잊고 은총을 입어 작명(爵命)을 받고자 하나 이 병든 몸을 가지고 어찌 쉽사리 감당하겠습니까? 편안히 있으면서 몸을 보양(保養)해도 오히려 낫지 못할까 두려운데 억지로 힘써 벼슬에 종사하게 되면 반드시 운명(殞命)하는 데 이를 것입니다. 신이 생각이 여기에 이르니 눈물이 흐르는

---

1 거상(居喪) 중이라는 뜻이다.

것을 깨닫지 못하겠습니다. 신이 전일에 어미의 상(喪)을 당했을 때에도 또한 기복(起復)하여 작록(爵祿)을 받았는데, 어찌 오늘날에 상제(喪制)를 빙자하고 구차히 은명(恩命)을 사양하여 그 명예를 구하겠습니까? 진실로 신의 몸은 병이 위독하여 참으로 견디기 어려우므로 몸을 평안히 하고 병을 치료하여 얼마 남지 아니한 목숨을 연장하는 것을 얻고자 할 뿐입니다. 또 하물며 탈정(奪情)하여 기복(起復)하는 것은 본디 아름다운 법이 아닙니다. 옛날에 전쟁하는 일이 있을 때 피함이 없었던 것은 국가의 위난(危難)한 때이므로 부득이하여 행하던 권도(權道)[2]였습니다. 태평한 시대에 있어서 어찌 가히 행할 수 있는 상전(常典)[3]이겠습니까? 본조(本朝)의 『경제육전(經濟六典)』에 문신(文臣)에게는 기복(起復)을 허락하지 아니한 것은 진실로

---

2 권도는 상황성을 전제로 한 것이기 때문에 일정하고 불변적인 행위규범을 가지지 못하며 그때마다 다른 행위양식으로 나타나는 특성을 가진다. 유학에서 권도는 불변의 경상(經常)에 대해 상대적인 성격을 가지는 것으로 정의된다. 그러므로 허신(許愼)의 『설문해자(說文解字)』에서는 권도가 '반상(反常)'으로 정의되고 『춘추공양전(春秋公羊傳)』에서는 '반경(反經)'으로 정의되고 있는 것이다. 그러나 엄격한 의미에서 권도는 결코 경상의 도와 대립적인 것이 아니다. 오히려 권도는 경상의 도가 상황 속에 드러나는 다른 모습이며 상호 대대적(對待的)인 것이다. 김시습(金時習)은 이런 점을 지적해 "상도(常道)로써 변화에 적용하면 그 변화가 적절하게 되고, 상도로써 변화에 대처하면 그 변화가 고루해지지 않는다"라고 했다. 이와 같이 상도와 권도가 상대적인 양상으로 나타난다 해도 상호 보완적인 본질을 지닌 것이다. 맹자(孟子)가 "남녀가 물건을 주고받을 때 직접 손을 맞대지 않는 것은 예이고, 형수가 물에 빠졌을 때 손을 잡아서 건져주는 것은 권도이다"라고 하여 예와 권도를 연계시킨 것이나, 이이(李珥)가 "때에 따라 중(中)을 얻는 것을 권도라 하고, 일에 대처해 마땅함을 얻는 것이 의(義)이다"라고 하여 권도와 의를 관련지은 것도 이런 관점에서 이해해야 한다. 상도와 권도의 결합은 바로 유학의 시중론(時中論)으로 나타난다. 공자가 "군자가 세상을 살아감에는 절대적인 긍정도 없고 절대적인 부정도 없이 오직 의(義)와 함께할 뿐이다"라고 한 것이나, 맹자가 공자를 '시중의 성인(時中之聖)'으로 보고 공자를 배우겠다고 한 것은 시중론이 유학의 중심적인 사상임을 알 수 있게 한다.

3 권도와는 다른 상경(常經)을 뜻한다.

이 때문입니다. 이제 비록 변경에 사고가 있다 할지라도 신은 무신(武臣)이 아니니 기복(起復)은 마땅하지 아니합니다. 하물며 아무런 일도 없는 때를 당해 어찌 반드시 탈애(奪哀)⁴하여 예전(禮典)을 허물어뜨리겠습니까? 신의 기복(起復)이 설사 나라에 유익하다고 하더라도 예절을 허물어뜨리고 풍속을 어지럽히는 것이요, 설사 몸에 유익하다고 하더라도 보양(保養)을 하지 못해 죽음을 빠르게 하는 것입니다. 또 배운 바를 버리고 속이고 욕을 얻어먹는 짓을 하는 것도 또 신의 본뜻이 아닙니다. 되풀이하여 생각해도 하나도 가(可)한 것이 없으니 신이 차라리 베임을 당할지언정 감히 명령을 받지 못하겠습니다. 엎드려 바라옵건대 빼어나고 자애로우심[聖慈]으로 신이 머금은 슬픔을 살피고 신이 얻은 병을 불쌍히 여겨 작명(爵命)을 환수(還收)하여 상제(喪制)를 끝마치도록 하고, 한가롭게 살면서 병을 고치도록 하여 목숨을 연장하게 하신다면 상제를 끝마친 뒤에 마땅히 국가를 위해 몸을 바치겠으며, 명령을 받들고 감히 사피(辭避)하지 아니하여 빼어난 은혜[聖恩]의 만분의 일이라도 보답하도록 도모하겠습니다. 엎드려 바라옵건대 빼어나고 자애로우심[聖慈]으로 굽어 살피소서.'

상이 윤허하지 않았다.

○ 기원(奇原)이 개성유후사(留後司)로 갔다. 원(原)이 떠나려 할 때 예궐하여 아뢰어 말했다.

"신(臣)이 비록 명(命)을 받들고 왔으나 본래 본국 사람입니다. 도성

_____
4　탈정(奪情)과 같은 뜻이다.

(都城)에 들어온 후로 사례(私禮)를 행하지 못해 마음이 실로 편안치 못했으니[未安=不便] 신하의 예를 다하기를 원합니다."
_{미안} _{불편}

이에 북면(北面)⁵하여 절하고 엎드리기를 참으로 공손하게 하니 의정부에 명해 숭례문(崇禮門) 밖까지 전송하게 했다. 원의 조상의 선영(先塋)이 모두 유후사(留後司)에 있었기 때문에 성묘[拜掃]하고
_{배소}
자 함이었다.

신묘일(辛卯日-2일)에 우군 동지총제 최사위(崔士威)를 베이징에 보냈다. 천추절(千秋節)을 하례하기 위함이다.

○ 태상왕이 흥천사(興天社)⁶에 가서 계성전(啓聖殿)⁷에 친히 전(奠)을 드리고 중관(中官)에게 명해 정릉(貞陵)에 전(奠)을 드리게 했고 사리전(舍利殿)에 들어가 분향(焚香)하고 부처에게 배례(拜禮)하고 산릉(山陵)을 돌아보면서 그칠 줄 모르고 눈물을 줄줄 흘렸다. 그때 공경(公卿) 이하가 정릉(貞陵)에서 100보(步) 밖에 집터를 다투어 점령

---

5 북쪽으로 향하는 것으로, 곧 임금이 남면(南面)하여 앉으므로 신하의 예로 임금을 섬기는 것이다.

6 1395년(태조 4년) 신덕왕후 강씨(神德王后康氏)가 죽자 1396년 능지(陵地)를 정릉(貞陵)에 정하여 조영(造營)하고, 그 원당(願堂)으로 능 동쪽에 170여 칸의 절을 세워 흥천사라 칭했으며, 조계종의 본산(本山)으로 삼았다. 초창기 이 절은 좌선(坐禪)을 하는 것으로 항규를 삼았다. 1398년 6월에는 왕명으로 3층 사리각과 사리탑을 절의 북쪽에 세웠고, 7월에는 우란분재(盂蘭盆齋)를, 8월에는 신덕왕후의 천도회(薦度會)를 베풀었다. 그러나 1403년(태종 3년) 태종이 이 절의 노비와 밭의 양을 감하게 했고, 1408년 의정부의 건의에 따라 이 절을 화엄종(華嚴宗)에 귀속시키는 한편, 태평관(太平館)을 철거한 뒤 그 밭과 노비를 이 절에 이양했다. 1410년 태조의 유지(遺旨)를 좇아 절을 수리했고, 이듬해에는 사리각을 중수했다. 이때 사(社)는 사(寺)와 같은 뜻이다.

7 환조(桓祖)의 진전(眞殿)이다.

하고 소나무를 베어 집을 짓는 것이 바야흐로 한창이었다.

○ 태상왕궁(太上王宮)의 빈(嬪) 원(元)씨를 성비(誠妃)로 삼고 유(柳)씨를 정경궁주(貞慶宮主)로 삼았다. 원(元)씨는 상(庠, ?~?)[8]의 딸이고 유(柳)씨는 준(濬, 1321~1406년)[9]의 딸이다. 신덕왕후(神德王后-강씨)가 승하하자 모두 뽑혀서 궁(宮)에 들어와 이때에 이르러 봉작(封爵)되었다. 상을 공조참의에 제배했다. 태상이 원(元)씨를 비(妃)로 봉한 것을 듣고 안색(顏色)에 기쁜 빛을 나타냈다.

○ 경연(經筵)에 나아가 대언(代言) 김과(金科), 맹사성(孟思誠), 이은(李垠)을 불러서 일러 말했다.

"『논어(論語)』와 『맹자(孟子)』는 내가 일찍이 대략이나마[粗]_조 읽었으나 『중용(中庸)』[10]의 경우에는 일찍이 읽은 적이 없다."

---

8 처음 군기시소윤(軍器寺少尹)을 지내다가 1389년(창왕 1년) 김저(金佇)의 옥사에 연루돼 다음 해 광주(光州)로 유배됐다. 1391년(공양왕 3년) 국내비의 생일을 맞아 하륜(河崙), 우인열(禹仁烈) 등과 함께 특사로 풀려나온 뒤 장단의 대덕산(大德山)에 은거했다. 조선이 개국된 뒤 태조가 그의 덕망을 아껴 여러 차례 불렀으나 응하지 않다가 1413년(태종 13년) 정월 검교 참찬의정부사(檢校參贊議政府事)에 제수됐다. 다음 해 검교 한성부사(檢校漢城府事)를 거쳐 1435년(세종 17년) 판중추원사가 된 뒤 이듬해 한창수(韓昌壽), 오승(吳陞)과 함께 궤장(几杖)이 하사됐다.

9 아들은 유맹충(柳孟忠)·유중경(柳仲敬)·유계문(柳季文)이고, 딸은 태조의 후궁인 정경궁주(貞慶宮主)이다. 문음으로 부위(府衛)에 보직되어 천우위상호군(千牛衛上護軍)이 되고 명위장군(明威將軍)으로 전라도 진변 만호부(全羅道鎭邊萬戶府) 다루가치가 됐다. 태조의 휘하에서 오랫동안 종군했고, 딸이 후궁이 되자 검교 참찬문하부사(檢校參贊門下府事)로 제배하고 특진 보국숭록대부(特進輔國崇祿大夫) 고흥백(高興伯)이 됐다. 1400년 판삼사사(判三司事)로 치사한 후 1406년에 죽었다.

10 중국 유교 경전의 하나로 공자(孔子)의 손자인 자사(子思)의 저작으로 알려져 있다. 오늘날 전해지는 오경(五經)이라는 것은 삼경(三經)이라 불리는 『시경(詩經)』, 『서경(書經)』, 『역경(譯經)』에 『예기(禮記)』와 『춘추(春秋)』를 더해 일컫는 말이다. 그런데 원래 『중용(中庸)』은 『대학(大學)』과 더불어 『예기』 49편 가운데 포함되어 있었다. 그러던 것을 송(宋)대 주자(朱子-주희(朱熹))가 이들을 따로 뽑아내 『논어(論語)』, 『맹자(孟子)』와 아울러 '사

그러고는 종편(終篇-끝 편)까지 읽고 조용히 깊게 논했다[商論]. 상이 말했다.

"내가 친시(親試)[11] 때에 먼저 이 책을 강(講)하게 하려고 하니 그대들은 마땅히 숙독(熟讀)하고서 명을 기다리도록 하라[俟命=待命]."

또 말했다.

"중시(重試)[12]가 가까워졌는데 유생(儒生)들은 어떻게 습독(習讀)하는가? 『논어(論語)』와 『맹자(孟子)』는 별로 알기 어려운 말이 없으니 만약 숙독(熟讀)하고 깊이 생각한다면[深思] 오경(五經)을 통하는 것은 진실로 어렵지 아니할 것이다."

좌우에서 말했다.

"장구(章句)를 찾는 것이라면 어렵지 않겠지만 의리(義理)를 깊이 연구하여 통하지 않는 바가 없게 하려면 경(經) 하나도 어렵습니다. 예전에 명유(名儒)들도 전문(專門)으로 습독(習讀)했습니다."

상이 말했다.

"그렇다."

임진일(壬辰日-3일)에 (강원도) 춘주(春州-춘천) 기린현(麒麟縣-인제군 지역)에 싸락눈이 내렸다.

서(四書)'라 일컫고 유가 경전의 필독서로 장려하면서 송학(宋學) 혹은 성리학의 주요 교재가 됐다.

11 임금이 몸소 나와 시험을 보이는 것을 말한다.

12 과거에 급제해 문무(文武) 당하관(堂下官)이 된 사람들을 계속 격려하기 위해 실시하던 특별시험이다.

○ (경상도) 인동현(仁同縣) 사람 함열 감무(咸悅監務) 고상겸(高尚謙)의 아내 김(金)씨가 벼락을 맞았다[震].

○ 상이 덕수궁(德壽宮)에 나아가 헌수(獻壽)했다. 태상왕이 술자리를 모시는[侍宴] 근신(近臣)들에게 명해 연구(聯句)로 서로 창화(唱和)하게 하고 극진히 즐겼다.

○ 의정부에서 여러 도(道)의 양전(量田-농지 측량)한 결수(結數)를 올렸다. 동북면(東北面)과 서북면(西北面)에서 다시 양전을 행하지 아니한 것을 제외하고, 경기도·충청도·경상도·전라도·풍해도·강원도의 6도에 원전(原田)이 대개 96만여 결(結)이었는데 다시 양전(量田)하여 얻은 잉전(剩田)이 30만여 결이었다. 전조(前朝-고려) 말기에 전제(田制)가 크게 허물어져서 홍무(洪武) 기사년(己巳年-1389년)에 6도(道)를 다시 양전해 전적(田籍)에 올렸으나, 그때 왜구가 한창 왕성하여[熾=旺盛] 바닷가는 모두 진황지(陳荒地-오래 버려진 땅)였는데 이때에 이르러[及是=至是] 개간한 땅이 날로 불어서 남아 있는 땅이 없었기 때문에 다시 양전한 것이다.

○ 수전시위(受田侍衛)[13]의 법을 거듭 밝혔다[申]. 의정부에서 아뢰었다.

'땅을 받은 품관(品官)은 전적으로 서울에만 거주하게 하여 왕실(王室)을 호위(護衛)하게 하는 것은 『육전(六典)』에 실려 있습니다. (그런데) 무식한 무리들이 법을 세운 뜻을 돌아보지 아니하고 여러

---

13 나라에서 과전(科田)을 받은 전함(前銜) 3품 이하의 품관(品官)이 서울에 머물면서 왕실(王室)을 호위(護衛)하던 제도다.

해 동안 외방에 있어 시위가 허술해지곤 합니다. 또 땅을 받은 것을 빙자해 외방의 군역(軍役)에도 기꺼이 응하지 않고 있습니다. 본부(本府)에서 일찍이 교지(敎旨)를 받아 이를 금지했으나 도리어 성헌(成憲)을 두려워하지 않고 다만 스스로 편한 것만 찾으려 합니다. 가만히 보건대 외방의 시위군(侍衛軍)과 기선군(騎船軍)[14]은 한 무(畝-이랑)의 땅도 받지 못했는데도 오히려 여러 해 동안 종군(從軍)하는데 땅을 받은 품관(品官)은 서울과 외방에서 한결같이 사역(使役)하는 바가 없으니 실로 마땅하지 않습니다. 바라건대 납장(納狀)을 받아 서울에 살기를 원하는 자는 항상 시위하게 해야 합니다. 외방에 살기를 원하는 자는 모조리 군역(軍役)에 채워 넣어야 합니다. 늙거나 병든 자는 아들, 사위, 동생, 조카로 하여금 대신 입역(立役)하도록 허락해야 합니다. 만일 (이와 관련해) 난잡한 논설(論說)을 떠벌리는 자가 있으면 엄격하게 금지하여 다스려야 할 것입니다.'

그것을 따랐다.

○ 명하여 전 장군(將軍) 한을생(韓乙生)의 직첩을 거두고 먼 지방으로 유배를 보냈다. 을생(乙生)은 개국공신(開國功臣) 충(忠)[15]의 아들이다. 평소 광망(狂妄)하고 삼가지 못해[不謹] 사노(私奴) 김철(金哲)의 아내 보패(寶棑)라고 하는 여자를 간통(奸通)하여 아이를 가지게 했다[有娠]. 김철이 그를 붙잡아 형조에 고소하니 을생은 자신

14 조선시대 군제(軍制)의 하나로, 전함(戰艦)을 지키고 해구(海寇)를 방어하는 임무를 맡았다.

15 농업에 종사하다가 김인찬과 함께 이성계를 만나 따르게 됐다. 조견, 한상경 등과 함께 개국 3등공신에 추록됐다.

의 고향 (강원도) 이천현(伊川縣)으로 도망쳤는데 상이 외방의 군역(軍役)에 채워 넣도록 명했다. 얼마 안 가서[未幾=已而] 을생이 몰래 서울로 돌아와 또 보패와 대낮에 간통하니 김철이 또 붙잡아 고소했다. 형조에서 을생을 군역(軍役)을 마음대로 이탈해 음욕을 자행한 죄로 논하니 마침내 이러한 명이 있었다.

계사일(癸巳日-4일)에 군기감 판사(軍器監判事) 홍섭(洪涉, ?~1422년)[16] 등 5명을 파직하고 주부(注簿) 신온량(申溫良)을 외방으로 유배 보냈다. 애초에 섭(涉) 등이 옛 관례에 따라 동료들을 모아서 노도(露渡-지금의 노량진)에서 화통(火㷡)을 쏘는 것을 시험했는데 온량(溫良)이 장무관(掌務官-담당관)이 되어 술자리를 베풀고 또 몰래 권지직장(權知直長)[17] 박중림(朴仲林)과 감노(監奴) 막금(莫金)을 시켜 소를 사서 잡았으나[宰] 동료들은 모두 그것을 알지 못했다. 겸판사(兼判事) 김승주(金承霔, 1354~1424년)[18]가 맨 나중에 왔는데

---

16 아버지는 남양군(南陽君) 홍서(洪恕)이다. 이때의 일로 파직됐으나 곧 양주부사에 복직되고 이듬해 내직에 제수됐다. 1416년 호조참의로서 지신사(知申事) 유사눌(柳思訥)의 소합유(蘇合油-약용, 향료로 쓰는 기름) 매매 건에 연루돼 의금부에 수금됐다가 곧 방면돼 이듬해 동지총제(同知摠制)에 승진했다. 1418년(세종 1년) 태종이 양위하면서 군직을 개편함에 따라 내시위 1번 절제사(內侍衛一番節制使)가 되고 이어 상왕(上王-태종)과 세종이 모화루(慕華樓)에서 명나라 사신들을 송별할 때 별운검총제(別雲劒摠制)로 직책상 검(劒)을 차고 곁에서 보위한 일로 세종의 질책을 받고 파직됐다. 1419년 상왕의 배려로 중군동지총제(中軍同知摠制)에 다시 복직된 뒤 좌군총제에 제수되고 1422년 경상우도 수군도안무처치사(慶尙右道水軍都安撫處置使)로 파견됐다가 임지에서 죽었다.

17 권지는 임시직이라는 뜻으로 문과 급제 후 일정 기간 시보처럼 임시직을 지내다가 실직을 받았다.

18 여말선초의 무신이다. 조선이 건국되자 1393년(태조 2년)에 전중경(殿中卿)에 오르고 이어서 이성만호(泥城萬戶)가 됐다. 1394년에 의흥삼군부첨절제사(義興三軍府僉節制使)가

섭 등이 두 기생을 시켜 술을 돌리게 하고 온량은 안주를 마련하니
[設饌] 승주가 이를 보고서 기뻐하지 아니하여 병을 칭탁하고 먼저
설찬
돌아갔다. 섭 등이 다시 공인(工人-악공)으로 하여금 생(笙)과 적(笛)
을 불게 하고 두 기생에게 노래를 부르게 했다. 술자리가 파하자 온
량이 또 중림의 말을 빼앗고 싶어서 거기에 기생을 싣고 돌아가려
고 했다. 중림이 그 뜻을 따르지 않자 온량이 화를 내며 사람을 시
켜 끌어내다가 때리니 중림이 사헌부에 고소했다. 그때 소를 잡아 연
음(宴飮)하는 것을 한창 엄격하게 금지하고 있었다. 헌부에서는 승주
등을 탄핵하여 보고하니 명하여 승주는 논하지 말게 하고, 섭 이하
는 차등 있게 죄를 주도록 했다.

갑오일(甲午日-5일)에 광연루(廣延樓)에서 정승(鄭昇) 등에게 연회
를 베풀었다.

을미일(乙未日-6일)에 우박이 내렸다.

되었다가 그해 형조전서로 전임했다. 1396년 동북면 청해도안무겸찰리사(東北面靑海道安
撫兼察理使)로 나가 야인 진압에 공을 세웠고, 호조전서·이조전서·중추원부사·경상도
병마절제사·경상도 병마도절제사를 지냈다. 1400년(정종 2년)에 좌군총제로 2차 왕자의
난을 평정하고 태종이 왕위에 오르는 데 협력한 공으로 1401년(태종 1년) 익대좌명공신
(翊戴佐命功臣) 4등에 책록되고 여산군(麗山君)에 봉해졌다. 태종 초에 강계 만호에 이어
공조판서, 지의정부사(知議政府事)를 지냈다. 1406년에 사은사가 돼 명나라에 다녀왔다.
1407년에 동북면 병마도절제사 겸 영흥부윤, 도순문찰리사 등을 지냈다. 1409년에 야인
이 경원(慶源)에 침입하자 왕명을 받고 나가 이를 격퇴했다. 이듬해 참찬의정부사에 이어
1413년 서북면 도순문찰리사(西北面都巡問察理使)를 지냈다. 1414년 병조판서로 있다가
이듬해인 1415년에 평양군(平陽君)으로 개봉됐으며, 판중군도총제(判中軍都摠制)가 됐고
그 뒤에 평양부원군에 진봉됐다.

○ 상이 태평관(太平館)에 가서 정승(鄭昇) 등을 전별[餞=餞別]
했다.

○ 고(故) 승추부 참판사(參判承樞府事) 최운해(崔雲海 1347~1404년)[19]
에게 양장공(襄莊公)이란 시호를 추시(追諡)했다.

정유일(丁酉日-8일)에 달이 태미 우집법(太微右執法)[20]에 들어갔다.

○ 정승(鄭昇) 등이 돌아갔다. 황모란(黃牧丹)을 전라도 고산현(高山
縣)[21]의 화암사(花巖寺)에서 구해 3분(盆)에 심어 진헌(進獻)했다. 상
이 승 등을 반송정(盤松亭)에서 전송하려고 했는데, 승이 먼저 대궐
에 이르러 절하고 하직하면서 나오지 말기를 군이 청하니 상은 이에

---

19 호군(護軍) 녹(祿)의 아들이다. 아버지의 전공(戰功)으로 공민왕 때 충용위산원(忠勇衛散
員)에 기용되고 여러 벼슬을 거쳐 전공총랑(典工摠郞)이 됐다. 1392년 조선이 개국되자
개국원종공신(開國原從功臣)이 되고 이듬해 문하평리(門下評理)로 양광도 절제사가 돼 박
위(朴葳) 등과 함께 왜구를 격파했다. 1396년 지중추원사(知中樞院事)로 경상도 병마도절
제사가 돼 영해(寧海-지금의 경상북도 영덕군)에서 왜구를 격퇴하고 지중추부사(知中樞府
事)가 됐다. 1397년 항복했던 왜구들이 지울주사(知蔚州事) 이은(李殷) 등을 납치해 간
지난해의 사건이 폭로돼 청해도 수군(靑海道水軍)에 충군됐다.
  그 뒤 풀려나와 1399년(정종 1년) 전라도 조전절제사로 왜구를 방어했다. 이듬해에는 참
판삼군부사(參判三軍府事)로 예문관 학사 송제대(宋齊岱)와 함께 난징[南京]에 다녀오다
가 서원군(瑞原郡)에서 군수 박희무(朴希茂)를 구타했다. 이 사건으로 한때 음죽(陰竹-지
금의 경기도 이천시)에 유배되기도 했다. 1402년(태종 2년)에는 이성도절제사(泥城道節制
使)로 태조를 시위했고, 강계안무사(江界安撫使)와 서북면 순문사(西北面巡問使)를 거쳐
참판승추부사(參判承樞府事)로 사직했다. 특히 왜구를 무찔러 여러 번 공을 세운 바 있
어 명장의 칭호를 얻었다. 윤덕(潤德) 등 네 아들을 두었다.
20 태미원은 천자의 궁정, 오제(五帝)의 좌(座), 12제후의 부(府) 등을 형상하며, 단문 동쪽
의 별은 좌집법(左執法)으로 정위(廷尉)를, 서쪽의 별은 우집법(右執法)으로 어사대부(御
史大夫)를 형상한다.
21 지금의 전라북도 완주군 고산면이다. 난등량현(難等良縣)이라고도 한다. 통일신라시대의
경덕왕(景德王) 때에도 역시 고산현으로서 전주의 속현(屬縣)이었다.

중지하고 의정부에 명해 반송정에서 전송하게 했다.

○ 기원(奇原)이 개성유후사에서 돌아왔다.

○ 올량합(兀良哈) 만호(萬戶) 보리(甫里)에게 기화 은대(起花銀帶) 1요(腰), 청면포(青綿布)·흑마포(黑麻布)·백저포(白苧布)·광홍초(廣紅綃) 각각 1필을 내려주고, 고리(古里)에게는 은대(銀帶) 1요(腰), 흑마포·백저포 각 1필을 내려주고, 통사(通事) 김인기(金仁奇)에게는 초모자(草帽子) 1개, 청면포·흑마포 각각 1필을 내려주었다.

무술일(戊戌日-9일)에 의정부 참찬사 신극례(辛克禮)를 보내 궁온(宮醞)을 가지고 가서 황엄(黃儼)의 병을 위문하게 했다. 상이, 엄이 (전라도) 남원(南原)에 이르러 승련사(勝蓮寺)[22]를 유람하다가 말에서 떨어져 왼쪽 팔을 다친 것을 들었기 때문이다.

기해일(己亥日-10일)에 전라도 수군 만호(水軍萬戶) 첨파두(詹波豆)에게 장(杖) 60대를 때렸는데 양곡을 운반할 때 안행량(安行梁)에 이르렀다가 왜적에게 약탈당해 미곡을 잃은 죄를 다스린 것이다. 운반

---

22 예로부터 '금강사(金剛寺)'라 했으며, 뛰어난 경관으로 고승들이 머물렀다고 한다. 고려 16국사 중 한 사람인 정혜국사(淨慧國師)가 말년에 이곳에서 살았는데 집이 낮고 누추하여 넓히고자 했으나 뜻을 이루지 못하고 입적했다. 그의 제자 졸암(拙庵)은 스승의 뜻을 이어받아 시주를 얻어 중창 불사(佛事)를 시작한 지 36년 만인 1361년(공민왕 10년)에 완공해 절 이름을 승련사로 고쳤다. 이때 불전(佛殿)·승무(勝廡)·선당(膳堂)·선실(禪室)·객실(客室)·곳간·부엌 등 총 111칸의 당우를 갖췄고, 무량수불(無量壽佛)의 상을 불전 중앙에 봉안했으며, 신도들의 시주로 대장경을 인출하여 불상 좌우에 봉안했다고 한다. 그가 입적한 뒤 제자 각운(覺雲)이 주지를 맡아 완성되지 못한 외벽을 쌓았다고 하는데 졸암과 각운이 주지로 있었던 시절에는 이 절에 200여 인의 승려들이 머물렀다고 한다.

을 감독한 장사 감무(長沙監務) 고용주(高用舟)는 왜적을 방어하는 것이 그의 임무가 아니라 하여 특별히 용서하게 했다[原].

○ 무역소(貿易所)²³를 (동북면) 경성(鏡城)과 경원(慶源)에 둘 것을 명했다. 동북면 도순문사(東北面都巡問使) 박신(朴信)이 말씀을 올렸다.

'경성(鏡城)과 경원(慶源) 지방에 야인의 출입을 금하지 아니하면 혹은 떼 지어 몰려들 우려가 있고, 혹은 일절 끊고 금하면 야인이 소금과 쇠를 얻지 못해 변경에 흔극(釁隙-혼란의 씨앗)이 생길까 합니다. 바라건대 두 고을에 무역소를 설치해 저들로 하여금 와서 서로 바꾸게[互市] 해야 합니다.'

그것을 따르고, 다만 쇠는 수철(水鐵)²⁴만 오직 통상(通商)하게 했다.

신축일(辛丑日-12일)에 우대언 윤사수(尹思修), 검교 한성윤(檢校漢城尹) 양홍달(楊弘達)을 보내 약이(藥餌)와 궁온(宮醞)을 가지고 가서 황엄(黃儼)의 병을 위문하게 했다.

임인일(壬寅日-13일)에 권근(權近)이 다시 글을 올려 기복(起復)²⁵을

---

23 조선조 때 여진(女眞)을 회유(懷柔)하기 위해 동북면의 경성(鏡城), 경원(慶源)에 설치한 특별 무역시장이다. 여진은 모피(毛皮) 우마(牛馬)를 가지고 와서 생활에 필요한 염철(鹽鐵)을 교역하여 갔다. 명(明)나라에서는 요동(遼東)에 마시(馬市)를 설치하기도 했다.

24 무쇠의 이두식 표기다.

25 '탈정기복(奪情起復)'이라고도 하는데 중국 남북조시대에 비롯됐다. 나라에 전쟁이나 반란 같은 위급한 일이 있을 때, 장수 대신직에 유능한 인물을 동원해 활용하기 위한 방편

사양했다. 글은 대략 이러했다.

'거상 중인[草土-거적자리와 흙베개] 신(臣) 권근(權近)이 엎드려 듣
건대 대성(臺省)에 뜻을 전하시어[傳旨] 중시(重試) 때에 맞춰 신에게
기복하라는 의첩(依貼, 依牒)을 내게 하셨다고 했습니다. 신은 명을
듣고 두렵고 놀라[震駭] 정신과 넋이 서로 떨어져 나가 몸둘 바가 없
어 진퇴유곡(進退惟谷)입니다. 가만히 생각건대 충성을 하자면[移忠]
반드시 먼저 효도를 다해야 하며, 다스림을 이루자면[致治] 인륜(人
倫)을 두터이 하는 것보다 큰 것이 없습니다. 효도를 능히 다하지 못
하는데 충성스럽다고 어찌[曷] 일컫겠으며, 인륜을 능히 두터이 못
하는데 다스림이 어찌 잘 이뤄지겠습니까? 효도를 폐지하고 충성을
구하거나 인륜을 어지럽게 하고 다스림을 바라는 것은 예로부터 지
금까지 어찌[寧] 이러한 이치가 있었겠습니까?

공손히 생각건대 주상 전하께서는 빼어나고 명철한 자품[聖哲之
資]과 빛나고 밝은 배움[光明之學]과 효도하고 우애하는 지극함[孝友

이었다. 고려시대에는 985년(성종 4년)에 오복제(五服制)가 제정됐는데, 992년부터 6품
이하의 관리들은 모두 100일 만에 기복해 직무를 수행케 하고, 나머지 상기 중에는 참복
(黲服-검푸른 옷)과 연각(堧角-연한 각대)을 착용하게 했다. 그러나 이것은 단상(短喪-삼년
상의 기한을 짧게 줄여 한 해만 복을 입는 일)의 풍조를 조장하게 돼 고려시대에는 백일 탈
상이 보편화됐다. 조선시대에는 『가례』에 따른 삼년상의 이행이 강조되면서 기복제의 운
용도 본래 취지대로 엄격히 제한됐다. 또 기복된 관리는 사은(謝恩-임관 뒤 왕에 대한 사
례)이나 사행(使幸-사신 가는 일) 때만 길복(吉服)을 입고 일체의 조회에 참석하지 않으며,
공무 수행 때는 옥색 옷을 입지만 집안에서는 상주로서의 예법을 다하게 했다. 그러므로
기복이 되었더라도 연회에 참석하거나 처첩을 맞이하지는 못했다. 조선시대의 기복에는
까다로운 절차가 요구됐는데, 먼저 예조에서 해당자와 사유를 왕에게 상주해 왕의 윤허
가 승정원을 통해 내려오면 대간에 서경(署經)을 요청했다. 대간에서 적격자라는 회답이
있어야만 비로소 해당자에게 복직명령서를 발부하게 되는데, 이를 기복출의첩식(起復出
依牒式)이라 한다.

之至]이 천성에서 나오고, 교화(敎化)의 훌륭함은 몸소 행하지는 데
지 지
뿌리를 두고 있습니다. 세상의 도리가 태평해도 오히려 지극하지 못
하다고 말씀하시고, 많은 뛰어난 이가 이르러도 오히려 미처 찾아내
지 못한 이가 있을까를 염려하시어 친히 여러 유신(儒臣)에게 책문
(策問)하여 문치(文治)를 일으키시니 진실로 1,000년에 한 번 있는
[千載一時] 아름다운 (임금과 신하의) 만남[嘉會]입니다. 경술(經術)
천재 일시   가회
의 선비라면 뉘라서 분발하여 힘을 다하고 정성을 다하고 배운 바를
활짝 펴서 그 충성스러움을 다하기를 생각하여 평소의 뜻과 바람
을 갚으려 하지 아니하겠습니까? 어리석고 비루한 신에게 사랑과 은
혜를 입게 하여 높은 반열(班列)에 뽑아두고 문병(文柄-대제학)에 참
여하게 하시니 권장(勸獎)하고 대우함이 분수에 넘쳐[踰涯] 몸이 비
유애
록 가루가 되더라도 보답하기 어려울 것입니다. 다만[第] 불행히 앙
제
화(殃禍)를 만나서 최질(衰絰-상복)을 몸에 걸치고 몸에 질병이 있어
비록 감격함이 간절하여 뛰어 일어나 명을 받들고자 해도 안으로는
부끄러운 마음을 품고 밖으로는 행하기 어려움을 걱정하므로 나아
감을 이룰 수도 없고 물러나도 편안하지 못하니 하늘과 사람에게 부
끄러워 황공한 마음이 그지없습니다.

　무릇 예문관(藝文館)[26]은 유림(儒林)의 무거운 인선(人選)이요, 성

---

26 조선시대 정3품아문(正三品衙門)으로 사명(辭命-제후 간에 쓰이는 수사(修辭)와 언어(言語)
　　로서 간혹 사령(辭令)과 혼용)을 제찬(制撰)하는 일을 관장했다. 1392년(태조 1년)에 예문
　　춘추관(藝文春秋館)을 두었는데 1401년(태종 1년)에 예문관(藝文館)과 춘추관(春秋館)으
　　로 분리 독립시켰다. 모두 문관을 임용하며 응교 이상의 관원은 타관이 겸직했다. 대제학
　　이 문한(文翰)을 주관했다.

균관(成均館)은 풍속 교화(風俗敎化)의 본원(本源)입니다. 지경연(知經筵-경연 지사)은 마땅히 도리를 논해 (임금의) 교화와 길러줌[化育]을 돕는 것[贊]이요, 세자의 빈객(賓客)[賓儲副]은 마땅히 효도와 공순함[孝悌]을 강론하여 (세자의) 다움[德]을 돕는 것[輔]입니다. 대개 이러한 직위(職位)가 무거운 까닭은 모두 명교(名敎)[27]에 관계됨이 크기 때문이니 마땅히 진유(眞儒) 가운데 절의(節義)를 돈독히 지켜 안으로는 행실에 결함이 없고, 밖으로는 비방을 받는 일이 없는 자를 얻어서 임명한 뒤에라야 공적인 기대[公望]에 진실로 부합하고 그 직책을 더럽히는 일이 없을 것입니다. 신과 같은 자는 본래[本=素] 용렬하고 비루한[庸陋] 자질이라 헛되이[徒] 장구(章句)만 지켰을 뿐인데 외람되게 작위(爵位)를 탐하여 일찍이 이 관직을 더럽혔으니[玷=黷] 진실로 그에 어울리지 못합니다. 하물며 이제 상중(喪中)에 있는데 슬픔을 잊거나, 영화를 탐하여 은총을 무릅써 최마(衰麻)를 벗고 길복(吉服)을 입는다면 이는 의로움을 행하는 데 어그러지고 염치가 없어져 명교(名敎)에 죄를 얻게 될 것이니 물의(物議)[28]를 피하기 어려워 위로는 성대한 시대의 정치를 더럽히고 아래로는 후세의 비난을 살 것입니다. 이런 더러운 행실로써 이런 중임(重任)을 맡는다는 것은 한 가지 직책이라도 불가할 터인데 하물며 감히 겸직(兼職)이겠습니까? 이로써 예문관의 장(長)이 되면 유림을 욕되게 하는 것이요, 이로써 성균관의 장(長)이 되면 풍속 교화를 무너뜨릴 것이요, 그런

---

27 유학을 뜻한다.

28 부정적 논란을 뜻한다.

지경연(知經筵)이 어찌 교화와 길러줌을 도울 수 있을 것이며, 그러한 세자 빈객이 어찌 (세자의) 다움을 돕겠습니까?

어찌 아무런 행실도 없는 못난 선비[醜士]로 하여금 국가의 중임(重任)을 겸하게 하여 떳떳한 인륜[彛倫=秉彛]을 어지럽히고 풍속을 더럽힐 수 있습니까? 또 하물며 친시(親試)는 뛰어난 인재[賢才]를 얻어서 지극한 다스림[至治]에 이르고자 하는 것인데, 절의(節義)에 어그러지고[虧節] 염치가 없는 사람으로 하여금 고열(考閱)을 맡아서 고하(高下)를 정하게 하면 진실로 강개(慷慨)하고 절의를 지키는 선비는 반드시 기꺼이 시험에 나아와서 재예(才藝)를 나타내기를 즐겨 하지 아니할 것입니다.

더욱이 신의 병이 위독하여 임질(淋疾)이 발작하는 것이 일정치 않고 한번 밥 먹는 사이에도 오히려 또다시 일어나고, 밤늦게까지 오줌을 누느라 잠시도 편안할 때가 없습니다. 만약 관복을 입고 관대(冠帶)를 매고 금밀(禁密-대궐)에 나아가 있게 하면 천위(天威-임금)의 지척(咫尺)에서 더러움을 일으킬까 두렵습니다. 귀가 많이 먹어 보통 때 남과 말하는데도 자주 다시 물어서 그 뜻을 겨우 다 알게 되는데, 이로써 어찌 능히 남의 강(講)하는 말을 분별하겠습니까? 눈이 매우 어두워 보통 때 책을 보는데도 두어 줄을 보지 못해 갑자기 어지러운데 이로써 어찌 능히 남의 지은 글을 고열(考閱)하겠습니까? 신(臣)으로 하여금 병을 참고 억지로 시석(試席)에 나아가게 하는 것은, 귀먹은 자로 하여금 그 성률(聲律)을 고르게 하고, 소경으로 하여금 문장(文章)을 보게 하는 것과 같으니 무슨 도움이 있겠습니까? 아무리 심력(心力)을 다해 힘써 직임에 이바지하려

해도 병이 반드시 날로 심해져 장차 치료하지 못하는 데 이를 것이므로 신에게 해(害)가 많고 나라에는 아무런 도움이 없을 것입니다. 신은 가만히 스스로 헤아리건대[自料] 정말로 감당할 수 없으며 하늘의 해가 밝게 비치는 데 어찌 감히 기망(欺罔)하겠습니까? 엎드려 바라옵건대 빼어나시고 자애로우신 전하[聖慈]께서는 (신을) 불쌍하고 가엾이 여겨 (이미) 내리신 명[成命]을 도로 거두시어 신으로 하여금 상(喪)을 마치게 함으로써 효(孝)로 다스리는 정치를 빛나게 하면 그 다행함을 이기지 못하겠습니다. 신은 지극히 박절한 마음을 이기지 못하여 감정이 막히고 사연이 궁해[情臨辭蹙] 말할 바를 알지 못하겠습니다.'

상은 윤허하지 않았다.

○ 상이 여러 대언에게 물었다.

"이제 문사(文士)들의 중시(重試)를 장차 어떻게 할까?"

대답하여 말했다.

"예전에는 과거를 모두 봄철과 가을철에 실시했는데 지금 바야흐로 한여름 철이 되어 과거에 나오는 문신(文臣)들이 모두 지극한 무더위를 염려하니 아마 옛 제도에 어긋날까 걱정스럽습니다."

상이 말했다.

"속담에 말하기를 '고려 공사(高麗公事) 사흘을 넘지 못하네'²⁹라고 했으니 이 또한 사람들에게 업신여김을 당하는 것이다."

---

29 고려 말기의 정책이나 법령이 사흘 만에 바뀐다는 말로, 곧 시작한 일이 오래가지 못함을 뜻한다.

이에 의정부에 내려 깊이 있게 토의하게 했다. 의정부에서 아뢰어 말했다.

"강경(講經)의 경우라면 서늘한 가을철을 기다리는 것이 마땅하나 대책(對策)의 경우라면 이때도 또한 가능합니다."

상이 마침내 정부에 가르쳐[敎] 말했다.

"중시(重試)에 나올 자는 경서(經書)를 숙독하여 가을철 9월에 이르러 응시하도록 하고, 아울러 책을 등 뒤에 두고[背文] 송강(誦講)을 행하도록 하라."

애초에 하륜(河崙)이 건의(建議)하여 말했다. "문과(文科)로 출신한 자들이 대부분 학문을 이록(利祿)의 매개(媒介)로 삼아서 일단 과거에 합격하면 곧 그 학업을 버립니다." 그래서 상이 친히 고열(考閱)하여 그 고하(高下)를 정해 이를 격려하고자 했던 것이다. 이에 중시법(重試法)을 세워 종3품 이하로 하여금 모두 시험에 나오게 하여 2월 19일[庚辰]을 기일(期日)로 잡았는데 정승(鄭昇)이 마침 입경(入京)했던 까닭으로 실행하지 못했다. 다시 5월 초7일[丙申]을 기일로 잡았는데 의정부에서 시험에 나오는 자들에게 글을 보고 강해(講解)하게 하도록 청하니 이 때문에 가을철까지 기다리라는 전교가 있었다.

을사일(乙巳日-16일)에 서울과 지방에 있는 이죄(二罪)[30] 이하의 죄수들을 사면했다. 병조, 형조, 사헌부, 순금사 등에 명하여 일찍이 가

---

30 일죄(一罪)에 해당하는 십악(十惡) 이외의 경죄(輕罪)로서 강도와 절도를 가리킨다.

벼운 죄로 부처(付處-유배)된 자들을 모두 외방종편(外方從便)[31]할 것을 허락하니 석방된 자[所釋]가 모두 17명이었는데 박분(朴賁)과 한을생(韓乙生) 등이 포함됐다. 상의 탄신일이었기 때문이다. 이날 비가 내리니 의정부에서 술을 올릴 것을 청했으나 상은 물리쳤다.

○ 하륜 등이 여러 신하가 지은 시권(詩卷)을 바쳤다. 성석린(成石璘)이 일찍이 바친 한 절구(絶句)를 활용해 그 글자를 운(韻)으로 한 것이었다.

병오일(丙午日-17일)에 (강원도) 이천(伊川)에 우박이 내렸다.

○ 이천의 인가(人家)에서 말이 네 눈 가진 암망아지[牝駒]를 낳았는데 그날 죽었다.

○ 제릉(齊陵)의 송충이를 잡았는데 정부(丁夫) 680명을 징발했다 [調]. 유후사(留後司) 창고의 쌀을 내어 (이들에게) 5~6일치 양식을 주었다.

정미일(丁未日-18일)에 (조선 출신 명나라 환관 겸 사신) 기원(奇原)에게 해온정(解慍亭)에서 연회를 베풀었다. 원은 평소 공손하고 조심하여[恭謹] 감히 사신이라 자처하지 아니하고 동남쪽 모퉁이에 앉으니 임금은 서북쪽 모퉁이에 앉았다. 술자리가 끝나자 원은 전정(殿庭)에 나아가 배사(拜謝)하고 물러갔다.

---

31 경외종편(京外從便)은 도성 밖이면 어디나 자유롭게 골라서 사는 것이고 외방종편은 일정한 지역을 정해 그곳 안에서 어디나 자유롭게 골라서 사는 것이다.

○ 이거이(李居易)에게 쌀과 콩 50석을 내려주었다. 상이 거이가 (충청도) 진천(鎭川)에서 지내는 것이 궁핍하다는 말을 듣고 의정부에 명을 내려 쌀과 콩 50석을 내려주고, 그 아들 백관(伯寬)·백신(伯臣)·현(儇) 세 사람을 사면해 외방종편(外方從便)할 것을 허락했다. 사헌부에서 말씀을 올렸다.

'이거이는 그 죄가 주살(誅殺)에 해당하는데[當誅] 전하께서 너그럽고 어지시어[寬仁] 다만 그 고향에 안치할 것을 허락하고, 그 아들 저(佇)와 백관·백신·현의 무리는 아울러 모두 외방에 안치하여 서로 상종(相從)하지 못하도록 해놓고서 이제 아직 두어 해가 되지 못해 전하께서는 백관 등 세 사람을 사면해 아울러 모두 종편(從便)하게 했습니다. 이렇게 하다가 보면 그 형세상으로 볼 때 반드시 그 아비와 더불어 서로 만나게 될 것이니 이로 인해 혹시 불측(不測)한 변란이 생길까 그윽이 두렵습니다. 엎드려 바라옵건대 가볍게 용서하지 마시고 백관 등을 한 지방에 각각 두어 이상(履霜)의 경계[32]를 삼가 받들어야 할 것입니다.'

상이 (사헌부) 장무(掌務-실무 책임)인 지평(持平) 허항(許恒)을 불러 가르쳐 말했다.

"거이의 죄는 주살(誅殺)함이 그 일신에만 그치는 것인가, 아니면 [抑] 그 처자에게까지 미치는 것인가? 삼족(三族)을 멸하는 데까지

---

32 서리가 내리면 차가운 얼음이 이른다는 뜻으로 일의 조짐을 보고 미리 그 화(禍)를 경계하라는 말이다. 『주역(周易)』의 곤괘(坤卦)에 "서리를 밟으면 단단한 얼음이 이를 것이다 [履霜堅氷至]"라는 말에서 나온 것이다. 이 말은 태종이 개인적으로 좋아하는 말이기도 해서 이 말을 사헌부에서 포함시킨 것으로 보인다.

이르는 것인가? 이처럼 재변(災變)이 있는 때를 당하여 나는 죄 없이 내쫓겨난[貶黜] 자가 하늘과 땅에 원통한 사정을 호소한 때문인가 혹시 두려워하여 재변을 막을 방책을 도모하고자 하는데, 너희는 도리어[反] 무고(無辜)한 자의 죄를 청하니 이는 무슨 뜻인가?"

항이 말했다.

"오늘의 상소는 물론(物論)³³을 좇은 것입니다. 물론이 이미 이와 같은데 신 등이 풍헌(風憲)의 직임에 있으면서 어찌 감히 입을 다물고 있겠습니까?"

상이 말했다.

"너희가 언관(言官)의 직책에 있다는 이유로 일이 옳고 그름은 논하지 않고 다만 물론을 좇는 것이 옳으냐? 거이의 죄는 그 일신에만 그칠 뿐인데, 너희가 그 처자를 죄주고자 함은 무슨 이치냐? 그것을 생각해보라."

○ 중 설연(雪然)을 순금사의 옥(獄)에 내렸다. 중 홍련(洪漣)이 형조판서 유량(柳亮)에게 고하여 말했다.

"설연이 도망쳐 경중(京中)에 이르러 그 무리 혜정(惠正) 등과 더불어 분함을 품고 도리에 어긋하는 말[不道]을 합니다."

량(亮)이 하륜(河崙)에게 고했다. 륜(崙)은 (이를 상에게) 보고했고 이에 순금사에 명해 설연 등을 잡아서 국문(鞠問)하게 했다. 홍련은 바로 량의 누이의 아들이다.

---

33 세상의 평판을 뜻한다. 물의(物議)와 비슷하다.

무신일(戊申日-19일)에 기원(奇原)이 (전라도) 나주(羅州)로 가니 의정부와 육조에 명해 숭례문(崇禮門) 밖에서 전송하게 했다.

경술일(庚戌日-21일)에 동북면 도순문사(박신)에게 명해 지성으로 비를 빌도록 했다. 교지를 내려 말했다.

'근년에는 수재와 한재가 서로 잇달아 백성들이 일정한 생업[恒産]을 잃으니 진실로 가엾다. 구름과 비를 일으키는 것은 악(岳-큰 산)과 독(瀆-큰 강)에 힘입으니 비록 사전(祀典)[34]에 실려 있지 않다 해도 명산대천(名山大川)에 전물(奠物-제물)을 정성껏 갖추고, 도순문사가 지성으로 재계하여 친히 제사를 드려 내가 백성들을 사랑하는 [字民=慈民] 뜻에 부응하도록 하라.'
자민   자민

신해일(辛亥日-22일)에 (전라도) 남원(南原) 백성 웅금(熊金)과 그 말이 벼락을 맞았다.

임자일(壬子日-23일)에 의정부 뒤에 있는 연못의 물이 이틀 동안 붉게 끓었다.

○동북면 도순문사 박신(朴信)이 중 해선(海禪)을 붙잡아 서울로 보냈다. 해선은 사방을 유람(遊覽)한다고 칭탁하고 몰래 중국에 들어갔다가 돌아와 경원부(慶源府) 지역에 이르렀는데 신(信)이 사람을 보내 유인하여 잡아서 보냈다. 순금사에 내려 대간(臺諫)과 형조가

---

34 제사의 절차를 담은 예전을 말한다.

함께 국문했다. 애초에 역자(譯者-통사) 강방우(康邦祐)가 경사(京師)에 갔다 돌아오다가 푸저우[復州]에 이르러 요동 천호(遼東千戶) 김성(金聲)을 만나 말했다.

"본국의 중 해선(海禪)과 계월(戒月)이란 자가 왔다."

중도에 이르러 방우(邦祐)가 한 중을 만났는데 그가 해선임을 짐작하고[料] 중국말을 써서 말했다.

"너는 조선 중 해선이 아닌가?"

이어 향어(鄕語-우리말)를 써서 속였다.

"나는 동녕위(東寧衛)[35] 백호(百戶)인데, 무릇 이 위(衛)에 사는 자는 모두 조선 사람이다. 네가 왔다는 말을 들으니 어찌 고향 생각이 없겠는가?"

해선이 말했다.

"산승(山僧)도 이 같은 얘기를 들었습니다."

방우가 이어서 족친(族親)이 사는 곳과 들어온 뜻을 물으니 해선이 말했다.

"우리 숙부(叔父) 김광수(金光秀)란 자가 유후사(留後司) 십수천리(十水川里)에 살고, 산승(山僧)은 본래 천마산(天磨山)에 있었습니다. 지난번에 일이 있어 함주(咸州)에 이르렀다가 중 계월(戒月)이란 자를 만났는데, 중국 풍토가 매우 좋다고 말하기에 한번 보고 싶어 왔

---

35 명(明)나라에서 홍무(洪武) 19년(1386년)에 요양(遼陽)에 설치한 위소다. 호발도(胡拔都)가 납치해 간 고려의 동북면 인민과 여진으로 구성했다. 『황명실록(皇明實錄)』에 의하면 그 관할 범위는 동녕(東寧-휘발하 상류(輝發河上流)), 남경(南京-국자가(局子街)), 초하(草河-압록강 하류(鴨綠江下流))에 걸쳐 광범위했다.

소이다."

방우가 돌아와서 조정에 고해 광수(光秀)를 잡아다가 힐문(詰問)하니 이렇게 말했다.

"나에게 중인 조카가 있으나 그가 간 곳을 알지 못합니다. 그 친아비가 서북면(西北面)에 있습니다."

이에 그 아비를 체포했다. 그 뒤에 주문사(奏聞使) 이현(李玄)이 명나라에 도착해 정승(鄭昇)을 만나니 승(昇)이 말했다.

"듣건대 태상왕(太上王)의 사위가 지금 함주(咸州)에 있다고 하는데 과연 이자가 누구입니까?"

현(玄)이 말했다.

"없습니다."

승이 웃고는 더 이상 말하지 아니했다. 현이 돌아오다가 요동에 이르니 천호(千戶) 가운데 왕(王)이라는 성(姓)을 가진 자가 또한 이 일을 물었다. 현이 돌아와서 고했다. 사람들 중에는 상당군(上黨君) 이저(李佇)가 해선을 시켜 명나라에 가서 누설하게 한 것이라고 의심하는 이가 많았다. 해선의 아비에게 물으니 이렇게 대답했다.

"내 아들이 일찍이 상당군을 위해 불사(佛寺)를 지었습니다."

순금사 판사(巡禁司判事) 박석명(朴錫命) 등이 모두 말하기를 공사(供辭)가 상당군에 관련되었기에 캐물지[究問] 않을 수 없다고 하니 상이 말했다.

"저가 비록 내버려졌다고 할지언정 어찌 이런 짓까지 하겠는가! 그러나 만일 밝게 신문하지 아니하면 사람들의 말이 그치지 아니할 것이니 마땅히 저의 종들에게 물어보도록 하라."

그러고는 좌우에 일러 말했다.

"내가 끝내 이 일을 윤이(尹彛)와 이초(李初)의 난(亂)[36]과 같게 하지는 않을 것이다."

순금사에서 여러 종을 힐문(詰問)하니 모두 말했다.

"우리 주인이 한창 힘이 있을[專盛] 때 일찍이 소랑(小郞-동생)을
전성
위해 한 절을 지었으나 쫓겨난[放廢] 뒤에는 다시 이 중을 보지 못했
방폐
습니다."

뒤에 정승이 왔을 때 상이 현(玄)에게서 들은 것을 물으니 승은 좌우를 물리치고 그에 관해 말했다. 이때부터 저를 대우하는 것이 더욱 두터워졌다. 해선이 오자 그를 신문했는데 그의 말은 저에게는 미치지 않았다[不及].[37]
불급

계축일(癸丑日-24일)에 노이(盧異)와 신효(申曉, ?~?)[38]를 사면해 경외종편(京外從便)하게 했다. 사간원에서 소를 올려 말했다.

'감히 꺼리는 바[諱=憚] 없이 다 말하는 것은 남의 신하된 자
휘 탄

---

36 고려 공양왕(恭讓王) 때 이성계(李成桂) 일파가 실권을 장악하자 파평군(坡平君) 윤이(尹
彛)와 중랑장(中郎將) 이초(李初)가 명에 몰래 들어가 이성계가 장차 명을 치려 한다고 밀
고(密告)한 사건이다. 이는 명나라 세력을 끌어들여 이성계 일파를 제거하려던 음모였는
데, 이색(李穡)·우현보(禹玄寶)·권근(權近) 등 많은 유신(儒臣)이 사건에 관계되었다고 하
여 청주(淸州)에 유배당했다.

37 신문 결과 이저는 아무런 상관이 없었다는 말이다.

38 좌의정 신개(申槩)의 아우다. 1402년(태종 2년) 문과에 장원급제해 1404년 사간원 우정언
이 되어 노이(盧異), 이양명(李陽明) 등과 궁중의 비밀을 발설해 탄핵을 받아 연안에 유배
됐다. 이때 2년 만에 풀려났으나 행주에 은거하여 다시는 서울의 도성문을 밟는 일 없이
세조 중기에 81세로 죽었다. 세종 때 형 신개가 재상으로 있으면서 다시 관직에 나올 것
을 권하고 천거했으나 끝까지 나오지 않았다.

[人臣]의 직분이요, 텅 빈 마음[虛心=公心]으로 간언(諫言)을 받아들이는 것은 임금의 (임금)다움[德]입니다. 이 때문에 (언관이) 말하는 것이 비록 혹 (사안에) 적중하지 못할지라도[不中] 참으로 이 또한 넉넉하게 받아주는 것[優容]은 언로(言路)를 열어 보는 바와 듣는 바[視聽]를 넓히려는 까닭입니다. 지난번에[向者] 정언(正言) 노이와 신효 등의 말이 비록 사안보다 지나쳤으나[過中=過中道] 그 말한 뜻을 거슬러 올라가 살펴보면 다만 말하는 책임[言責]을 다하고자 한 것뿐이었습니다. 그때 본원(本院)에서 일찍이 그 죄를 청해 전하께서 향리[鄕閭]로 보내 안치시켰는데 오래도록 사면하지 않고 계십니다. 신 등은 훗날에 전하께 말을 하고자 하는 자가 있어도 모두 두 사람을 경계로 삼아 아름다운 계책과 좋은 말[嘉謨善言]을 스스로 올리지 않을까 봐 그윽이 두렵습니다. 옛날에 당(唐)나라에서는 황보덕참(皇甫德參)이 글을 올려 황제의 뜻을 거스르니[忤旨] 당 태종(太宗)은 이를 비방한다[謗訕]고 여겼는데[39] 위징(魏徵)이 간언하여 말하기를 "예로부터 상서(上書)는 대부분 상당히 격정적이고 절절합니다[激切]. (왜 그러냐면) 만약 격정적이고 절절하지 않으면 임금의 마음을 제대로 움직일 수가 없기 때문이니, 그래서 격정적이고 절절한 것은 얼핏 보면 비방하는 것처럼 보이게 됩니다"라고 하니 태종은 그

---

39 당시 황보덕참이 상소를 올려 말하기를 "낙양궁(洛陽宮)을 보수하시는 것은 백성을 수고롭게 하는 것입니다. 지세(地稅)를 거두시는 것은 세금을 너무 많이 받는 것이며 세간에서 높이 틀어 올린 머리가 유행하는 것은 궁중의 영향을 받은 것입니다"라고 하자 태종은 화를 내며 "이 사람은 국가로 하여금 한 사람도 부리지 못하고 세금 하나도 거두지 못하며 궁인(宮人)들이 머리도 땋지 못하게 해야 직성이 풀리겠구나"라고 했다.

말을 좋게 여겼습니다. 바라건대 전하께서는 두 사람을 특별히 사면
하여[特宥] 언로(言路)를 열어주셔야 합니다.'

　　상이 소(疏)를 보고서 곧바로 장무(掌務)인 헌납(獻納) 이안직(李
安直)을 불러 가르쳐 말했다.

　　"너희는 노이의 죄를 아느냐? 예전에 내가 김보해(金寶海)의 누이
동생을 궁중에 들였는데 (나는) 그가 남에게 시집간 것[適人]을 알지
못했다. 이미 남에게 시집간 것을 들었다면 곧바로 내쳤을 것이다.
(그런데) 이(異)가 정언이 되어 일찍이 다른 사람에게 말하기를 '지금
전하(殿下)가 남의 아내를 빼앗아 궁중에 들였다'라고 했다. 그러나
나는 본래 이와 같이 하지 않았다. 만약 이가 내게 충성을 다한다면
[效忠] 마땅히 나와서 간언하여 나로 하여금 허물을 고치게 했어야
할 것인데, (그러지는 않고) 이에 다른 사람에게 누설했으니 그는 나
를 위하는 신하가 아닌 것임이 분명하다. 그래서 향리(鄕里)에 물러
가 있게 한 것일 뿐이요, 죄를 준 것은 아니었다. 예전에 길재(吉再,
1353~1419년)[40]가 말하기를 '충신은 두 임금을 섬기지 않습니다'라고

40 1363년(공민왕 12년) 경상도 냉산(冷山-구미) 도리사(桃李寺)에서 처음 글을 배웠고
　　1370년 상산사록(商山司錄) 박분(朴賁)에게서 『논어』와 『맹자』 등을 배우며 비로소 성리
　　학을 접했다. 아버지를 뵈려고 개경에 이르러 이색(李穡), 정몽주(鄭夢周), 권근(權近) 등
　　여러 선생의 문하에서 지내며 학문을 익혔다. 1374년 국자감에 들어가 생원시에 합격하
　　고, 1383년(우왕 9년) 사마감시(司馬監試)에 합격했다. 1386년 진사시에 급제해 그해 가
　　을 청주목 사록(淸州牧司錄)에 임명됐으나 부임하지 않았다. 이때 이방원(李芳遠)과 한마
　　을에 살면서 서로 오가며 함께 학문을 강론하고 연마했다. 1387년 성균학정(成均學正)이
　　되고, 이듬해 순유박사(諄諭博士)를 거쳐 성균박사(成均博士)로 승진됐다. 당시 공직에 있
　　을 때에는 태학(太學)의 생도들이, 집에서는 양반 자제들이 모두 그에게 모여들어 배우기
　　를 청했다. 1389년(창왕 1년) 문하주서(門下注書)가 되었으나, 나라가 장차 망할 것을 알
　　고서 이듬해 봄 늙은 어머니를 모셔야 한다는 핑계로 벼슬을 버리고 고향인 선산으로 돌
　　아왔다. 1391년(공양왕 3년) 계림부(鷄林府)와 안변(安邊) 등의 교수(敎授)로 임명됐으나

하길래 내가 시골로 보내도록 명했다. 재(再)에게 무슨 죄가 있고 내가 어찌 유배를 보냈겠는가? 이도 이와 같은 것이다. 신효(申曉)의 경우에는 내가 지금까지[迄今] 여전히 적소(謫所)에 있는지를 알지 못했다. 너희의 오늘 말은 일시적으로 벗을 구원해 풀어주고자 하는 것이냐, 아니면 나로 하여금 그들을 풀어서 용서해주도록 하려는 것이냐? 서용하라는 것이냐?"

안직(安直)이 황공해하며 대답했다.

"벗을 구원하여 풀어주고자 하는 짓을 어찌 신 등이 감히 하겠습니까? 용서해주는 것이나 서용하는 것 또한 감히 저희 마음대로 할 바가 아니옵고 다만 이 등이 일을 논한 것으로 인해 죄를 얻었으므로 언로(言路)가 막힐까 두려워한 것뿐입니다."

상이 말했다.

"내가 설사 이를 쓰고자 하더라도 이가 반드시 나에게 기꺼이 신하 노릇을 하려 하지 않을 것이다."

그러고는 사면하도록 명했다.

모두 부임하지 않았으며, 우왕의 부고를 듣고 채과(菜果)와 혜장(醯醬) 따위를 먹지 않고 삼년상을 행했다. 1400년(정종 2년) 가을 세자 방원이 그를 불러 봉상박사(奉常博士)에 임명했으나 글을 올려 두 왕을 섬기지 않는다는 뜻을 펴니, 그 절의를 갸륵하게 여겨 예를 다해 대접해 보내주고 세금과 부역을 면제해주었다. 1403년(태종 3년) 군사 이양(李楊)이 그가 사는 곳이 외지고 농토가 척박해 살기에 마땅하지 못하다 하여 오동동의 전원(田園)으로 옮겨 풍부한 생활을 누리도록 했다. 그러나 그는 소용에 필요한 만큼만 남겨두고 나머지는 모두 돌려보냈다. 그를 흠모하는 학자들이 사방에서 모여들어 항상 그들과 경전을 토론하고 성리학을 강해(講解)했으며, 오직 도학(道學)을 밝히고 이단(異端)을 물리치는 것으로 일을 삼으며 후학의 교육에만 힘썼다. 그의 문하에서는 김숙자(金叔滋) 등 많은 학자가 배출돼 김종직(金宗直), 김굉필(金宏弼), 정여창(鄭汝昌), 조광조(趙光祖)로 그 학통이 이어졌다.

갑인일(甲寅日-25일)에 군자감 제조(軍資監提調)를 불러 군량(軍糧)
의 수량을 물었다. 상이 겸 군자감 판사(軍資監判事) 민무휼(閔無恤,
?~1416년)[41]과 심구령(沈龜齡, 1350~1413년)[42]에게 일러 말했다.

---

41 아버지는 여흥부원군(驪興府院君)민제(閔霽)이며, 어머니는 송선(宋璿)의 딸이다. 태종비
(太宗妃) 원경왕후(元敬王后)의 동생이다. 1403년(태종 3년) 여원군(驪原君)의 봉작(封爵)
을 받고 벼슬이 지돈녕부사(知敦寧府事)에 이르렀다. 민무구(閔無咎)·민무질(閔無疾) 두
형의 옥이 격렬한 정치 파동을 일으키는 중에서도 동생 민무회(閔無悔)와 함께 아버지
덕택으로 무사할 수 있었다. 그러나 1415년 4월 민무회가 다른 사람의 노비 소송(奴婢訴
訟)에 관여한 것이 문제가 돼 옥에 갇히게 되면서 또다시 두 형제의 옥이 일어나게 됐다.
또한 사건 계류 중인 그해 6월 세자는 원경왕후의 병석에서 민무휼 형제가 자신들이 처
해 있는 사태의 심각성을 반성하지 않은 발언을 했다고 말해 이들 형제를 더욱 불리한
상황으로 이끌어갔다. 당시 세자는 학문에 뜻을 두지 않고 성품이 방탕하여 태종으로부
터 여러 번 꾸중을 들었다. 이에 세자는 자기의 불명예를 회복하고자 종전의 허물을 뉘
우치고 학업에 정진하는 체하면서 민씨 형제의 새로운 죄를 드러낸 것이었다. 일이 이렇
게 전개되는 상황에서 대간은 민무휼·민무회 형제의 죄를 성토하고 세자와 이들을 병조
정청(兵曹政廳)에서 대질시켰다. 대체의 윤곽이 밝혀지자 태종은 민무휼의 직첩을 거두
어 서인으로 삼았다. 그리고 17일 후 다시 외방의 원하는 곳에서 유배생활을 하게 했다.
1415년 12월 원윤(元尹) 이비(李褥)의 참고사건(慘苦事件-1402년 12월 이비가 출생할 적
에 정비가 질투하여 그 모자를 죽이려고 추운 곳에 방치한 사건)이 밝혀지자 대간의 소청(疏
請)으로 민무휼 형제는 유배지에서 잡혀와 국문을 받게 됐다. 국문 중에 두 형이 죄 없이
죽음을 당했다고 말해 화를 당하는 결정적인 요인이 됐다. 국문이 끝나자 원주로 쫓겨나
서 4일 만에 유배지에서 스스로 목매어 죽었다.

42 일찍이 무예 훈련에 힘써 솜씨를 인정받아 이방원(李芳遠)을 호종했다. 1398년(태조 7년)
1차 왕자의 난 때 박원길(朴元吉), 정도전(鄭道傳) 등을 제거하는 데 공을 세웠다. 그 뒤
1400년(정종 2년) 2차 왕자의 난 때에도 상장군(上將軍)으로서 이방원을 호종해 좌명공
신(佐命功臣) 4등에 책록됐고 풍천군(豊川君)에 봉해졌다. 1406년(태종 6년) 겸 중군동지
총제(兼中軍同知摠制)가 됐고, 이어서 우군동지총제(右軍同知摠制)에 임명됐다. 당시 남해
안 일대에 왜구가 침입하자 조전절제사(助戰節制使)로서 왜구 격퇴에 큰 공을 세웠다. 그
뒤 천추사(千秋使)로서 명나라에 다녀왔고, 부진무(副鎭撫)·겸동지의홍부사(兼同知義興
府事)를 역임했다. 1410년 군량과 군기 관리 소홀이라는 혐의로 대간에 의해 탄핵, 파직
되기도 했으나 국왕의 신임이 두터워 이듬해에는 오히려 지의홍부사로 승진했다. 이어서
별시위 일번절제사(別侍衛一番節制使)를 역임했고 판공안부사(判恭安府事)에 이르렀다.
성품이 강직하고 사어(射御-활쏘기와 말타기)에 능해 일찍부터 태종을 호종했다. 신분은
비록 미천했으나 지위가 높아짐에 따라 자신의 직임을 잘 알았으며 부하들에 대한 통솔
력도 매우 뛰어났다고 한다.

"지금 군자감(軍資監)의 양식[糧餉]이 비축된 것이 얼마인가
[幾何]?"

모두 말했다.

"신들은 알지 못합니다."

상이 웃으며 말했다.

"예전에 한(漢)나라 문제(文帝)⁴³가 재상에게 묻기를 '천하(天下)의
돈과 곡식이 얼마인가?'라고 하니 주발(周勃, ?~기원전 169년)⁴⁴은 대
답하지 못했고, 진평(陳平, ?~기원전 178년)⁴⁵은 말하기를 '유사(有司-

---

43 고조(高祖) 유방(劉邦)의 넷째 아들이다. 처음 대왕(代王)에 책봉되어 중도(中都)에 도읍
했다가 조정을 전단(專斷)하던 여씨(呂氏)의 난이 평정된 뒤 태위(太尉) 주발(周勃)과 승
상 진평(陳平) 등 중신의 옹립으로 제위에 올랐다. 요역(徭役)을 가볍게 하고 세금을 감
해주는 등 백성들에게 휴식을 주면서 농경을 장려했다. 경제가 점차 회복되어 사회는 전
반적으로 안정 국면으로 접어들어 가고 있었다. 여씨의 난 진압에 공적이 있었던 고조
이후의 공신(功臣)을 중용하는 한편 가의(賈誼)와 조조(晁錯) 등 새 관원도 두각을 나타
냈다. 또 선거(選擧)에 의해 지방의 유지(有志)가 관원으로 등용됐다. 한편 가의와 조조
등이 건의한 제후왕(諸侯王)의 영지 삭감과 억상중농(抑商重農), 대흉노강경론 등은 전면
적으로 채택되지 못했는데, 이에 대한 해결은 경제(景帝)와 무제(武帝) 때 실현됐다. 고조
의 군국제(郡國制)를 계승하고, 전조(田租)와 인두세(人頭稅)를 감면했다. 가혹한 형벌을
폐지했고, 흉노에 대한 화친(和親)정책 등으로 민생 안정과 국력 배양에 힘을 기울였다.
노학(老學)에 경도돼 이에 의한 간이(簡易)의 정치를 펼치고자 한 것으로 알려져 있다. 뒤
를 이은 경제(景帝)와 함께 '문경지치(文景之治)'로 불린다.

44 중연(中涓)으로 유방(劉邦)을 좇아 패에서 일어나 여러 차례 진나라 군대를 격파했다. 항
우(項羽)를 공격하는 데 따라가 천하를 평정했다. 기원전 201년(한 고조(高祖) 6년) 강후
(絳侯)에 봉해졌다. 한나라 초기 유방을 따라 한신(韓信)과 진희(陳豨) 및 노관(盧綰)의
반란을 진압했다. 사람됨이 질박하면서도 강직했고, 돈후(敦厚)하여 고조가 큰일을 많이
맡겼다. 혜제(惠帝) 때 태위(太尉)에 임명됐다. 여후(呂后)가 죽은 뒤 여씨들이 유씨(劉氏)
들을 위협할 때 진평(陳平)과 함께 여씨들을 주살(誅殺)하고 한나라 왕실을 안정시켰다.
문제(文帝)를 옹립한 뒤 우승상(右丞相)에 올랐다. 공이 높으면 재앙을 초래한다고 여겨
차츰 정치를 등한히 하다가 병을 핑계로 사직했다. 진평이 죽자 다시 재상이 되었지만 곧
그만두었다.

45 처음에는 항우를 따랐으나 후에 유방을 섬겨 한나라 통일에 공을 세웠다. 좌승상이 돼
여씨의 난 때 주발(周勃)과 함께 이를 평정한 후 문제를 옹립했다.

담당 부서)가 있습니다. 재상이 알 바가 아닙니다'라고 했는데 이제 경들은 주발이나 진평과 비교하여 누가 더 뛰어나고 더 못한가? 어찌하여 그것을 알지 못하는가?"[46]

드디어 군자감(軍資監)의 회계를 가져다가 보고서 말했다.

"우리나라의 비용이 심히 많지만, 지금 비축된 곡식이 오히려 이와 같으니 실로 충분하다."

○ 내시부 판사(內侍府判事)[47] 이광(李匡)을 보내 전라도에 가게 했다. 예조판서 이문화(李文和)가 아뢰어 말했다.

"옛날에 서역(西域)의 한 중이 명나라 서울[京師]에 이르렀는데 제 경사 (帝)가 그를 생불(生佛)이라 하여 천관(千官)을 거느리고 관대(冠帶)를 하고 교외에서 맞이했습니다. 이로 말미암아 보건대 흠차관(欽差官-명나라 사신) 등이 탐라(耽羅)의 동불(銅佛)을 받들고 서울로 들어오는 날 전하께서도 또한 백관을 거느리고 조복(朝服)을 갖추고 교외에서 맞이하시어 천자를 위해 존경하는 뜻을 보이는 것이 마땅합니다."

---

46 여기서는 군자감이 바로 유사, 즉 담당 부서다.

47 내시부가 처음 설치된 것은 고려 공민왕 때였다. 고려 초기 내시직은 남반(南班) 7품에 한정돼 있었다. 우왕 때 내시의 권력 남용이 문제돼 내시부 자체가 폐지됐다가, 1389년 (공양왕 1년) 대간의 요청으로 다시 설치됐다. 그러나 이때에 내시의 직은 6품을 넘지 않도록 할 것을 규정했다. 조선 건국과 동시에 내시에게는 수문(守門)과 청소의 임무만 전담시키고 관직은 일절 주지 말자는 여론이 강력히 대두됐다. 그러나 태조는 개국 초부터 모든 내시를 배척, 도태할 수는 없다고 하여 1392년(태조 1년) 문무 유품의 정직 외에 따로 내시부를 설치했다. 이때의 정원은 140인으로 상선(尙膳) 2인, 상온(尙醞) 1인, 상다 (尙茶) 1인, 상약(尙藥) 2인, 상전(尙傳) 1인, 상책(尙冊) 3인, 상호(尙弧) 4인, 상탕(尙帑) 4인, 상세(尙洗) 4인, 상촉(尙燭) 4인, 상훤(尙烜) 4인, 상설(尙設) 6인, 상제(尙除) 6인, 상문(尙門) 5인, 상경(尙更) 6인, 상원(尙苑) 5인 등이었다. 내시부의 역할은 『경국대전』에 궐내 음식물 감독, 왕명 전달, 궐문 수직, 청소 등이라고 규정돼 있으나 실제로는 궐내의 모든 잡무를 담당하는 것이었다.

대언 윤사수(尹思修)가 말했다.

"어찌 이런 도리가 있겠습니까? 신이 생각건대 전하께서 흠차관(欽差官)을 도성문 밖까지 마중 가는 것은 괜찮으나 만약 동불(銅佛)을 맞이하기 위해서라면 불가합니다."

상이 말했다.

"그렇다. 황제가 부모를 뵈러 오는 내관(內官)으로 하여금 우연히 [偶爾=偶然] 부처를 구하게 하는 것도 이미 의리가 아닌데, 하물며
우이   우연
전사(專使-특수 임무 전담 사신)를 보내 칙서(勅書)를 가지고 이를 구하는 것이겠는가! 이는 진실로 부처에게 아부하는 짓이다."

문화가 또 말했다.

"전하께서 짐짓[佯] 이 부처를 높이는 체하여 사람을 보내 치향(致
양
香-향을 바치는 것)하는 것이 마땅할 것 같습니다."

사수가 말했다.

"저 황 태감(黃太監)이 진실로 전하가 불교를 숭상하지 아니하는 것을 알고 있으니 설사 치향하지 아니하더라도 가합니다."

상이 말했다.

"이것은 의리에 해로울 것이 없다."

이에 내시부 판사 이광을 파견해 향(香)을 보냈다.

을묘일(乙卯日-26일)에 검교 의정부 좌정승(檢校議政府左政丞) 경보(慶補)[48]가 졸(卒)했다. 보(補)는 청주 사람인데 (고려 때의) 시중(侍中)

---

48 고려 말, 조선 초의 문신으로 우왕의 요동정벌 때 조전원수로서 이성계를 따라 위화도에

경복흥(慶復興, ?~1380년)⁴⁹의 아들이다. 성품이 청렴하고 검소했으며 벼슬은 찬성사(贊成事)에 이르렀다. 죽을 때 나이는 83세였고 시호(諡號)는 양정(良靖)이다. 아들은 없었다.

병진일(丙辰日-27일)에 명하여 인소전(仁昭殿)⁵⁰의 터닦기를 시작했다[開基]. 상이 장차 인소전을 창덕궁(昌德宮) 북쪽에 다시 지으려고 하여 북문(北門)을 나가서 서운관(書雲觀)에 명해 터를 잡게 하니 유한우(劉旱雨)가 아뢰어 말했다.

"창덕궁(昌德宮) 주산(主山)의 기운이 이 땅에 모였는데 만약 이곳에 땅을 파서 집을 지으면 반드시 궁궐에 이롭지 못할 것입니다."

서 회군해 공신에 책록됐다. 공양왕 때 이초의 옥에 연루돼 청주옥에 갇혔다가 홍수로 석방됐다. 조선 개국 후 검교 의정부 좌정승이 됐다.

49 1365년(공민왕 14년)에 수시중(守侍中)이 됐으나 신돈(辛旽)이 권세를 부리고 있어 재상의 지위에 있으면서도 정사에 참여하지 못했다. 마침내 신돈의 배척을 받아 파직되고 청원부원군(淸原府院君)에 봉해졌다. 1367년 오인택(吳仁澤), 안우경(安遇慶), 김원명(金元命) 등과 함께 신돈을 제거하려다가 일이 누설돼 장형(杖刑)을 받고 흥주(興州-현재 경상북도 영주)로 유배 갔다. 1371년 신돈이 제거되자 다시 소환돼 좌시중에 임명됐고, 정방(政房)의 제조(提調)를 겸하며 전선(銓選-인사)을 맡았다. 1374년(공민왕 23년) 문하시중으로 있을 때, 공민왕이 시해되자 종친을 세우려 했으나 이인임(李仁任)의 주장으로 우왕(禑王)이 즉위했다. 이듬해 이인임과 함께 원나라 사신의 영접을 반대하는 정도전(鄭道傳)을 유배 보냈다. 또 왕이 서연(書筵)을 게을리하려는 것과 전주(銓注-인사행정)의 문란을 바로잡는 데 노력했다. 1377년(우왕 3년)에 수성도통사(守城都統使)로서 개성 근처까지 침범한 왜구에 대비했다. 이인임, 지윤(池奫) 등이 권력을 휘두르자 날마다 술만 마시면서 도당(都堂)에도 참여하지 않았다. 1380년 이인임, 임견미(林堅味)가 경복흥이 정무를 보지 않는다고 참소해 청주로 유배 갔다가 그곳에서 죽었다. 아들로는 보(補), 진(臻), 의(儀)가 있다.

50 태조 이성계(李成桂)의 비(妃) 신의왕후 한씨(神懿王后韓氏)를 모신 혼전(魂殿)이다. 1408년(태종 8년)에 태조가 승하하자 이름을 문소전(文昭殿)이라 고치고 태조와 신의왕후를 같이 모셨다.

상이 이직(李稷)을 불러 의견을 물으니 직(稷)이 말했다.

"주산의 맥(脈)이 아니고 따로 궁륭(穹窿-활이나 무지개같이 한가운데가 높고 길게 굽은 형상)의 모양으로 나와서 남향의 형세를 이룬 것입니다. 전하께서 만약 가까운 땅을 골라서 진전(眞殿)[51]을 지으려면 이곳보다 나은 데가 없습니다."

상이 기뻐하여 곧바로 터닦기를 시작하도록 하고 해온정(解慍亭)에 돌아와 술자리를 베풀었는데 직 이하 여러 대언(代言)들이 차례로 술잔을 올렸다. 직이 조용히 말했다.

"조종(祖宗)의 법은 가볍게 고칠 수 없습니다. 가볍게 고치면 인심이 가볍게 변하고 나라의 힘이 굳건해지지 못하니 삼가지 않을 수 없습니다."

상이 말했다.

"경의 말이 옳다."

임오년(壬午年-1402년) 동북면(東北面)의 변란(變亂)에 대해 말이 미쳤다.

"내가 그때에 대개 간당(奸黨)을 물리치고 태상왕(太上王)을 봉영(奉迎)하고자 한 것이었지만, 마음속으로는 줄곧 평안치 못했다. 지금 이러한 한기(旱氣)는 바로 하늘이 나를 견책(譴責)하는 것이다."

상은 또 말했다.

"기우제(祈雨祭)를 지내는 것이 비록 아름다운 제도[슈典_{영전}]는 아닐지라도 (하늘의 견책을) 두려워하고 스스로를 닦고 반성하는[恐懼_{공구}

---

51 초상화인 어진(御眞)을 봉안, 향사하는 공간이다.

修省] 뜻을 보이고자 하는 것이다. 마땅히 중외(中外)로 하여금 정성
껏 제사를 마련하도록 힘쓰게 해야 한다."

또 옥관(獄官)에게 명해 죄수(罪囚)를 신속히 판결하게[速決] 했다.
이튿날 상이 좌우에 일러 말했다.

"내가 본래 유한우의 말을 의심했는데 이제 이 땅을 보니 참으로
주산(主山)의 맥(脈)이 아니구나. 또 궁궐과 가까우니 내가 아침저녁
으로 봉사(奉祀)하기를 평상시와 같이 하고자 한다."

관련하여[因] 말했다.

"내가 처음에는 단지 진전(眞殿)만 세워두고자 했는데 김첨(金瞻)
이 말하기를 '마땅히 불당(佛堂)이 있어야 합니다'라고 하니 아울러
짓게 하는 것이 좋겠다."

지신사 황희(黃喜)가 말했다.

"불당 하나를 짓는 것이 비록 폐단이 없다고 하더라도 다만 후세
에 (좋지 않은) 모범을 남기는 것이라면 옳지 못합니다."

상이 말했다.

"부처의 도(道)는 허실(虛實)을 알기가 어렵다. 예전에 권중화(權仲
和)가 말하기를 '오도자(吳道子)[52]가 그린 관음상(觀音像)에 광채가
났었다'라고 했는데 내가 듣고서 매우 이상하게 여겼다."

희(喜)가 말했다.

"그렇다면 오도자가 비술(祕術)이 있어서 그러한 것이라 생각됩

---

52 중국 당(唐)의 화가 오도현(吳道玄)을 가리키는 것으로 현종(玄宗) 때 사람이며 당대(唐
代) 제일의 화가였고 특히 불화(佛畫)에 뛰어났다.

니다. 어찌 부처가 신령하고 기이한 때문이겠습니까?"

상이 옛 제왕(帝王)들의 우열(優劣)을 논하여 말했다.

"한(漢) 고조(高祖-유방)는 너그럽고 어질며[寬仁] 호탕(豪宕)한 기
질이 있었고, 문제(文帝)는 온화(溫和)하고 삼가고 무거워서[謹重] 진
실로 태평시대의 인주(人主)였다. (후한의) 명제(明帝)⁵³는 성품이 가
볍고 조급하여[輕躁] 일찍이 크게 화난 일로 인해 손수 사람을 때렸
고, (후한을 세운) 광무제(光武帝)⁵⁴는 진실로 본받을 만하나 혹은 가
소(可笑)로운 말도 있다."

좌우에서 말했다.

"송(宋) 태조(太祖)⁵⁵도 뛰어난 군주[賢君]였습니다."

---

53 광무제(光武帝)와 음황후(陰皇后)의 넷째 아들로 환영(桓榮)에게 사사(師事)하여 『춘추
(春秋)』와 「상서(尙書)」에 통달했다. 즉위 뒤 유학자를 고관에 임명하여 예교주의(禮教
主義)에 힘쓰고 빈민구제, 농업진흥, 조부(租賦)·형여자(刑餘者)의 감면에 힘쓰는 등 내
정 충실을 꾀했다. 또 소당강(燒當羌)을 토벌하고 북흉노를 격퇴하는 등 외정에도 관심이
컸다. 반초(班超)에게 서역제국을 귀순시켜 서역도호(西域都護), 무기교위(戊己校尉)를 부
활시켰다.

54 후한의 초대 황제(재위 25~57년)로 왕망의 군대를 격파하고 즉위해 한왕조를 재건, 36년
에 전국을 평정했다. 중앙집권화를 꾀했다. 학문을 장려하고, 유교존중주의를 택해 예교
주의의 기초를 다졌다.

55 탁주(涿州) 사람으로 낙양(洛陽)에서 태어났다고 한다. 처음 후주(後周)의 세종(世宗) 밑
에서 벼슬하여 거란과 남당(南唐)과의 싸움에서 공을 세워 금군총사령(禁軍總司領)이 되
었다. 전전도점검(殿前都點檢)과 귀덕군절도사(歸德軍節度使)를 지냈다. 세종이 죽은 뒤
북한(北漢)이 침입하는 위기를 당하자 공제(恭帝) 현덕(顯德) 7년(960년) 금군에 의해 진
교병변(陳橋兵變)을 거쳐 옹립되어 제위에 올랐다. 연호를 건륭(建隆)이라 했다. 재위 기
간 중에 형호(荊湖)와 후촉(後蜀), 남한(南漢), 남당(南唐) 등을 공격해 멸망시켰다. 장령
(將領)을 선발해 북방의 요지를 지키게 하여 거란(契丹)을 방어했다. 금군(禁軍)과 번진
(藩鎭)의 병권을 삭탈하고, 명신 조보(趙普)의 계책을 받아들여 문치주의에 의한 중앙집
권적 관료제를 확립했다. 즉 절도사(節度使) 지배체제를 폐지하고, 중앙에 민정과 병정(兵
政), 재정의 3권을 집중하며, 금군을 강화하면서 황제의 독재권을 공고히 했다. 지방 행정
역시 군인을 대신해 문신들이 관장하도록 했다. 전운사(轉運使)를 설치해 지방 재정을 담

상이 말했다.

"그렇다. 그러나 그 재위 연간에 지나친 일[過中之事]도 있었다."
_{과중 지 사}

상이 지리(地理)에 대해 논하여 말했다.

"동북면(東北面)은 나의 조상들의 산릉(山陵)이 있다. 그 산맥(山脈)의 지리(地理)가 보통 땅과는 아주 다르다."

좌우에서 말했다.

"진실로 상의 가르침과 같습니다."

황희가 말했다.

"유한우가 예전에 사감(私憾)으로 인해 전시(田時)를 태상왕에게 고해[56] 여러 장상(將相)과 신 등이 모두 옥에 갇히고 죄를 얻었습니다."

상이 말했다.

"나도 일찍이 그러한 말을 들었으나 그 자세한 것은 알지 못하지만, 한우는 그 얼굴을 보면 정말로 그윽하고 변화무쌍하니[幽謫] 반
_{유홀}
드시 비술(祕術)이 있는 자다."

정사일(丁巳日-28일)에 전라도 도체찰사 박석명(朴錫命)이 병이 났으므로 예조판서 이문화(李文和)로 하여금 대신하여 접반사(接伴使)

당하게 하는 한편 지방관을 감찰하도록 했다. 참지정사(參知政事)를 설치해 부상(副相)의 직책을 수행하게 하면서 추밀사(樞密使)가 병권을 장악하게 하고, 삼사사(三司使)가 재정을 관할해 재상의 권력을 분산시켰다. 관료의 채용을 위한 과거제도를 정비하고 최종 시험을 황제 스스로 실시하는 전시(殿試) 또는 어시(御試)를 시행했다. 중문경무(重文輕武) 정책을 실시해 국방에 취약한 국면을 불러오게 되었다. 17년 동안 재위했다.

56 1398년 7월 5일 개국공신인 유원정의 사위 전시(田時)가 순릉과 경안백(敬安伯)의 능실에 대해 비판한 혐의로 국문받았다. 이때 유원정도 말을 같이 했다는 혐의로 순군옥에 갇혔다가 개국공신으로서 풀려났다. 황희는 이때의 일을 적시한 것이다.

로 삼았다.

○사간원에서 소(疏)를 올렸는데 대략 이러했다.

'근년 이래로 수재(水災)와 한재(旱災)가 서로 잇따라 농가에서 생업을 잃어 공사(公私)의 비축이 진실로 슬피 통탄할 만합니다. 지금 전라도는 바로 농사철을 맞았는데, 사신의 행차가 두어 달을 머물므로 이들을 지원하는[供億] 비용이나 맞이하고 보내는[迎送] 번거로움으로 분주(奔走)하게 복역(服役)하지만, 오히려 제대로 다 하지 못할까 두려워하고 있습니다. 게다가 동불(銅佛)을 옮겨 보내는 일을 하게 된다면 이 지방 백성들은 어느 겨를에[奚暇] 농사일을 하겠습니까? 전(傳)에 이르기를 "한 농부가 농사를 짓지 못해도 혹은 굶주림을 당하게 된다"라고 했는데 하물며 한 도(道)이겠습니까? 엎드려 바라옵건대 그 도의 시위 군사(侍衛軍士)를 농사짓는 달에 한하여 놓아 보내주어 농사를 짓게 하고 무릇 무휼(撫恤)할 만한 일을 감사에게 하문(下問)하여 일절 모두 면제해주게 해야 합니다. 사신이 지나가는 다른 도도 폐단을 받는 것이 마찬가지로 크니 아울러 긍휼(矜恤)을 더하여 민생(民生)을 위로하여 나라의 근본을 굳건하게 해야 합니다.'

그것을 따랐다.

庚寅朔 權近上箋辭職. 箋曰:
경인 삭 권근 상전 사직 전왈

'草土臣權近上言. 伏蒙聖恩 除臣藝文館大提學. 聞命驚懼
초토 신 권근 상언 복몽 성은 제신 예문관 대제학 문명 경구

罔知所措. 臣以罪惡 遭致家禍 臣父先臣僖 奄辭盛代 甫經數月.
망지 소조 신 이 죄악 조치 가화 신부 선신 희 엄사 성대 보경 수월

身居衰經 勉循喪制 思免罪愆 尙懼不任. 且臣又纏多病 體氣
신 거 최질 면순 상제 사면 죄건 상구 불임 차 신 우 묵 다병 체기

贏瘁耳目聾暗 淋疾尤劇 頻數不止 通塞無常 酸痛難忍. 臣致 欲
이췌 이목 농암 임질 우극 빈삭 부지 통색 무상 산통 난인 신치 욕

忘哀冒寵 以受爵命 將此病軀 豈易承當? 安居保養 猶恐不瘳
망애 모총 이수 작명 장차 병구 기이 승당 안거 보양 유공 불추

黽勉從仕 必至殞命. 臣念至此 不覺涕零. 臣於曩日喪母之時 亦
민면 종사 필지 운명 신념 지차 불각 체영 신 어 낭일 상모 지시 역

嘗起復 承受爵祿 豈於今日 憑依憂制 苟辭恩命 以徼其名哉?
상 기복 승수 작록 기어 금일 빙의 우제 구사 은명 이요 기명 재

誠以臣身疾篤 實所難堪 欲得安身治病 以延晨夕之命而已. 又
성 이 신 신질 독 실 소난감 욕득 안신 치병 이연 신석 지명 이이 우

況奪情起復 本非令典? 古者金革之事 無避也者 是在危難之際
황 탈정 기복 본비 영전 고자 금혁 지사 무피 야자 시재 위난 지제

不得已而爲之 權宜也. 其在治平之時 豈可以爲常典哉? 本朝
부득 이 이 위지 권위 야 기재 치평 지시 기 가이 위 상전 재 본조

經濟之典 不許文臣起復 誠以此也. 今雖有邊警 臣非武臣 不宜
경제 지전 불허 문신 기복 성 이차 야 금수유 변경 신비 무신 불의

起復 況當無事之時 何必奪哀 以虧禮典哉? 臣之起復 謂利於國
기복 황당 무사 지시 하필 탈애 이휴 예전 재 신지 기복 위이어 국

則虧禮典而毁風俗; 謂利於身 則乖攝養而速死亡. 且捨所學 而負
즉휴 예전 이훼 풍속 위이어 신 즉피 섭양 이속 사망 차사 소학 이부

欺謗 又非臣之素志也. 反覆思之 無一而可 臣寧受誅 不敢受命.
기방 우비 신지 소지 야 반복 사지 무일 이가 신녕 수주 불감 수명

伏望聖慈 察臣含哀 憐臣遘疾 還收爵命 俾終喪制 使其閑居
복망 성자 찰신 함애 연신 구질 환수 작명 비종 상제 사기 한거

養病 以延性命 則終喪之後 當爲國家捐軀受命 不敢辭避 圖報
양병 이연 성명 즉 종상 지후 당위 국가 연구 수명 불감 사피 도보

聖恩之萬一. 伏惟聖慈垂察.'
성은 지 만일 복유 성자 수찰

上不允.
상 불윤

奇原如開城留後司. 原將行 詣闕啓曰: "臣雖奉命而來 然是
기원 여 개성 유후사 원장행 예궐 계왈 신 수 봉명 이래 연시

本國人也. 入都以來 不得行私禮 心實未安 願盡臣禮." 乃北面
본국인 야 입도 이래 부득 행 사례 심실 미안 원진 신례 내 북면

拜伏甚恭 命議政府餞之崇禮門外. 原之祖先墳塋 皆在留後司
배복 심공 명 의정부 전지 숭례문 외 원지 조선 분영 개 재 유후사

故欲拜掃也.
고 욕 배소 야

辛卯 遣右軍同知摠制崔士威如京師. 賀千秋也.
신묘 견 우군 동지 총제 최사위 여 경사 하 천추 야

太上王如興天社 親奠于啓聖殿 命中官奠于貞陵 遂入舍利殿
태상왕 여 흥천사 친전 우 계성전 명 중관 전 우 정릉 수 입 사리전

焚香禮佛 顧瞻山陵 潸然出涕. 時公卿已下爭占貞陵百步外家基
분향 예불 고첨 산릉 산연 출체 시 공경 이하 쟁점 정릉 백보 외 가기

斫伐松木 結構方興.
작벌 송목 결구 방 흥

封太上王宮嬪元氏爲誠妃 柳氏爲貞慶宮主. 元氏 庠之女;
봉 태상왕 궁빈 원씨 위 성비 유씨 위 정경궁주 원씨 상 지녀

柳氏 濬之女. 神德王后之甍 皆以選入宮 至是封之. 拜庠工曹
유씨 준 지녀 신덕왕후 지 훙 개 이선 입궁 지시 봉지 배 상 공조

參議. 太上聞元氏封妃 喜形於色.
참의 태상 문 원씨 봉비 희형 어색

御經筵 召代言金科 孟思誠 李垠 謂之曰: "論語 孟子 予曾
어 경연 소 대언 김과 맹사성 이은 위지 왈 논어 맹자 여 증

粗讀 若中庸則①未嘗讀也." 仍讀之終篇 從容商論. 上曰: "予於
조독 약 중용 즉 미상 독 야 잉 독지 종편 종용 상론 상 왈 여 어

親試 欲先講此書 汝等宜熟讀以俟命." 且曰: "重試近矣 儒生
친시 욕 선강 차서 여등 의 숙독 이 사명 차 왈 중시 근 의 유생

何以習讀! 論孟 別無難知之語 若熟讀深思 則通五經亦不難."
하이 습독 논맹 별무 난지 지어 약 숙독 심사 즉 통 오경 역 불난

左右曰: "若尋章句 則不難 深究義理 無所不通 則雖一經難矣.
좌우 왈 약 심 장구 즉 불난 심구 의리 무 소불통 즉 수 일경 난의

古之名儒 亦專門習讀." 上曰: "然."
고지 명유 역 전문 습독 상 왈 연

壬辰. 雹于春州麒麟縣.
임진 산우 춘주 기린현

震仁同縣人咸悅監務高尙謙妻金氏.
진 인동현 인 함열 감무 고상겸 처 김씨

上詣德壽宮獻壽. 太上王命侍宴近臣 聯句 相與唱和盡歡.
상예 덕수궁 헌수 태상왕 명 시연 근신 연구 상여 창화 진환

議政府上諸道量田之數. 除東西北面不行改量外 京畿 忠淸
의정부 상 제도 양전 지수 제동 서북면 불행 개량 외 경기 충청

慶尙 全羅 豐海 江原六道原田凡九十六萬餘結 及改量 得剩田
경상 전라 풍해 강원 육도 원전 범 구십 육 만여 결 급 개량 득 잉전

三十餘萬結. 前朝之季 田制大毁 洪武己巳 改量六道田附籍 然
삼십 여만 결 전조 지계 전제 대훼 홍무 기사 개량 육도 전 부적 연

其時倭寇方熾 濱海皆陳荒 及是開墾日增 地無遺利 故改量之.
기시 왜구 방치 빈해 개 진황 급시 개간 일증 지무 유리 고 개량 지

申受田侍衛之法. 議政府啓:
신 수전 시위 지법 의정부 계

'受田品官 全爲居京城衛王室 載在六典. 無識之徒 不顧立法
수전 품관 전위거 경성 위 왕실 재재 육전 무식 지도 불고 입법

之意 累年在外 以致侍衛虛疎又憑受田 不肯應當外方軍役. 本府
지 의 누년 재외 이치 시위 허소 우빙 수전 불긍 응당 외방 군역 본부

曾受敎旨以禁之 顧乃不畏成法 只求自便. 竊見外方侍衛軍
증 수 교지 이 금지 고 내 불외 성법 지구 자편 절견 외방 시위군

騎船軍 未受一畝之田 尙且長年從軍 受田品官 則於京於外
기선군 미수 일무 지전 상차 장년 종군 수전 품관 즉 어경 어외

一無所役 實爲不當. 乞取納狀 願居京者 恒令侍衛: 願居外者 悉
일무 소역 실위 부당 걸 취 납장 원 거경 자 항령 시위 원 거외 자 실

定軍役: 老病者 許令子壻弟姪代立: 如有亂雜論說者 痛行禁理.'
정 군역 노병 자 허령 자서 제질 대립 여유 난잡 논설 자 통행 금리

從之.
종지

命收前將軍韓乙生職牒 流之遐方. 乙生 開國功臣忠之子. 素
명 수 전 장군 한을생 직첩 유지 하방 을생 개국공신 충지자 소

狂妄不謹 奸私奴金哲之妻名寶棑者有娠. 金哲執之 訴于刑曹
광망 불근 간 사노 김철 지처 명 보패 자 유신 김철 집지 소우 형조

乙生逃之本鄕伊川縣 上命於外方定軍役. 未幾 乙生潛還京 又與
을생 도지 본향 이천현 상명 어 외방 정 군역 미기 을생 잠 환경 우여

寶棑晝奸 金哲又執而訴之. 刑曹論乙生擅離軍役 恣行淫慾之罪
보패 주간 김철 우 집이 소지 형조 논 을생 천리 군역 자행 음욕 지죄

乃有是命.
내 유 시명

癸巳 罷判軍器監事洪涉等五人職 流注簿申溫良于外方. 初 涉
계사 파판 군기감 사 홍섭 등 오인 직 유주부 신온량 우 외방 초 섭

等以舊例會同僚 試放火㷒于露渡 溫良爲掌務官 爲置酒 且潛
등 이 구례 회 동료 시방 화통 우 노도 온량 위 장무관 위 치주 차 잠

使權知直長朴仲林 監奴莫金 買牛宰之 同僚皆不之知. 兼判事
사 권지 직장 박중림 감노 막금 매우 재지 동료 개 부지지 겸판사

金承霍最後至 涉等使二妓行酒 溫良設饌 承霍見而不悅 稱疾
김승주 최후 지 섭등 사 이기 행주 온량 설찬 승주 견 이 불열 칭질

先歸. 涉等復使工人吹笙笛 二妓歌. 酒罷 溫良又欲奪仲林馬 載
선귀 섭등 부사 공인 취생적 이기 가 주파 온량 우 욕탈 중림 마 재

妓而還. 仲林不從 溫良怒 使人曳而歐之 仲林訴于司憲府. 時
기 이환 중림 부종 온량 노 사인 예 이 구지 중림 소 우 사헌부 시

宰牛宴飮之禁方嚴. 憲府劾承霍等以聞 命承霍勿論 涉以下罪之
재우 연음 지 금방엄 헌부 핵 승주 등 이문 명 승주 물론 섭 이하 죄지

有差.
유차

甲午 宴鄭昇等于廣延樓.
갑오 연 정승 등 우 광연루

乙未 雨雹.
을미 우박

上如太平館 餞鄭昇等.
상 여 태평관 전 정승 등

追諡故參判承樞府事崔雲海襄莊公.
추시 고 참판 승추부 사 최운해 양장공

丁酉 月入太微 右執法.
정유 월 입 태미 우집법

鄭昇等還 得黃牡丹於全羅道高山縣之花巖寺 種之三盆以獻.
정승 등 환 득황 모란 어 전라도 고산현 지 화암사 종지 삼분 이헌

上欲餞昇等於盤松亭 昇先詣闕拜辭 固請勿出 上乃止 命議政府
상 욕전 승 등 어 반송정 승선 예궐 배사 고청 물출 상 내지 명 의정부

餞之盤松亭.
전지 반송정

奇原至自開城留後司.
기원 지자 개성 유후사

賜兀良哈萬戶甫里起花銀帶一腰 靑綿布 黑麻 白苧布 廣紅綃
사 올량합 만호 보리 기화 은대 일요 청 면포 흑마 백저포 광홍초

各一匹 古里銀帶一腰 黑麻布 白苧布各一匹 通事金仁奇草帽子
각 일필 고리 은대 일요 흑마포 백저포 각 일필 통사 김인기 초 모자

一 靑綿布 黑麻布各一匹.
일 청 면포 흑마포 각 일필

戊戌 遣參贊議政府事辛克禮 齋宮醞往問黃儼之疾. 上聞儼至
南原遊勝蓮寺 墮馬傷左臂也.②

己亥 杖全羅道水軍萬戶詹波豆六十 治運糧至安行梁 被倭
失米之罪也. 監運長沙監務高用舟 以禦倭非其任 特令原之.

命置貿易所於鏡城 慶源. 東北面都巡問使朴信上言: '鏡城
慶源地面 不禁出入 則或有闌出之患: 一於禁絶 則野人以不得
鹽鐵 或生邊隙 乞於二郡置貿易所 令彼人得來互市.' 從之 唯鐵
則只通水鐵.

辛丑 遣右代言尹思修 檢校漢城尹楊弘達 齋藥餌及宮醞 問
黃儼之疾.

壬寅 權近復上書辭起復. 書略曰:

'草土臣權近伏聞 傳旨臺省 令及重試 出臣起復依貼. 臣聞命
震駭 神魂隕越 措身無所 進退惟谷. 竊惟移忠必先於爲孝 致治
莫大於厚倫. 孝不能盡 忠何以稱 倫不能厚 治曷由善! 廢孝而
求忠 亂倫而望治 自古及今 寧有是理!

恭惟主上殿下 聖哲之資 光明之學 孝友之至 出於天性 教化之
善 本於躬行. 世道泰 而猶謂其未至 群賢至 而猶慮其有遺 親策
群儒 以興文治 誠千載一時之嘉會也. 經術之士 孰不奮揚 竭力
殫誠 展布所學 思效其忠 以償平日之志願哉? 以臣愚陋 獲荷
寵恩 擢置崇班 俾參文柄 獎待踰涯 糜粉難報. 第緣不幸 遭罹

200

殃禍 衰絰被體 疾病纏身 雖切感激 踴躍承命 內懷慙報之心
앙화 쇠질 피체 질병 전신 수절 감격 용약 승명 내회 참난 지심

外憂攝履之難 進莫得遂 退不自安 俯仰有怍 惶恐無已.
외우 섭리 지난 진막득 수 퇴불 자안 부앙 유작 황공 무이

夫藝文 儒林之重選: 成均 風化之本源. 知經筵則當論道義以
부예문 유림 지중선 성균 풍화 지본원 지경연 즉당론 도의 이

贊化 賓儲副則當講孝悌以輔德. 凡此職位之重 皆關名敎之大 宜
찬화 빈저부 즉당강 효제 이보덕 범차 직위 지중 개관 명교 지대 의

得眞儒 敦守節義 內行無缺 外謗不興者以命之 然後允孚公望
득 진유 돈수 절의 내행 무결 외방 불흥 자이 명지 연후 윤부 공망

無忝厥職. 如臣者 本以庸陋之資 徒守章句 忝竊爵位 曾玷此職
무첨 궐직 여신자 본이 용루 지자 도수 장구 첨절 작위 증점 차직

誠所未稱. 況今居憂而忘哀 貪榮而冒寵 遽釋衰麻 以行吉服 則
성 소미칭 황금 거우 이망애 탐영 이모총 거석 최마 이행 길복 즉

是虧行義無廉恥 得罪於名敎 難逃於物議 上以累盛時之治 下以
시 휴행 의무 염치 득죄 어명교 난도 어물의 상이 누 성시 지치 하이

貽後世之譏矣.
이 후세 지기 의

以此醜行 冒此重任 一且不可 況敢兼有？ 以之長藝文 儒林是
이차 추행 모차 중임 일차 불가 황감 겸유 이지장 예문 유림 시

辱: 以之長成均 風化是毀. 其知經筵 何以贊化 其賓儲副 何以
욕 이지장 성균 풍화 시훼 기 지경연 하이 찬화 기 빈저부 하이

輔德？ 豈可使無行之醜士 兼此國家之重任 以亂彝倫 而汚風俗
보덕 기 가사 무행 지추사 겸차 국가 지중임 이난 이륜 이오 풍속

哉？ 又況親試 思得賢才 以臻至治也. 乃使虧節無恥之夫 參掌
재 우황 친시 사득 현재 이진 지치 야 내사 휴절 무치 지부 참장

考閱 以定高下 苟懷慷慨節義之士 必不肯屑於就試而獻藝矣. 且
고열 이정 고하 구회 강개 절의 지사 필불긍 설 어 취시 이헌예 의 차

臣疾篤 淋發非常 一飯之頃 尙且再起 終夕便旋 不得暫寧. 苟使
신질독 임발 비상 일반 지경 상차 재기 종석 변선 부득 잠녕 구사

纏束袍帶 進居禁密 咫尺天威 恐致汚穢 耳重於聽 尋常語人 屢
전속 포대 진거 금밀 지척 천위 공치 오예 이중 어청 심상 어인 누

至再問 乃得悉知 以是安能辨人講說 眼暗於視 尋常觀書 不過
지 재문 내득 실지 이시 안능 변인 강설 안암 어시 심상 관서 불과

數行 便至昏眩 以是安能考人製作 令臣力疾 强赴試席 如使
수행 편지 혼현 이시 안능 고인 제작 영신 역질 강부 시석 여사

聾者 調其聲律 瞽者觀其文章 何得哉？ 雖勞心力 黽勉供職 病必
농자 조기 성률 고자 관기 문장 하득 재 수로 심력 민면 공직 병필

日增 將至於莫醫 於臣多害 於國無輔 臣竊自料 實不能堪 天日
일증 장 지어 막의 어신 다해 어국 무보 신절 자료 실 불능 감 천일

照臨 豈敢欺罔! 伏望聖慈矜愍 還收成命 俾臣終喪 以光孝治

不勝幸甚. 臣無任懇迫之至 情隘辭蹙 不知所云.'

上不允.

上問諸代言曰: "今文士重試 將如何?" 對曰: "古之設科 皆

以春秋. 今方盛夏 赴擧文臣 皆患極熱 恐違古制." 上曰: "言曰:

'高麗公事 不過三日.' 是亦被人之侮矣." 乃下政府擬議. 政府

啓曰: "若講經則宜待秋涼 若對策則此時亦可." 上乃敎政府曰:

"赴重試者 熟讀經書 至秋九月應試 竝行背文誦講." 初 河崙

建議以爲: "文科出身者 類爲利祿之媒 旣得則旋棄其業." 欲上親

加考閱 定其高下以激揚之 乃立重試法 令從三品以下悉就試 以

二月庚辰爲期. 鄭昇適以是日入京 故不果 復以五月丙申爲期.

議政府請令就試者 臨文講解 是以有待秋之敎.

乙巳 宥中外二罪以下囚. 命兵曹 刑曹 司憲府 巡禁司 曾以

輕罪付處者 幷許外方從便 所釋凡十七人 朴賁 韓乙生等與焉.

以誕晨也. 是日雨 議政府請進酒 上却之.

河崙等獻群臣所製詩卷.③ 用成石璘嘗獻一絶 韻其字.

丙午 雨雹于伊川.

伊川人家馬産四目牝駒 卽日死.

捕齊陵松蟲 調丁夫六百八十. 發留後司倉米 給五六日糧.

丁未 宴奇原于解慍亭. 原素恭謹 不敢以使臣自處 坐于東南隅

上坐西北隅. 酒罷 原詣殿庭 拜謝而退.
상 좌 서북 우 주파 원예 전정 배사 이퇴

賜李居易米豆五十石. 上聞居易在鎭州窮乏 命議政府賜米豆
사 이거이 미두 오십 석 상문 거이 재 진주 궁핍 명 의정부 사 미두

五十石. 宥其子伯寬 伯臣 儇三人 許外方從便. 司憲府上言:
오십 석 유 기자 백관 백신 현 삼인 허 외방 종편 사헌부 상언

'李居易 其罪當誅 殿下寬仁 只許安置其鄕 其子若佇若伯寬
이거이 기죄 당주 전하 관인 지허 안치 기향 기자 약저 약 백관

伯臣 儇之徒 竝皆外方安置 使不得相從 今未數年 殿下宥伯寬等
백신 현 지도 병개 외방 안치 사부득 상종 금미 수년 전하 유 백관 등

三人 竝皆從便. 若是則勢必與其父相會 竊恐因此或生不測之變.
삼인 병개 종편 약시 즉세 필여 기부 상회 절공 인차 혹생 불측지변

伏望毋輕肆宥 各置伯寬等於一方 以謹履霜之戒.'
복망 무경 사유 각치 백관 등 어 일방 이근 이상 지계

上召掌務持平許恒 敎之曰: "居易之罪 誅止其身乎? 抑及其
상소 장무 지평 허항 교지왈 거이 지죄 주지 기신 호 억급 기

妻孥乎? 夷至三族乎? 當此災變之時 予恐無罪而貶黜者 號冤於
처노 호 이지 삼족 호 당차 재변 지시 여공 무죄 이 폄출 자 호원 어

天地也. 欲圖弭災之術 爾等反請無辜者之罪 是何意歟?" 恒曰:
천지 야 욕도 미재 지술 이등 반청 무고 자 지죄 시하 의여 항왈

"今日之疏 從物論也. 物論旣如此 臣等職忝風憲 豈敢緘黙乎?"
금일 지소 종 물론 야 물론 기여차 신등 직첨 풍헌 기감 함묵 호

上曰: "汝輩職在言官 而不論事之是非 但曰從物論可乎? 居易
상왈 여배 직재 언관 이 불론 사지시비 단왈 종 물론 가호 거이

之罪 止坐其身而已 汝輩欲罪其妻孥 豈理也哉? 其思之!"
지죄 지좌 기신 이이 여배 욕죄 기 처노 기이 야재 기 사지

下僧雪然于巡禁司獄. 僧洪漣告于刑曹判書柳亮曰: "雪然逃
하승 설연 우 순금사 옥 승 홍련 고우 형조판서 유량 왈 설연 도

至京中 與其徒惠正等 懷憤有不道語." 亮以告河崙. 崙以聞 命
지 경중 여기도 혜정 등 회분 유 부도 어 량 이고 하륜 륜 이문 명

巡禁司捕雪然等鞫之. 洪漣 卽亮之姊子也.
순금사 포 설연 등 국지 홍련 즉 량지 자자 야

戊申 奇原如羅州 命議政府六曹餞之于崇禮門外.
무신 기원 여 나주 명 의정부 육조 전지 우 숭례문 외

庚戌 命東北面都巡問使 至誠禱雨. 敎曰: '近年以來 水旱相仍
경술 명 동북면 도순문사 지성 도우 교왈 근년 이래 수한 상잉

民失恒産 誠可憐憫. 雲雨興致 岳瀆是賴 雖祀典不載 於名山大川
민 실 항산 성가 연민 운우 흥치 악독 시뢰 수 사전 부재 어 명산대천

奠物精備 都巡問使至誠致齊 親自奠獻 以副予字民之意.'
전물 정비 도순문사 지성 치제 친자 전헌 이부여 자민 지의

辛亥 震南原民熊金及其馬.
신해 진 남원민 웅금 급 기마

壬子 議政府後池赤沸二日.
임자 의정부 후지 적비 이일

東北面都巡問使朴信 執僧海禪送于京. 禪托遊方 潛入上國
동북면 도순문사 박신 집 승 해선 송 우경 선 탁 유방 잠입 상국

回至慶源府境 信遣人誘致以送 下巡禁司 同臺諫刑曹鞫之. 初
회지 경원부 경 신견인 유치 이송 하 순금사 동 대간 형조 국지 초

譯者康邦祐如京師 還至復州 見遼東千戶金聲 言: "本國僧海禪
역자 강방우 여 경사 환지 복주 견 요동 천호 김성 언 본국 승 해선

戒月者來矣." 至半途 邦祐遇一僧 料其爲海禪也 作華語曰: "汝
계월 자 래의 지 반도 방우 우 일승 요 기 위 해선 야 작 화어 왈 여

非朝鮮僧海禪乎?" 因作鄕語紿之曰: "我 東寧衛百戶也. 凡居
비 조선 승 해선 호 인 작 향어 태지 왈 아 동녕위 백호 야 범 거

是衛者 皆朝鮮人也. 聞汝來 豈無鄕曲之意乎?" 禪曰: "山僧亦聞
시 위 자 개 조선인 야 문 여 래 기무 향곡 지의 호 선 왈 산승 역문

如是也." 邦祐因問族親所居與入來意 禪曰: "吾叔父金光秀者居
여시 야 방우 인 문 족친 소거 여 입래 의 선 왈 오 숙부 김광수 자 거

留後司十水川里 山僧本住天磨山. 曩以事至咸州 見僧戒月者 言
유후사 십수천리 산승 본주 천마산 낭 이사 지 함주 견 승 계월 자 언

中國風土甚樂 思欲一見而來也." 邦祐還告于朝 執光秀詰之 曰:
중국 풍토 심락 사욕 일견 이 래야 방우 환고 우조 집 광수 힐지 왈

"吾有姪僧 然未知其所往也. 其親父在西北面." 乃捕其父 其後
오 유 질승 연 미지 기 소왕 야 기 친부 재 서북면 내 포 기부 기후

奏聞使李玄至大明 見鄭昇 昇曰: "聞有太上王瑨 今在咸州 果是
주문사 이현 지 대명 견 정승 승 왈 문 유 태상왕 서금 재 함주 과시

誰乎?" 玄曰: "無有." 昇笑而不復言. 玄回至遼東 有千戶姓王者
수호 현 왈 무유 승 소 이 불부 언 현 회지 요동 유 천호 성 왕 자

亦以是問之 玄還以告. 人多疑上黨君李佇 使禪走泄. 以問禪父
역 이시 문지 현 환 이고 인 다 의 상당군 이저 사 선 주설 이문 선부

答曰: "吾子嘗爲上黨君營佛寺矣." 判巡禁司事朴錫命等 皆以爲
답왈 오자 상 위 상당군 영 불사 의 판 순금사 사 박석명 등 개 이위

辭連上黨君 不可不究問 上曰: "佇雖廢 豈至爲此! 然若不明訊
사연 상당군 불가 불 구문 상왈 저 수 폐 기지 위차 연 약 불 명신

人言未已 宜問佇之僕從." 因 謂左右曰: "我終不令此事同於尹彛
인언 미이 의 문 저지 복종 인 위 좌우 왈 아 종 불령 차사 동 어 윤이

李初之亂." 巡禁司詰諸僕從 皆曰: "吾主專盛之時 嘗爲小郞營
이초 지 란 순금사 힐 제 복종 개 왈 오주 전성 지시 상 위 소랑 영

一寺 放廢之後 未嘗復見此僧." 後鄭昇來 上問以玄所聞 昇屛
일사 방폐 지후 미상 부 견 차승 후 정승 래 상문 이현 소문 승병

左右言之. 自是待伫益厚. 及禪來訊之 辭不及伫.

좌우 언지 자시 대저 익후 급선 래신지 사 불급 저

癸丑 宥盧異 申曉 京外從便. 司諫院上疏曰:

계축 유 노이 신효 경외 종편 사간원 상소 왈

'敢言不諱 人臣之職: 虛心納諫 君上之德. 是以言之者 雖或

감언 불휘 인신 지직 허심 납간 군상 지덕 시이 언지자 수혹

不中 亦且優容 所以開言路而廣視聽也. 向者正言盧異 申曉

부중 역차 우용 소이 개 언로 이 광 시청 야 향자 정언 노이 신효

等 言雖過中 原究其情 但欲盡其言責而已. 其時 本院曾請其罪

등 언수 과중 원구 기정 단욕진 기 언책 이이 기시 본원 증청 기죄

殿下遣置鄉閭 久不肆宥. 臣等竊恐後之欲有言於殿下者 皆以

전하 견치 향려 구불 사유 신등 절공 후지 욕유언 어전하 자 개이

二人爲戒 嘉謨善言 無自而達. 昔唐皇甫德參上書忤旨 太宗以爲

이인 위계 가모 선언 무자 이달 석당 황보 덕참 상서 오지 태종 이위

謗訕 魏徵諫曰: "自古上書 率多激切. 若不激切 則不足以動人主

방산 위징 간왈 자고 상서 솔다 격절 약불 격절 즉 부족이 동 인주

之心 而激切則似乎謗訕." 太宗善其言. 願殿下特宥二人 以開

지심 이 격절 즉 사호 방산 태종 선 기언 원 전하 특유 이인 이개

言路.'

언로

上覽疏 即召掌務獻納李安直 教之曰: "爾等知盧異之罪乎? 昔

상람소 즉소 장무 헌납 이안직 교지왈 이등 지 노이 지죄 호 석

予納金寶海之妹于宮中 不知其適人也 及聞已適人也 則亟出之.

여납 김보해 지매 우 궁중 부지 기 적인 야 급문 이 적인 야 즉극 출지

異爲正言 嘗語人曰: '今殿下奪人之妻 納于宮中.' 然予本不如此

이위 정언 상어 인왈 금 전하 탈 인지처 납우 궁중 연여본 불 여차

若異效忠於予 則宜進諫 使予改過 而乃漏言於人 其不爲予臣

약이 효충 어여 즉의 진간 사여 개과 이내 누언 어인 기 불위 여신

明矣 故使之退處鄉里耳 非罪之也. 昔吉再言: '忠臣不事二君.'

명의 고 사지 퇴처 향리 이 비 죄지 야 석 길재 언 충신 불사 이군

予命送于鄉. 再有何罪 予豈流之? 異亦同此. 若申曉則予不知

여명 송 우향 재유 하죄 여기 유지 이역 동차 약 신효 즉여 부지

迨今尙在貶所也. 汝等今日之言 以一時朋援而欲救解乎? 抑欲使

태금 상재 폄소 야 여등 금일 지언 이 일시 붕원 이 욕구 해호 억 욕사

予放宥乎? 敍用乎?" 安直惶恐對曰: "以朋援而欲救解 則臣等

여 방유 호 서용 호 안직 황공 대왈 이 붕원 이 욕구 해 즉 신등

豈敢? 若放宥與敍用 亦非敢擅 但以異等因論事而得罪 恐閉

기감 약 방유 여 서용 역비 감천 단이 이등 인 논사 이 득죄 공폐

言路耳." 上曰: "予雖欲用異 異必不肯爲臣於予矣." 乃命宥之.

언로 이 상왈 여수 욕용 이 이필 불긍 위신 어여 의 내명 유지

甲寅 召軍資提調 問糧餉之數. 上謂兼判軍資監事閔無恤

沈龜齡曰："今軍資糧餉所畜幾何?" 皆曰："臣等未之知也." 上

笑曰："昔漢文帝問宰相曰：'天下錢穀幾何?' 周勃不能對. 陳平

曰：'有司存焉 非宰相所知也.' 今卿等與周勃 陳平 孰爲賢否? 何

其不知也!" 遂取軍資會計而視之曰："我國費用甚多 然今蓄穀尙

如此 亦足矣."

遣判內侍府事李匡如全羅道. 禮曹判書李文和啓曰："往者 有

西域一僧來至京師 帝以爲生佛 率千官冠帶郊迎. 以是觀之

欽差官等奉耽羅銅佛入京之日 殿下亦宜率百官具朝服郊迎 以示

爲天子尊敬之義." 代言尹思修曰："安有是理! 臣以爲殿下迎欽差

于都門之外則可 若爲迎銅佛則不可." 上曰："然. 帝使省親內官

偶爾求佛 已爲非義 況發專使 齎勑書以求之乎? 是誠佞佛矣."

文和又曰："殿下佯尊此佛 遣人致香 宜若可爲也." 思修曰："彼

黃太監固知殿下之不崇佛敎也. 雖不致香可矣." 上曰："此無害於

義." 乃遣判內侍府事李匡送香.

乙卯 檢校議政府左政丞慶補卒. 補 淸州人 侍中復興之子. 性

淸儉 官至贊成事. 卒年八十三 諡良靖. 無子.

丙辰 命開仁昭殿基. 上將改營仁昭殿於昌德宮北 出北門命

書雲觀卜地. 劉旱雨啓："昌德宮主山之氣 畜於此地 若堀而

營室 必不利於宮闕." 上召李稷議之 稷曰："非主山之脈 乃別出

穹窿 爲南面勢也. 殿下若擇近地營眞殿 則無踰此地矣." 上悅

卽令開基 還解慍亭置酒 稷以下諸代言以次進酌. 稷從容言曰:

"祖宗之法 不可輕改. 輕改則人心輕變 輕變則國勢不固矣 不可

不謹也." 上曰:"卿言是也." 語及壬午東北之變曰:"予於其時 蓋

欲黜退奸黨 奉迎太上也 然於心終不安. 今茲旱氣 乃天所以譴

我也." 上又曰:"祈雨雖非令典 欲示恐懼修省之意也. 宜令中外

務要精究設祭." 又命獄官速決罪囚. 明日上謂左右曰:"予固疑

旱雨之言 今觀此地 實非主山之脈也. 且近於宮闕 予欲朝夕奉祀

如平時也." 因曰:"予初欲只置眞殿 金瞻言宜有佛堂 可令幷營."

知申事黃喜曰:"營一佛堂 雖曰無弊 但垂法後世則未可也." 上

曰:"佛氏之道 虛實難知也. 昔權仲和言:'吳道子所畵觀音像

放光.'予聞而甚異之." 喜曰:"然則想道子有秘術而然 豈佛氏之

靈異也?" 上論古昔帝王優劣曰:"漢高祖寬仁有豪宕之氣 文帝

溫和謹重 誠太平之主也. 明帝稟性輕躁 嘗因盛怒 手自擊人;

光武實可取法 然或有可笑之言也." 左右曰:"宋太祖亦賢君也."

上曰:"然. 然其間有過中之事也." 上論地理曰:"東北面 予之

祖先山陵. 其山脈地理 殊異於常地." 左右曰:"誠如上敎." 黃喜

曰:"劉旱雨昔因私憾 愬田時於太上王 諸將相及臣等 皆下獄

得罪." 上曰:"予嘗聞此而不知其詳 然旱雨觀其面則眞幽譎 必有

秘術者也."

丁巳 全羅道都體察使朴錫命有疾 以禮曹判書李文和代之 代
<small>정사　전라도　도체찰사　박석명　유질　이　예조판서　이문화　대지　대</small>

爲接伴使也.
<small>위　접반사　야</small>

司諫院上疏 略曰:
<small>사간원　상소　약왈</small>

'比年以來 水旱相仍 農家失業 公私之蓄 誠可哀痛. 今全羅道
<small>비년　이래　수한　상잉　농가　실업　공사　지축　성가　애통　금　전라도</small>

正當農節 使臣之行 留至數月 供億之費 迎送之擾 奔走服役 猶
<small>정당　농절　사신　지행　유지　수월　공억　지비　영송　지요　분주　복역　유</small>

恐不逮. 加以轉送銅佛之像 則此方之民 奚暇治農業哉? 傳曰:
<small>공　불체　가이　전송　동불　지상　즉　차방　지민　해가　치농업　재　전왈</small>

"一夫不耕 或受之飢." 況一道乎? 伏望其道侍衛軍士 限農月
<small>일부　불경　혹수지기　황일도호　복망　기도　시위　군사　한농월</small>

放還營農: 凡可撫恤之事 下詢監司 一皆蠲免: 使臣所過他道
<small>방환　영농　범가　무휼　지사　하순　감사　일개　견면　사신　소과　타도</small>

受弊亦巨 竝加矜恤 以慰民生 以固邦本.'
<small>수폐　역거　병가　긍휼　이위　민생　이고　방본</small>

從之.
<small>종지</small>

| 원문 읽기를 위한 도움말 |

① 若中庸則. '若~則'은 '~의 경우에는'이라는 뜻이다.
<small>약 중용 즉　약 즉</small>

② 上聞儼至南原遊勝蓮寺 墮馬傷左臂也. 上 앞에 以가 없기는 하지만 이
<small>상 문 엄 지 남원 유 승련사　타마 상 좌비 야　상　　이</small>
는 '以~也'의 구문으로 '왜냐하면 ~하기 때문이다'라는 뜻이다.
<small>이 야</small>

③ 群臣所製詩卷. '~所~'라는 구문으로 '여러 신하들이 지은 시권'이라는
<small>군신 소제 시권　소</small>
표현이다. 자주 쓰이는 문장이다.

태종 6년 병술년
6월

六月

기미일(己未日-1일) 초하루에 일식이 있었다.

○ 일본 국왕(日本國王)이 사신을 보내 내빙(來聘)했다.

○ 오도리(吾都里)의 동소을오(童所乙吾), 이호심파(李好心波), 동어
허주(童於虛主) 등 7인이 왔다.

○ 동소을오(童所乙吾) 등 7인에게 청면포(靑綿布)·홍주포(紅紬布)·
흑마포(黑麻布)·백저포(白苧布)를 각각 1필씩 내려주고, 어허주(於虛
主)의 아들 어을(於乙)·어이(於伊)에게는 흑마포를 1필씩 내려주었다.

임술일(壬戌日-4일)에 사람을 보내 경상도 병마도절제사 유용생(柳
龍生, ?~1434년)[1]과 도관찰사 김희선(金希善, ?~1408년)[2]에게 궁온(宮

---

1   아버지는 문하찬성사 유연(柳淵)이다. 공민왕 때 궁중에서 자랐으며 20세에 벼슬길에 올
    라 창왕 때 문하부 밀직사(門下府密直使)가 됐다. 1390년(공양왕 2년)에는 자혜부 판사
    (慈惠府判使)로, 이듬해에는 동북면 도절제사가 됐다. 1392년 동북면 도절제사 겸 화령
    부윤(和寧府尹)으로 있을 때 왜구를 포획하는 데 공이 컸다. 1401년(태종 1년)에 중군총
    제가 되었고, 이듬해 성절사(聖節使)로 명나라에 다녀왔다. 1404년 경상도 도절제사 및
    경상도 병마절제사로 있을 때도 왜구 퇴치에 큰 공을 세웠다. 1407년 공조판서·참찬의
    정부사(參贊議政府事)가 됐으며, 이듬해 성절사로 다시 명나라에 다녀왔다. 1409년 호조
    판서·중군도총제 등을 역임하고 형조판서가 됐다. 당시 민무구(閔無咎)·민무질(閔無疾)
    형제의 사건 관련자를 국문할 때 형관으로서 엄하게 하지 않았다는 문책을 당하고 파직
    돼 외방(外方)으로 유배 갔다. 이듬해 과전(科田)은 환급받았다. 문관으로 무관도 겸하면
    서 특히 왜구 퇴치에 큰 공을 세웠다.
2   1392년(태조 1년) 호조판서를 거쳐 이듬해 전라도 안렴사로 있으면서 전국 각 도에 의학
    원을 설치할 것을 건의했다. 1395년 노비변정도감의 판사가 됐으며, 동지중추부사로 재

醞)을 내려주고 또 견내량(見乃梁) 천호 김구(金甌)와 녹도(鹿島) 천호 김인상(金仁祥)에게 기(綺)와 견(絹)을 각 1필씩 내려주고 그 군사 가운데 힘써 싸우다가 부상한 자에게는 쌀과 콩을 차등 있게 내려주었다. 구(甌)와 인상(仁祥)이 왜적의 배 한 척을 소지도(小知島) 큰 바다에서 잡고 13급(級)을 베었기 때문이다.

계해일(癸亥日-5일)에 (강원도) 회양부(淮陽府-양구 인근) 화악산(華嶽山)에 눈이 내렸다.

○ 전 대호군 강진(康鎭)을 (강원도) 원주(原州)로, 전 산원(散員)[3] 홍상검(洪尙儉)을 (충청도) 연산(連山)[4]으로 유배 보냈다. 대간(臺諫)에서 말씀을 올렸다.

'죄인을 감추어 숨겨주는 것[藏匿(장닉)]은 법으로 주살에 해당합니다. 지금 중 설연(雪然)이 죄를 범해 도망 중인 것을 나라 사람들이 다

직 중 정조사가 되어 명나라에 다녀왔다. 이듬해 중추원부사로서 충청·전라·경상도에 내려가 백성들의 병고를 묻고 돌보았다. 1398년 원주목사를 거쳐 1402년 참지의정부사·서북면 도순문찰리사가 됐다. 1404년 대사헌·지의정부사를 거쳐 이듬해 경상도 관찰사, 1406년 형조판서가 됐다. 이듬해 부친의 병으로 참찬의정부사 겸 대사헌직을 사직하고자 하니 효성이 지극함이 더욱 빛났다. 곧 호조판서가 됐으며 의학에 정통하여 중요한 의학서적들을 저술했다. 편저로는 『향약제생집성방(鄕藥濟生集成方)』, 『우마의방(牛馬醫方)』 등이 있다.

3 조선 초기의 무관(武官) 벼슬이며 정8품관으로 1영(領)에 5인씩 배치했다.

4 본래 백제의 황등야산군(黃登也山郡)이었는데 757년(경덕왕 16년)에 황산군(黃山郡)으로 고쳤다. 940년(태조 23년)에 연산(連山)으로 고쳐 현이 됐고, 1018년(현종 9년)에 공주의 속현이 됐다가 뒤에 감무를 두고, 1413년(태종 13년)에는 현감을 두었다. 1636년(인조 14년)에는 이성(尼城), 은진(恩津)과 합해서 은산현(恩山縣)이 됐다가 1656년(효종 7년)에 다시 분리했다. 1895년(고종 32년)에 군으로 승격해 공주부의 관할이 됐다가 1914년 행정구역 개편 때 논산군에 합해져 연산면이 됐다.

아는 바입니다. 의안대군(義安大君) 화(和), 원윤(元尹) 이덕근(李德根, ?~1412년),[5] 한평군(漢平君) 조연(趙涓, 1374~1429년),[6] 전 대호군 강진, 전 소윤(小尹) 이란(李蘭), 전 산원 홍상검 등이 돌아가면서 재우거나 숨겨주면서 잡거나 고발하지 않고 몰래 도제(徒弟)들과 내통하게 했는데 그 공사(供辭-조서)가 불궤(不軌-역모)한 데 관련되므로 위를 속이고 법을 무너뜨린 죄를 징벌하지 않을 수 없습니다.'

드디어 소유(所由)[7]를 보내 파수하여 지키게 하니 상이 화(和) 등은 모두 훈친(勳親)이라는 이유로 명하여 거론(擧論)하지 말게 하고 다만 강진과 홍상검만 유배시키고, 장령(掌令) 이명덕(李明德)을 불러 꾸짖었다.

"이 같은 작은 일로써 대군(大君)의 집을 파수하여 지키게 하는 것은 매우 도에 지나치다. 이 뒤로는 다시 이와 같이 하지 말라."

곧 내수(內竪-어린 환관)를 화의 집에 보내 수직하는 소유들을 쫓아내게 했다.

---

5 아버지는 태조의 장남 진안대군(鎭安大君) 이방우(李芳雨)다. 형 이복근(李福根)은 적장자로 봉녕부원군(奉寧府院君)에 봉해졌지만 둘째이자 얼자인 이덕근은 원윤(元尹)에 봉해졌다. 와룡사(臥龍寺) 주지 설연(雪然)이 죄를 짓고 숨어 다니는 것을 도와주었으나 종친이어서 죄를 묻지는 않았다.

6 아버지는 용원부원군(龍原府院君) 조인벽(趙仁璧)이다. 어머니는 정화공주(貞和公主: 환조(桓祖-이성계의 아버지 이자춘)의 큰딸)이다. 조선이 건국되자 천우위대장군(千牛衛大將軍)이 됐는데 왕의 의친(懿親)인 까닭에 별운검(別雲劒)이 돼 좌우에서 왕을 호위했다. 1396년(태조 5년) 과의상장군(果毅上將軍)에 승진되고, 이어 중추원우승지·동지삼군부사(同知三軍府事)를 역임했다. 1400년(정종 2년) 2차 왕자의 난에 이방원(李芳遠)을 도와 좌명공신(佐命功臣) 4등이 되고 한평군(漢平君)에 봉해졌다. 1402년(태종 2년) 우군총제(右軍摠制)를 거쳐 1404년 도총제를 역임한 뒤 무과회시에 감교관(監校官)이 돼 33인의 무신을 뽑았다.

7 사헌부의 서리다.

○ 예조에서 아뢰었다.

"신도(新都) 성황신(城隍神)을 예전 터로 옮겨 사당(祠堂)을 세우고
서 제사하기를 빕니다."

그것을 따랐다. 한양부(漢陽府) 성황당(城隍堂)의 옛터였다. 또 아
뢰었다.

"『홍무예제(洪武禮制)』를 상고해보니 '부·주·군·현(府州郡縣)에 모
두 사직단(社稷壇)을 세워서 봄·가을에 제사를 행하고, 서민(庶民)
에 이르기까지도 또한 이사(里社-마을 사당)에 제사를 지낸다'라고
했습니다. 바라건대 이 제도에 의거해 개성 유후사(留後司) 이하 각
도 각 고을에 모두 사직단을 세워 제사를 행하게 해야 합니다."

그것을 윤허했다.

○ 서북면 도순문사 조박(趙璞)이 토관(土官)[8]의 제도를 계달(啓達-
보고)했다. 계달(啓達)은 이러했다.

'평양부사(平壤府司)의 원수(元數-인원)를 살펴보니 그 수가 600여

---

8 고려 말기부터 조선 초기까지 행정적·군사적 요충지에 대한 효율적인 지방 통제와 군사
   적 방어조직의 강화를 위해 그 지방의 향호(鄕豪)적 존재인 고위 장병이나 향리역을 마
   친 자 등을 선발해 편제한 특수한 지방관제다. 정5품 이하의 체아직(遞兒職)으로 차수
   (差授)되었던 토관직은 일반 문무관례(文武官例)에 따라 50일 내에 서경(署經)을 했고 만
   30삭(朔)에 가자(加資), 천전(遷轉)하도록 되어 있었다. 토관이 중앙관직을 받을 경우에
   는 1품을 낮추기로 돼 있으며, 동반 토관은 관찰사, 서반 토관은 절도사가 본도인으로 추
   천하여 임용했다. 녹봉(祿俸)은 없었으며 지록(地祿)이라 하여 마치 군전(軍田)과도 같이
   전지(田地)가 3~10결 정도가 지급됐다. 원래 고려시대에 마련되었던 토관제가 조선왕조
   에 들어와서도 그대로 이어져서 평양(平壤)·화주(和州)·제주(濟州) 등지에 설치되었던
   것이 세종조에는 6진(鎭)을 비롯하여 경성(鏡城)·영변(寧邊)·의주(義州)·강계(江界) 등
   요충지 12곳에 확대 실시됐으며, 세조 때에는 광주(廣州)·전주(全州)·개성(開城) 등 구도
   (舊都)와 길주(吉州)에 일시 토관제가 시행됐으나 1462년(세조 8년) 2월 토관제 재정비에
   따라 혁파됐다.

명이나 녹(祿)을 받고 있습니다. 그래서 근처 각 고을과 평양부의 외곽 마을에 사는 백정(白丁)들까지 직임을 받으려고 청탁하여 군역(軍役)을 면하려고 꾀합니다[規=謀]. 그중에 직사(職事)는 없이 참칭(僭稱)하는 아문(衙門)으로서 없애버릴 만한 것을 추려서[磨鍊] 다음과 같이 기록합니다.

내부시(內府寺)가 도벽(塗壁)을 맡고, 내원시(內園寺)가 채원(菜園)을 맡고, 내주시(內廚寺)가 각 아(各衙)의 반봉(飯奉-음식 준비)을 맡는데 이상 세 아문(衙門)은 분수에 넘치게 경관(京官)의 내자(內字)에 비견했으니 이름을 고치는 것이 어떻겠습니까?

대흥부(大興部)·용덕부(龍德部)·용흥부(龍興部)·천덕부(川德部)·흥토부(興土部) 이상 5부(部)는 호적을 맡고 있는데 (비슷한 일을 하는) 동·서·남·북 도감(都監)의 관원이 각각 4명, 동·서·남·북 성황도감(城隍都監)의 관원 각각 4명, 도합 32명이 한가하게 놀고 녹(祿)을 먹으면서 군역(軍役)을 피하니 옳지 못합니다. 사면의 도감(都監)과 사면의 성황도감(城隍都監)을 5부에 합쳐서 귀속시키는 것이 어떻겠습니까?

예의사(禮儀司)에 녹관(祿官)이 6명, 전례사(典禮司)에 녹관이 5명인데 이상 두 사(司)는 하는 일이 같으니 합쳐서 한 사(司)로 만드는 것이 어떻겠습니까?

영작원(營作院)에 녹관이 4명, 장작시(將作寺)에 녹관이 4명인데, 이상 두 사(司)는 하는 일이 같으니 합쳐서 한 사(司)로 만드는 것이 어떻겠습니까?

좌우 군영(軍營)의 녹관이 각각 4명으로 등유(燈油)를 맡는데, 군

영으로서 등유(燈油)를 맡는 것은 더욱 의미가 없으니 없애는 것이 좋으므로 군기시(軍器寺)에 합치는 것이 어떻겠습니까?

정설서(正設署)에 녹관이 8명이고 대관서(大官署)에 녹관이 4명인데, 이상 두 아문(衙門)은 하는 일이 같으니 합쳐서 한 사(司)로 만드는 것이 어떻겠습니까?

태창서(太倉署)에 녹관이 4명인데 창고(倉庫)를 맡고, 경시서(京市署)에 녹관이 말[斗]과 되[升]를 맡으니 이상 두 아문(衙門)을 합쳐서 한 사(司)를 만들어 말과 되를 겸해 맡게 하는 것이 어떻겠습니까? 장야사(掌冶司)에 녹관이 4명인데 군기시(軍器寺)에 합속(合屬)하는 것이 어떻겠습니까?

영선점(迎仙店) 녹관이 6명으로 청소[灑掃]를 맡고 있는데 없애는 것이 어떻겠습니까?

공역서(供役署) 녹관이 4명으로 반봉(飯奉)을 맡고 있는데 의미가 없으니 없애는 것이 좋겠습니다.

진설서(陳設署)가 포진(鋪陳)을 맡고, 소부시(小府寺)가 포진을 맡으니 두 사(司)를 합쳐서 한 사(司)로 만들고, 도진사(都津司)가 마소를 잡는 일을 맡고, 군기시(軍器寺)가 군기(軍器)를 맡고, 장작시(將作寺)가 영선(營繕)과 탄소목(炭燒木)을 맡고, 오부(五部)가 호적(戶籍)을 맡고, 전례사(典禮司)가 제사와 예악(禮樂)을 맡고, 의학원(醫學院)이 의약을 맡고, 제학원(諸學院)이 학교를 맡고, 열악원(閱樂院)이 음악을 맡고, 영송도감(迎送都監)이 반봉(飯奉)을 맡고, 동서 대비원(東西大悲院)이 병인(病人)을 맡고, 사온서(司醞署)가 술[酒味]을 맡고, 정설서(正設署)가 연향(宴享)을 맡고, 태창서(太倉署)가 창고를 맡고, 염점(鹽店)이 공염(貢鹽)을 맡고, 전구서(典廐署)가 닭과 돼지를 맡고, 대영서(大盈署)가 부관(府官)의 쌀을 맡고, 전옥서(典獄署)가 형옥(刑獄)을 맡고, 누각원(漏刻院)이 경루(更漏)를 맡는데, 이상 도진사(都津司) 이하 각사(各司)는 예전대로 하는 것이 어떻겠습니까? 서반(西班-무반)의 각사(各司)는 다시 상정(詳定)하는 것이 어떻겠습니까?'

계달한 것을 의정부에 내려보냈다.

갑자일(甲子日-6일)에 큰비가 내렸다.

○ 서운부정(書雲副正) 박념(朴恬)을 (경상도) 동래(東萊)로 유배 보냈다. 사간원에서 소를 올려 말했다.

'정전(政典)에 이르기를 "때보다 먼저 하는 자는 죽여 용서하지 말고 때에 미치지 못하는 자도 죽여 용서하지 말라"[9]고 했습니다. 이는 옛날의 뛰어난 임금[先王]들이 하늘의 경계를 삼가는 까닭이었_{선왕}습니다. (그런데) 지금 서운부정 박념이 일식(日蝕)의 변화를 추보(推步)[10]하여 시일(時日)과 분도(分度)를 정했으나 일식이 정한 분도(分度)를 지났고, 때도 정한 때에 어긋났으니 이미 그 직임을 내버린[尸] 것입니다. 또 해란 모든 양기(陽氣)의 으뜸인데 가려지거나 먹히는 일_시이 있으면 천변(天變) 중에서도 큰 것입니다. 마땅히 중외(中外)에 포

9　이 말은『서경(書經)』「하서(夏書)」'윤정(胤征)'에 실려 있는 말이다. 정전(政典)은 선왕의 정사를 기록한 책이다.

10　천체를 관측하고 역(曆)을 계산하는 방법이다.

고(布告)하는 것은 구식(救食)[11]하는 전례(典禮)를 거행하기 위함입니다. (그런데) 념은 마침내 천상(天象)에 어두워 구식(救食)하는 일을 폐기하게 했으니 바라건대 유사(攸司)에 내려 법대로 시행해야 합니다.'

상이 다만 외방에 유배 보내도록[流外] 했다.
_{유외}

○ 의정부에서 속공(屬公)된 노비를 진고(陳告-신고)하는 법을 올리니 그것을 따랐다. 소는 이러했다.

'양인(良人)인지 천인(賤人)인지를 분변(分辨)할 수 없는 자와 비첩(婢妾)의 소생은 모두 천인을 면하게 하여 양인이 되도록 허락해 사재감(司宰監) 수군(水軍)에 속하게 했습니다[屬]. (그런데) 완악(頑惡)한 무리들이 상의 은덕[上德]을 감사히 받아들이지 않고 오히려[猶] 이를 부족하게 여겨[以爲] 도망쳐 숨어서 역(役)을 피하는 자가 자못 많으니 장차 이름을 훔쳐 양반(兩班)과 섞이는 폐단이 있을 것입니다. 바라건대 오는 10월 초1일을 기한으로 하여 그 전에 나타나지[現身] 않는 자는 전에 상송(相訟)하던 자와 본주인의 친족이 진고(陳告)하는 것을 허락하여 아울러 종천(從賤)[12]하도록 하되, 반(半)은 진고한 자에게 주고 반은 속공(屬公)시켜야 할 것입니다. 또 상송하던 양편이 모두 부당하다 하여 속공된 노비는 사천(私賤)을 면한 것

---

11 일식(日食)이나 월식(月食)이 있을 때 임금이 각사(各司)의 당상관(堂上官)과 낭관(郎官)을 거느리고 기도를 드리던 일을 가리킨다. 해나 달이 다시 완전해질 때까지 월대(月臺)에서 기도했는데 이때 천담복(淺淡服)을 입으며 좌우에 악기(樂器)를 벌려놓지만 연주하지는 않았다.

12 부모 가운데 어느 한쪽이 천인(賤人)일 때 그 자식도 천인이 되던 법을 가리킨다. 반대로 양인(良人)이 되는 것은 종량(從良)이라고 한다.

만으로도 만족해야 할 것인데, 오히려 도망쳐서 역(役)을 피하는 자가 있는데도 공처(公處-관아)에서 쉽게 추고(推考)하지 못하고 있습니다. 또한 10월 초1일을 기한으로 하여 나타나지 아니하는 자는 전에 서로 다투던 양편의 친족이 진고하는 것을 허락하여 3분의 1은 진고한 자에게 상(賞)으로 주고, 그 나머지는 도로[還] 속공하게 하도록 하는 것을 항식(恒式)으로 삼아야 할 것입니다.'

을축일(乙丑日-7일)에 비가 내렸다.

○ 군자감 승(軍資監丞) 박희종(朴熙宗, ?~?)[13]을 파직했다. 희종(熙宗)이 당시 세자 좌정자(世子左正字)가 되어 일찍이 남과 더불어 집안 땅을 다투다가 소송하여 이기지 못하자 사사로이 환관(宦官) 황도(黃稻)에게 청해 세자(世子)로 하여금 한성부 관원에게 부탁하게 해서 자기를 돕게[右=助] 하려고 했는데 도(稻)가 옳지 못하다고 여겨 그만두었다. 우사간 대부(右司諫大夫) 윤사영(尹思永) 등이 말씀을 올렸다.

'세자를 기르는 것[養]은 나라의 근본을 반듯하게 하는 것[端]입니다. 이 때문에 옛날의 뛰어난 사람들이 사(師)·부(傅)·보(保)를 두어 모두 바른 사람[正人]을 고른 것은 세자로 하여금 보고 듣는 것을 바르게 하여 배우는 바를 밝게 하려는 것이었습니다. 지금 전하께서 이미 서연(書筵)을 베풀고 모두 문학(文學-유학)의 인사로 채워

---

13 태종 1년 문과에 급제했다. 조말생과 동방이다.

넣은 것은 절차탁마(切磋琢磨)[14]하여 그 다움[德]을 이루려는 것입
니다. 정자(正字) 박희종(朴熙宗)은 환관(宦官)에게 연줄을 대어[夤緣]
외람되게 자기의 집터를 절수(折受)하는 일로 세자에게 진달하기를
바랐는데 환관 황도(黃稻)가 오히려 옳지 못하다고 여기고서 그만두
고 말을 밖에 퍼뜨렸습니다. 희종은 세자의 좌우에 있으면서 이익을
취하려고 감히 옳지 못한 짓을 행하여 위로는 세자를 저버리고 아
래로는 선비의 기풍[士風]을 더럽혔으니 그 염치 없는 죄를 징계하지
않을 수 없습니다. 엎드려 바라옵건대 유사(攸司)로 하여금 법의 규
정에 맞게 죄를 내려야 합니다[科罪].'

  이에 파직시켰다.

  ○ 진리(陳理, ?~1408년)[15]에게 쌀과 콩 4석과 술 10병을 내려주었다.

---

14 위(魏)나라 무공(武公)의 덕을 찬양하기 위해 지었다는 『시경(詩經)』 「위풍(魏風)」 '기오
(淇奧)' 제1연에 나온다.
  "저 기수 물굽이에 왕골과 마디풀 우거져 있네. 깨끗하고 멋진 우리 님이여 끊는 듯 닦는
  듯 쪼는 듯 가는 듯 하시네. 늠름하고 엄숙하며 빛나고 빼어나니 멋진 님이여 끝내 잊을
  수 없구나[瞻彼淇奧 綠竹猗猗 有匪君子 如切如磋 如琢如磨 瑟兮僴兮 赫兮咺兮 有匪君子 終
  不可諼]."
  그 후 『논어(論語)』 「학이(學而)」편에서 자공이 공자에게 "가난하면서도 아첨하지 않고,
  부유하면서도 교만하지 아니하면 어떠합니까?"라고 하자 공자가 "괜찮구나. 그러나 가난
  하면서도 도를 즐기고, 부유하면서도 예를 좋아하는 것만 못하니라"라고 답했다. 다시 자
  공이 말하기를 "시에 나오는 끊는 듯 닦는 듯, 쪼는 듯 가는 듯하다는 것이 바로 이것을
  이르는 것입니까?"라고 하니 공자는 이렇게 말했다. "사야, 이제야 비로소 너와 더불어 시
  를 이야기할 수 있구나. 지난간 일을 일러주니 앞으로 다가올 일을 아는구나[子貢曰 貧而
  無諂 富而無驕 何如 子曰 可也 未若貧而樂 富而好禮者也 子貢曰 詩云 如切如磋 如琢如磨 其斯
  之謂與 子曰 賜也 始可與言詩已矣 告諸往而知來者]."
  또 『대학(大學)』에서 "자르고 갊[如切如磋]은 배움을 말하고, 갈고 쪼음[如琢如磨]은 스
  스로 수양함[自修]이다"라고 했다. 결국 절차탁마는 끊임없이 학문과 덕성을 갈고 닦으라
  는 의미로 사용됐다.
15 중국 양산(梁山) 사람으로 세칭 진왕(陳王)이라 불렸다. 부친은 안남국(安南國)의 왕 진

정묘일(丁卯日-9일)에 비가 내렸다.

○ 태상왕이 환자(宦者-환관) 김문후(金文厚), 김중귀(金仲貴), 김수징(金守澄) 등을 내쳤다. 태상왕이 회암사(檜巖寺)에 행차해 그곳에 반야경(般若經)을 옮겨놓고자 하니 문후, 중귀, 수징 등이 그만둘 것을 굳게 청했다. 태상이 노하여 문후 등을 밖에 내치고 문을 닫고서 들이지 않았다. 지신사 황희(黃喜)가 마침[適] 나아가서 아뢰어 말했다.

"성비(誠妃)를 봉숭(封崇)[16]할 날이 이미 가까운데 만약 산사(山寺)에 행차하시면 예식을 행하는 데 방해가 될까 두렵습니다."

태상왕이 조금[稍] 기뻐하는 빛을 띠면서 말했다.

"성비는 다만 명호(名號)를 얻는 것만도 다행일 뿐인데 어찌 봉숭(封崇)까지 하는가?"

○ 사헌부 대사헌 허응(許應, ?~1411년)[17] 등이 시무(時務) 7조(條)

우량(陳友諒)으로 원나라 말기 주원장(朱元璋)과 파양호(鄱陽湖)에서 싸우다 전사했고 진리는 무창(武昌)으로 도망갔다가 항복했다. 이후 명 태조(太祖) 주원장이 한가하게 살라며 고려로 보냈다. 조선조로 들어와 생활이 어려워졌는데 태조 이성계(李成桂)가 순덕후(順德候)에 봉하고 전지(田地)를 내려주었다. 조부는 진보재(陳普材), 아들은 진명선(陳明善)이다. 임피 진씨(臨陂陳氏)의 시조 진여안(陳汝安)이 진리(陳理)의 아들이라고 하나 『태종실록』18년 8월 23일조에 진리(陳理)의 처 이씨(李氏)가 유일한 자식인 진명선이 유후사(留後司)에 갇혀 있다며 선처를 호소하는 상언(上言)이 있고, 졸기에도 진명선(陳明善)만이 아들로 기록됐다.

16 작위(爵位)나 존호(尊號)를 높여주는 행사를 말한다.

17 1371년(공민왕 20년) 문과에 급제해 낭사(郎舍)가 됐다. 1391년(공양왕 3년) 시폐를 들어 배불론(排佛論)을 주장하다가 왕의 노여움을 샀다. 그 뒤 좌상시(左常侍)에 보직돼 이성계(李成桂)의 신진 세력에 가담해 시폐를 혁신할 것과 전제의 개혁을 주장했다. 조선이 개국한 뒤 여러 요직을 거쳐 태종 초에는 대사헌이 돼 배불정책을 강경하게 주장했고 부녀의 정절을 중시해 과부의 개가(改家)를 금지할 것을 주장했다. 1405년(태종 5년) 공안부윤(恭安府尹)으로서 사은사(謝恩使)가 돼 명나라에 다녀왔으며 뒤에 개성유후사유후(開城留後司留後)에 이르러 은퇴했다.

를 올렸다.

'그 첫째, 이조(吏曹)와 병조(兵曹)에서 매번 제수(除授-임명)한 뒤에 경외(京外-서울과 지방)의 통정대부(通政大夫)[18] 이하 권무(權務)[19]에 이르기까지 각각 그 관명(官名) 밑에 아무개[某某]는 특지(特旨)[20]에서
　　　　　　　　　　　　　　　　　　　　　　　　모모
나오고 아무개는 포거(襃擧)[21]에서, 아무개는 고만(考滿)[22]에서, 아무개는 도목(都目)[23]에서 나온 것을 일일이 기록하여 명백하게 계문(啓聞-보고)하고서 도당(都堂-의정부)에 보고하고 대간(臺諫)에 옮겨 보내게 하여 함부로 임명하는[冒濫] 폐단을 근절하도록 해야 할 것입니다.
　　　　　　　　모람

그 둘째, 부부는 인륜의 근본이기 때문에 부인은 삼종(三從)의 의리[24]는 있어도 개가(改嫁)하는[更適] 이치는 없습니다. (그런데) 지금
　　　　　　　　　　　　　　　　　　　　경적

18　정3품 상계부터 당상관이라 했고 하계 이하를 당하관이라고 했다. 조선이 건국된 직후인 1392년(태조 1년) 7월 문산계가 제정될 때 정3품 상계는 통정대부, 하계는 통훈대부로 정해져 『경국대전』에 그대로 수록됐다. 정3품 당상관에 해당하는 관직으로는 도정(都正)·부위(副尉)·참의(參議)·참지(參知)·도승지·좌승지·우승지·좌부승지·우부승지·동부승지·판결사(判決事)·대사간·참찬관(參贊官)·부제학·규장각 직제학·대사성·좨주(祭酒)·수찬관(修撰官)·보덕(輔德) 등이 있다.

19　각 관청의 실무를 맡아보던 임시직이다.

20　임금의 특명을 말한다.

21　포장(襃獎)이나 천거(薦擧)를 말한다.

22　벼슬의 임기가 만료되는 것을 말한다. 외관(外官)은 처음에 3기법(三期法)을 시행해 그 임기가 3년이었으나 세종 때 6기법(六期法)을 시행하여 6년으로 됐으며, 중앙의 관원은 1년 반이었다.

23　도목정사 또는 도목정이라고 일컫기도 했으며, 1년에 한 번 행하는 것은 단도목(單都目), 두 번 행하는 것을 양도목(兩都目), 네 번 행하는 것을 4도목(四都目)이라 했다. 조선시대 문무 양반은 원칙적으로 6월과 12월에 두 번 행하고, 토관(土官)·녹사(錄事)·서리(書吏)도 양도목이었다. 잡직(雜職)은 4도목으로 1월, 4월, 7월, 10월에 행했다. 그러나 군사의 도목정사는 복잡해 양도목, 4도목 외 6도목, 3도목, 1도목도 있었다.

24　여자가 지켜야 할 3가지의 도리다. 어릴 때는 어버이를 좇고, 출가해서는 지아비를 좇고, 지아비가 죽은 뒤에는 아들을 좇는 것을 말한다.

사대부의 정처(正妻) 가운데 남편이 죽은 자나 남편에게 버림을 받은 [見棄] 자가 혹은 부모가 그 뜻을 빼앗기도 하고, 혹은 몸단장을 하고 스스로 시집가기도 하여 두 번 세 번씩 남편을 얻는 데 이르니 절의를 잃고도 부끄러워하지 않아[失節無恥] 풍속에 누가 됩니다. 바라건대 대소 양반(大小兩班)의 정처(正妻)로서 세 번 남편을 얻은 자는 고려의 법에 의해 자녀안(恣女案)[25]에 기록해 아녀자의 도리[婦道]를 바르게 하도록 해야 합니다.

그 셋째, 1361년(공민왕 10년) 이전의 사건은 여러 번 금령(禁令)을 내렸으니 각사에 속공된 노비와 불우(佛宇-사찰)와 신사(神祠)에 바친 노비는 비록 그 사손(使孫)이라 할지라도 서로 다툴 이치가 없습니다. 하물며 세대가 오래되어 계통과 소속[係屬]을 밝히기 어려운데, 종파(宗派)라고 간사하게 속여서 계속 다투거나 경외(京外)의 관사(官司)에서 다만 대변(對辨)하는 사람이 없기 때문에 시비(是非)를 가리지 않고 일절 모두 판결하는 경우가 가끔 있습니다. 김해부(金海府)의 구암사(龜巖寺)와 동래(東萊), 울주(蔚州)의 신당(神堂) 및 각처의 시납(施納)한 노비는 바라건대 모두 추고(推考)하여 속공하게 해야 합니다.

그 넷째, 주·부·군·현(州府郡縣)에 각각 수령이 있는데, 향원(鄕愿)[26] 가

---

25 고려 때 음란 방종한 부녀자의 이름과 죄명을 기록한 문서를 가리킨다.

26 여기서는 악질 토호(土豪)를 가리킨다. 원래 향원은 『논어(論語)』와 『맹자(孟子)』에 나오는 말이다. 『논어(論語)』에서 공자는 향원을 "다움[德]을 해치는 자"라고 했다. 그리고 맹자(孟子)는 이를 다음과 같이 풀이했다. 맹자가 말했다. "공자께서 말씀하시기를 '내 집 문앞을 지나가면서 내 집에 들어오지 않더라도 내가 전혀 서운해하지 않을 사람은 아마도 향원(鄕原=鄕愿)뿐일 것이다. 향원은 다움[德]을 해치는 자이다'라고 하셨다." (만장이

운데 일을 좋아하는 무리들이 유향소(留鄕所)²⁷를 설치하고 시도 때
도 없이 무리지어 모여서 수령을 헐뜯고, 사람을 올리고 내치고, 백
성들을 침해하고 핍박하는 것이 교활한 관리[猾吏]보다 심합니다. 바
라건대 모두 없애 낡은 폐단을 제거해야 합니다.

그 다섯째, 전함(前銜-품계) 3품 이하 가운데 논밭을 받은 인원(人
員)은 모두 서울에 살면서 시위(侍衛)하도록 했습니다. 그러나 양부

물었다.) "어떻게 하고 다니면 그 사람을 향원이라고 부를 수 있습니까?" 맹자가 말했다.
"(향원은 포부만 큰 사람[狂者=狂士]을 이렇게 비난한다.) (그들은) '뭘 믿고서 이처럼 그 뜻
이 커서 큰소리만 쳐대며 말은 행동을 돌아보지 않고 행동은 말을 돌아보지 않은 채 입
만 벌리면 "옛날 분들이 말하기를, 옛날 분들이 말하기를"이라고 떠들어대는가?' (또 향원
은 지조가 있어 보이는 사람[獧者=狷者]을 이렇게 비난한다.) (그들은) '어찌하여 홀로 잘난
척하며 쌀쌀맞게 구는가? 이 세상에 태어났으면 이 세상 사람으로 살아가면서 (세상 사
람들로부터) 선하다는 소리를 들으면 되는 것을.' 이처럼 (광자와 견자를 업신여기면서) 자
신들의 속내는 감추고서 세상에 아첨하는 자가 바로 향원이다."
"한 고을 사람들이 모두 덕망 있는 사람이라고 부른다면 그 사람은 어디를 가건 덕망 있
는 사람이 아닐 수 없을 텐데 공자께서는 이를 '다움을 해치는 자'라고 하셨으니 어째서
그러신 것입니까?"
"그를 비난하려 해도 (딱 꼬집어) 드러낼 비난거리가 없고, 찔러보려고 해도 (막상 딱 꼬집
어) 찔러볼 것이 없다. 시류[流俗]에 동조하고 더러운 세상과 영합하여 (집안에서) 거처할
때는 열렬하고 신의가 있는 듯하며 (밖에서) 행동할 때는 청렴하고 결백한 듯해서 많은
사람들이 모두 그를 좋아하고 자신도 스스로를 옳다고 여기지만, 그러한 자와는 결코 더
불어 함께 요순(堯舜)의 도(道)에 들어갈 수 없다. 그러므로 다움의 적이라고 한 것이다.
공자는 '비슷하면서 아닌 것[似而非]을 미워한다. 가라지를 미워함은 그것이 벼의 싹을
어지럽힐까 두려워서이고, 말재주 부리는 자를 미워함은 의(義)를 어지럽힐까 두려워서
이고, 구변(口辯)만 좋은 자를 미워함은 신의를 어지럽힐까 두려워서이고, 정나라 소리를
미워함은 정악(正樂)을 어지럽힐까 두려워서이고, (간색(間色)인) 자주색을 미워함은 (정
색(正色)인) 붉은색을 어지럽힐까 두려워서이고, 향원을 미워함은 덕을 해칠까 두려워서
이다'라고 하셨다. 군자는 (모든 것들을) 떳떳한 도리로 돌아가게 할 뿐이다. 도리가 바로
잡히게 되면 여러 백성들이 (선해지고자) 분발하게 되고, 백성들이 이처럼 분발하게 되면
이 세상의 사악한 자와 간특한 자의 무리들이 없어지게 될 것이다."
27 여말선초(麗末鮮初)에 지방 수령(守令)의 정치를 돕고 백성들의 풍속을 교화(敎化)하기
위해 설치된 지방 자치기관이다. 나라의 정령(政令)을 백성에게 전달하고, 향리(鄕吏)의
횡포를 막고 조세의 부과와 징수를 도와주었다.

(兩府) 이상은 아울러 거론(擧論)하지 않았기 때문에 왕실을 호위하지 아니하고 농장에 물러가 있으면서 관부(官府)에 드나들며 수령(守令)을 능욕(凌辱)하고, 시골 사람을 주구(誅求)하여 백성들에게 해를 끼치는 자가 간혹 있습니다. 바라건대 모두 엄히 규찰하여 서울로 오게 해야 합니다.

그 여섯째, 『경제육전(經濟六典)』의 한 조목에 "공경대부(公卿大夫)에서 서인(庶人)에 이르기까지 가묘(家廟)를 세워 때때로 제사 지낸다. 어기는 자는 불효(不孝)로 논죄한다"라고 했습니다. 그러나 지금 가묘를 세운 자가 100사람에 한두 사람도 안 되고 나라의 법령을 따르지 아니하고도 예사로이 부끄러워하지 않으니 조금도 다른 사람의 자식된 뜻[人子之意]이 없습니다. 바라건대 중외(中外)에 가묘를 세워야 할 자들로 하여금 금년을 기한으로 하여 독촉하여 세우게 하고, 만일 영(令)을 따르지 아니하는 자가 있을 경우 경중(京中)에서는 본부(本府)에서 외방에서는 감사(監司)가 자세히 살펴서 논죄하게 해야 합니다.

그 일곱째, 각 도의 대소 각 관(大小各官)에 모두 주사(州司)[28]의 인신(印信)이 있는데 호장(戶長)[29]이 맡아서 촌락(村落)에 이문(移文)하여 작폐(作弊)가 많을 뿐만 아니라, 호구 전준(戶口傳准)과 노비문권(奴婢文券)에 도장을 찍어주는 등의 일에 시비(是非)를 묻지 않고 사사로운 정에 따라 함부로 찍어주고 있어 경외(京外) 관사(官司)에서

---

28 주(州)의 관사(官司)를 가리킨다.
29 향리(鄕吏)의 으뜸 구실을 하는 사람이다.

결송(決訟)할 때를 당하게 되면 양인(良人)과 천인(賤人)이 한데 뒤섞여 진위(眞僞)를 분변하기 어렵습니다. 바라건대 주사(州司)의 인신(印信)을 아울러 거둬들이도록 해야 합니다.'

상이 의정부에 내려 깊이 있게 토의해 보고하게 했다. 정부에서 의결했다[議得].
_{의득}

"사헌부가 장신(狀申)한 소는 제1조에서 제5조까지는 모두 시행할 만합니다. 제6조에서 논한 가묘(家廟)의 일은 만약 금년으로 기한하면 범법자(犯法者)가 반드시 많을 것이니 바라건대 오는 정해년(丁亥年-1407년) 12월로 기한해야 할 것입니다. 그중에 3품 이하로서 집이 가난하고 터가 좁아서 가묘를 세울 수 없는 자에게는 『육전(六典)』에 따라 정결한 방 한 칸을 골라 때때로 제사를 지낼 수 있도록 허락해야 할 것입니다. 제7조의 주사(州司) 인신(印信)의 일은 거둬들일 필요는 없고, 다만 그 고을의 수령에게 정보(呈報)하는 문서[文字]에_{문자}만 이를 쓰도록 하고, 그 밖에 사용하는 것은 일절 금지해야 할 것입니다."

그것을 따랐다.

경오일(庚午日-12일)에 상이 정전(正殿)에 나아가 성비(誠妃)를 책봉했다. 섭태위(攝太尉)[30] 의정부 찬성사 이숙(李淑, 1373~1406년)[31]과

---

30 섭(攝)은 '겸하다' '대신하다'라는 뜻으로 책봉식에 고대 중국의 관직인 태위나 사도의 이름을 임시로 빌려 썼다는 뜻이다.

31 아버지는 태조의 서제(庶弟) 의안대군 이화(義安大君 李和)이며, 어머니는 교하 노씨(交河盧氏)로 경원군(慶原君) 노은(盧誾)의 딸이다. 조선 건국 초기에 응양위전영장군(鷹揚衛

섭사도(攝司徒) 의정부 참지사 이원(李原)이 옥책(玉冊)과 금보(金寶)를 받들고 먼저 덕수궁(德壽宮)으로 나아갔고 상이 뒤따라 덕수궁으로 나아가 옥책과 금보를 올리고 네 번 절하는 예를 행했다. 세자(世子) 제(褆)와 백관들이 차례로 네 번 절하는 예를 끝마치고 드디어 궁으로 돌아왔다.

신미일(辛未日-13일)에 바닷가에 있는 주(州)와 현(縣)에 명해 만일 중국의 배들이 바람을 만나 표류하여 이르는 것이 있거든 두터이 위로하여 보내주도록 했다. 애초에 배 한 척이 충청도 비인현(庇仁縣) 남쪽 도둔당(徒芚堂)에 이르렀다. 감무(監務) 임목(林穆, 1371~1448년)[32]이 사람을 시켜 어디서 왔는지를 물어보니 (그중에) 굴득(屈得)이란 자가 있어 20여 명을 해안으로 내려가게 했고 말이 통하지 않자 글을 써서 고했다.

"나는 중국 절강로(浙江路) 조운선(漕運船) 백호(百戶)인데 풍파에 표류하여 여기까지 이르렀으나 가야 할 방향[去向]을 알지 못합니다."

그러고는 또 "이곳이 어느 나라 땅이냐"고 물었으나 목(穆)은 혹시 [其] 다른 일이 있을 것을 의심하여 나라 이름을 알려주지 않고, 또 군마(軍馬)로 하여금 진(陣)을 정비하여 나눠 주둔하게 하니 득(得)

前領將軍)이 되고, 이어서 우부승지·우승지 등을 역임했다. 1400년(정종 2년)에는 완천군(完川君)에 봉해지고, 이듬해 좌명공신(佐命功臣) 3등에 책록됐다. 1403년(태종 3년)에 사평부좌사(司平府左使)에 이어 1405년 의정부 찬성사에 올랐다.

32 생원·진사시 두 과거에 합격했으며 명성이 있었다. 여러 군의 수령을 역임하고 양양도호부사(襄陽都護府使)에 이르렀다. 벼슬을 그만두고 나성리의 장원으로 돌아가 부친 임난수 장군의 가묘(家廟)와 정각(亭閣)을 짓고 '독락정'이라고 편액했다.

등이 이를 의심하여 곧 돛을 올리고 가버렸다. 이 일을 아뢰니 상이 처음에는 임목을 죄주고자 했으나 얼마 후에[旣已] 그로 인해 다른 기이 일이 없었기 때문에 용서하고서[貸] 마침내 이러한 명령이 있었다. 대

○ 죄수들의 죄목을 기록한 다음에 내보냈다.

임신일(壬申日-14일)에 중 해선(海禪)에게 장 100대를 때리고 내이 포(乃而浦)³³ 선군(船軍)으로 채워 넣었다[充=充軍]. 대간(臺諫)과 형 충   충군 조에서 아뢰었다.

"중 해선이 몰래 중국에 들어갔으니 죄는 주살에 해당합니다."

상이 말했다.

"이 중이 만약 몰래 다른 나라를 따르고 본국을 배반하기를 꾀 했다면 지금 어찌 기꺼이 돌아와 북쪽 지역에 이르렀겠는가? 모두 말하기를 '죽이는 것이 마땅하다'고 하나 정상을 살펴 죄를 정한다면 마땅히 사형에 이르지는 않을 것이다."

좌우에서 모두 말했다.

"참으로 옳습니다."

이에 순금사에 명해 해선에게 장 100대를 때리고 경상도 합포(合 浦)의 청지기[廳直]로 유배 보냈다[配]. 선(禪)이 합포에 이르러서 일 청직   배 찍이 스스로 말했다.

"황제(皇帝)가 혹시 나를 부를 날이 있을 것이다."

---

33 제포(薺浦)라고도 한 이 지역은 군사적 요지로 웅천과 창원을 방어하고 마산포의 해상운 송을 돕는 역할을 했다. 1443년(세종 25년)에 계해조약으로 삼포(부산포, 제포, 염포)에 왜 선(倭船)의 내왕 및 왜인의 체류를 허가했다.

또 안치(安置-유배)한 향국인(向國人-귀화인) 강교화(姜敎化)와 더불어 동북면 사변(東北面事變-조사의의 난)을 몰래 말했다. 도절제사(都節制使)가 이를 아뢰니 내이포로 옮겼다.

계유일(癸酉日-15일)에 상이 덕수궁에 나아가 헌수(獻壽)하고, 종친과 재상이 차례로 술잔을 올리니 태상왕은 매우 기뻐하여 일어나 춤을 추고 민무질(閔無疾)에게 옷을 내려주었다.

갑술일(甲戌日-16일)에 (전라도) 광주(光州) 사람 득귀(得貴)와 득만(得萬)이 벼락에 맞았고 또 소 한 마리가 벼락에 맞았다.

을해일(乙亥日-17일)에 비가 내렸다.

○ 예조정랑 유영(柳穎, ?~1430년)[34]과 좌랑 권선(權繕)을 파직시켰다. 이에 앞서 성비(誠妃)를 책봉하고자 하여 의정부에서 예조로 하여금 태위(太尉) 이하를 파견하는 구례(舊例)를 갖춰 상고하게 하니 영(穎) 등이 이때 계제사(稽制司)[35]가 되어 마침내 상왕(上王)을

---

34 태종 때 예조정랑, 좌헌납 등을 거쳐 병조지사가 됐다. 세종 때 좌부대언, 충청도 관찰사, 대사헌 등을 거쳐 한성부윤, 예조참판을 역임했다.

35 조선시대 의식, 제도 등의 사무를 관장하기 위해 설치되었던 관서로 예조에 속했다. 1405년 3월 태종의 왕권강화 도모와 직결된, 육조가 중심이 돼 국정을 운영하는 육조직계제(六曹直啓制)의 실시 기도와 명나라의 속부제(屬部制), 청리사제(淸吏司制)가 연관되면서 육조속사제(六曹屬司制)가 정립될 때 설치됐다가 1894년(고종 31년) 갑오경장으로 폐지됐다. 성립 시에는 의식·제도·조회·경연·사관(史館)·학교·공거(貢擧)·도서·상서(祥瑞)·패인(牌印)·표(表)·소(疏)·책명(冊命)·천문(天文)·누각(漏刻)·국기(國忌)·묘휘(廟諱)·상장(喪葬) 등에 관한 일을 맡도록 규정했다. 그 뒤 부분적으로 개정돼 의식·제도·조회·경연·사관(史官)·학교·과거·인신(印信)·표전(表箋)·책명·천문·누각·국장(國葬)·

봉숭한 예(禮)를 인용하여 이렇게 말했다.

"좌정승이 마땅히 섭태위(攝太尉)가 되고, 우정승이 마땅히 섭사도(攝司徒)가 되어야 합니다."

의주(儀注)가 올라가자 상이 이를 의심하여 결정을 내리지 않았다. 영 등이 말했다.

"전하가 이미 성비(誠妃)를 어머니로 섬긴다면 예(禮)를 가볍게 할 수 없습니다."

상은 끝내 마땅하지 못하다고 여겨 대비(大妃)를 봉숭하는 예문(禮文)을 상고하게 하니 섭태위(攝太尉)는 삼군부 판사가 되고, 섭사도(攝司徒)는 삼군부 참지사가 되었다. 봉책사(封冊使)와 부사(副使)가 예를 마치면 마땅히 상사(賞賜)가 있는데 정승 하륜이 피혐(避嫌)하고 사헌부에 이문(移文)했기 때문에 죄를 논해 파직하게 했다.

병자일(丙子日-18일)에 (전라도) 완산(完山) 사람 부개(夫介)가 벼락에 맞았다.

정축일(丁丑日-19일)에 중 설연(雪然), 혜정(惠正), 윤제(允濟) 등을 장(杖)을 쳐서 유배 보냈다[杖流]. 애초에 하륜이 주장하여 절의 수
장류
를 한정하고 (절에 속한) 전민(田民-토지와 노비)을 줄일 것을 토의하

묘휘·상장 등에 관한 일을 맡도록 보완됐으며, 이것이 『경국대전』에 성문화돼 제도가 폐지될 때까지 그대로 계속됐다. 속관으로는 문관으로 제수된 정랑 1인과 좌랑 1인이 있었고, 일상적인 정사는 정랑과 좌랑이 처리했으나 돌발적으로 일어난 일과 중대한 일은 판서·참판·참의의 지시와 협의를 거쳐 처리했다.

니 중들이 모두 그를 원망했고 또 진주목사(晉州牧使) 안노생(安魯生)이 설연의 옥사(獄事)를 맨 먼저 발설하고서 다시 적폐(積弊)를 없애고 이단(異端)을 물리친 일을 찬양하는 전(箋)을 올려 하례하자 또한 그에 대해서도 아울러 헐뜯었다[訕]. 설연이 도망쳐 서울에 이르니 의안대군(義安大君) 화(和) 등 6인이 돌려가면서 숨겨주다가 일이 발각되자 모두 견책을 받았다. 이때에 이르러 대간과 형조에서 순금사와 함께 설연을 국문해 다스렸다. 그 제자 혜정(惠正)이란 자가 그 무리들에게 일러 말했다.

"내가 간직한 참서(讖書)로 보건대 승왕(僧王)이 나라를 세워 마침내 태평하게 될 것이다."

그와 관련해 이렇게 말했다.

"하륜(河崙)과 안노생(安魯生)이 죽으면 내 참서가 맞는 것이다."

드디어 하륜과 안노생을 죽일 것을 모의했다. 중 홍련(洪漣)이 그 모의를 듣고 유량(柳亮)에게 고하니 순금사에 명해 이들을 체포하여 국문했는데 공사(供辭)가 양가(兩街)[36]의 중 윤제(允濟) 등 4~5명에게 미쳤으나 끝내 그 실상[情]을 밝혀내지 못했다. 설연은 여색(女色)

---

36 승록사(僧錄司)의 직책명이다. 승록사란 고려시대 불교의 제반 사무를 맡아보기 위해 중앙에 설치되었던 관서다. 당나라와 송나라의 승록사제도와 신라의 중앙승관제도(中央僧官制度)를 토대로 성립되었다. 승록사는 좌우양가(左右兩街)로 구분되어 있었다. 승록사에는 좌우양가 이외에 이를 총괄하는 좌우양가도승통(左右兩街都僧統)이라는 직제가 있었다. 승록사의 기능은 국사(國師)와 왕사(王師)의 책봉의식(冊封儀式)에 관한 서신(書紳)을 전하거나 하산(下山) 때에 배행하고, 입적(入寂)했을 때 상사를 처리하며, 비를 세울 때 관여하는 등 불교계의 중요 의식이나 행사를 주선하는 구실을 담당했다. 승록사제도는 조선 초기까지 존속했다. 1405년(태종 5년) 육조의 분직(分職)을 정할 때 승록사는 예조에 부속되었고, 1424년(세종 6년) 불교를 선교양종(禪教兩宗) 36사(寺)로 폐합할 때 폐지됐다.

을 간범(干犯)한 죄로 장(杖) 60대를 때리고 전라도 해남현(海南縣) 달량(達梁)의 수군(水軍)에 채워 넣고 윤제는 이를 알고서도 자수하지 아니한 죄로 장(杖) 60대를 때리고 경상도 동래현(東萊縣)의 수군에 채워 넣고 혜정은 참형(斬刑)에 해당되나 명하여 한 등급을 감해 장 100대를 쳐서 경상도 기장현(機張縣)에 유배시키고 그 나머지는 모두 풀어주었다. 좌사간 대부 송우(宋愚) 등이 말씀을 올렸다.

'죄가 있으면 반드시 벌을 주는 것은 고금(古今)의 오랜 법이요, 임금이 사사로이 할 수 없는 것입니다. (그런데) 지금 중 혜정(惠正)은 국가에서 전지와 노비를 깎아버렸다 하여 도리어 분개하고 원망하는 마음을 품어 감히 부도한 말[大言]을 내뱉었으니 불궤(不軌)함이 심
하므로 진실로 그 죄를 바로잡지 않을 수 없습니다. (그런데도) 전하께서 마침내 유사(攸司)에 명해 가벼운 법으로 다스리게 했습니다. 이는 비록 전하가 삼가 불쌍히[欽恤] 여기는 아름다운 뜻이지만 천하 만세
의 법에는 어떻게 되겠습니까? 바라건대 법대로 시행하여 그 죄를 밝게 바로잡아 후일의 난역(亂逆)하는 마음을 막아야 할 것입니다.'

상이 장무(掌務)인 헌납 곽덕연(郭德淵)을 불러 뜻을 전했다[傳旨].
전지

"혜정을 가볍게 처결한 일은 과인의 뜻이 아니다. 두 정승이 내게 아뢰기를 '지금 이미 500년 동안 오래 전해 내려온 사사(寺社)와 전민(田民)을 혁파했는데 또 이 중을 죽이면 뒤에 반드시 말이 있을까 두려우니 혜정을 죽이지 말 것을 청합니다'라고 했다. 이 때문에 내가 순금사에 내려 죽이지 않는 율에 따라 죄를 결정한 것뿐이다."

덕연이 다시 아뢰었다.

"부도한 말을 내는 것은 예나 지금이나 용서하지 않는 데다가 법

은 사사로운 뜻[私意]으로 가볍게 고칠 수 없습니다. 청컨대 이 중을
베어 뒤에 오는 자들[後來]을 경계시켜야 할 것입니다.”

상이 가르침을 전해[傳敎] 말했다.

“너는 일단[姑] 물러가 있어라. 내가 다시 깊이 토의해[擬議] 시행
하겠다.”

무인일(戊寅日-20일)에 (전라도) 남원부(南原府) 사람 부존(夫存)이
벼락에 맞았다.

○ 사헌부 감찰 윤창(尹敞)과 이유희(李有喜)를 파직했다. 사헌부에
서 말씀을 올렸다.

'감찰이 상시(常時)로 출입할 때에는 동료들과 같이 다니지 말고,
상원(常員)과 함께 다니지 말아서 주변에서 보는 눈[瞻視]을 존중하
라고 일찍이 교지(敎旨)가 있었습니다. 지금 창과 유희는 교지를 따르
지 않고 마을 거리를 함께 다니면서 작당하여 술을 마셨으니 마땅
히 그 죄를 다스려야 합니다.'

기묘일(己卯日-21일)에 정승 하륜(河崙), 조영무(趙英茂) 및 의안대
군 화(和) 등을 불러 광연루(廣延樓)에서 술자리를 베풀었다. 륜과
영무에게 각각 말을 1필씩 내려주었다.

경진일(庚辰日-22일)에 대호군(大護軍) 조신언(趙愼言)[37]을 파직했다.

---

37 아버지 조박은 태종 이방원의 아랫동서다. 또 부인은 이방간의 딸 성혜(誠惠)옹주였다.

신언(愼言)은 박(璞)의 아들로서 (평소) 어리석고 함부로 행동했다[騃而狂]. 병조에서 그가 숙직을 빼먹은 죄를 탄핵한 때문이었다.
_{애광}

○동북면이 굶주리니 이를 진휼했다. 도순문사 박신(朴信)이 말씀을 올렸다.

'강원도에서 보낸 곡식이 적어 굶주린 백성들을 진휼하기에 부족하니 3,000석을 더 청합니다.'

그것을 따랐다.

신사일(辛巳日-23일)에 (경상도) 현풍현(玄風縣)의 백성 엄대(嚴大)가 벼락에 맞았다.

임오일(壬午日-24일)에 사헌부 지평 허항(許恒)을 파직했다. 헌부는 본래 탄핵과 규찰[彈糾]을 직무로 삼는데 그 뒤에 (민사) 소송을 판결하는 일을 겸하게 했다. 형옥(刑獄)의 일이 복잡했기[劇=煩] 때문에 대장(臺長)[38] 4인 가운데 한 사람을 장무(掌務)로 삼아 오로지 대무(臺務)를 맡게 했다. 이때 항이 장무(掌務)가 돼 일에 어두워 일을 감당하지[勝=堪] 못하니 여론[物論=物議]이 시끄럽게 일어났는데 집의 이맹균(李孟畇) 등이 항에게 허물을 돌려[歸咎] 죄주기를 청했기에 파직했다.

---

38 사헌부나 사간원에서 실무(實務)를 전장(專掌)하던 각 분서(分署)의 우두머리다. 사헌부에서는 집의(執義)·장령(掌令)·지평(持平)이 이를 맡았고, 사간원에서는 사간(司諫)·헌납(獻納)이 이를 맡았다.

계미일(癸未日-25일)에 경차관(敬差官) 상호군 차지남(車指南, ?~1422년)[39]을 동북면에 보냈다. 이호심파(李好心波) 등을 도로 압송(押送)하기 위함이었다.

갑신일(甲申日-26일)에 공안부 판사(恭安府判事) 박자안(朴子安)과 총제(摠制) 윤곤(尹坤) 등 9명을 파직하고 전 이성 도병마사(泥城都兵馬使) 신유현(辛有賢, ?~1411년)[40]을 평택현(平澤縣)으로 유배 보냈다. 애초에 중 혜경(惠敬)이란 자가 있어 (사람들이 자신들의) 노비를 구암사(龜巖寺)에 시주(施主)했는데 그 수가 불어[繁衍] 수천 명에 이르렀다. 나라에서 절과 그 노비의 수를 제한하게 되자 구암사가 없어지게 되니 자안 등이 그 노비들을 자신들의 조상이 시주한 물건[施物]이라고 하여 무인년(戊寅年-1398년) 이래 일찍이 관에 소송하여 이때에 이르러 차지했다. 허응(許應)이 대사헌이 되어 구암사 노비를 다시 속공(屬公)하도록 건의하니 자안 등이 분을 품고 의정부에 소송하고서 또 말했다.

"응(應) 또한 사손(使孫)인데 다만 같이 소송하지 못해 노비를 얻지 못한 까닭으로 원망하여 속공(屬公)하도록 하는 것이다."

---

39 태조의 원종공신이다. 아전으로부터 시작해 갑자기 2품에 이르렀으나 관직에 나가면 재물을 탐내니 그때 사람들이 더럽게 여겼는데, (파직된 지) 얼마 되지 아니하여 병으로 죽었다.

40 1396년(태조 5년) 도성제조(都城提調)로 있을 때 8대문(大門)을 완성한 공로로 말 1필을 하사받았으며 11월엔 중추원부사(中樞院副使)로 난징에 다녀왔다. 1397년(태조 6년) 조전절제사(助戰節制使)로 황해도, 평안도, 함경도 등지의 왜적을 잡았다. 이때 폐사된 구암사(龜巖寺) 소속 노비를 박자안(朴子安)과 모의하여 조상이 시주한 노비라며 자신의 노비로 만들었다가 평택현(平澤縣)에 유배됐다. 이것으로 관직생활은 끝났다.

사간원에서 탄핵하여 아뢰었다.

"자안 등이 문득 의정부에서 토의하여 수교(受敎)한 일을 가지고 마음대로 고소를 하여 사헌부를 헐뜯었을 뿐 아니라, 도당(都堂-의정부)도 능멸했습니다. 또 혁파한 사사(寺社)의 노비는 비록 그 자손이라 하더라도 다시 다투지 못할 터인데, 하물며 세대가 오래이고 멀어서 계통과 소속[係屬]을 밝히기 어려운 것을, 다만 지금 대변(對辨)하는 자가 없다고 하여 감히 소송하여 차지했습니다. 응도 또한 풍헌(風憲)의 우두머리로 의로움[義]을 핑계로 사사로운 뜻[私情]을 펼쳤으니 아울러 부당합니다."

이에 자안·곤·유현 및 신유정(辛有定)·문계종(文繼宗)·송득거(宋得琚)·배금(裵錦)·배한(裵澣)·김자온(金自溫) 등은 모두 죄를 얻었고, 응만은 특별히 죄를 면했다.

○ 사헌부 집의(執義-종3품) 이맹균(李孟畇), 장령(掌令-정4품) 이명덕(李明德), 지평(持平-정5품) 권천(權踐)을 파면했다. 사간원에서 말씀을 올렸다.

'옛날의 뛰어난 임금[先王]들이 관리(官吏)를 많이 두었던 것은 서로 부족한 점을 도와서 그 직임을 수행하게 한 것입니다. 한 사(司)의 공무(公務)를 비록 장무(掌務)가 주장할지라도 동료 되는 자가 마땅히 마음을 합쳐 서로 도와주어 지체(遲滯)되지 않게 해야 할 것입니다. (그런데) 지금 맹균 등은 사헌부의 일체[一應] 공무를 오로지 허항(許恒)에게 맡기고 조금도 뜻을 기울이지[經意=傾意] 않다가 소송이 지체되어 외부의 의논이 시끄러워지자 허물을 항에게 돌리고 스스로 죄를 면하기를 꾀했으니, 특히 사헌부의 신하[憲臣]로서의 체

통을 잃었습니다.'

상이 그렇다고 여겼다.

○ 정전(正殿)에 나아가 일본 국왕의 사신을 불러서 만나보았다 [引見]. 전(殿)에 오르도록 명하고 일깨워 말했다.

"때가 한창 무더운 철이라 내가 병이 나서 오래도록 불러보지 못했다. 객관(客館)이 누추한데 관인(館人)들이 실수나 없는가? 이 한여름을 맞아 길을 갈 수 없을 터이니 서늘한 가을을 기다려서[竢=俟= 待] 본국으로 돌아가는 것이 좋겠다."

대답하여 말했다.

"더위가 장차 가실[徂] 것이니 지금 돌아갈 수 있습니다."

상이 말했다.

"고국을 생각하는[懷土] 마음을 내가 어찌 막겠는가?"

서상(西廂-서쪽 행랑)에서 음식을 대접할 것[供饋]을 명했다.

을유일(乙酉日-27일)에 의정부 지사 박석명(朴錫命)을 겸 사헌부 대사헌(司憲府大司憲), 의정부 참지사 이원(李原, 1368~1430년)[41]을 겸

---

41 1385년 문과에 급제, 사복시승(司僕寺丞)을 거쳐 예조좌랑과 병조정랑 등을 역임했다. 1392년 조선이 개국되자 지평이 됐고, 1400년(정종 2년) 좌승지 때 이방원(李芳遠)이 동복형인 이방간(李芳幹)의 난을 평정하고 왕위에 오르는 데 협력한 공으로 1401년(태종 1년) 좌명공신(佐命功臣) 4등에 책록됐다. 그해 철성군(鐵城君)에 봉작되었고, 같은 해 공안부소윤(恭安府少尹)을 거쳐 대사헌으로 있을 때 순군(巡軍) 윤종(尹琮)을 구타한 죄로 한때 파직됐다. 이듬해 복직돼 경기좌우도 도관찰출척사(京畿左右道都觀察黜陟使)가 됐고, 1403년 승추부 제학(承樞府提學)으로 있으면서 고명부사(誥命副使)가 돼 명나라에 다녀왔다. 이듬해 평양부윤으로 있으면서 서북면 도순문찰리사(西北面都巡問察理使)를 겸하고, 이때인 1406년 참지의정부사(參知議政府事)와 판의용순금사사(判義勇巡禁司事)를 겸직했다. 이어 대사헌과 판한성부윤을 거쳐 1408년 태조가 죽자 국장을 주관하는

의용순금사 판사(義勇巡禁司判事), 허응(許應)을 중군동지총제(中軍同知摠制)로 삼았다.

○ 박모(朴謨)를 호군(護軍), 김도생(金道生)을 통례문 봉례랑(通禮門奉禮郎)으로 삼았다. 모(謨) 등은 서울을 떠나 제주에 이르러 동불(銅佛) 3구(軀)를 싣고 (전라도) 해남현(海南縣)에 돌아와 배를 대는 데까지 모두 해서 17일밖에 걸리지 않았기 때문에 그 신속함에 대해 상을 준 것이다.

○ 의정부에서 계달(啓達)하여 각 고을의 향교(鄕校) 생도(生徒)의 인원수와 전지(田地)를 차등 있게 정했다. 유수관(留守官)에는 생도가 50명이고, 대도호부(大都護府)와 목관(牧官)에는 40명인데, 제전(祭田)이 모두 6결(結)이었다. 도호부(都護府)에는 생도가 40명이고 지관(知官)에는 30명인데, 제전이 모두 4결씩이었다. 현령(縣令)과 감무(監務)에는 생도가 15명이고, 제전이 모두 2결씩이었다. 그 가운데 교수관(敎授官)을 파견하는 유수관에는 늠전(廩田)이 50결이고, 대도호부 목관에는 40결이고, 부관(府官)과 지관에는 15결씩이며, 교

빈전도감 판사(殯殿都監判事)가 됐고, 이듬해 경상도 관찰사로 영상주목사(領尙州牧使)를 겸직했다. 이해 철성부원군(鐵城府院君)으로 진봉됐다. 1414년 영길도 도순문사(永吉道都巡問使)를 거쳐 이듬해 6월 예조판서로 있다가 12월에 대사헌이 됐다. 이어 참찬을 거쳐 1416년 3월 판한성부사, 5월 병조판서, 1417년 판우군도총제(判右軍都摠制)와 찬성을 거쳐 이듬해 우의정에 올랐다. 1419년(세종 1년) 영경연사(領經筵事)를 겸했고, 1421년 1월에 사은사로 명나라에 다녀왔다. 그해 12월에 좌의정으로 승진했고, 우의정 정탁(鄭擢)과 함께 도성수축도감도제조가 돼 8도의 정부(丁夫) 32만 5,000여 명을 징발해 1422년 1월부터 두 달에 걸쳐 토성이던 도성 성곽을 석성으로 개축했다. 1425년 등극사(登極使)로 다시 명나라에 다녀왔다. 이듬해 많은 노비를 불법으로 차지했다는 혐의로 사헌부의 탄핵을 받아 공신녹권(功臣錄券-공신에게 주는 공훈사령장)을 박탈당하고 여산(礪山)에 안치됐다가 배소에서 죽었다. 세조 때 관작이 회복됐다.

수관이 없는 부관(府官) 이하의 각 관에도 10결을 주었다.

병술일(丙戌日-28일)에 (개성)유후사(留後司) 부녀자 건이(件伊)가 벼락에 맞았다. 또 소 한 마리가 벼락에 맞았다.

己未朔 日有食之.
기미 삭 일유 식지

日本國王遣使來聘.
일본 국왕 견사 내빙

吾都里 童所乙吾 李好心波 童於虛主等七人來.
오도리 동소을오 이호심파 동어허주 등 칠인 래

賜童所乙吾等七人 靑綿布紅紬布黑麻布白紵布各一匹 於虛主
사 동소을오 등 칠인 청 면포 홍 주포 흑마포 백저포 각 일필 어 허주

之子於乙 於伊黑麻布一匹.
지 자 어을 어이 흑마포 일필

壬戌 遣人賜宮醞于慶尙道兵馬都節制使柳龍生及都觀察使
임술 견인 사 궁온 우 경상도 병마도절제사 유용생 급 도관찰사

金希善 又賜見乃梁千戶金甌 鹿島千戶金仁祥綺絹各一匹 其
김희선 우 사 견내량 천호 김구 녹도 천호 김인상 기견 각 일필 기

軍卒力戰被傷者 賜米豆有差. 以甌 仁祥捕倭賊一艘于小知島之
군졸 역전 피상 자 사 미두 유차 이구 인상 포 왜적 일소 우 소지도 지

大洋 斬十三級也.
대양 참 십삼 급 야

癸亥 雨雪于淮陽府 華嶽山.
계해 우설 우 회양부 화악산

流前大護軍康鎭于原州 前散員洪尙儉于連山. 臺諫上言:
유 전 대호군 강진 우 원주 전 산원 홍상검 우 연산 대간 상언

'藏匿罪人 在法當誅. 今僧雪然犯罪在逃 國人所知. 義安大君和
장닉 죄인 재법 당주 금 승 설연 범죄 재도 국인 소지 의안대군 화

元尹德根 漢平君趙涓 前大護軍康鎭 前少尹李蘭 前散員洪尙儉
원윤 덕근 한평군 조연 전 대호군 강진 전 소윤 이란 전 산원 홍상검

等 輾轉舍匿 不行捕告 至使潛通徒弟 辭連不軌 罔上毁法 不可
등 전전 사익 불행 포고 지사 잠통 도제 사련 불궤 망상 훼법 불가

不懲(不懲).' 遂遣所由守直. 上以和等皆勳親 命勿擧論 只流鎭
부징 부징 수견 소유 수직 상 이 화등 개 훈친 명물 거론 지류 진

尙儉. 召掌令李明德責之曰: "以如此小事 守直大君之家 甚爲
상검 소 장령 이명덕 책지 왈 이 여차 소사 수직 대군 지가 심위

過度. 今後毋復如此" 卽遣內豎于和第 驅逐所由之守直者.

禮曹啓: "新都城隍之神 乞就舊基立堂以祭." 從之. 漢陽府

城隍堂舊基也. 又啓: "按洪武禮制 府州郡縣 皆立社稷壇 以春秋

行祭; 至于庶民 亦祭里社. 乞依此制 令開城留後司以下各道

各官 皆立社稷壇行祭." 允之.

西北面都巡問使趙璞 啓土官之制. 啓曰:

'平壤府司元數 相考其數 至六百餘人受祿 故近處各官及

平壤府外村接白丁 請托受職 規免軍役. 其中無職者僭稱衙門

可革者 磨鍊後錄. 內府寺掌塗壁 內園寺掌菜園 內厨寺掌各衙

飯奉. 已上三衙門 僭擬京官內字 改名 何如?

大興部 龍德部 龍興部 川德部 興土部 已上五部 掌戶籍.

東西南北都監官員各四 東西南北城隍都監官員各四 都計三十二

人 閑游食祿 避軍役未便. 四面都監 四面城隍都監 於五部合屬

何如? 禮儀司祿官六 典禮司祿官五 已上二司 職事一樣 合爲

一司 何如?

營作院祿官四 將作寺祿官四 已上二司 職事一樣 合爲一司

何如?

左右軍營祿官各四 掌燈油 以軍營掌燈油 尤爲無意 可革 合於

軍器寺 何如?

正設署祿官八 大官署祿官四 已上二衙門 職事一樣 合爲一司

何如?
<small>하여</small>

太倉署祿官四 掌倉庫 京市署祿官 掌斗升 已上二衙門 合爲
<small>태창서 녹관 사 장 창고 경시서 녹관 장 두승 이상 이 아문 합위</small>

一司 兼掌斗升 何如?
<small>일사 겸 장 두승 하여</small>

掌冶司祿官四 軍器寺合屬 何如?
<small>장야사 녹관 사 군기시 합속 하여</small>

迎仙店祿官六 掌灑掃 革去 何如?
<small>영선점 녹관 육 장 쇄소 혁거 하여</small>

供役署祿官四 掌飯奉無意 可革.
<small>공역서 녹관 사 장 반봉 무의 가혁</small>

陳設署 掌鋪陳 小府寺 掌鋪陳 二司合爲一司.
<small>진설서 장 포진 소부시 장 포진 이사 합위 일사</small>

都津司 掌牛馬屠剪 軍器寺 掌軍器 將作寺 掌營繕炭燒木
<small>도진사 장 우마 도전 군기시 장 군기 장작시 장 영선 탄소목</small>

五部 掌戶籍 典禮司 掌祭祀禮樂 醫學院 掌醫藥 諸學院 掌
<small>오부 장 호적 전례사 장 제사 예악 의학원 장 의약 제학원 장</small>

學校 閱樂院 掌音樂 迎送都監 掌飯奉 東西大悲院 掌病人
<small>학교 열악원 장 음악 영송 도감 장 반봉 동서 대비원 장 병인</small>

司醞署 掌酒味 正設署 掌宴享 太倉署 掌倉庫 鹽店 掌貢鹽
<small>사온서 장 주미 정설서 장 연향 태창서 장 창고 염점 장 공염</small>

典廐署 掌鷄豚 大盈署 掌府官米 典獄署 掌刑獄 漏刻院 掌
<small>전구서 장 계돈 대영서 장 부관미 전옥서 장 형옥 누각원 장</small>

更漏 已上都津司已下各司 仍舊 何如?
<small>경루 이상 도진사 이하 각사 잉구 하여</small>

西班各司 更加詳定 何如?'
<small>서반 각사 갱가 상정 하여</small>

啓下議政府.
<small>계하 의정부</small>

甲子 大雨.
<small>갑자 대우</small>

流書雲副正朴恬于東萊. 司諫院上疏曰:
<small>유 서운 부정 박념 우 동래 사간원 상소 왈</small>

'政典曰: "先時者殺無赦 不及時者殺無赦." 此先王所以謹天戒
<small>정전 왈 선시 자살 무사 불급 시자 살 무사 차 선왕 소이 근 천계</small>

也. 今書雲副正朴恬 推步日蝕之變 定時日分度 食之過於定分
<small>야 금 서운 부정 박념 추보 일식 지변 정 시일 분도 식지 과어 정분</small>

時亦違於定時 旣已尸①厥職矣. 且日者 衆陽之宗而有掩蝕 天變
<small>시역 위어 정시 기이 시 궐직 의 차 일자 중양 지종이유 엄식 천변</small>

之大者也. 所宜布告中外 以擧救食之典 恬乃昏迷天象 使廢救食
지 대자 야　소의포고 중외　이거 구식 지전　념내혼미 천상　사폐 구식

之擧. 望下攸司 依律施行.'
지거　망하유사　의율 시행

上只令流外.
상 지령 유외

議政府上屬公奴婢陳告之法 從之. 疏曰:
의정부 상 속공 노비 진고 지법　종지　소왈

'良賤未辨者及婢妾所生 皆許免賤身良 屬司宰監水軍. 頑惡之
양천 미변 자급 비첩 소생　개허 면천 신량　속 사재감 수군　완악 지

徒 不體上德 猶以爲不足 逃隱避役者 頗多有之 將有冒名混雜
도 불체 상덕　유 이위 부족　도은 피역 자　파다 유지　장유 모명 혼잡

兩班之弊. 乞限來十月初一日前不現身者 許在前相訟者及本主
양반 지폐　걸한 내 십월 초 일일 전 불 현신 자　허 재전 상송 자급 본주

族親陳告 竝令從賤 一半給告者 一半屬公. 又相訟兩邊不當屬公
족친 진고　병령 종천　일반 급 고자　일반 속공　우 상송 양변 부당 속공

奴婢 得免私賤 亦云足矣 尙有逃亡避役者 公處未易推考. 亦限
노비 득면 사천　역운 족의　상유 도망 피역 자　공처 미이 추고　역한

十月初一日不現者 許在前相爭兩邊族親陳告 將三分之一 告者
십월 초 일일 불현 자　허 재전 상쟁 양변 족친 진고　장 삼분 지일　고자

充賞 其餘還屬公 以爲恒式'
충상 기여 환 속공　이위 항식

乙丑 雨.
을축 우

罷軍資監丞朴熙宗職. 熙宗時爲世子左正字 嘗與人爭家地
파 군자감 승 박희종 직　희종 시위 세자 좌정자　상 여인 쟁 가지

訟不勝 私請宦官黃稻 欲世子囑漢城府官右己 稻不可而止.
송 불승　사청 환관 황도　욕 세자 촉 한성부 관 우기　도 불가 이지

右司諫大夫尹思永等上言:
우사간대부 윤사영 등 상언

'養儲副 所以端國本也. 是以古之人 設師傅保 皆擇正人者
양 저부　소이 단 국본 야　시이 고지인 설 사부보　개택 정인 자

欲使儲副 聞見正而所學明也. 今殿下旣設書筵 而皆補以文學之
욕사 저부　문견 정이 소학 명야　금 전하 기설 서연　이 개보 이 문학 지

士 欲其切磋琢磨 以成其德也. 正字朴熙宗 夤緣宦官 濫以自己
사 욕기 절차탁마 이성 기덕 야　정자 박희종　인연 환관　남이 자기

家代折受事 冀達儲副 宦官黃稻 猶知不可而止之 播說於外.
가대 절수 사 기달 저부　환관 황도　유지 불가 이지지　파설 어외

熙宗居儲副左右 放於利欲 敢行不次 上負儲副 下染士風 其
희종 거 저부 좌우 방어 이욕 감행 불차 상부 저부 하염 사풍 기

無恥之罪 不可不懲. 伏望殿下令攸司依律科罪.'

乃罷之.

賜陳理米豆四石 酒十瓶.

丁卯 雨.

太上王黜宦者金文厚 金仲貴 金守澄等. 太上王欲幸檜巖寺

移置般若經 文厚 仲貴 守澄固請止之 太上怒 黜文厚等于外

閉門不納. 知申事黃喜適進曰: "誠妃封崇日已近 若幸山寺 恐

妨行禮." 太上稍有喜色 乃曰: "誠妃但得名號 亦幸爾② 何至於

封崇乎?"

司憲府大司憲許應等 上時務七條:

'其一 吏兵曹每當除授之後 將京外通政以下至於權務 各於

名下 開寫某某出於特旨 某某出於褒擧 某某考滿 某某都目

明白啓聞 報都堂移臺諫 以絶冒濫之弊.

其二 夫婦 人倫之本 故婦人有三從之義 無更適之理. 今

士大夫正妻 夫歿者 見棄者 或父母奪情 或粧束自媒 至二三

其夫 失節無恥 有累風俗. 乞大小兩班正妻適三夫者 依前朝之法

錄于恣女案 以正婦道.

其三 辛丑年前事 屢下禁令 則各司屬公奴婢與佛宇神祠施納

奴婢 雖其使孫無爭望之理 況世代悠久 係屬難明 詐冒宗派

續續爭望 而京外官司 但以無有對辨者 不揀是非 一皆決折者

244

往往有之. 若金海府之龜巖寺 東萊 蔚州之神堂及各處施納奴婢
왕왕 유지 약 김해부 지 구암사 동래 울주 지 신당 급 각처 시납 노비

乞皆推考屬公.
걸 개 추고 속공

其四 州府郡縣 各有守令. 鄕愿好事之徒 置留鄕所 無時群聚
기사 주부군현 각유 수령 향원 호사 지도 치 유향소 무시 구누취

詆毁守令 進退人物 侵漁百姓 甚於猾吏. 乞皆革去 以除積弊.
저훼 수령 진퇴 인물 침어 백성 심어 활리 걸개 혁거 이제 적폐

其五 前銜三品以下受田人員 竝令居京侍衛 而兩府以上 竝
기오 전함 삼품 이하 수전 인원 병령 거경 시위 이 양부 이상 병

無擧論 故不衛王室 退處農莊: 出入官府 凌辱守令: 誅求鄕曲
무 거론 고 불위 왕실 퇴처 농장 출입 관부 능욕 수령 주구 향곡

貽害於民者 間或有之. 乞皆糾理赴京.
이해 어 민자 간혹 유지 걸개 규리 부경

其六 經濟六典一款: "公卿大夫以至庶人 立家廟以時致祀
기육 경제육전 일관 공경 대부 이지 서인 입 가묘 이시 치사

違者論以不孝." 然今立廟之家 百無一二 不從國令 恬不爲愧 殊
위자 논이 불효 연금 입묘 지가 백무 일이 부종 국령 념 불위 괴 수

無人子之意. 乞令中外合立家廟者 限今年督立 如有不從令者
무 인자 지의 걸령 중외 합립 가묘 자 한 금년 독립 여유 부종 령자

京中本府 外方監司 體察論罪.
경중 본부 외방 감사 체찰 논죄

其七 各道大小各官 皆有州司印信 戶長掌之 不惟移文村落
기칠 각도 대소 각관 개유 주사 인신 호장 장지 불유 이문 촌락

作弊多端 若戶口傳準奴婢文券 印給等事 不問是非 徇私泛濫
작폐 다단 약 호구 전준 노비 문권 인급 등사 불문 시비 순사 범람

京外官司 當決訟之時 良賤混淆 眞僞難辨. 乞州司印信 竝行
경외 관사 당 결송 지시 양천 혼효 진위 난변 걸 주사 인신 병행

收取'
수취

下議政府擬議以聞. 政府議得: "司憲府狀申 自第一至第五條
하 의정부 의의 이문 정부 의득 사헌부 장신 자 제일 지 제오 조

皆可施行. 第六條論家廟事 若限以今歲 則犯法者必多 乞以來
개 가 시행 제육 조 논 가묘 사 약 한이 금세 즉 범법자 필다 걸 이내

丁亥年十二月爲限. 然其間三品以下 家貧地隘 不能立廟者 許從
정해년 십이 월 위한 연 기간 삼품 이하 가빈 지애 불능 입묘 자 허종

六典 擇淨室一間 以時致祭. 第七條州司印信事 不必收取 只令
육전 택 정실 일간 이시 치제 제칠 조 주사 인신 사 불필 수취 지영

用之於呈報. 其官守令文字 其他有所行使 一皆禁止." 從之.
용지 어 정보 기관 수령 문자 기타 유 소행사 일개 금지 종지

庚午 上御正殿 册封誠妃. 攝太尉議政府贊成事李淑 攝司徒
경오 상어정전 책봉성비 섭태위 의정부 찬성사 이숙 섭사도

參知議政府事李原 奉册寶先詣德壽宮 上隨詣德壽宮 獻册寶 行
참지 의정부 사이원 봉책보선예 덕수궁 상수예 덕수궁 헌책보 행

四拜禮. 世子禔與百官 次行四拜訖 遂還宮.
사배례 세자제여백관 차행사배흘 수환궁

辛未 命濱海州縣 如有中國船隻遭風漂至者 厚慰遣之. 初 有
신미 명빈해 주현 여유 중국 선척 조풍 표지자 후위 견지 초 유

船一艘至忠淸道 庇仁縣南徒芚堂. 監務林穆 使人問所從來 有
선 일소지 충청도 비인현 남 도둔당 감무 임목 사인 문 소종래 유

屈得者使二十餘人下岸 以言語不通 作書告云: "我是中國 浙江
굴득 자사 이십 여인 하안 이 언어 불통 작서 고운 아시 중국 절강

路 漕運船百戶. 漂風至此 不知去向." 且問: "是何國地面?"穆
로 조운선 백호 표풍 지차 부지 거향 차문 시 하국 지면 목

疑其有異 不告國名 且令軍馬 整陣分屯 得等疑之 卽擧帆而去.
의 기유이 불고 국명 차영 군마 정진 분둔 득등 의지 즉 거범 이거

事聞 上初欲罪穆 旣已以其無他貸之 乃有是命.
사문 상초 욕죄 목 기이 이기 무타 대지 내유 시명

錄出囚人.
녹출 수인

壬申 杖僧海禪一百 充乃而浦船軍. 臺諫刑曹啓: "僧海禪潛入
임신 장승 해선 일백 충 내이포 선군 대간 형조 계 승 해선 잠입

上國 罪當誅."上曰: "此僧若欲潛從他國 謀背本土 則今豈肯還
상국 죄 당주 상왈 차승 약욕 잠종 타국 모배 본토 즉금 기긍 환

至北境乎? 衆人皆曰可殺 然原情定罪 則當不至於死."左右曰:
지 북경호 중인 개왈 가살 연 원정 정죄 즉당 부지 어사 좌우 왈

"誠然."乃命巡禁司杖禪一百 配慶尙道 合浦廳直. 禪旣至合浦
성연 내명 순금사 장선 일백 배 경상도 합포 청직 선 기지 합포

嘗自言曰: "皇帝或有召我之日." 又與安置向國人姜教化 潛說
상 자언 왈 황제 혹유 소아 지일 우여 안치 향국인 강교화 잠설

東北面事變. 都節制使以聞 移之乃而浦.
동북면 사변 도절제사 이문 이지 내이포

癸酉 上詣德壽宮獻壽 宗親宰相以次進酌 太上王歡甚起舞 賜
계유 상 예 덕수궁 헌수 종친 재상 이차 진작 태상왕 환심 기무 사

閔無疾衣.
민무질 의

甲戌 震光州人得貴 得萬 又震牛一隻.
갑술 진 광주 인 득귀 득만 우진우 일척

乙亥 雨.
을해 우

罷禮曹正郞柳穎 佐郞權繕職. 先是 欲冊封誠妃 議政府令
파 예조 정랑 유영 좌랑 권선 직 선시 욕 책봉 성비 의정부 영

禮曹備考太尉以下差遣舊例 穎等時爲稽制司 乃引上王封崇例
예조 비고 태위 이하 차견 구례 영등시위 계제사 내인 상왕 봉숭 예

云:"左政丞當爲攝太尉 右政丞當爲攝司徒." 儀注上 上疑之
운 좌정승 당위 섭 태위 우정승 당위 섭 사도 의주 상 상 의지

不下. 穎等曰:"殿下旣母事誠妃 則禮不可從輕." 上終不以爲宜
불하 영등왈 전하 기 모사 성비 즉 예 불가 종경 상종 불 이위 의

使考大妃封崇禮文 攝太尉則判三軍府事 攝司徒則參知三軍府
사고 대비 봉숭 예문 섭 태위 즉 판 삼군부 사 섭 사도 즉 참지 삼군부

事也. 封冊使 副禮畢 當有賞賜 政丞河崙 以③避嫌移文憲府 使
사야 봉책사 부 예필 당유 상사 정승 하륜 이 피혐 이문 헌부 사

論罷之.
론 파지

丙子 震完山人夫介.
병자 진 완산 인 부개

丁丑 杖流僧雪然 惠正 允濟等. 初 河崙主議限寺額減田民
정축 장류 승 설연 혜정 윤제 등 초 하륜 주의 한 사액 감 전민

僧徒咸怨之 且以晋州牧使安魯生 首發雪然之獄 復以祛積弊闢
승도 함 원지 차이 진주 목사 안노생 수발 설연 지옥 부이 거 적폐 벽

異端 上箋稱賀 亦共訕之. 雪然逃至京 義安大君和等六人 轉轉
이단 상전 칭하 역공 산지 설연 도 지경 의안대군 화 등 육인 전전

舍匿 事覺 皆得責. 至是 臺諫刑曹 同巡禁司鞫治雪然. 弟子
사익 사각 개 득책 지시 대간 형조 동 순금사 국치 설연 제자

惠正者謂其徒曰:"以予所藏讖書觀之 僧王立 國乃太平."因曰:
혜정 자위 기도 왈 이여 소장 참서 관지 승왕립 국내 태평 인왈

"河崙 安魯生死 則可以當我讖書矣."遂謀殺崙及魯生. 僧洪漣
하륜 안노생 사 즉 가이 당아 참서 의 수 모살 륜 급 노생 승 홍련

聞其謀 告于柳亮 命巡禁司逮問 辭引兩街僧允濟等四五人 竟
문 기모 고우 유량 명 순금사 체문 사인 양가 승 윤제 등 사오 인 경

不得其情. 以雪然犯干女色 杖六十 充全羅道 海南縣 達梁水軍;
부득 기정 이 설연 범간 여색 장 육십 충 전라도 해남현 달량 수군

允濟以知而不首 杖六十 充慶尙道 東萊縣水軍; 惠正當斬 命
윤제 이지 이 불수 장 육십 충 경상도 동래현 수군 혜정 당참 명

減一等 杖一百 配慶尙道 機張縣 餘皆釋之. 左司諫大夫宋愚等
감 일등 장 일백 배 경상도 기장현 여개 석지 좌사간대부 송우 등

上言:
상언

'有罪必罰 古今常典 非人君所得私也. 今僧惠正 以國家削去
유죄 필벌 고금 상전 비 인군 소득사 야 금 승 혜정 이 국가 삭거

田民 反懷忿怨 敢發大言 不軌之甚 誠不可不正其罪也 殿下乃
전민 반 회 분원 감발 대언 불궤 지심 성 불가 부정 기죄 야 전하 내

命攸司 俾從輕典. 此雖殿下欽恤之美意 於天下萬世之法何? 願
명 유사 비종 경전 차 수 전하 흠휼 지 미의 어 천하 만세 지법 하 원

殿下依律施行 明正其罪 以杜後日亂逆之心.'
전하 의율 시행 명정 기죄 이 두 후일 난역 지심

上召掌務獻納郭德淵 傳旨曰:"惠正輕決事 非寡人意. 兩政丞
상 소 장무 헌납 곽덕연 전지 왈 혜정 경 결사 비 과인 의 양 정승

告予曰:'今旣革五百年之傳久寺社田民 又殺此僧 則恐後必有言
고 여 왈 금기 혁 오백 년 지 전구 사사 전민 우 살 차승 즉 공후 필 유언

矣 請勿殺惠正.' 是故予下巡禁司 從不死律決罪耳." 德淵更啓云:
의 청물 살 혜정 시고 여 하 순금사 종 불사 율 결죄 이 덕연 갱 계운

"發大言語 古今不赦 而法不可以私意輕改. 請誅此僧 以戒後來."
발 대 언어 고금 불사 이 법 불가 이 사의 경개 청주 차승 이 계 후래

上傳教云:"汝姑退. 予更擬議施行."
상 전교 운 여 고퇴 여 갱 의의 시행

戊寅 震南原府人夫存.
무인 진 남원부 인 부존

罷司憲府監察尹敞 李有喜職. 司憲府上言:'監察於常時出入
파 사헌부 감찰 윤창 이유희 직 사헌부 상언 감찰 어 상시 출입

毋得與同僚竝行 與常員偕行 以尊瞻視 曾有教旨. 今敞與有喜
무득 여 동료 병행 여 상원 해행 이 존 첨시 증 유 교지 금 창 여 유희

不遵教旨 竝行閭里 作黨崇飮 宜治其罪.'
부준 교지 병행 여리 작당 숭음 의치 기죄

己卯 召政丞河崙 趙英茂及義安大君和等 置酒于廣延樓. 賜崙
기묘 소 정승 하륜 조영무 급 의안대군 화 등 치주 우 광연루 사 륜

英茂馬各一匹.
영무 마 각 일필

庚辰 罷大護軍趙愼言職. 愼言 璞之子 騃而狂. 兵曹劾其闕
경진 파 대호군 조신언 직 신언 박 지 자 애 이 광 병조 핵 기궐

直宿之罪也.
직숙 지 죄야

東北面飢 賑之. 都巡問使朴信上言:'江原道所輸穀少 不足以④
동북면 기 진지 도순문사 박신 상언 강원도 소수 곡 소 부족 이

賑飢民 請益三千石.' 從之.
진 기민 청익 삼천 석 종지

辛巳 震玄風縣民嚴大.
신사 진 현풍현 민 엄대

壬午 罷司憲府持平許恒. 憲府本以彈糾爲職 其後兼決詞訟.
임오 파 사헌부 지평 허항 헌부 본 이 탄규 위직 기후 겸 결 사송

248

刑獄事劇 臺長四人 以一人爲掌務 專治臺務. 時 恒爲掌務 惛
형옥 사 극 대장 사인 이 일인 위 장무 전치 대무 시 항위 장무 혼

不勝事 物論喧騰 執義李孟畇等 歸咎於恒 請罪罷之.
불승 사 물론 훤등 집의 이맹균 등 귀구 어항 청죄 파지

　癸未 遣敬差官上護軍車指南于東北面. 以李好心波等還押送也.
계미 견 경차관 상호군 차지남 우 동북면 이 이호심파 등 환 압송 야

　甲申 罷判恭安府事朴子安 摠制尹坤等九人職 流前泥城
갑신 파판 공안부 사 박자안 총제 윤곤 등 구인 직 유전 이성

都兵馬使辛有賢于平澤縣. 初 有僧惠敬者 施其奴婢于龜巖寺
도병마사 신유현 우 평택현 초 유 승 혜경 자 시기 노비 우 구암사

繁衍至數千口 及限寺額 龜巖寺當革⑤ 子安等 以其奴婢爲祖上
번연 지 수천 구 급 한 사액 구암사 당혁 자안 등 이기 노비 위 조상

施物 自戊寅以來 曾訟于官 至是得之. 許應爲大司憲 建議以
시물 자 무인 이래 증 송 우관 지시 득지 허응 위 대사헌 건의 이

龜巖寺奴婢 復屬于公 子安等懷憤 訟于議政府 且言: "應亦是
구암사 노비 부속 우공 자안 등 회분 송 우 의정부 차 언 응 역시

使孫 但以不與同訟不得 故銜之 使令屬公."
사손 단 이 불여 동송 부득 고 함지 사령 속공

　司諫院劾啓: '子安等輒將政府擬議受敎之事 任行告訴 非毀
사간원 핵계 자안 등 첩 장 정부 의의 수교 지사 임행 고소 비훼

憲府 埋沒都堂. 且革去寺社奴婢 雖其子孫 不可復爭 況世代
헌부 매몰 도당 차 혁거 사사 노비 수기 자손 불가 부쟁 황 세대

悠遠 係屬難明? 但以今無對辨之者 乃敢爭攘 應亦以風憲之長
유원 계속 난명 단 이금 무 대변 지자 내감 쟁양 응 역이 풍헌 지장

假義挾私 俱爲不當.'
가의 협사 구 위 부당

　於是 子安 坤 有賢及辛有定 文繼宗 宋得琚 裵錦 裵澣
어시 자안 곤 유현 급 신유정 문계종 송득거 배금 배한

金自溫等得罪 唯應特免.
김자온 등 득죄 유응 특면

　罷司憲執義李孟畇 掌令李明德 持平權踐職. 司諫院上言:
파 사헌 집의 이맹균 장령 이명덕 지평 권천 직 사간원 상언

　'先王多設官吏者 使相彌縫 以修其職耳. 一司公務 雖掌務
선왕 다설 관리 자 사상 미봉 이 수 기직 이 일사 공무 수 장무

主之 爲同僚者 所宜叶心相濟 不致稽滯. 今孟畇等 以憲府一應
주지 위 동료 자 소선 협심 상제 불치 계체 금 맹균 등 이 헌부 일응

公務 專委許恒 略不經意 及乎詞訟稽滯 外議喧騰 歸咎於恒 規
공무 전위 허항 약 불경의 급 호 사송 계체 외의 훤등 귀구 어항 규

自免罪 殊失憲臣之體.'
자 면죄 수실 헌신 지체

上然之.

御正殿 引見日本國王使. 命升殿 諭之曰: "時方苦熱 我以有疾 久不見焉. 客館卑陋 館人無乃有闕耶? 當此盛夏 不可登途 宜竢秋涼還國." 對曰: "暑將徂矣 今可以還." 上曰: "懷土之念 予何止之?" 命饋于西廂.

乙酉 以知議政府事朴錫命兼司憲府大司憲 參知議政府事李原兼判義勇巡禁司事 許應中軍同知摠制.

以朴謨爲護軍 金道生通禮門奉禮郎. 謨等自發漢京至濟州 載銅佛三軀 回泊海南縣凡十七日 故賞其速也.

議政府啓定各官鄉校生徒額數田地有差. 留守官生徒五十 大都護府 牧官四十 祭田皆六結; 都護府生徒四十 知官三十 祭田皆四結; 縣令監務生徒十五 祭田皆二結. 其中敎授官差遣 留守官 廩田五十結; 大都護府 牧官四十結; 府官 知官十五結; 無敎授官府官以下各官 亦給十結.

丙戌 震留後司婦女件伊.

又震牛一隻.

| 원문 읽기를 위한 도움말 |

① 尸. 시체, 주검 외에 '일은 하지 않고 (사실상 시체처럼) 자리만 차지하고

있다'라는 뜻이 있다.

② 爾. '뿐[而已矣=而已=耳]'이라는 뜻이다.
　　이　　　　　　　이이의　　　이이　　이

③ 以. 이때의 以는 '~때문에'라는 뜻이다.
　　이　　　　　　　이

④ 不足以. 이 경우는 '부족하다'가 아니라 '할 수 있다[足以]'의 반대 뜻
　　부　족이　　　　　　　　　　　　　　　　　　　　　　　　　족이
　이다.

⑤ 當革. 이때의 當은 '마땅히'나 '해당하다'라는 뜻이 아니라 수동형 동
　　당혁　　　　　당
　　사다. 즉 被와 같은 뜻이다.
　　　　　　피

태종 6년 병술년
7월

七月

무자일(戊子日-1일) 초하루에 총제 최사위(崔士威, 1361~1450년)[1]의 아내 김씨(金氏)의 상(喪)에 부의(賻儀)를 내려주었다. 이때 사위(士威)가 경사(京師)에 갔다가 미처 돌아오지 못했으므로 상이 이를 불쌍히 여겨 종이 100권과 미두(米豆) 30석을 부의(賻儀)하고 또 속널과 겉널[棺槨]을 줄 것을 명했다.
_{관곽}

신묘일(辛卯日-4일)에 의정부 참찬사 이숙번(李叔蕃)이 사직하니 이를 허락했다.

계사일(癸巳日-6일)에 한상경(韓尙敬, 1360~1423년)[2]을 의정부 지사

---

1 고려 말기에 관직이 중랑장에 이르렀지만 조선이 개국되는 와중에 잠시 낙향했다. 그러다가 1393년(태조 2년)에 다시 벼슬길에 나아가 도관좌랑, 사헌부 지평, 사간원 좌윤, 병조참의 등을 역임했다. 1402년(태종 2년)에 안변부사 조사의(趙思義)가 난을 일으키자 이순(李淳), 김우(金宇) 등과 함께 평정했다. 곧 이어 황해도 관찰사로 임명되었으며, 이때에 왕이 지켜보는 가운데 군사훈련을 잘하여 관대(冠帶) 일령(一領)을 하사받았다. 다음 해에는 우군동지총제사로 천추사(千秋使)가 돼 명나라에 다녀왔다. 1424년(세종 6년)에 북쪽 변방을 오랑캐가 침략하자 김계지(金繼之)와 함께 물리쳤으며 이 공으로 자헌대부(資憲大夫)에 봉해졌다. 이후 한성부판윤이 됐다.

2 1382년(우왕 8년) 문과에 급제해 예의좌랑·우정언·전리정랑(典理正郎)·예문응교·공부총랑(工部摠郎)·종부령(宗簿令)을 거쳐, 1392년(공양왕 4년) 밀직사 우부대언에 승진했다. 이해 이성계(李成桂)를 추대하는 모의에 가담하고 보새(寶璽)를 받들어 이성계에게 바쳤으며, 그 공으로 개국공신 3등에 추록됐다. 개국 후 중추원 도승지가 되고, 첨서중추원사(簽書中樞院事)·도평의사사에 승진됐으며, 충청도 도관찰사가 되어 서원군(西原君)에

겸 사헌부 대사헌으로 삼았다. 상이 박석명(朴錫命)이 병으로 위독하다는 말을 듣고 탄식하여 말했다.

"이는 혹시 나이가 젊은데 지위가 높아 그렇게 된 것이 아니겠느냐?"

이에 바로 그의 직을 없애주고[罷職] 상경(尙敬)으로 하여금 대신하게 했는데 박석명이 더 오래 살기[延生]를 바라서[冀=願]였다. 또 의관(醫官) 양홍달(楊弘達)·평원해(平原海), 내관(內官) 윤홍부(尹興阜)와 석명(錫命)의 아들 거비(去非), 매부(妹夫) 정지당(鄭之唐)[3]을 보내 약이(藥餌)를 가지고 역마(驛馬)를 타고 가게 했다.

○ 사역원 부사(司譯院副使) 최운(崔雲)을 보내 소주위(蘇州衛) 우소 백호(右所百戶) 시득(施得), 총기(摠旗) 임칠랑(林七郞) 등을 데리고서 요동(遼東)으로 가게 했다. 득(得) 등은 해선(海船)을 타고 베이징[北京]으로 양곡을 운반하다가 바람을 만나 순성(蓴城)[4]에 표류했는데 배가 깨지자 해안으로 올라왔다. 통사(通事) 전 판군기감사(判軍器監事) 곽해룡(郭海龍)을 보내 먼저 거기에 가서 체문(體問)하고 인하여 함께 데려오게 했었다. 상이 광연루(廣延樓)에 나아가 시득 등을 불러서 만나보고 말했다.

"온갖 곤액(困阨)[5]을 겪고서도 생명을 보전한 것은 황제의 덕택이다."

봉해졌다. 다시 경기좌도 도관찰사에 보직됐다가 태종 때 참찬의정부사, 이조판서를 거쳐 서원부원군(西原府院君), 우의정, 영의정에 이르렀다.

3 관직은 사헌부 장령에 이르렀다.

4 지금의 충청남도 태안을 말한다.

5 곤란(困難)과 재액(災阨)을 통칭한 것이다.

득 등이 머리를 조아려 말했다.

"우리가 전하의 경토(境土)에 이르러서 살아날 수 있었으니 이는 바로 전하의 덕택입니다."

명하여 시득(施得) 등 84인에게 의복, 갓, 신발을 내려주고 또 서상(西廂)에서 음식을 대접하여 보내게 했다.

병신일(丙申日-9일)에 의정부에서 제주 목장(濟州牧場)의 현안[事宜]을 아뢰었다.

"새끼를 낳는 마필(馬匹)은 『대명률(大明律)』에 의거해 4세 이상의 암컷말[雌馬]로서 10필마다 1년에 새끼 7~8필을 낳는 것을 상등(上等)으로 하고, 5~6필 낳는 것을 중등(中等)으로 하고, 3~4필 낳는 것을 하등(下等)으로 해야 할 것입니다. 그 상등으로 기른 자는 감고(監考-감독관)나 토관(土官)으로 높여서 임용해주고 비록 사고가 있어 말을 잃더라도 징수를 면제하고, 중등인 것은 사고가 있어 말을 잃더라도 6필마다 1필을 징수하고, 하등인 것은 4필마다 1필을 징수하되 목사(牧使)와 판관(判官)이 제때에 고찰(考察)하게 해야 합니다."

그것을 따랐다.

정유일(丁酉日-10일)에 해온정(解慍亭)에서 종친들에게 연회를 베풀었다.

무술일(戊戌日-11일)에 근신(近臣)들과 더불어 벼락, 재이(災異), 복서(卜筮) 등의 일을 토의했다. 전라도 도관찰사 박은(朴訔)이 지난달 벼락에 맞아 죽은 사람의 이름과 숫자를 아뢰니 상이 말했다.

"벼락이 사람에게 치는 것은 무슨 이치인가? 내가 아직 모르겠다."

좌우에서 대답했다.

"세상에서는 벼락을 천벌(天伐-하늘의 응징)이라 합니다. 사람의 죄악이 차고 넘치면 하늘이 이를 내리치는 것입니다."

상이 말했다.

"내가 일찍이 경서와 사서[經史]를 보니 역대(歷代)의 권신과 간신으로 나라를 도둑질하고 임금을 협박했는데도[盜國脅君] 오히려 (목숨이나 부귀를) 보전(保全)하면서 천벌(天伐)을 받지 아니했으니 무슨 까닭인가? 사람이 어쩌다가 액운(厄運)을 만나거나 때마침 사악한 기운[邪氣]에 걸려서[觸] 그러할 뿐이다. 그러나 나로 말하면 실로 마음으로 두려워한다."

또 말했다.

"재이(災異)의 변고에 대해 옛글에서 모두 말하기를 '사람의 일[人事]에 대해 (하늘이) 감응한 결과[所感]이다'라고 했고 『중용(中庸)』에서 또 말하기를 '나의 기(氣)가 고분고분하면[順] 하늘과 땅의 기도 순하다'고 했으니 이는 곧 대개 한 사람의 기가 문득 하늘과 땅의 고분고분함을 가져온다는 뜻으로 이 이치[理]는 매우 신묘한 것이다. 그렇다면 이른바 나라는 사람도 여러 사람들 가운데 한 사람일 뿐이다. 이제 여러 신하가 각기 직임을 맡아보아 한 사람도 삼가지 아니함이 없는데 어찌 내가 경계(敬戒)할 것을 기다리고서야 고

---

6 본문에 있는 말은 아니고 제1장에 대한 주희의 풀이에 나오는 말이다.

분고분함이 있단 말인가? 하늘의 도리[天道]는 선한 이에게 복(福)을 주고 악한 이에게 화(禍)를 주지만, 그 길하고 흉한 효험이 오랜 뒤에야 이르는 까닭에 사람들은 흔히 이를 의심하여 믿지 않는다."

좌우에서 말했다.

"이런 이(理-이치)가 있으면 (그에 해당하는) 이런 기(氣-기운)가 있는 법입니다. 그러나 기(氣)는 빠르고 이(理)는 더딘 까닭에 사람이 좋은 일을 해도 그 길(吉)함을 얻지 못하고, 악한 일을 해도 그 화(禍)를 입지 아니합니다. 이것이 이른바 아직 정해지지 않은[未定] 하늘[天]입니다. 이미 정해진 것들[旣定]에 이르러서는 하늘이 사람에게 이기지 못하는 바가 없습니다."

상이 이어서 복서(卜筮)의 일을 토의하여 말했다.

"내가 젊어서 점[卜]을 남들에게 물었는데 왕위에 오를 것이라고 한 사람은 없었다. 다만 문성윤(文成允)만은 '열토(列土)의 명(命)이 있으니 남에게 번거롭게 누설하지 마십시오'라고 하여 내가 마음속으로 심히 편하지 못했다. 상왕(上王)께서 나를 장군도통사(掌軍都統使)로 삼고자 하셨으나 청하여 면했더니, 회안(懷安)이 박포(朴苞)[7]의

---

7 조선의 건국에 대장군으로서 공을 세워 개국공신 2등에 책봉됐다. 1398년(태조 7년) 1차 왕자의 난 평정에 공을 세워 지중추원사가 됐다. 이무(李茂)가 정사공신(定社功臣) 1등에 책봉된 것을 비방했다가 도리어 죽주(竹州)에 유배됐으나 얼마 뒤에 소환됐다. 그 뒤 2차 왕자의 난에 간여했다. 마침 회안군(懷安君) 방간(芳幹)의 집에 가서 장기를 두던 중 우박이 내리며 하늘에 붉은 빛이 나타나는 걸 목격했다. 그는 겨울에 비가 오고 하늘에 요사한 기운이 있음을 들어 근신할 것을 방간에게 청했다. 그리고 군사를 맡지 말며 출입을 삼가고 의관을 정제해 행동을 신중히 하기를 고려조 자손인 여러 왕씨의 예와 같이 하라고 했다. 이에 방간은 그러한 방책을 못마땅하게 여기면서 또 다른 방책을 요구했다. 그러자 그는 "주(周)나라 태왕에게 아들 셋이 있었는데, 그중 막내아들인 왕계(王季)에게 왕위를 전할 뜻이 있으므로 왕계의 두 형인 태백(泰伯)과 중옹(仲雍)이 형만

난언(亂言)을 믿게 돼 늘상 나의 마음에 부합하지 못했다. 경진년(庚辰年-1400년)의 난리⁸에 이르러서는 내가 부득이 이에 대응했으니 이래(李來, 1362~1416년)⁹가 회안(懷安)에게 듣고서 그 말을 흘려주었기 때문이다."

경자일(庚子日-13일)에 평양군(平陽君) 박석명(朴錫命)이 졸(卒)했다. 상은 석명(錫命)이 (충청도 천안 근처) 김제역(金蹄驛)에 이르러 병이 중해졌다[亟]는 말을 듣고 충청도 관찰사에게 명하여 말했다.
"만에 하나 불행하게도 죽는다면 빈장(殯葬)을 옮기는 중에 그 아비와 처자(妻子)의 소원을 따르도록 하고 나의 명을 기다릴 것 없이

(荊蠻)으로 도망하던 것과 같이 하는 것이 옳다"는 말을 전했다. 그러나 방간이 또 다른 방책을 요구하자 "정안군(靖安君)은 군사가 강해 많은 무리가 붙어 있고, 방간의 군사는 약하며 위태함이 마치 아침이슬과 같으므로 먼저 선수를 써서 쳐부수는 것이 낫다"고 했다. 방간이 이 말을 좇아 군사를 일으켰는데 공신 중 박포와 장사길(張思吉)만 따르고 그 나머지는 모두 방원(芳遠-뒤의 태종)을 좇았다. 방간은 패하자 토산(兎山)으로 유배를 가고, 박포는 방간을 꾀어 난을 일으킨 죄목으로 죽음을 당했다.

8 2차 왕자의 난을 가리킨다.
9 아버지는 우정언(右正言) 이존오(李存吾)이며, 우현보(禹玄寶)의 문인이고 태종 이방원과 문과 급제 동기다. 1371년(공민왕 20년) 아버지 이존오가 신돈(辛旽)의 처벌을 주장하다가 유배돼 울화병으로 죽고 이어 신돈이 처형되자 10세의 어린 나이로 전객녹사(典客錄事)에 특임됐다. 1383년(우왕 9년) 문과에 급제하고 공양왕 때 우사의대부(右司議大夫)에 올랐다. 1392년(공양왕 4년) 정몽주(鄭夢周)가 살해되자 그 일당으로 몰려 계림(鷄林-경주)에 유배됐다가 곧 풀려나서 공주에 은거했다. 1399년(정종 1년) 좌간의대부로 등용되고, 이듬해인 1400년에 이방간(李芳幹)의 난을 평정하는 데 공을 세워 좌명공신(佐命功臣) 2등에 책록됐다. 곧 좌군동지총제가 됐고 계림군(鷄林君)으로 봉작됐다. 1402년(태종 2년) 첨서승추부사(僉書承樞府事)가 됐다가 그해 대사간을 거쳐 공조판서에 승진했다. 1404년 정조사(正朝使)가 돼 명나라에 다녀왔으며 곧 대사헌이 됐다. 이듬해에 예문관 대제학이 되었고, 1407년 경연관을 거쳐 세자의 스승인 좌빈객(左賓客)을 지냈으며 1408년에 지의정부사 겸 판경승부사에 이르렀다. 태종 묘정에 배향됐다.

예(禮)를 갖춰 빈틈없이 대비하도록 하라[應辦].”
_{응판}

상이 광연루(廣延樓)에 나아가서 일을 보다가[視事] 석명의 부음
_{시사}
(訃音)이 이르니 상은 고통스럽게 애도하기[痛悼]를 특별히 심하게
_{통도}
하여 급히 광연루에서 내려와 철조(輟朝)하고, 쌀과 콩 120석과 종
이 200권을 내려주고 내사(內史)를 보내 빈소(殯所)에 사제(賜祭)
했다.

석명은 (전라도) 순천(順天) 사람으로 재상 가흥(可興, 1347~1427년)[10]
의 아들이다. 몸가짐과 외모[儀表]가 특출나고 시원시원했으며[俊爽]
_{의표} _{준상}
귀 밝고 일에 민첩했으며[聰敏] 도리에 아주 빼어났는데[絶倫] 턱
_{총민} _{절륜}
의 길이가 남들과 달라 스스로 호(號)를 이헌(頤軒)이라 했다. 나이
16세에 과거에 급제해[登科] 빠르게[驟=速] 화려한 요직[華要]의 자
_{등과} _{취 속} _{화요}
리로 승진했고 22세에 대언(代言)에 제배됐다. 고려가 망하자 귀의군
(歸義君) 왕우(王瑀)의 사위인 까닭에 8년 동안 침폐(沈廢)해 있었다.
상이 즉위하자 구교(舊交)가 있었던 까닭에 불러서 좌승지(左承旨)
에 임명하고 지신사(知申事)로 승진시켜 6년 동안 재직했는데 눈 밝
고 통달했으며[明達] 기억력이 뛰어나[强記] 상이 처음부터 끝까지
_{명달} _{강기}
[終始] 의지하고 믿어 전후(前後)로 비할 사람이 없었으므로 자급을
_{종시}

---

10 우왕 때 밀직부사를 지냈으나 1388년(우왕 14년) 이인임(李仁任)이 숙청당해 경산부(京
山府)에 유배되자 그에 연루돼 순천으로 유배 갔다. 공양왕 때 중낭장 이초(李初)와 윤이
(尹彝)가 명나라에 있으면서 명나라의 힘을 빌려 시중 이성계(李成桂)를 제거하려고 모의
할 때 사신으로 명나라에 머무르고 있던 순안군 방(順安君昉)과 동지밀직사 조반(趙胖)
이 돌아와 그 사실을 임금께 알렸다. 그로 인해 1390년(공양왕 2년) 이색(李穡)과 우현보
(禹玄寶) 등 수십 명이 하옥되는 이초의 옥사가 일어났다. 이때 연루된 김종연(金宗衍)을
숨겨주는 등 이성계 제거에 협력하다가 붙잡혀 유배당했다.

뛰어 의정부 지사(議政府知事)에 제배했다. 천성이 술을 좋아해 종일 거나하게 마셨으나 일을 결단하는 것[斷事]이 물 흐르는 듯했다. 그러나 마음속에 다잡고 지키는 바[操守]가 없어 여색(女色)에 빠지고 뜻이 높아 남에게 굽히지 아니하고 독단적으로 결단하니[專斷] 사람들이 자못 꺼렸다. 졸년(卒年)은 37세이며 시호는 문숙(文肅)이라 했다. 아들 셋을 두었는데 거비(去非), 거완(去頑), 거소(去疎)¹¹다.

신축일(辛丑日-14일)에 박념(朴恬)과 허척(許倜)을 사면해 외방(外方)에 종편(從便)하게 하고 신온량(申溫良)과 박분(朴賁)을 경외(京外)에 종편하게 했다.

임인일(壬寅日-15일)에 태백성이 낮에 이틀 동안 보였다.

계묘일(癸卯日-16일)에 황엄(黃儼), 한첩목아(韓帖木兒), 양녕(楊寧), 기원(奇原)이 (전라도) 나주(羅州)에서 돌아왔다. 처음에 엄(儼) 등이 돌아오다가 용구현(龍駒縣)¹²에 이르렀을 때 임금이 몸이 불편해 [違豫] 나가서 맞이하지 못한다고 이조판서 이직(李稷)을 보내 그 연

---

11 거소의 아들 박중선(朴仲善)은 훗날 예종과 성종 때 공신이었고 그 아들 박원종(朴元宗)은 연산군을 내쫓은 반정의 주역이다.

12 지금의 경기도 용인의 한 지역이다. 고구려 때는 구성현(駒城縣) 또는 멸오(滅烏)라 부르고, 신라 경덕왕 때는 거서현(巨黍縣)으로 개칭돼 한주(漢州)의 영현에 속해 있다가 고려 초 용구현으로 바뀌었다. 1018년(현종 9년) 지방 제도가 다시 개편돼 4도호·8목·56지주군사(知州郡事)·28진장(鎭將)·20현령이 설치되는데, 이때 용구현은 광주목의 임내로 편입됐다.

고를 알렸는데 엄이 바라보고 정승(政丞)이 오는 것으로 여겼다가 직(稷)을 보고서는 안색이 좋지 아니하니[不豫=不便] 직이 이를 알아차리고 핑계를 대어[誘] 말했다.

"오늘 두 정승이 모두 가기(家忌)¹³를 만나 달려오지 못했는데 내일 아침에는 반드시 와서 맞이할 것입니다."

이문화(李文和)도 사람을 시켜 (이런 상황을 상에게) 아뢰어 말했다.

"엄이 전하께서 교외(郊外)에 나와 맞이하지 않는다는 말을 듣고서 심히 좋지 않은 빛이 있었습니다. 또 엄 등은 전하께서 동불(銅佛)을 맞이할 때 오배 삼고두(五拜三叩頭-다섯 번 절하고 세 번 머리를 조아리는 것)하게 하려고 합니다."

상이 노하여 말했다.

"황엄이 어찌 나를 욕보이는 것이 여기에까지 이르는가? 엄은 욕심이 너무 많고[貪婪] 간특하며[姦險], 또 불상(佛像)을 수송한다는 이유로 사람을 때려죽였으니 그 죄는 참으로 무겁다. 내 이를 천자(天子)에게 상주(上奏)하고자 한다."

대언들이 모두 말했다.

"엄이 탐욕스럽고 속임수에 능한 것[譎]은 천하에서 다 아는 바입니다만, 그가 우리나라에 고명(誥命)·인장(印章)·주관(珠冠)·면복(冕服)을 받들고 왔으니 은의(恩義) 또한 많습니다. 지금 만일 격노하시게 되면 안 되지 않겠습니까?"

상의 화가 조금 풀려서 의정부와 육조(六曹)로 하여금 (상이) 친히

---

13 집안 조상의 기제(忌祭)를 말한다.

동불에 대해 절을 할 것인지의 가부(可否)를 모두가 토의하게 하고 [僉議] 지신사 황희를 보내 양재역(良才驛)에서 맞이하도록 하고 (자신은) 병 때문에 나오지 못한다고 알리게 했다. 정승 하륜과 조영무에게 명해 한강(漢江)에서 맞이하게 하고 백관(百官)들은 숭례문(崇禮門) 밖에서 맞이하게 했다. (황엄 등이) 관(館-태평관)에 이르자 백관들이 예(禮)를 행하려고 하니 엄은 상이 나오지 아니한 데 대해 노하여 말했다.

"지금 전하를 뵙지 못했으니 감히 예를 받을 수 없소."

정부(政府-의정부)에서 대신 하마연(下馬宴)을 베풀고자 해도 역시 받지 않았다. 엄 등은 동불상(銅佛像) 3좌(座)를 받들고 왔는데 감실[龕] 15개를 사용해 불상(佛像)·화광(火光)·연대(蓮臺)·좌구(坐具)를 나눠 담았고, 또 모란(牧丹)·작약(芍藥)·황규(黃葵) 등의 특수한 꽃을 감실에다 흙을 담아 심었다. 궤(樻)를 만들었는데, 판자(板子) 1,000장[葉], 철(鐵) 600근, 마(麻) 700근을 사용했다. 그 불상과 화광의 감(龕)이 셋인데 높이와 너비가 각각 7척쯤이며, 안에는 공간 막이용으로 백지(白紙) 2만 8,000장과 면화(綿花) 200근을 사용했다. 짐꾼[擔夫]이 수천여 명이었는데 매번 관사(館舍)에 이를 때마다 옛 청사(廳事)는 좁고 더럽다 하여 새 청사를 관사 왼쪽에 따로 짓게 했는데 몹시 크고 화려했다. 지나는 곳마다 물자를 요구하지 않는 것이 없었으며, 조금이라도 여의치 못하면 문득 매질하여 수령(守令)을 욕보였으니 주(州)와 현(縣)들이 그들을 지원하느라 지쳤다. 전라도 도관찰사 박은(朴訔)은 매사(每事)를 재량으로 줄인 데 반해 충청도 도관찰사 성석인(成石因)은 한결같이 그의 뜻대로 하니 엄은 은(誾)에게는 화를 냈고 석인(石因)은 좋아했다. 돌아와서는 상에게 말했다.

"감사(監司)로서 전하를 저버리지 않은 사람은 오직 박은뿐이었습니다."

그 뒤에 은이 글을 올려 말했다.

'신(臣)은 천성이 본래 어리석고 앞뒤가 막혀[愚戇=愚固] 교묘한 말과 아첨하는 얼굴[巧令=巧言令色]로 다른 사람을 기쁘게 해주는 재주가 없는데 특별히 성은(聖恩)을 입어 갑자기 공명(功名)을 이루고 스스로 전하의 이목지신(耳目之臣)이라 여기어 듣고 보는 바가 있으면 다 말씀드리지 아니함이 없어 만분의 일이라도 보답하기를 기약하는 것이 신(臣)의 지극한 소원입니다. (그런데) 지금 신이 감사(監司)가 되어 외방으로 나오니 중요한 일[機務]이 심히 많아 어찌할 바[所措]를 알지 못하겠고 제 스스로 죄과(罪過)가 심히 많은 것을 아는지라 자백하지[首=自白] 않을 수 없습니다.

지난번 초운(初運-첫 번째 운반)의 조전선(漕轉船)에 그것을 호위하는 병선(兵船)의 수가 적은 것을 알지 못한 것은 아니나, 전례(前例)에 구애되어 정신 차려 살피지 못했기 때문에 도둑을 당하게 됐으니 신의 죄의 첫째입니다.

국가에서 박모(朴謨), 김도생(金道生) 등을 보내 동불을 제주(濟州)에서 가져오게 하니 신은 먼저 제주목관(濟州牧官)에게 이문(移文)하여 법화사(法華寺)의 동불 3좌를 급히 수송하여 배로 실어 보내게 했습니다. 제주목관에서는 신이 보낸 문서를 보고 즉시 이졸(吏卒)들을 동원해 그 동불을 운반하여 바닷가에 막 도달할 무렵, 그 이틀

날 박모(朴謨) 등이 잇달아 이르렀습니다. 마침 쾌풍(快風)이 불었기에 즉시 잘 옮겨 싣고 나와서 겨우 해안에 이르렀는데 바람과 물결이 순조롭지 못한 것이 거의 수십일 동안이었습니다. 대개 부처의 일로 위임을 맡고 온 사람이 있으나, 신은 일신(一身)의 이해(利害)를 돌보지 않고 먼저 뱃사람을 보내 부처를 실어 오게 하고, 황 태감(黃太監) 등으로 하여금 바다를 건너가지 못하게 하여 나주(羅州)에서 40여 일 동안 묵게 하면서 부처를 실을 자재와 기구를 크게 만들게 해 한 경내[一境]가 그 해독을 받게 했으니 신의 죄의 둘째입니다.

애초에 황 태감 등이 서울을 떠나니 (내려오는 길에) 경기(京畿)와 충청(忠淸) 두 도의 감사가 영접할 때 크게 나례(儺禮)를 갖추고, 기악(妓樂)과 유밀과상(油蜜果床)이 지극히 번화해도 폐단으로 여기지 않았습니다. 신은 이 소식을 듣고 그들이 옳지 못한 전례(前例)를 만드는 것을 분하게 여겨 즉시 도체찰사 박석명(朴錫命)에게 글을 보내 모든 영접(迎接)하는 일은 그 도(道)의 예(例)에서 수등(數等)을 줄이도록 했습니다. 그러나 그런 도의 예에 이끌려서 완산부(完山府)에서는 나례와 과상(果床)을 차려놓았으니 신의 죄의 셋째입니다.

황 태감 등이 만드는 부처를 운반할 자재와 기구가 매우 번거롭고 무거워 백성들에게 해(害)가 되는데 이를 막지 못했습니다. 또 꽃함[花函] 10여 구(具)를 만들어 잡꽃을 심어가지고 서울로 돌아가려고 할 때 신은 곧 황 태감을 보고 말하기를 "내가 감사로서 왕지(王旨)를 받들지 아니하고 감히 이 함(函)들을 실어 보낼 수 없습니다"라고 하니 황공(黃公)이 대답하기를 "세 부처 앞에 3구(具)씩 놓아 가지고 돌아가려 하니 그대는 속히 전하게 계문(啓聞)해서 만들도록 하고,

혹시라도 지체하여 나의 노여움을 돋우지 마시오"라고 했습니다. 신은 즉시 도당(都堂)에 보고했는데 도당에서는 신으로 하여금 잘 평계하여 실어 보내지 말라고 했습니다. 신은 국가의 대체(大體)를 중히 생각하여 끝까지 굳게 막지 못하고, 승도(僧徒)들로 하여금 그 꽃함을 운반하게 했으니 신의 죄의 넷째입니다.

바라건대 전하께서 신이 직임을 감당하지 못해 백성을 수고롭게 하고 재물을 허비한 죄로 다스리시어 한 도의 피로한 백성들의 소망을 위로해주신다면 부월(鈇鉞)의 벌(罰)이라 하더라도 더 이상 원망이나 후회가 없겠습니다. 혹시라도[儻] 전하께서 신의 지극한 마음[至情]을 살피시고, 신의 다른 마음이 없었음[無他]을 불쌍히 여기시고 신의 어쩔 수 없었음[不得已]을 용서하시어 (신을) 폐(廢)하여 서인(庶人)으로 삼아 여생을 보전케 해주신다면 이보다 더 큰 다행은 없겠습니다. 비록 대체(大體)를 살피지 않고 개탄하여 고론(高論)하는 자가 있어 신을 논함이 있다 하더라도 신은 진실로 두렵지 않습니다. 오직 전하의 명을 기다릴 뿐입니다.'

○ (전라도 장성군) 진원현(珍原縣)의 길가에 큰 나무가 있었는데 세속(世俗)에서는 백지수(百枝樹)라 불렀다. 황엄이 이곳을 지나다가 비밀리에 구리못[銅釘]을 박아놓았는데 감무(監務) 허규(許揆)가 이것을 알아차리고는 그 못을 뽑은 다음 보고했다. 당시 사람들은 자못 엄이 압승술(壓勝術)[14]을 행한다고 의심했다.

---

14 주술(呪術)을 쓰거나 주문(呪文)을 외워 음양설(陰陽說)에서 말하는 화복(禍福)을 누르는 일을 가리킨다. 염승술(厭勝術)이라고도 한다.

갑진일(甲辰日-17일)에 중외에 거듭 엄명을 내려[申嚴] 황색(黃色)으
로 옷을 해 입는 것을 금지했다.

을사일(乙巳日-18일)에 태백성이 낮에 이틀 동안 보였다.

○ 상이 태평관(太平館)에 가니[如] 황엄 등은 상이 먼저 불상(佛
像) 앞에 나아가 예(禮)를 행하기를 원했으나 상은 그럴 수 없다며
말했다.

"내가 온 것은 천사(天使-사신)를 위한 것일 뿐이지 불상[銅像]을
위한 것이 아니오. 만약 동불(銅佛)이 중국[天朝]에서 왔다면 내가
마땅히 절을 하여 삼가고 조심하는[敬謹] 뜻을 표해야겠지만 지금은
그렇지 않은데 어찌 절을 할 필요가 있겠소?"

이에 지신사 황희(黃喜)로 하여금 정부에 물어보게 했다. 정부에서
아뢰어 말했다.

"황제(皇帝)가 불도(佛道-불교)를 깊이 믿어[崇信] 멀리에서까지 동
불(銅佛)을 구하고, 또 황엄이 못난 사람[不肖]이라는 것은 천하 사
람들이 다 아는 바이니 바라건대 임기응변을 따라[從權=從權道] 예
불(禮佛)하시옵소서."

상이 기분 나빠하며[不悅] 말했다.

"내가 두 정승(政丞)[15]을 믿고서[恃][16] 장차 절하지 않으려고 했는
데 지금 모두 말하기를 '절을 해야 한다'라고 하니 어째서인가? 나는

---

15 하륜과 조영무다.

16 여기서는 두 정승을 핑계로 하지 않으려 했다는 뜻으로 보인다.

이제야 나의 여러 신하 중에 (임금과 신하의) 의리[義]를 지키는 사람
이 단 한 사람도 없다는 것을 알았다. 여러 신하가 한 사람의 황엄을
두려워하는 것이 이와 같은데 하물며 의리를 지켜[守義] 임금이 어
려움에 처했을 때 구원할 수 있겠는가? 전조(前朝-고려)의 충혜왕(忠
惠王)[17]이 원(元)나라로 잡혀갈 때 일국(一國)의 신인(臣人-신하된 자)
중에 아무도 기꺼이 구원하려 드는 자가 없었는데 내가 위태로움과
어려움을 당해도 역시 거의[殆] 이와 같을 것이다. 또 임금의 거동은
가볍게 할 수가 없는 것이다. 내가 만일 불상에 절한다면 (유학의) 예
법에 있어서 어떠하겠는가?"

드디어 이현(李玄)에게 명해 사신(使臣)에게 일러 말했다.

"번국(藩國)의 화복(禍福)은 천자(天子)의 손에 달려 있지 동불(銅
佛)에 있지 않소. 마땅히 먼저 천자의 사신을 보아야지 어찌 내 나라
동불에 절하는 것을 내가 받아들일 수 있겠소?"

엄은 한참 동안[良久] 하늘을 우러러보다가 미소를 지으며 말했다.

---

17 1328년 세자로 원나라에 갔다가 1330년에 충숙왕의 전위(傳位)를 받고 귀국해 즉위
했다. 그러나 1332년 원나라에 의해 전왕인 충숙왕이 복위하자 다시 원나라로 갔다.
1339년 충숙왕이 죽자 조적(曺頔) 등이 음모를 꾸며 심양왕 고(瀋陽王暠)를 옹립하려는
반란을 일으켰으나 실패하고 충혜왕이 복위했다.
그는 본성이 호협방탕해 주색과 사냥을 일삼고 정사를 돌보지 않았으며, 후궁만도
100여 명에 이를 정도였다. 기거주(起居注) 이담(李湛)의 충고와 전 군부판서(前軍簿判書)
이조년(李兆年)의 간청에도 방탕한 습성을 버리지 못해 유신들과 반목이 심했다. 충혜왕
은 영특하고 슬기로운 재능을 좋지 못한 데 사용했다. 사무역(私貿易)으로 재화를 모으
고 무리한 세금을 강제로 징수해 유흥에 탕진하고 백성들의 토지와 노비를 약탈해 보흥
고(寶興庫)에 소속시키는 등 실정이 많았다. 결국 충혜왕은 1343년 12월 다시 원나라로
압송됐으며, 게양현(揭陽縣)으로 유배됐다. 고려 조정에서는 재상들이 백관(百官)과 원로
들의 서명을 받아 왕의 석방을 요구하려 했으나 충혜왕은 이듬해 1월 유배지로 가던 중
에 악양현(岳陽縣)에서 30세의 나이로 사망했다.

"먼저 전하와 상견(相見)을 청합니다."

이에 들어가서 사신을 만나보고 다례(茶禮)를 행했으나 끝내 불상에는 절하지 않았다. 상이 엄에게 일러 말했다.

"이곳에다 술자리를 베풀고 싶은 마음 간절하지만, 불상이 정청(正廳)에 있어 감히 함부로 할 수가 없으니 한번 누추한 궁[陋宮]으로 와주기 바라오."

엄이 말했다.

"네, 명대로 하겠습니다."

상이 돌아와 얼마 동안 있어도 엄이 오지 않으니 다시 대언 윤사수(尹思修)를 시켜 양마(良馬)를 보내주었다. 엄이 노기가 풀어져 드디어 한첩목아 등과 더불어 창덕궁(昌德宮)으로 오니 상이 광연루(廣延樓)에서 연회를 베풀었다.

병오일(丙午日-19일)에 상이 덕수궁(德壽宮)에 나아가 기거했다.

○ 태평관에 나아가 사신들을 청해 해온정(解慍亭)으로 (데리고) 와서 술자리를 베풀었다. 4명에게 말 1필씩을 주었다. 또 황엄에게 저마포(苧麻布) 135필, 석등잔(石燈盞) 30벌[事], 돗자리 15장, 잣[松子] 3석, 준마(駿馬) 3필, 초서구(貂鼠裘) 1령(領), 각궁(角弓) 1장(張), 전(箭-화살) 1통(筩)과 그가 요구한 인삼(人蔘)·후지(厚紙)·산해 식물(山海食物)까지 주지 않은 것이 없었고 그 나머지 사신들에게도 등급에 따라[以次] 차등 있게 주었다. 엄이 크게 기뻐하여 말했다.

"전하의 성의가 지극하십니다."

양녕(楊寧)은 준 것이 적다면서 화를 냈고 또 울었다. 상이 이 말을 듣고 웃으면서 다시 양마(良馬) 1필을 주면서 엄에게 말했다.

"황제의 은덕을 입음이 어느 누가 나와 같겠소?"

사신이 말했다.

"전하뿐만 아니라 온 천하[普天]가 다 이와 같습니다."
<small>보천</small>

○ 중군동지총제 허응(許應), 전 사헌집의(司憲執義) 이맹균(李孟畇), 장령(掌令) 이명덕(李明德), 지평(持平) 허항(許恒) 등을 외방으로 유배 보냈다. 헌사(憲司)에서 응 등이 대관(臺官)으로 있을 때 박저생(朴抵生)의 옥송(獄訟)을 계류(稽留-지체)시킨 죄를 탄핵한 것이다. 전 지평 권천(權踐)[18]은 공신의 아들이라 하여 면해주었다.

○ 명하여 노이(盧異) 한을생(韓乙生) 박초(朴礎)[19] 등 15인의 고신(告身)을 (되돌려) 주게 했다.[20]

정미일(丁未日-20일)에 둔전(屯田)[21]과 연호미(烟戶米)[22]의 법을 세웠다. 애초에 임금이 구언(求言)하여 의정부로 하여금 채택 시행케

---

18 권근(權近)의 아들이다.

19 1404년(태종 4년)에 사헌부 좌헌납(司憲府左獻納)으로 재직 중에 예전에 선공감승(繕工監丞)으로 있을 때 관용의 철(官鐵)을 사사로이 사용했다는 이유로 인해 장형(杖刑)에 처해졌다.

20 이들에 대한 처벌이 끝났다는 뜻이다.

21 고려·조선조 때 함경도와 평안도의 변경(邊境)에 주둔(駐屯)하던 병사(兵士)가 경작하던 토지를 가리킨다. 남도(南道)의 군량을 그곳에 공급하는 불편을 없애기 위해 설치된 제도로서 조선조 때에는 국둔전(國屯田)과 관둔전(官屯田)의 두 가지 형태가 있었다.

22 고려·조선조 때 농번기(農繁期)에 경작(耕作)하고 농한기(農閑期)에 군문(軍門)에 종사하던 농민들로 조직된 지방군(地方軍)이 내던 조세(租稅)를 말한다.

했다. 전조(前朝-고려)의 둔전과 연호미의 법을 복구하기를 원하여 둔전(屯田)의 소출로는 선군(船軍)의 식량으로 주고, 연호미(烟戶米)로는 흉년에 진대(賑貸)할 것으로 대비하자고 했다. 정부에서 여러 사람이 그 말을 편하게 여겨 이것을 시행할 것을 청한 것이다.

기유일(己酉日-22일)에 태백성이 낮에 나타났다.

○ 황엄 등이 동불(銅佛) 3좌를 받들고 경사(京師)로 돌아가니 임금이 반송정(盤松亭)에서 그들을 전송하고 우군총제 조면(趙勉)을 보내 경사에 따라가 예부(禮部)에 자문(咨文)을 전해 동불을 보내는 뜻을 알리게 했다.

○ 상호군 차지남(車指南)을 보내 맹가첩목아(猛哥帖木兒)의 친족 완자(完者) 등 10명과 그 가족들을 건주위(建州衛)에 데려다주게 했다[管送].
관송

○ 사역원 판관 장약수(張若壽)를 보내 절강(浙江), 관해위(觀海衛), 백호(百戶), 양무(楊茂) 등을 데리고서[押=押領] 요동(遼東)으로 가게
압 압령
했다. 양무는 군인 48명을 거느리고 걸어서 (서북면) 의주(義州)에 이르러 스스로 말했다.

"해선(海船)을 타고 태창(太倉)에 이르러 식량을 채워 넣고[裝糧],
장량
동총병관(同摠兵官) 평강백(平江伯)을 따라 양선(糧船-식량운반선) 1,300척을 영솔(領率)해 가지고 베이징[北京]으로 가서 교역하려고
북경
하다가 문득 태풍[風颶]을 만나 해변으로 표류되었는데 배가 부서져
풍구
서 해안에 상륙하여 굶주리다가 이곳에 이르렀다."

병마사(兵馬使) 정경(鄭耕)이 이를 보고하니 명하여 두텁게 위로해

주고, 포마(鋪馬-역마)와 각력(脚力)²³을 내주어 보냈다.

경술일(庚戌日-23일)에 상이 반찬 가짓수를 줄이고[減膳] 약주(藥
酒)를 그만두었으며 중외(中外)의 이죄(二罪) 이하의 죄수들을 사면
했다. 오래 가물었기 때문이다. 상이 좌우 신하에게 일러 말했다.

"하늘이 비를 내리지 않는 것은 오직 과인(寡人)이 우매(愚昧)한 때
문이다[緣=坐]."

그러고는 눈물을 흘리니 좌우의 신하들이 황공해하며[竦然] 감동
했다. 육조(六曹) 대간(臺諫)의 장무(掌務)를 불러 말했다.

"가뭄이 너무 심하다. 내가 상벌(賞罰)을 행함에 밝지 못하고,
사람을 씀에 마땅함[當]을 잃고, 궁금(宮禁-궁궐) 안에서의 복어
(服御)²⁴가 제도에 지나쳐서 재변(災變)을 부른 것이 아닌가 염려
된다. 마땅히 각각 직언(直言)하여 숨김이 없도록 하면 내가 그것
을 고치겠다. 대신(大臣)으로 정부(政府) 육조(六曹)의 당상(堂上-
정3품 당상관)이나 각 도(各道) 도관찰사(都觀察使)가 될 만한 자
와 직질(職秩)은 비록 낮더라도 장수(將帥)가 될 만한 자, 대간(臺
諫)이 될 만한 자의 이름을 갖춰 아뢰도록 하라. 내 그들을 뽑아
쓸 것이다."

또 지신사 황희(黃喜)와 대언 김과(金科), 윤사수(尹思修) 등을 불
러 정치하는 요체[致治之要]를 극론했다.

---

23 도보로 물건을 운반하는 인부를 말한다. 각부(脚夫)라고도 한다.
24 임금의 의복(衣服)과 탈것 따위를 아울러 일컫는 말이다.

임자일(壬子日-25일)에 종묘(宗廟)와 사직(社稷)에서 비를 빌고 또 산천단(山川壇), 양진(楊津-양화진), 한강(漢江)에서 빌었다. 무당들을 모아 백악(白岳)에서도 비를 빌었다.

○ 명하여 (충청도) 홍주(洪州), 임내(任內),[25] 신평현(新平縣)의 전 낭장(郎將) 권지(權止)의 딸의 집 문에 정표(旌表)하게 했다. 딸은 나이 13세에 어미를 잃자 여막(廬幕)을 무덤 곁에 짓고 밤낮 슬피 울었다. 목사(牧使) 안등(安騰)이 이를 보고하니 명하여 그 문에 정표하고 콩과 쌀을 넉넉히 주게 했다.

○ 이조에서 외방 관호(外方官號)를 고칠 것을 청했다. 아뢰어 말했다.

"본조(本朝-조선)에서 외방에 고을을 설치한 제도를 가만히 살펴보건대 계림부(雞林府)·영해부(寧海府)는 칭호는 같으나 관품(官品)이 같지 않고, 울주(蔚州) 흥해군(興海郡)은 모두 지관(知官)[26]으로 관품은 같으나 칭호가 같지 않으며, 감무(監務)라는 명칭의 경우 전기(傳記-과거 기록)에 보이지 않으니 옛 제도[古制]가 아닙니다. 계림
고제
(雞林)·영흥(永興)·평양(平壤)·완산(完山) 4부(府) 이외의 대도호부(大都護府)는 목(牧)으로 개칭하고, 도호부(都護府)와 소부(小府)는 지주(知州)로 개칭하고, 종전의 지주(知州)는 지군(知郡)으로 개칭하

---

25 고려와 조선 초 때 일종의 특수 행정 구역으로 일체의 부역 과세 공납 등을 위임 집행하는 곳이다. 이 구역은 호장(戶長)이 다스리고 중앙의 행정관(行政官)이 파견되지 못한 지역이다.

26 조선 초기 종4품의 지사(知事)를 장관(長官)으로 하는 주·부·군·현(州府郡縣) 등의 고을을 말한다. 혹은 그런 관리를 뜻한다.

고, 감무(監務)는 현령(縣令)으로 개칭하기를 바랍니다.

상이 그렇다고 여겼다.

계축일(癸丑日-26일)에 폭풍이 일어 먼지가 날렸다.

○ (전라도) 인의현(仁義縣)²⁷ 사람 고원길(高元吉)이 벼락을 맞았다.

○ 사간원에서 소(疏)를 올려 일을 논했다[論事].
논사

'하나, 옛날에는 관리로서 직책이 있는 사람[官守者]이라야 일정한
관수 자
녹봉[常祿]이 있었습니다. (그런데) 지금은 공신(功臣)과 여러 군(君)
상록
에게는 이미 전토와 노비[臧獲]를 내려주어 그들로 하여금 대대로
장획
그것을 하사받게 했으니 (그것만으로도) 포상(褒賞)의 은전이 이미 극
진한데 또 일정한 녹봉이 있는 것은 지나칩니다. 바라건대 이제부터
는 직책이 없는 여러 군(君)에게는 상록을 불허(不許)해야 합니다. 또
대소의 검교지신(檢校之臣)²⁸도 직책이 없이 녹(祿)을 허비하니 엎드
려 바라옵건대 모두 다 없애야 합니다[停罷].
정파

하나, 재상(宰相)이란 임금과 하늘과도 같은 지위[天位]를 같이 하
천위
여 천직(天職)²⁹을 다스리는 자리입니다. 그러므로 옛날의 뛰어난 임
금은 반드시 사람을 잘 고른 뒤에야 그 사람에게 자리를 맡겼습니다.
(그런데) 오늘날 의정부 찬성사(贊成事) 이숙(李淑, 1373~1406년)³⁰

---

27 태인(泰仁)이란 이름은 태산군과 이웃 인의현(仁義縣)이 1409년(태종 9년) 통합되면서 생
  겼다.
28 검교란 실지로 사무는 맡기지 않고 이름만 가지게 할 때 그 관직명 앞에 붙인 명칭이다.
29 옛날에는 관직의 공공성을 강조하기 위해 천직이라고 불렀다.
30 의안대군 이화의 아들이자 조선 태조 이성계의 조카다.

은 어려서 일을 경험하지[更事=經事] 못했으니 마땅히 종친의 예(例)로 두어야 하고 의정부 참찬사(參贊事) 신극례(辛克禮, ?~1407년)[31]도 재주와 다움[才德]이 (그 자리에) 맞지 아니하니[不稱] 마땅히 훈신의 예에 두어야 하고 아울러 재보(宰輔)[32]의 직은 허락해서는 안 됩니다.

하나, 임금의 한 몸은 모든 교화[萬化]의 원천이므로 동정(動靜)과 위의(威儀)를 삼가지 않을 수 없습니다. 엎드려 바라옵건대 전하께서는 날마다 정사(政事)를 들으실 때나 예도를 갖추어 행차하실 때 중립(中笠)[33]을 사용하지 마시고 반드시 사모(紗帽)[34]를 사용하시어 첨시(瞻視)를 높이셔야 합니다.[35]

하나, 각 도의 전지(田地)를 다시 측량할[改量] 때 파견된 사람들의 소견이 같지 아니하여 결부(結卜)의 수가 어떤 것은 평등하고 어떤 것은 과중하여 백성들이 원망하고 탄식하니 엎드려 바라옵건대 새롭게 개간한[新墾] 전지 이외에 다시 측량한 전지는 우선 전안

---

31 1차 왕자의 난 때 상장군으로 있으면서 공을 세워 좌명공신(佐命功臣) 1등에 녹훈되고, 취산군(鷲山君)에 봉해졌다. 정종·태종 연간에 예조전서, 좌군동지총제(左軍同知摠制) 등의 벼슬을 역임했다. 1407년(태종 7년) 민무구(閔無咎)·민무질(閔無疾) 등과 함께 종친 간을 이간질했다 하여 이화(李和) 등의 탄핵을 받아 강원도 원주에 유배됐으나 태종의 지우(知遇)를 받아 자원부처(自願付處-유배에 처한 죄인이 원하는 곳에 기거하던 제도)하게 됐다. 관직에서 물러난 뒤에도 의정부, 사헌부, 사간원 등의 계속되는 탄핵을 받아오다가 그해 11월 양주에서 죽었다.

32 재상과 같은 뜻일 때도 있지만 이 경우에는 보다 정확하게 정승 바로 아래의 찬성과 참찬을 가리킨다. 이를 이상(貳相) 혹은 이보(二輔)라고 부르기도 한다.

33 대오리를 엮어 검게 칠한 갓이다.

34 문무백관(百官)이 상복에 착용하던 관모이다.

35 시선을 고상하게 한다는 말인데 사실상 주변의 시선을 제대로 의식해야 한다는 뜻이다.

(前案)에 의거해 조세를 거두도록 해 백성의 마음을 편하게 해야 합니다.

하나, 근래에는 천도(遷都)를 한 초창기라 영선(營繕-건축·토목)의 일을 해이하게 할 수 없는 일이지만 전하께서는 외방 백성의 농사에 방해가 됨을 염려해 대체로 공작(工作-공사)이 있게 되면 오로지 부(府)와 위(衛)의 군사만 역사시켰습니다. 각처의 영선 역시 거의 끝났으나 부(府)와 위(衛)의 사람들은 공역(公役)에 시달려 사사로운 일을 볼 겨를이 없으니 어찌 원망이 없겠습니까? 바라건대 토목의 역사를 일절 중단하고 또 각 도에서 해마다 올리는 재목(材木)도 줄여주어 민력(民力)을 쉬게 해야 합니다.'

또 대제학 권근(權近), 안성군(安城君) 이숙번(李叔蕃), 전 한성부 판사 최유경(崔有慶, 1343~1413년),[36] 전 도관찰사 유관(柳觀)은 정부(政府-의정부)에 둘 만하고, 홍녕군(興寧君) 안경공(安景恭,

---

36 1375년(우왕 1년) 전법사총랑(典法司摠郎)을 거쳐 1388년 양광도 안렴사(楊廣道按廉使)가 돼서는 전민(田民)의 폐단을 고찰해 바로잡았다. 이해 여름 요동정벌(遼東征伐) 때 서북면 전운사 겸 찰방으로 있으면서 이성계(李成桂)의 위화도회군(威化島回軍)이 감행되자 우왕에게 고변했다. 최영(崔瑩)이 실각한 뒤에도 창왕의 즉위와 함께 밀직부사(密直副使)로 발탁됐다. 1392년(태조 1년)에 이성계가 즉위하여 개국공신에 이어 원종공신(原從功臣)을 녹훈할 때, 앞서 위화도회군을 우왕에게 고변했다 하여 일부 반대하는 자가 있었으나 이성계가 그 충의를 칭찬, 개국원종공신에 서훈됐다. 1395년에 경상도 도관찰사가 되고, 1397년에는 지중추원사로서 경기·충청도 도체찰사가 되어 지방을 순유하고, 그 이듬해 중추원부사로서 왕의 사명을 띠고 서북면 도순문찰리사(西北面都巡問察理使) 최영지(崔永沚)에게 궁온(宮醞)과 관교(官敎)를 전하여 선위(宣慰)했다. 같은 해 개성유후사유후(開城留後司留後)로서 경기우도 도관찰출척사(京畿右道都觀察黜陟使)로 나가는 등 태조의 두터운 신임을 얻어 여러 차례 왕의 특사로 중임을 수행했다. 1401년(태종 1년) 대사헌이 됐고, 그해 육조와 대간의 천거로 참찬의정부사(參贊議政府事)로서 정조사(正朝使)가 되어 명나라에 갔다가 이듬해 돌아왔다. 1404년 판한성부사로서 치사(致仕)했다.

1347~1421년),[37] 전 한성부 판사 이행(李行, 1352~1432년),[38] 계림군(雞林君) 이래(李來)는 제조(諸曹-6조)의 우두머리가 될 만하며, 전 중추원 판사 정홍(鄭洪), 계림부윤(雞林府尹) 함부림(咸傅霖), 중군 총제 정구(鄭矩), 계림군(雞林君) 이승상(李升商)은 감사(監司-관찰사)가 될 만하다고 천거하니 상이 소(疏)를 보고는 대궐 안에 두고 (해당 부서에) 내려보내지 않았다.

갑인일(甲寅日-27일)에 폭풍이 일어 먼지가 날렸다.

○ 옥천군(玉川君) 유창(劉敞)을 보내 우사단(雩祀壇-기우제단)과 원단(圜壇)에 제사를 지내게 하고, 또 사람을 나눠 보내 회암사(檜巖寺)와 흥덕사(興德寺)에서 도량(道場)을 베풀게 했으며, 또 각 도 도관찰사에게 명하여 두루 관내[封內]의 산천(山川)에 빌게 했다.

○ 육조(六曹)와 사헌부에서 올린 말씀[陳言]을 의정부에 내려 시행할 만한 일을 깊이 토의하여[擬議] 보고하게 했다.

---

37 조선 건국에 참여했으며, 곧 중추원도승지에 제수되고 개국공신이 책봉될 때 3등공신이 됐다. 1393년(태조 2년)에는 사헌부 대사헌 겸 도평의사사보문각학사(司憲府大司憲兼都評議使司寶文閣學士)에 올랐고, 같은 해에 전라도 관찰출척사(全羅道觀察黜陟使)로 나갔으며 이듬해에 흥녕군(興寧君)으로 봉해졌다. 1406년(태종 6년) 판공안부사(判恭安府事)에 임명됐다가 곧 판한성부사(判漢城府事)로 옮겼으며 1410년에는 판개성부사(判開城府事)가 됐다. 이듬해에 정탁(鄭擢), 유창(劉敞), 조견(趙狷), 한상경(韓尙敬), 조온(趙溫) 등 개국공신들과 더불어 1398년(태조 7년) 1차 왕자의 난 때 주살된 정도전(鄭道傳)과 남은(南誾)의 죄를 감해주도록 요청했다가 대간의 탄핵을 받았다. 1416년 보국숭록대부집현전대제학(輔國崇祿大夫集賢殿大提學)에 특별 임명되고 흥녕부원군(興寧府院君)으로 봉작됐다.

38 1392년에는 이조판서로 정몽주(鄭夢周)를 살해한 조영규(趙英珪)를 탄핵했다. 고려가 망하자 예천동(禮泉洞)에 은거했다. 1393년(태조 2년) 고려의 사관(史官)이었을 때 이성계(李成桂)를 무서(誣書-글로써 무고함)한 죄가 있다 하여 사헌부의 탄핵을 받아 가산이 적몰되고 울진에 유배 갔다가 이듬해에 풀려났다.

278

병진일(丙辰日-29일)에 태백성이 낮에 나타났는데 22일[己酉]부터 이날까지 무릇 8일 동안 계속됐다. 폭풍이 불어 먼지가 날려 사람들의 얼굴을 알아볼 수 없을 정도였는데[39] 한참 지나서야[移時] 마침내 그쳤다.

○ 명하여 산선(繖扇)[40]을 그만두고 도살(屠殺)을 금지했으며 도랑[溝渠]을 깨끗이 하고 사시(徙市)[41]하도록 했다.

○ 좌정승 하륜(河崙)에게 명해 소격전(昭格殿)[42]에 비를 빌도록 했다. 상이 오래 가물자 낮에는 정전(正殿)에 나오지 않고 밤에는 내침(內寢)에서 불안하니 친히 원단제(圓壇祭)를 행하고자 하여 륜에게

---

39 원문 교감 작업을 통해 不變을 不辨으로 바로잡은 것에 따라 해석했다. 기존의 번역은 不變을 바탕으로 "폭풍이 불어 먼지를 날렸으나, 사람들의 기색은 변하지 않았는데"로 돼 있는데 문맥이 잘 통하지 않는다.

40 산(繖) 혹은 산(傘)과 선(扇)은 둘 다 임금이 거둥할 때 쓰는 의장(儀仗)으로 산은 일산 모양이고 선은 부채 모양인데 긴 대가 달려 있어 이를 잡고 받쳐들었다.

41 나라에 가물이 들거나 국상(國喪)을 당할 때 저자를 길거리로 옮기던 일을 가리킨다.

42 조선시대 도교의 초제(醮祭)를 주관하던 도관(道觀)이다. 조선 건국 초에 상제(上帝)와 성신(星辰) 그리고 노자(老子)에게 초제하기 위해 세운 것인데 세조 때에 소격서(昭格署)로 이름을 바꿨다. 원래 고려시대에는 하늘에 제사 지내고 별에 기도하는 도관(道觀)으로 복원궁(福源宮), 신격전(神格殿-소격전), 정사색(淨事色), 소전색(燒錢色), 태청관(太淸觀), 태일전(太一殿), 구요당(九曜堂), 청계배성소(淸溪拜聖所) 등 여러 곳이 있었는데 조선조에 들어와서 이들을 모두 병합해 하나로 만들고 이를 소격전이라 했다. 소격전의 건립 시기는 1392년(태조 1년) 11월 예조의 아룀에 따라 1396년(태조 5년) 정월에 좌우도의 장정 200명을 징발하여 이뤄졌다. 이후로도 1418년(태종 18년)에 이를 다시 지었고, 연산군 병인년(丙寅年)에는 소격서를 없애라 했으나 실제 없어지지는 않았고 중종 병인년까지 소격서는 그대로 남아 있었다. 그러다가 1518년(중종 13년)에 이른바 기묘제현(己卯諸賢-조광조 일파)의 건의백서(建議白書)에 따라 소격서를 없앴다. 그러다 1525년 모후(母后)의 병을 이유로 다시 소격서의 설치를 명했다. 그러던 것이 임진왜란 이후에는 폐지되어 다시 회복되지 않았다. 소격전은 오늘날의 삼청동(三淸洞)에 자리 잡고 있었는데 이 이름 또한 이곳에 삼청전이 있었던 데 연유한다. 삼청(三淸)이란 도가에서 말하는 상청(上淸), 태청(太淸), 옥청(玉淸)을 이른다.

의견을 물으니[訪] 이렇게 대답했다.
　방

"친히 우제(雩祭)를 지내는 것은 가벼이 거행할 수 없습니다. 지금까지 종묘(宗廟)와 산천(山川)에 비를 빈 이후로 아직은 비가 내릴 징조가 없습니다. 다만 소격전에 초제(醮祭)[43]를 베풀어 거행하지 못했으니 신이 먼저 초례(醮禮-초제)를 행한 뒤에 (그래도 내리지 않으면) 전하께서 친히 우제(雩祭)를 지내시기를 청합니다."

상이 그렇다고 여겨 륜으로 하여금 초제를 지내게 했으나 끝내 비는 내리지 않았다.

정사일(丁巳日-30일)에 태백성이 낮에 나타나 하늘을 가로질러 가니[經天] 명하여 여러 공사를 중단하고 각 도의 목공(木工)을 찾아
　경천
내어[推刷] 그들의 집으로 돌려보내게 했다.
　추쇄

---

43 성신(星辰)에게 지내는 제사로 초례라고도 한다.

戊子朔 賜賻摠制崔士威妻金氏之喪. 時 士威赴京未還 上憐之

賻紙一百卷 米豆三十石 且命給棺槨.

辛卯 參贊議政府事李叔蕃辭 許之.

癸巳 以韓尙敬知議政府事兼司憲府大司憲. 上聞朴錫命疾

篤 歎曰："莫是年少位高之使然歟?" 乃罷其職 以尙敬代之 冀

其延生也. 且遣醫官楊弘達 平原海 內官尹興阜及錫命子去非

妹夫鄭之唐 齎藥餌馳驛以往.

遣司譯院副使崔雲 押蘇州衛右所百戶施得 摠旗林七郎等

如遼東. 得等乘駕海船 運糧北京 遭風漂到蕈城 船毀上岸 遣

通事前判軍器監事郭海龍前去體問 因與借來. 上御廣延樓 引見

施得等 謂之曰："困厄備極 而保全性命者 帝德也." 得等叩頭曰:

"我輩至殿下境土而得生 乃殿下之德也." 命賜得等八十四人衣服

笠靴 且饋于西廡而遣之.

丙申 議政府啓濟州牧場事宜："孳息馬匹 依大明律 四歲以上

雌馬 每十匹一年孳生七八匹者爲上等 五六匹者爲中等 三四匹

者爲下等. 其上等者 監考土官 遷轉錄用 雖有故失馬 免徵. 中等

者 故失馬每六匹徵一匹; 下等者 每四匹徵一匹 牧使判官以時
考察.” 從之.

丁酉 宴宗親于解慍亭.

戊戌 與近臣議雷震災異卜筮等事. 全羅道都觀察使朴訔啓
前月震死者名數 上曰:“雷震人 是何理也? 吾未之知也.”左右
對曰:“世謂雷震曰天伐. 人之罪惡貫盈 則天降之伐矣.”上曰:
“吾嘗觀經史 歷代權姦 盜國脅君 尙得保全 不受天伐 何也?
人或遭厄運 適觸邪氣而已. 然予則心實懼焉.”又曰:“災異之變
古書皆曰:‘由人事之所感.’中庸又曰:‘吾之氣順 則天地之氣亦
順.’蓋一人之氣 遂致天地之順 此理最妙. 然則所謂吾者 亦衆人
中之一耳. 今群臣各供職任 無一不謹 豈待予敬戒而後有順哉?
天道福善禍淫 其吉凶之效 久而後至 故人多疑之不信.”左右
曰:“有是理 則有是氣. 然氣則速 而理則遲 故人爲善 不得其吉
爲惡不蒙其禍 此所謂未定之天也. 及旣定則天未有不勝人也.”上
因論卜筮之事曰:“予少也 問卜於人 未有以爲卽位者. 但文成允
以爲有列土之命 請毋煩漏於人. 予心甚未安 上王欲以予爲掌軍
都統使 予乞免. 及懷安信朴苞亂言 每不協於我 及庚辰之亂 予
不得已而應之 由李來聞於懷安而漏其說也.”

庚子 平陽君朴錫命卒. 上聞錫命至金蹄驛病亟 命忠淸道
觀察使曰:“萬一不幸 殯葬輸轉中 從其父及妻子之願 不待行下

備禮應辦." 上御廣延樓視事 錫命之訃至 上痛悼特甚 遽下樓

輟朝 賜米豆百二十石 紙二百卷 遣內史賜祭于殯.

錫命 順天人 宰相可興之子. 儀表俊爽 聰敏絶倫 頤長異於

人 自號頤軒. 年十六登科 驟遷華要 年二十二 拜代言. 及高麗

亡 以歸義君王瑈之壻 沈廢者八年 上卽位 以有舊 召拜左承旨

轉知申事. 在職六年 明達强記 上終始倚信 前後無比 超拜知

議政府事. 性嗜酒 終日酣飮 而斷事如流 然內無操守 沈于女色

高亢而專 人頗忌之. 卒年三十七. 諡曰文肅. 三子 去非 去頑

去踈.

辛丑 宥朴恬 許偶 外方從便: 申溫良 朴賁 京外從便.

壬寅 太白晝見二日.

癸卯 黃儼 韓帖木兒 楊寧 奇原至自羅州. 初 儼等還至龍駒縣

上違豫未能出迎 遣吏曹判書李稷告之故 儼望見 以爲政丞來 及

見稷 色有不豫 稷知之 謏曰:"今日兩政丞 皆値家忌 未能趨造

明朝當來迎矣."李文和亦使人啓曰:"儼聞殿下不郊迎 殊有不豫

色. 且儼等欲殿下迎銅佛 五拜三叩頭."上怒曰:"黃儼何辱我

至此! 儼貪婪姦險 且以輪佛像之故 毆殺人命 其罪亦重. 予欲

以此奏于天子."代言等皆曰:"儼之貪謫 天下所共知也 至於我國

則奉誥命印章珠冠冕服而來 恩義亦多. 今若激怒 無乃不可?"上

怒稍解 令議政府 六曹 僉議親拜銅佛可否 遣知申事黃喜 迎見

于良才驛 以病未能出告 命政丞河崙 趙英茂 迎于漢江 百官迎
우 양재역　이 병 미능 출고　명 정승 하륜　조영무　영 우 한강　백관 영

于崇禮門外. 及至館 百官欲行禮 儼怒上之不出 乃曰: "今未見
우 숭례문 외　급지관　백관 욕 행례　엄 노 상 지 불출　내 왈　금 미견

殿下 不敢受禮." 政府欲代設下馬宴 亦不受. 儼等奉銅佛像三
전하　불감 수례　정부 욕 대설 하마 연　역 불수　엄 등 봉 동불상 삼

座來 用龕十五 分盛佛像 火光蓮臺坐具 且將牡丹芍藥黃葵等
좌 래　용 감 십오　분성 불상　화광 연대 좌구　차 장 모란 작약 황규 등

異花 盛土於龕而種之. 作櫃用板千葉鐵六百斤麻七百斤. 其佛像
이화　성토 어 감 이 종지　작궤 용판 천엽 철 육백 근 마 칠백 근　기 불상

火光之龕三 崇廣各七尺許 內用隔白紙二萬八千張 緜花二百斤
화광 지 감 삼　숭광 각 칠 척 허　내 용격 백지 이만 팔천 장　면화 이백 근

擔夫數千餘人. 每至館舍 以舊廳事隘陋 令別構新廳於館左 極其
담부 수천 여인　매 지 관사　이 구 청사 애루　영 별구 신청 어 관 좌　극기

宏敞; 所過要索物貨 無所不至 小不如意 輒鞭辱守令 州縣疲於
굉창　소과 요색 물화　무 소부지　소 불여의　첩 편욕 수령　주현 피어

供億. 全羅道都觀察使朴訔 每事裁減 忠淸道都觀察使成石因
공억　전라도　도관찰사 박은　매사 재감　충청도　도관찰사 성석인

一如其意 儼怒訔而喜石因. 及還 爲上言: "監司之不負殿下者 惟
일여 기의　엄 노 은 이 희 석인　급환　위 상언　감사 지 불부 전하 자 유

朴訔耳." 其後訔上書曰:
박은 이　기후 은 상서 왈

　'臣性本愚戇 無巧令悅人之才 特蒙聖恩 驟致功名 自許爲殿下
　신 성 본 우당　무 교영 열인 지 재　특몽 성은　취치 공명　자허 위 전하

耳目之臣 有所聞見 無不盡言 期報萬一 此臣之至願也. 今臣出
이목 지 신　유 소문견　무부 진언　기보 만일　차 신 지 지원 야　금 신 출

爲監司 機務甚煩 罔知所措 自知罪過甚多 不可以不首也. 向者
위 감사　기무 심번　망지 소조　자지 죄과 심다　불가이 불수 야　향자

非不知初運漕運船守護兵船之數少也 而拘於前例 失其覺察 致
비 부지 초운 조운선 수호 병선 지 수 소야　이 구어 전례　실기 각찰　치

有盜患 臣罪一也.
유 도환　신죄 일야

　國家遣朴謨 金道生等 取銅佛於濟州 臣卽先移文濟州牧官
　국가 견 박모　김도생 등　취 동불 어 제주　신 즉선 이문 제주 목관

法華寺銅佛三座 作急輸出 載船送來. 濟州官見臣移文 卽發
법화사 동불 삼좌　작급 수출　재선 송래　제주 관 견 신 이문　즉발

吏卒 輸其銅佛 將至海濱. 翌日 朴謨等繼至 會有快風 卽得押載
이졸　수기 동불　장지 해빈　익일　박모 등 계지　회 유 쾌풍　즉득 압재

出來 纔到岸 風水不順 幾乎數旬. 蓋取佛之事 自有委來者 而臣
출래　재 도안　풍수 불순　기호 수순　개 취불 지 사　자유 위래 자　이 신

284

不顧一身利害 先遣舟人 俾輸佛 而使黃太監等 不得渡海 留于
羅州四十餘日 大作輪佛資具 一境受其毒 臣罪二也.

初 黃太監等發京 而京畿 忠淸兩道監司 於迎接之際 大備
儺禮 妓樂油蜜果床 極其繁華 不以爲弊. 臣聞之 憤其作俑於前
卽通書於都體察使朴錫命 凡迎接事件 減於彼道之例數等爲之.
然牽於彼道例 只於完山府 設儺禮果床 臣罪三也.

黃太監等所造輪佛資具 甚煩且重 有害於民 而不能禁止. 又
欲造花函十數具 裁植雜花 持以歸京 臣卽對黃太監言:"吾爲
監司 非奉王旨 不敢轉輸此函." 黃公答言:"欲於三佛前 各以
花函三具 供給行歸 汝可速啓殿下 毋或留滯 以激吾怒." 臣卽
具報都堂 都堂令臣托辭不輸. 臣重念國家大體 終不固禁 乃以
僧徒 輸其花函 臣罪四也.

願殿下治臣以①不勝職任 勞民傷財之罪 以慰一方疲民之望 則
鈇鉞之誅 無復怨悔矣. 儻蒙殿下察臣至情 憐臣無他 恕臣不得已
廢爲庶人 俾保餘生 幸孰大焉? 雖有不察大體 慨然高論者 有以
論臣 臣亦不懼也 惟殿下之命是竢耳.'

珍原縣道旁有大樹 俗號百枝樹. 黃儼過之 密用銅釘釘之 監務
許揆知之 拔其釘以聞. 時人頗疑儼爲壓勝之術也.

甲辰 申嚴中外黃色服用之禁.

乙巳 太白晝見二日.

上如太平館 黃儼等欲上先詣佛像前行禮 上不可曰：“予之來
상여 태평관　황엄 등욕 상선예 불상 전행례　상불가왈　여지래

爲②天使耳 非爲②銅像也. 若銅佛自天朝而來 則予當拜之 以致
위 천사 이 비위 동상 야　약동불 자천조 이래　즉여 당배지　이치

敬謹之意 今不然 何拜之有！”乃令知申事黃喜 訪諸③政府. 政府
경근 지의 금 불연 하배지유　내령 지신사 황희　방저 정부　정부

啓曰：“皇帝崇信佛道 遠求銅佛 且黃儼不肖 天下所共知 願從權
계왈　황제 숭신 불도 원구 동불　차 황엄 불초 천하 소공지 원종권

禮佛.”上不悅曰：“予恃兩政丞 將欲不拜 今皆曰可拜 何也？ 予
예불　상 불열왈　여시 양정승　장욕 불배 금개왈 가배　하야　여

乃知我群臣無一守義者也. 群臣畏一黃儼如此 況守義救君之難
내지아 군신 무일 수의자야　군신 외일 황엄 여차　황 수의 구군지난

乎？ 前朝忠惠王 被執歸元朝 一國臣人無肯救之者. 我雖至於
호　전조 충혜왕　피집 귀원조　일국 신인 무긍 구지자　아수 지어

危難 亦殆如此矣. 且人主擧動 不可以輕 予若拜佛 於禮何哉？”
위난　역태 여차 의　차인주 거동　불가이 경　여약 배불　어예 하재

遂命李玄謂使臣曰：“藩國禍福 在天子掌握 不在銅佛. 當先見
수명 이현 위 사신왈　번국 화복　재 천자 장악　부재 동불　당 선견

天子使臣 豈容拜吾土銅佛？”儼仰天良久 微笑曰：“請先與殿下
천자 사신　기용 배오토 동불　엄 앙천 양구　미소왈　청선 여 전하

相見.”乃入見使臣 行茶禮 竟不拜佛像. 上謂儼曰：“甚欲設一酌
상견　내 입견 사신　행 다례　경 불배 불상　상위엄왈　심욕 설 일작

於此 而佛像在於正廳 不敢褻近 幸一臨陋宮.”儼曰：“唯命.”
어차 이 불상 재어 정청　불감 설근　행 일임 누궁　엄왈　유명

上還宮遲之 儼不至 復使代言尹思修贈以良馬. 儼怒解 遂與
상 환궁 지지　엄 부지　부사 대언 윤사수 증 이양마　엄 노해　수여

韓帖木兒等至昌德宮 上宴于廣延樓.
한첩목아 등 지 창덕궁　상 연우 광연루

　丙午 上詣德壽宮起居.
　병오　상예 덕수궁 기거

　如太平館 請使臣至解慍亭置酒. 贈四人馬各一匹 又贈黃儼
　여 태평관　청 사신 치 해온정 치주　증 사인 마 각일필　우증 황엄

苧麻布一百三十五匹 石燈盞三十事 席子十五張 松子三石 駿馬
저마포 일백 삼십 오필 석등잔 삼십 사 석자 십오 장 송자 삼석　준마

三匹 貂鼠裘一領 角弓一張 箭一箶及凡所需人蔘厚紙山海食物
삼필 초서 구 일령 각궁 일장 전 일통 급범 소수 인삼 후지 산해 식물

無所不具 其餘使臣 以次而降. 儼大喜曰：“殿下誠意 至矣盡矣.”
무 소불구 기여 사신　이차 이강　엄 대희왈　전하 성의　지의 진의

楊寧以所贈之少 怒且泣. 上聞而笑之 更贈良馬一匹 因謂儼曰：
양녕 이 소증 지소 노차읍　상 문이 소지　갱증 양마 일필　인위엄왈

"蒙皇帝恩德 孰如我哉?" 使臣曰: "非特殿下 普天之下皆如此"

流中軍同知摠制許應 前司憲執義李孟畇 掌令李明德 持平

許恒等于外方. 憲司劾應等爲臺官 稽留朴抵生獄訟之罪也. 前

持平權踐 以功臣子免.

命給盧異 韓乙生 朴礎等十五人告身.

丁未 立屯田 煙戶米法. 初 上求言 令議政府採擇施行. 願復

前朝屯田 煙戶米法 以屯田所出 給船軍食; 以煙戶米 備凶年

賑貸者. 數人政府以其言爲便 請行之.

己酉 太白晝見.

黃儼等奉銅佛三座還京師 上餞之于盤松亭 遣右軍摠制趙勉

隨赴京師 咨禮部以送銅佛之意.

遣上護軍車指南 管送猛哥帖木兒親屬完者等十名幷家小于

建州衛.

遣司譯院判官張若壽 押浙江 觀海衛百戶楊茂等如遼東. 楊茂

率軍人四十八名 徒步至義州自言: "乘駕海船 到太倉裝糧 隨同

摠兵官平江伯 率領糧船一千三百隻 欲往北京交卸 忽遭風颶 飄

到海邊 船破上岸 飢餓到此." 兵馬使鄭耕以聞 命厚加慰勞 給

鋪馬 脚力以送之.

庚戌 上減膳止藥酒 宥中外二罪以下囚. 以久旱也. 上謂左右曰:

"天之不雨 只緣寡昧." 因泣下 左右竦然感動. 召六曹臺諫掌務

曰:"旱氣太甚 予恐賞罰無章 用人失當 宮禁之中 服御過制 以召

災變. 宜各直言無隱 予其④改之. 大臣之可爲政府六曹堂上. 各道

都觀察使者 與職秩雖卑 可爲將帥者 可爲臺諫者 具名以聞 予其

④採之."且召知申事黃喜 代言金科 尹思修等 極論致治之要.

壬子 禱雨于宗廟 社稷 又禱山川壇 楊津 漢江. 聚巫禱雨于

白岳.

命旌表洪州任內新平縣前郞將權止女之門. 女年十三 喪母

廬墓 日夜悲號. 牧使安騰以聞 命旌其門 優給豆米.

吏曹請改外方官號. 啓曰:"按本朝外方設官之制 雞林府

寧海府 稱號同 而官品不同; 蔚州 興海郡 皆爲知官 官品同 而

稱號不同. 若監務之號 則不見於傳記 非古制也. 乞雞林 永興

平壤 完山四府外大都護府則改稱牧; 都護府及小府 改稱知州;

在前知州 改稱知郡; 監務改稱縣令."上然之.

癸丑 暴風揚塵.

震仁義縣人高元吉.

司諫院上疏論事:

'一. 古者有官守者 有常祿. 今功臣諸君 旣賜土田臧獲 俾之

世受其賜 褒賞之典已盡 而又有常祿則過矣. 願自今無職事諸君

不許常祿. 且大小檢校之臣 無官守費天祿 伏望悉皆停罷.

一. 宰相 人君所與共天位治天職者也. 故古之人君 必擇人

而後任之. 今議政府贊成事李淑 少不更事 宜置宗親之例: 參贊

議政府事辛克禮 才德不稱 宜置勳臣之例 竝不許宰輔之職.

一. 人主一身 萬化之源 動靜威儀 不可不愼. 伏望殿下於每日

聽政 與備禮行幸之際 勿御中笠 須御紗帽 以尊瞻視.

一. 各道田地改量之際 差遣之人 所見不同 其結卜之數 或平或

重 民庶怨咨. 伏望新墾外改量之田 姑依前案收租 以便民心.

一. 近因遷都之始 營繕之事 不可或弛 而殿下慮外民之妨農 凡

有工作 專役府衛之兵 各處營繕 亦幾乎訖矣. 府衛者困於公役

無暇營私 豈無怨咨? 願土木之役 一皆停罷 且減各道歲貢材木

以休民力.'

又遷大提學權近 安城君李叔蕃 前判漢城府事崔有慶 前

都觀察使柳觀 可置政府; 興寧君安景恭 前判漢城府事李行

雞林君李來 可長諸曹; 前判中樞院事鄭洪 雞林府尹咸傅霖

中軍摠制鄭矩 雞林君李升商 可爲監司. 上覽疏 留中不下.

甲寅 暴風揚塵.

遣玉川君劉敞 行雩祀圓壇祭 又分遣人 設道場於檜巖 興德寺

又命各道都觀察使 徧祈于封內山川.

下六曹司憲府陳言于議政府 擬議可行以聞.

丙辰 太白晝見 自己酉至是日凡八日. 暴風揚塵 不辨人色

移時乃止.

命斷繖扇 禁屠殺 滌溝渠 徙市.
명단 산선 금 도살 척 구거 사시

命左政丞河崙 禱雨于昭格殿. 上以久旱 晝不御正殿 夜不安
명 좌정승 하륜 도우 우 소격전 상 이 구한 주 불어 정전 야 불안

內寢 欲親行圓壇祭 訪於崙 對曰:"親雩 不可輕擧也. 今宗廟
내침 욕 친행 원단제 방 어륜 대왈 친우 불가 경거 야 금 종묘

山川禱祀之後 未有雨徵 但昭格殿設醮未擧耳. 請臣先行醮禮
산천 도사 지후 미유 우징 단 소격전 설초 미거 이 청신 선행 초례

然後殿下乃親雩"上然之 使崙設醮 竟不得雨.
연후 전하 내 친우 상 연지 사륜 설초 경 부득 우

丁巳 太白晝見經天 命罷諸工作 推刷各道木工 放還其家.
정사 태백 주견 경천 명파 제 공작 추쇄 각도 목공 방환 기가

| 원문 읽기를 위한 도움말 |

① 願殿下治臣以不勝職任. 이때의 以는 그 뒤에 이어지는 문장을 받아서
  원 전하 치 신 이 불승 직임   이
  '~했다는 이유로'가 된다. 즉 '직임을 제대로 다하지 못했다는 이유로'가
  된다.

② 爲天使耳 非爲銅像也. 여기서의 爲는 둘 다 '때문에'라고 해도 되고 '위
  위 천사 이 비위 동상 야   위
  해서'라고 해도 된다.

③ 訪諸政府. 諸가 '여러'가 아니라 '~에게' 혹은 '~에서' 등을 뜻할 때는
  방저 정부
  '저'라고 읽는다. 이때는 於와 같은 뜻이다.
                              어

④ 予其改之, 予其採之. 여기서의 其는 '그예', '기어이'라는 뜻으로 다짐의
  여 기 개지   여 기 채지   기
  뜻이 담겨 있다. 자주 쓰이지 않는 용법이다.

태종 6년 병술년
윤7월

閏七月

무오일(戊午日-1일) 초하루에 (전라도) 금구현(金溝縣)¹ 사람이 벼락을 맞았다.

○ 의정부에 명해 전직[前銜=前任] 기로(耆老-원로)와 재추(宰樞)²
를 모이게 해 폐단을 없애야 할 긴급 사안들을 토의하게 했다. 각 도
의 시위군(侍衛軍)은 아무런 일이 없을 때에는 봄·가을에 두 번 점
고(點考-점검)하는 이외의 번상 시위(番上侍衛)³를 면제해줄지의 가
부(可否)와, 무너져 없어진 사사(寺社-사찰) 이외에 이제 없애야 할
사사의 노비를 속공시킬지의 가부와, 육조(六曹) 대간(臺諫)에서 말
씀을 올린 조정 내부의 일[內事]의 가부를 깊이 토의해[擬議] 보고
하도록 했다[申聞]. 이때 사간원에서 말씀을 올렸다.

---

1   삼국시대에 백제의 구지지산현(仇知只山縣)이었다. 백제 멸망 후 당나라가 당산현(唐山縣)
    으로 고쳐 노산주(魯山州)의 영현(領縣)으로 삼았다. 757년 통일신라의 지방제도 정비로
    금구현으로 이름을 바꾸고 전주의 영현으로 삼았다. 1170년(의종 24년) 이의방(李義方)
    의 외향이라 하여 현으로 승격시키고 거야현(巨野縣)을 속현으로 편입시켰으며, 조선시
    대에는 현령이 파견됐다. 1895년(고종 32년) 지방제도 개편으로 군으로 바뀌어 전주부에
    속했다가 1896년 전라북도에 속했다. 1914년 군·면 폐합에 의해 금구군은 폐지된 뒤 면
    으로 격하되어 김제군에 편입됐다. 지금의 김제시 금구면·황산면·봉남면·금산면 일대
    이다. 이곳 모악산에 후백제의 견훤이 유폐됐던 금산사(金山寺)가 있으며 1597년 정유재
    란 때 원신, 김언공 등이 남하하는 일본군을 크게 무찌른 금구대첩(金溝大捷)이 일어난
    곳이기도 하다.
2   일반적으로 2품 이상의 고위관리를 가리킨다.
3   번상이란 지방의 군사가 군역(軍役)을 치르기 위해 번(番)의 차례에 따라 서울로 올라오
    는 것을 말한다.

'불씨(佛氏)의 가르침은 국가에 무익하나 우리 동방에서는 이에 미혹됨이 더욱 심합니다. 백성들이 제 마음대로 머리 깎는 것을 나라에서 엄격하게 금지하지 않기 때문에 그 무리가 날로 번성해 사찰(寺刹)이 산과 들에서 서로 바라볼 정도입니다. 하물며 근래에는 중들이 그 스승의 가르침을 따르지 않고서 불법(不法)을 자행하고 있습니다. 전하께서 그 폐단을 깊이 근심하시어 비보(裨補)⁴ (사사(寺社)) 이외의 긴요하지 않은 사사(寺社)는 없애고[汰=汰去] 마침내
태 태거
주·부·군·현(州府郡縣)에 모두 절의 액수(額數-숫자)를 정했습니다. 절의 크고 작음과 중의 많고 적음을 헤아려 전민(田民-토지와 노비)의 수효를 늘리거나 줄였고, 그 무리들로 하여금 여럿이 모여 살면서 각기 그 도(道)를 바로 하게 했으니 이는 역대 이래로 일찍이 없었던 일입니다. 그러나 삼한(三韓) 이래로 대가람(大伽藍)도 없애버린 예(例)가 있기 때문에 그 폐망한 사원(寺院)에 주지를 임명한[差下] 일
차하
이 간혹 있을 것입니다. 바라건대 전하께서는 산수(山水)의 명승지의 대가람을 고르시어 폐망한 사원을 대신하게 하면 중들이 살[居止]
거지
곳을 얻을 것입니다.'

또 각 도에서 해마다 바치는 재목(材木)의 어려움을 말했다. 이에 대해 의정부에서 의견을 모았다.

"산수(山水)가 뛰어난 대가람을 골라서 폐망한 사원을 대신하게 하

---

4 원래는 풍수 용어의 일종으로 '무엇인가 부족한 것을 도와 보충한다'는 자연에 대한 인간의 인위적인 시도 또는 노력을 뜻한다. 이러한 인위적인 노력으로 대표적인 것이 풍수탑을 세운다거나 음기를 막기 위해 인공적인 산을 만든다든가 절을 세운다든가 하는 것이다.

자는 것은 아뢴 대로 따르고, 해마다 바치는 재목은 금년에는 임시 방편으로[權行=從權] 깨끗이 면제해주고[蠲免] 다시 이문(移文)할 때까지 기다린 연후에 잘 변통하여 준비하게 하고서[備辦=辦備] 위에 바치도록 해야 합니다."

그것을 따랐다.

○ 의정부에 가르침을 내렸다[教].

"각 도에서 지난해[去歲] 다시 양전한[改量] 전토 중에 만일 적당함[中處=當]을 잃은 곳이 있다면 조세를 거둘 때 전객(佃客)[5]의 진고(陳告-신고)를 허용함으로써 실상을 조사해[覈實] 아뢰도록 하라."

기미일(己未日-2일)에 폭풍이 불어 이틀 동안 먼지가 날렸다.

○ 삼도(三道) 시위군의 번상(番上)을 정지했다. 병조에 명해 말했다.

"지금[今玆] 가뭄이 심하니 오는 8월 초하루에 경상(慶尙)·전라(全羅)·충청(忠淸) 등 도(道)의 시위군은 번상하지 말도록 하라."

○ 의정부에서 노비의 판결하는[決折] 조건(條件)을 아뢰자 그것을 따랐다.

---

5 조선 전기에 수조권(收租權)을 가진 개인에게 소정의 전조(田租)를 납부하던 농민을 말한다. 고려 후기에는 전주의 수조권이 전객 농민의 소유권을 과도하게 침탈해 이른바 '농장(農莊)의 폐해'가 광범위하게 야기되기도 했다. 그러나 농장 폐해의 척결을 시도한 고려 말의 과전법 개혁에서도 양반 관료의 수조권이 그대로 인정됨으로써 양반 전주와 함께 전객 농민의 존재 또한 조선 초기까지 지속되었다. 이후 명종 연간에 이르러 수조지 분급제로서의 직전제(職田制)가 폐지되고 수조권을 가진 전주의 존재가 사라지면서 전객 또한 자연스럽게 소멸했다. 이때부터 본격적인 지주와 소작인의 관계가 생겼다는 점에서 엄밀한 의미의 소작인과는 조금 차이가 있다.

"노비를 두고서 서로 (법적으로) 다투는 일에는 그 곡절이 가지가
지입니다[多端]. 그러니 북을 쳐서 신문(申聞)한 자는 특별히 유사(攸
司)에 내려 양쪽의 정상(情狀)을 갖춰 기록해서 신문하게 하고 뜻을
잘 받아들여[取旨] 결절(決折)한 뒤에도 다시 북을 쳐서 억울함을 고
소해 간혹 다른 판결을 받는 자들이 있습니다. 지금부터는 개인의
하소연이 담긴 글[辭緣]이나 양측이 각각 뜻하려는 바를 갖춰 기록
한 것은 제쳐두고, 관리로 하여금 바른 것[正]을 따라 판결하기를 허
락함으로써 양쪽의 잘잘못을 갖고서 분간하여 계문(啓聞)하게 해야
합니다. 그리고 사헌부(司憲府)에 내린 것은 헌부에서 양쪽의 정상을
자세하게 핵실(覈實)토록 하여 만약 망령되게 고발한 것이 현저하다
면 계문하여 교지에 입각해 논죄하게 해야 합니다.

혹 착오에 걸린 것은 판결하는 관원이 교체되기를 기다린 뒤에 도
관(都官)에게 보내 기한을 정해 판결 사유를 갖춰 정보(呈報-보고)
하게 하되, 잘못 판결한 것과 망령되게 고발한 것 중에서 잘 분간하
여 신문(申聞)하고 교지에 입각해 논죄하게 해야 합니다. 혹 원통함
을 호소하는 자가 있을 경우 분간했던 관원(官員)이 교체되는 것을
기다린 뒤에 다시 헌부에 내려 정밀한 분변(分辨)을 가하고, 망령되
게 고발한 자와 잘못 판결한 자는 모두 한 등급을 더하여 논죄해야
합니다. 그중에 상피(相避)하는 일이 있게 되면 형조에 이송하여 분
간하게 해야 합니다." 그것을 따랐다.[6]

---

6 원문에도 이중으로 從之가 있어 그대로 옮겼다.

경신일(庚申日-3일)에 다시 종묘·사직·북교(北郊)·봉내(封內)·산천 (山川)에서 비를 빌었다.

○ 사헌부에서 서울과 지방[京外]에서 술을 쓰는 것을 금지할 것을 청했다. 우정승 조영무(趙英茂)가 기우 도량(祈雨道場)을 장의사(藏義 寺)[7]에 베풀기를 청하니 상이 말했다.

"절에 가서 비를 비는 것은 옛 예법[古禮]에 없는데 어찌 다시 잘 못을 저지르겠는가?"

○ 의정부에 명해 각 연도의 속공 노비를 자세히 기록해 보고하게 했다. 무진년(戊辰年-1388년) 이후에 죄를 범한 각인(各人)과 임오년 (壬午年-1402년)에 죄를 받은 사람의 노비를 말하는 것이다.

○ 의용순금사(義勇巡禁司) 대호군 최관(崔關, ?~1424년)[8]을 (경상 도) 개령현(開寧縣)으로 유배 보냈다. 애초에 공조정랑 유좌(柳佐) 등

---

7 지금의 서울 종로구 안에 있었는데 장의사(莊義寺)라고도 한다. 지금은 보물 제235호로 지정된 당간지주(幢竿支柱)만이 남아 있다. 659년(신라 무열왕 6년)에 황산벌(黃山伐) 싸 움에서 전사한 신라의 장춘랑(長春郞)과 파벌구(罷伐九)의 명복을 빌기 위해 창건했다. 고려시대에는 예종·인종·의종 등이 행차했고, 조선시대에는 태조가 정비(正妃)인 한씨 (韓氏)의 기신제(忌晨祭)를 이 절에서 지냈기 때문에 그 뒤로 왕실의 비호를 받아 사세를 떨치게 됐다.

8 고려 우왕 때 문과에 급제하고, 1392년(공양왕 4년) 예조총랑(禮曹摠郞)이 되었으나 정몽 주(鄭夢周)의 일당으로 몰려 직첩을 빼앗기고 곤장 70대를 맞은 뒤에 원지로 유배됐다가 조선이 개국되자 곧 풀려났다. 1402년(태종 2년) 서북면 경차관(西北面敬差官)과 예빈시 윤(禮賓寺尹)을 지내고 1404년 지형조사(知刑曹事)로 있을 때 사건을 잘못 판결한 죄로 다시 울주에 유배됐으나 곧 풀려났다. 이때인 1406년 의용순금사 대호군으로 있으면서 유좌(柳佐) 등의 공장 치사사건을 처결할 때 처의 병을 핑계 삼아 안문(按問)을 게을리 한 혐의를 받아 개령현(開寧縣)에 유배되었으나 곧 풀려나서 순금사에 복직됐다. 1413년 순금계획(巡禁計劃)을 상소해 왕의 윤허를 얻어 시행한 일이 있고, 1418년 세종이 즉위하 자 좌사간대부가 됐다가 이듬해 판안동대도호부사(判安東大都護府事)가 됐다. 1421년(세 종 3년) 이조참의에 오르고 이듬해에 한성부윤이 됐다.

이 장인(匠人)⁹이 관노(官奴)를 다스리는 데[法=治] 게을리한 일을 가
지고 노하여 그를 장을 쳐서 죽게 만드니 상이 순금사에 명해 국문
하게 했다. 관(關)이 이때 장무(掌務)였는데 좌(佐)가 그와 같은 해에
장원(壯元)한 유량(柳亮, 1355~1416년)¹⁰의 아들이라는 이유로 심문하
기를 꺼려[嫌] 마침내 말했다.

"좌의 아비 량(亮)은 공신이므로 법에 따라 위에 보고하여 뜻을
받아낸 뒤에 체포하는 것이 마땅하다."

동료가 관에게 일러 말했다.

"그대가 장무이니 직접 들어가 전하는 것이 좋겠다."

관은 또 난처해했고[難之] 좌를 국문하는 날이 되자 관은 아내의
병을 핑계로 먼저 나갔다. 상이 이를 듣고서 사헌부에 명해 그를 사
사로운 정을 따르고 공법을 능멸한 죄[循私滅公之罪]로 추핵해 유배
보냈다.

---

9 공조에 소속한 공장(工匠)으로 이들은 신분이 양인(良人)이었다.

10 1381년(우왕 7년) 생원이 되고, 이듬해 문과에 제1인으로 급제, 전의부령(典儀副令)을 거
   쳐 판종부시사(判宗簿寺事)가 됐다. 1388년(우왕 14년) 전라도 안렴사(全羅道按廉使)가
   되고, 1390년(공양왕 2년) 형조판서가 됐다. 1392년 이조전서(吏曹典書)로 있을 때 조선
   의 개국에 협력한 공으로 개국원종공신(開國原從功臣)에 책록되고 이듬해 중추원부사를
   역임했다. 1397년(태조 6년) 계림부윤(鷄林府尹)으로 부임했으며, 다음 해 왜구가 침입해
   오자 이에 맞서 싸워 크게 무찔렀다. 형세가 불리해진 왜구들이 항복을 청해오자 항복
   을 받아들인 뒤 한꺼번에 섬멸하려는 전략을 세웠으나, 계획이 누설되어 왜구들이 도망
   쳐 버렸다. 그 죄로 합산(合山)에 유배됐다가 1398년 나주로 옮겨졌으나 곧 풀려났다. 그
   뒤 상의중추원사(商議中樞院事)로 있다가 1400년(정종 2년) 이방간(李芳幹)의 난을 평정
   하는 데 협력한 공으로 1401년(태종 1년) 좌명공신(佐命功臣) 4등에 책록됐다. 1402년 문
   성군(文城君)으로 봉작됐고, 그해 동북면 순문사(東北面巡問使)가 돼 변방을 살피고 돌아
   왔다. 1404년에 대사헌에 이어 형조판서가 됐으며, 예문관 대제학도 겸했다. 그 뒤 판한
   성부사·이조판서를 거쳐 참찬의정부사(參贊議政府事)에 올랐으며, 다시 대사헌이 됐다.
   1413년 문성부원군(文城府院君)으로 진봉됐다가 1415년 우의정에 올랐다.

○ 일본 회례관(回禮官)[11] 이예(李藝, 1373~1445년)[12]가 붙잡혀 갔던 남녀 70여 명을 추쇄(推刷)하여 돌아왔다.

신유일(辛酉日-4일)에 좌정승 하륜(河崙)이 전(箋)을 올려 사직을 청했다[乞辭]. 이때 익명서(匿名書)를 종루(鍾樓)와 시가(市街)에 붙인 것이 한 번이 아니었는데 모두 써놓기를 '가뭄은 륜이 정권을 쥐고 있어[執政] 찾아온 것'이라고 하니 륜이 자리를 피할 것[避位]을 청한 것이다. 상이 하륜에게 일러 말했다.
"사직하는 전[辭箋]은 그 언사(言詞)의 절절함이 지극해 실로 그것은 다름 아닌 간언하는 상소[諫疏]였다. 내가 직접 답하는 글[答辭]

---

11 회례사란 사대관계가 아니라 대등한 교린관계(交隣關係)에 있는 나라와 내왕한 사신을 가리킨다. 고려 때에는 거란이 그 대상이었고 조선 때에는 일본이었다. 조선과 일본의 관계에서는 모든 경우에 회례사라는 명칭을 사용한 것이 아니고 보빙사(報聘使), 통신사, 회례관(回禮官), 통신관, 경차관(敬差官) 등의 용어가 사용됐다.

12 원래 울산군의 기관(記官) 출신인데, 1396년(태조 5년) 왜적에게 잡혀간 지울산군사 이은(李殷) 등을 시종한 공으로 아전의 역에서 면제되고 벼슬을 받았다. 1400년(정종 2년) 어린 나이로 왜적에게 잡혀간 어머니를 찾기 위해 자청해 회례사(回禮使) 윤명(尹銘)을 따라 일본의 삼도(三島)에 갔으나 찾지 못하고 돌아왔다. 1401년(태종 1년) 처음으로 일기도(壹岐島)에 사신으로 가 포로 50명을 데려온 공으로 좌군부사직에 제수됐다. 그 뒤 1410년까지 해마다 통신사가 되어 삼도에 왕래하면서 포로 500여 명을 찾아오고, 벼슬도 여러 번 승진해 호군이 됐다. 1416년 유구국(琉球國)에 사신으로 다녀오면서 포로 44명을 찾아왔고, 1419년(세종 1년) 중군병마부수사(中軍兵馬副帥使)가 돼 삼군도체찰사 이종무(李從茂)를 도와 왜구의 본거지인 대마도를 정벌하기도 했다. 1422·1424·1428년에는 각각 회례부사(回禮副使)·통신부사 등으로, 1432년에는 회례정사(回禮正使)가 돼 일본에 다녀왔다. 그런데 당시 부사였던 김구경(金久冏)이 세종에게 사무역(私貿易)을 했다고 상계(上啓)해 한때 조정에서 논란이 됐으나 처벌을 받지는 않았다. 1438년 첨지중추원사(僉知中樞院事)로 승진한 뒤 대마도 경차관이 돼 대마도에 다녀왔다. 1443년에는 왜적에게 잡혀간 포로를 찾아오기 위해 자청하여 대마주체찰사(對馬州體察使)가 돼 다녀온 공으로 동지중추원사(同知中樞院事)로 승진했다. 조선 초기에 사명으로 일본에 다녀온 것이 모두 40여 차례나 됐다고 한다.

을 쓰고자 했으나 입으로 말을 하려 해도 재주가 미치지 못하고, (그렇다고) 글 잘 쓰는 신하[文臣]로 하여금 대신 쓰게 하면[代筆] 어찌 내 속마음[肺肝]을 제대로 다 찍어서 드러낼[寫出] 수 있겠는가? 내가 책들[方册]을 보건대 재이(災異)가 찾아오는 것은 재상의 허물이 아니다. 오늘날 비가 오지 않는 것은 죄가 실로 나에게 있지 어찌 정승에게 관계되겠는가? 갑신년(甲申年-1404년) 여름에 경(卿)은 오래 가뭄이 계속된다 하여 굳게 자리를 피할 것을 청했는데 얼마 안 가서[未幾] 다시 큰 홍수가 나는 재난이 있었으니 오늘날의 가뭄이 정승 때문이 아님은 분명한 것이다. 저 유언비어로 남을 비방하는 것 따위는 내가 정말로 믿지도 않는데 경은 어찌 피하려 하는가? 또 사신(使臣)의 행차가 국도(國都)에 이르고 세자(世子)가 이미 성년이 되어 길례(吉禮)를 행하고자 한다. 모름지기 경이 나와서 계책과 의견을 정해야 하겠으니 너무 오래 굳이 사임하지 말고 나의 다스림을 보필토록 하라."

륜이 대답했다.

"정령(政令)은 먼저 정부에서부터 깊이 토의하는 것입니다. 신이 책임을 지지 아니한다면 앞으로는 누구에게 책임을 지우시겠습니까?"

계해일(癸亥日-6일)에 큰비가 내렸다. 상이 크게 기뻐해 어린 환관[小宦]으로 하여금 대언(代言)들에게 묻게 했다.

"이 비면 과연 흡족하지[浹洽] 않겠는가?"

○ 하륜에게 명해 다시 정사를 보게 했다[視事]. 정부에서 반찬[膳]을 그 전대로 들기를 청하고 또 술을 올렸다.

○ 상이 병조에 명해 수전인(受田人)[13]을 궐문(闕門) 밖에 모이게 하니 온 사람이 500여 명이나 됐다. 지신사 황희(黃喜)를 시켜 뜻을 전해[傳旨] 말했다.

"전제(田制)에 '서울[京城]에 살면서 왕실(王室)을 지킨다'고 명확하게 말한 것이 오늘부터가 아닌데 너희는 무슨 까닭으로 단지 자신만 편하고자 하는가? 너희 여러 사람들 중에는 어찌 의리를 깨달은 자가 없겠느냐? 마땅히 임금과 신하의 의리를 생각하여 소란스럽게[紛紛] 하지 말라. 만일 5결(結), 10결의 전토로써 서울에 머물기 어려운 자는 너희 마음대로 자손이나 사위나 조카에게 물려주고서 각자 자기 마음을 바로 하여 서로서로[胥] 나를 원망함이 없도록 하라."

모두 머리를 조아려 말했다.

"감히 그럴 리가 있겠습니까?"

마침내 물러갔다. 이때에 여러 차례 익명서로써 조정의 정사[朝政]를 비방하고 하륜을 헐뜯었는데 이에 관해 말하는 사람들은 모두 수전품관(受田品官)이 한 짓이라고 한 까닭에 그들을 불러서 꾸짖은 것이다.

○ 중 가운데 장원심(長願心)이라는 자가 있었는데 본래 천예(賤隷-노비)였다. 그래서 일부러 거짓 미치광이[佯狂]가 되어 남이 굶고 떠는 것을 보면 반드시 밥을 빌어다 먹이고 옷을 벗어주었다. 또 질

---

13 나라에서 과전(科田)을 받은 품관(品官)으로서 산직(散職)에 있던 당하관(堂下官)들이다. 이들은 도성(都城)에 머물면서 시위(侍衛)의 책임을 맡았다. 수전품관(受田品官)이라고도 한다.

병이 있는 자를 보면 반드시 온 힘을 다해[極力] 구휼했다. 그리고
죽어서도 장례를 주관할 자가 없는 경우에는 반드시 묻어주었다.
또 도로(道路)와 교량(橋梁)을 수리하는 등 하지 않는 것이 없었으
므로 동네 마을[閭里]의 아이들도 그 이름을 알지 못하는 자가 없
었다. 초5일[壬戌] 밤에 그가 흥천사(興天寺) 사리전(舍利殿)에서 비
를 빌었는데 마침 이날 밤에 비가 왔다. 상은 이 말을 듣고 가상하
게 여겨 저포(苧布) 1필, 정포(正布) 25필, 쌀과 콩 20석을 내려주
었다.

○ 사헌부 대사헌 한상경(韓尙敬) 등이 시무(時務) 열 가지 일을 올
렸다.

'하나, 홀아비와 과부와 고아와 돌볼 이 없는 노인[鰥寡孤獨]은 (주
나라) 문왕(文王)[14]이 정사를 펼치면서[發政] 가장 우선시했던 것입
니다. 오늘날 서울과 지방에 어찌 기댈 곳이 없어[無告] 살 곳을 잃
은 자가 없겠습니까? 바라건대 한성부, 유후사, 각 도의 관찰사로 하
여금 잘 찾아내[推考] 구휼하게 하고[存恤=賑恤], 그들의 이름을 다
적어서 보고하도록 해야 합니다.

---

14 주족(周族)의 우두머리였다. 성(姓)은 희(姬)씨이고, 이름은 창(昌)이다. 고공단보(古公亶
父)의 손자이자 무왕(武王)의 아버지이고, 계력(季歷)의 아들이다. 상(商)나라 주(紂)왕 때
주변의 여러 부족을 멸하고 서백(西伯)이라 했다. 숭후호(崇侯虎)의 참소를 받아 주(紂) 왕
에 의해 유리(羑里)에 갇혔다. 그의 신하 태전(太顚)과 굉요(閎夭), 산의생(散宜生) 등이 주
임금에게 미녀와 명마를 바쳐 석방될 수 있었다. 우(虞)나라와 예(芮)나라 사이의 분쟁의
소지를 해결하자 두 나라가 모두 귀부(歸附)했다. 나중에 또 여(黎)나라와 우(邘)나라, 숭
(崇)나라 등을 공격해 멸망시켰다. 산시[陝西]성 기산(岐山)에서 장안(長安) 부근 풍읍(豐
邑)으로 도읍을 옮겼다. 현인(賢人)과 인재를 널리 받아들여 동해의 여상(呂尙)과 고죽국
(孤竹國)의 백이·숙제(伯夷叔齊), 은신(殷臣) 신갑(辛甲) 등이 찾아왔다. 50년 동안 재위
했다. 덕으로 만민(萬民)을 다스려 제후와 천하의 백성들이 모두 그를 따랐다고 한다.

둘, 『맹자(孟子)』에 이르기를 "사람마다 어버이를 제 몸과 같이 여기고 어른을 어른으로 제대로 모신다면 천하는 태평해진다"라고 했으니 바라건대 도성과 지방의 효자(孝子), 순손(順孫), 의부(義夫), 절부(節婦)를 살펴 물어 포상함으로써 풍속을 가다듬어야 합니다.

셋, 오부 학당(五部學堂)[15]의 교수(敎授)와 훈도관(訓導官)은 생도들을 모아 매일 가르치고 지도하는데 해가 다하여 파해도 점심(點心)이 없고 또한 사령(使令-심부름꾼)도 없어서 도리어 주(州)나 군(郡)의 향교만도 못하니 마땅히 전토와 노비를 지급해야 합니다.

넷, 무릇 사유(赦宥-사면령)가 있어 죄수를 풀어주게 되면 절도(竊盜)한 사람은 일죄(一罪)가 아니라 하여 놓아주어 친척들이나 혹은 같은 마을[州里] 사람에게 맡기는데, 그 사람은 장물(贓物)을 징수당할까 염려하여 즉시 도망쳐 숨습니다. 그래서 장물을 징수하는 날 그 맡은 사람에게 책임을 지워서 날짜를 정하여 가두거나 혹은 그 물건을 내게 한다면 사면하여 풀어준 은혜가 도리어 죄 없는 사람에게 해(害)가 되어 참으로 사리에 맞지 않습니다[未便]. 바라건대 이제부터는 절도로 사유(赦宥)를 받아도 태장(笞杖)만을 치지 말고 그대로 옥(獄)에 두어 장물을 다 징수한 뒤에야 놓아주게 해야 합니다.

다섯, 성중(城中)에 모든 역사(役使)가 있게 되면 한성부에서는 곧 오부(五部)의 방리(坊里) 사람들로 하여금 그 일을 하게 합니다. 그러

---

15 조선조 태조 1년에 고려의 제도를 답습해 서울의 동·서·중·남·북의 5부(五部)에 각각 설치한 학당(學堂)이다. 세종 때 북부 학당이 폐지되고 4부 학당만이 존속하게 됐다.

나 사람들은 모두 면하려고 꾀하다 보니[規免] 실제 역사하는 사람
은 다 기댈 곳 없는 집의 아이들과 부녀들이어서 특히 전하께서 불
쌍히 여기시는 뜻을 잃게 됩니다. 바라건대 이제부터는 마을 사람들
의 역사는 오직 길가에 사는 사람이 그 앞길을 청소하는 것을 제외
하고는 하나같이 모두 금지하게 해야 합니다.

여섯, 무식한 무리들이 농삿달에 사냥을 하여 크게 벼와 곡식을
해치니 기댈 곳 없는 백성들의 원망이 하늘에 이르고 있습니다. 바
라건대 이제부터는 경기(京畿)와 외방(外方)에서 농삿달에 함부로 사
냥하는 자는 엄격하게 금법(禁法)으로 다스려야 합니다.

일곱, 양계(兩界-동북면과 서북면)에서 매[鷹子]를 진상(進上)할 때
사사로이 매를 가지고 있는 자가 매우 많아 내왕할 즈음에 폐단이
이루 말할 수 없습니다. 바라건대 도순문사(都巡問使)가 진상하는 숫
자를 정하고 도병마사(都兵馬使)는 진상하지 말게 해야 합니다. 단지
매에 대한 한 가지 일만이 아니라 기타의 진상에도 도순문사 이외에
는 모두 금단(禁斷)하게 해야 합니다. 여러 고을의 수령과 단련사(團
練使)[16]도 대부분 사사로이 매를 키워 백성에게 폐를 끼치니 아울러
엄금해야 할 것입니다.

여덟, 외방의 수령(守令)은 모든 부역(賦役)하는 일에 있어서, 혹은
옛 규정에 근거하여[憑據] 아전[吏]에게 이문(移文)하고, 또 전지를

---

16 단련사란 고려시대에는 지방관이었으나 조선시대 초기에는 병마단련사(兵馬團練使)로 고
쳐 지방의 병권(兵權)을 관리하고 민정(民政)을 돌보게 했다. 그 뒤 주로 중국에 가는 사
신이나 중국에서 오는 사신을 환송하거나 환영할 때 호송(護送)·수행(隨行)하는 일을 했
는데 수령(守令) 또는 군관(軍官) 등으로 임명했다.

답험(踏驗)하고 군자(軍資)를 납세(納稅)할 때에도 감고(監考)를 정하여 자신이 직접 하지 않습니다. 이에 간리(奸吏)[17]와 향원(鄉愿)[18]은 곧 위엄과 복록[威福]을 조작하여 기댈 곳 없는 백성들이 폐단을 깊이 받고 있습니다. 감사(監司)는 이를 자세히 고찰하여 만일 자신이 몸소 직접 하지 않는 자가 있을 경우 엄하게 규찰하여 다스리게 해야 합니다. 그 납세의 일에 대해서는 모름지기 납부하는 자로 하여금 평미레[概]로 헤아려 남은 것은 비록 한 말, 한 되라도 다 돌려주게 해야 합니다.

아홉, 주(州)·군(郡)의 각 이방(里方)·별감(別監)이 관문(官門)을 드나들 때에는 차사(差使-파견관리)를 지응(支應-접대)하고, 또 마을 안의 일에 있어서도 혹 지체할 경우 매를 맞아 그 고통이 막심합니다. 그래서 사람마다 피하려고 하는데[規避] 기댈 곳 없는 사람이 한번 그 책임을 맡으면 혹은 5~6년, 혹은 10년에 이르러도 교체되지 않기 때문에 가산(家産)을 탕진하고 떠돌게 되어[流移] 살 곳을 잃는 자가 있습니다. 수령은 한 마을의 사람으로 하여금 집집마다 한 달이면 서로 교체하게 하고, 월말마다 그 이름을 갖춰 기록해 감사(監司)에게 바치는 것을 항식(恒式)으로 삼게 해야 합니다.

열, 주(州)·군(郡)의 늠고(廩庫-창고)에서 주는 전조(田租)가 혹은 지응(支應)에도 부족하므로 그 경내에서 진황지(陳荒地-오래 내버

---

17 간특한 아전을 말한다.
18 각 향리(鄉里)에서 겉으로는 덕(德)이 있는 사람인 척 행동하면서 실제적으로는 사람을 속여 실속을 채우던 악덕 토호(土豪)를 뜻한다.

려진 땅) 가운데 경작할 만한 땅을 골라 폐단 없이 밭 갈고 씨 뿌려 [耕種] 부족한 부분을 보충토록 허락해야 합니다. 수령으로 이접인 (移接人)의 전지를 점령하여 둔전(屯田)을 많이 두게 되는데, 백성이 그 폐단을 고스란히 받아 떠돌거나 도망치는[流亡] 사람까지 있게 됩니다. 각 고을의 둔전은 마땅히 그 수를 정해 넘치지 못하게 하고 이를 어긴 자는 청렴하지 못한 것으로 간주해 논죄(論罪)하게 해야 합니다.'

갑자일(甲子日-7일)에 세자 길례색(吉禮色)¹⁹을 두었다.

을축일(乙丑日-8일)에 전 청주부사(靑州府使) 박희무(朴希茂)의 직을 깎아내고[削職=削奪官職] 외방에 부처(付處)했다. 희무(希茂)는 내침장고(內沈藏庫) 제거(提擧)²⁰가 되었을 때 몰래 고비(庫婢-창고 여종)로 있는 성덕(成德)을 숙직소에서 간통했는데 그 남편 모지(毛知)란 자가 그를 붙잡아 구타하고 그의 잠옷[寢衣]을 빼앗아 갔다. 동료가 헌부에 고발하니 헌부에서 탄핵해 유배 보낸 것이다.

병인일(丙寅日-9일)에 비가 내렸다.
○ (명나라 조정) 내사(內史) 박린(朴麟), 김희(金禧) 등이 사악(賜樂-

---

19 임금이나 왕세자 및 왕세손의 길례(吉禮)에 임하여 두는 임시 관아로 가례색(嘉禮色)이라고도 한다.
20 조선 전기의 사옹원(司饔院)에 둔 정·종3품의 관직이다.

황제가 내려준 악기)을 받들고 왔다. 애초에 상이 몸의 기운[體氣]이 편하지 못함[未寧]을 깨닫고 주서(注書) 유익지(柳翼之)를 보내 알렸다.

"불행히도 병이 있어 내일은 명(命)을 맞을 수가 없소[迎命]. 다른 날을 기다렸다가 조금 나으면 예(禮)를 행하겠소."

린(麟) 등이 대답했다.

"가지고 온 공문은 (황제의 칙서가 아니라) 예부(禮部)의 자문[咨=咨文]이니 반드시 마중하지 않으셔도 좋습니다. 만일 사악(賜樂)을 중한 것으로 여기시면 저희가 서울에 이르러 관(館-태평관)에 놓아둘 것이니 병환이 나으시기를 기다려 관(館)에 이르러 받으셔도 또한 어찌 불가하겠습니까?"

익지(翼之)가 돌아와 아뢰었다. 또 대언 권원(權瑗)으로 하여금 군이 만류하게 했다. 이에 린 등이 이르니 산붕(山棚)을 맺고 백희(百戲)를 벌여놓았다. 세자 제(禔)에게 명해 백관을 거느리고 교외(郊外)에서 맞아들이게 하니 희 등이 악기(樂器)를 받들어 태평관에 놓고 창덕궁(昌德宮)으로 나아가 병문안을 하고 물러갔다. 의정부에 명해 하마연(下馬宴)을 베풀게 하고, 지신사 황희(黃喜)를 시켜 두 사람에게 안장 갖춘 말[鞍馬]을 주었다. 두 사람은 모두 본국에서 바쳤던 환자(宦者-환관)다.

정묘일(丁卯日-10일)에 비가 내렸다.

무진일(戊辰日-11일)에 (강원도) 원주(原州) 사람인 고(故) 전서(典

書) 최운사(崔云嗣)의 집안 여종[家婢] 개덕(蓋德)이 한꺼번에 2남
1녀를 낳으니 명하여 쌀과 콩 10석을 내려주었다.

기사일(己巳日-12일)에 사헌부에서 이저(李佇)에게 고신(告身)²¹을
(돌려) 주지 말 것을 청했다. 애초에 상이 사헌부 장령 한옹(韓雍,
1352~1425년)²²을 불러 말했다.

"이저의 죄는 본래 그 아비와 같지 않다. 내가 장차 그를 쓰려고
하니 예전에 거둬들였던 저(佇)의 고신(告身)을 챙겨[將] 모두 봉하여
올리도록 하라."

옹(雍)이 아뢰었다.

---

21 조선시대 관리로 임명된 자에게 수여한 증서다. 직첩(職牒)이라고도 한다. 이는 품계(品
階)에 따라 그 명칭과 발급 형식이 달라서 4품 이상은 교지(敎旨)라 하여 임금이 직접 내
리는 형식을 취하고, 5품 이하는 첩지(牒紙)라 했다. 이러한 증서는 서경(署經)을 거친 뒤
발급했고, 만일 잃어버렸을 때에는 분실자가 이조(吏曹)에 신고하면 사실을 조사한 뒤
입안(立案-증명서)을 교부했다. 이것은 관직의 임명장인 동시에 신분증명서로서 죄를 범
했을 때에는 수직첩(收職牒) 또는 탈고신(奪告身)이라 하여 이를 박탈했다.

22 할아버지는 정당문학(政堂文學) 한진(韓瑨)이고 아버지는 관찰사 한방좌(韓邦佐)이다. 고
려조에 경상도 감사 장하(張夏)의 천거로 사천감무가 됐고, 조선 개국 후 1392년(태조
1년) 사헌부 감찰·형조도관좌랑·적성감무를 거쳐 1404년(태종 4년) 사헌부 지평에 제수
되고, 1406년 언사(言事)로 좌천되어 종부시판관을 역임했다가 장령에 올랐다. 1407년
백성의 고충을 덜어주기 위해 각 관영의 폐단을 금하고, 병(兵)과 선박의 허실을 점검하
는 한편 군졸의 고충과 희락을 점검하기 위해 군기감으로서 각 도에 파견됐다. 1407년
충청도 경차관·경상도 전민찰방(慶尙道田民察訪)을 역임하고, 지사간원사(知司諫院事)에
승진되었으며, 순금사대호군(巡禁司大護軍)에 임명됐다. 1408년 전라도 해도찰방(全羅道
海道察訪), 충청·전라도 감전경차관(忠淸全羅道監戰敬差官), 1409년 병조참의·경상도 경
차관을 거쳐 1410년 충청도 관찰사가 됐다. 1411년 내직으로서 한성부윤에 임명되고,
1414년 경상도 관찰사, 풍해·평안도 도안무사(豊海平安道都安撫使), 1415년 개성유후사
부유후(開城留後司副留後)를 거쳐 판충주목사(判忠州牧事), 1419년(세종 1년) 개성유후사
유후를 역임했다.

"신은 외군(外郡-지방 군)에서 왔으므로 아직 일의 처음과 끝을 알지 못하니 물러가 동료와 토의할 것을 청합니다."

이윽고[旣而=已而] 대사헌 한상경(韓尙敬) 등이 대궐에 이르러 아뢰어 말했다.

"이저의 죄는 나라 사람들이 아는 것이므로 신 등은 명(命)을 받들 수 없습니다."

이때에 이르러 말씀을 올렸다.

"이저와 그 아비는 남몰래[陰] 두 마음을 품어[貳心] 장차 불궤(不軌)를 도모하려 했으므로 영락(永樂) 2년(1404년)에 보신(輔臣-재상)과 헌신(憲臣-법을 다루는 신하)이 교장(交章)으로 계문하여 법으로 처치하고자 했는데, 전하께서 특별히 사은(私恩)을 내리시어 폐하여 서인(庶人)으로 만드시어 생명을 보전할 수 있었으니 은혜가 지극히 도탑습니다[渥=優渥]. 이제 만일 고신을 도로 내려주시어 그 죄를 풀어주신다면 상과 벌이 밝지 못하게 되어[不章] 앞으로 생기는 악(惡)을 다스리기 어려울까 염려됩니다."

이에 좌사간 대부 송우(宋愚) 등이 소를 올려 말했다.

'나라를 다스리는 도리는 신상필벌(信賞必罰)에 있습니다. 만일 혹시라도 상과 벌이 실상에 알맞지 못하면[不中] 백성들에게 신뢰를 보일 수 없는 것입니다. 가만히 보건대 이거이 부자는 몰래 불궤지심(不軌之心)을 품어 말이 사직(社稷)에 저촉됐습니다. 여러 신하와 대간(臺諫)들이 합사(合辭)하여 죄주기를 청했으나 전하께서 깊이 생각하시고서 너그러운 법[寬典]에 따라 생명을 보전시키시고 폐하여 서인(庶人)으로 만드셨는데 여러 신하가 모두 이르기를 '죄는 무거운데

벌은 가볍다'라고 했습니다. (그런데) 지금 헌부에 명해 저의 직첩(職
牒)을 돌려주라고 하시니 전하의 마음으로는 '아비는 죄가 있다 해
도 아들은 참여하지 않았다'고 여기시는 것 같습니다. (그런) 신 등
이 가만히 생각건대 이거이의 불충한 마음은 속에 쌓여서 밖으로
나타났고[積中形外] 오히려 타인과도 말을 나눈 일이 있는데 하물며
　　　　적중 형외
친자식으로 이저와 같이 재주와 지혜가 남보다 뛰어난 사람에게 말
하지 않았겠습니까? 저가 참여하여 들었음은 반드시 의심할 바가 없
는 것입니다. 엎드려 바라옵건대 전하께서는 한결같이 앞서의 전지
(傳旨)대로 직첩을 돌려주지 말게 하시어 여러 신하의 소망에 보답해
주소서.'

경오일(庚午日-13일)에 태백성이 이틀 동안 낮에 보였다.

○ 상이 백관(百官)을 거느리고 태평관(太平館)으로 나아가 친히 사
악(賜樂)을 받았다. 앞길을 인도하여[前導=先導] 창덕궁(昌德宮)에 이
　　　　　　　　　　　　　　　전도　선도
르니 사신(使臣)이 따라왔고, 상이 배사례(拜賜禮)를 마치자 아직도
몸이 평소처럼 회복되지[平復] 못했다고 하여 의정부에 명해 태평관
　　　　　　　　평복
에서 사신들에게 연회를 베풀게 했다. 예부(禮部)의 자문(咨文)은 이
러했다.

'앞서 조선 국왕(朝鮮國王)이 자문(咨文)을 보내기를 "본국(本國)
의 종묘사직의 악기가 옛날 것은 파손되었기에 자문으로 주달(奏
達)하니 만일 (황제의) 윤허를 받는다면 즉시 사람을 보내 값을 가
지고 경사(京師)로 가서 사들여 응용(應用)에 대비하겠습니다"라고
했습니다. 자문이 본부(本部-예부)에 도착해 조사해보니 귀국[本國]
　　　　　　　　　　　　　　　　　　　　　　　　　　　본국

310

의 악기는 홍무 연간(洪武年間)에 태조 황제(太祖皇帝)께서 일찍이 반사(頒賜)했음을 알 수 있었습니다. 이제 옛날 것은 파손되었다고 하지만 민간에서 별로 만들어 파는 것이 없어 자문(咨文)대로 준허(准許)하기는 어렵습니다. 영락(永樂) 3년 6월 초8일 이른 아침에 본부의 관원이 갖춰 상주(上奏)했는데 그 절해(節該)에 "성지(聖旨)를 받기를 '악기(樂器)를 저들에게 주라'고 했다"라고 했으므로 이미 흠준(欽遵)한 일인지라 공부(工部)에 이자(移咨)하여 만들게 했는데 이제 완성을 보아 복주(覆奏)하고 이자(移咨)합니다. 내사(內史) 박린(朴麟) 등을 파견하여 자문을 받들어 보내고, 동시에 악기도 관송(管送)합니다. 귀국에 행이(行移)하는 것이 마땅하므로 알려드리니 그 숫자를 조험(照驗)하고 수용(收用)하십시오. 보내는 것은 도합 제사 악기(祭祀樂器)로 편종(編鍾) 16개, 편경(編磬) 16편(片), 금(琴) 4장(張), 슬(瑟) 2상(床), 생(笙) 2찬(攢), 소(簫) 4관(管)입니다.'

의정부에서 백관을 거느리고 전(箋)을 올려 사악기(賜樂器)를 받은 것을 (상께) 하례하려 하니 명하여 그만두게 했다.

○ 조온(趙溫)을 병조판서, 남재(南在)를 의정부 찬성사 겸 의용순금사 판사, 김희선(金希善)을 형조판서, 최유경(崔有慶)·유량(柳亮)을 의정부 참찬사, 이래를 공조판서, 유관(柳觀)을 예문관 대제학, 설미수(偰眉壽)를 의정부 참지사, 이숙번(李叔蕃)을 겸 중군총제, 민무질(閔無疾)을 겸 우군총제, 함부림(咸傅霖)을 경상도 도관찰사, 김자수(金自粹)를 충청도 도관찰사로 삼았다. 이숙(李淑)을 파직해 완천군(完川君)으로 삼고, 신극례(辛克禮)를 취산군(鷲山君)으로 삼고, 좌사간 송우(宋愚)를 예조참의, 우헌납 이안직(李安直)을 이조정랑(吏曹正

郎)에 제배했다. 극례(克禮)가 이를 듣고 노하여 말했다.

"태상왕(太上王)께서는 이미 죽은 공신(功臣)의 시호(諡號)가 좋지 못하다는 이유로 (시호를 지어 올린) 봉상시(奉常寺) 관원을 모두 처벌했다. (그런데) 지금 주상께서는 도리어 현재 살아 있는[見在] 공신들에게 비난과 훼방을 가한 자의 자급(資級)을 뛰어넘게 하는가?"[23]

^{현재}

신미일(辛未日-14일)에 여러 도의 (군사들에게 입힐) 청색 방의(靑色防衣)를 정했다. 풍해도 도관찰사 신호(申浩)가 말씀을 올렸다.

'수륙(水陸)의 군사가 항상 말하기를 "연례(年例)로 쓰는 군기(軍器) 가운데 지갑(紙甲)[24]은 본래 빛깔이 없고 좀이 먹기 쉬우며 만들기도 쉽지 않은 데다 실용 가치가 없다"고 합니다. 만약 청색 엄심(掩心)[25]으로 대체한다면 빛깔도 있고 견실하여 접전(接戰)할 때 창과 화살이 깊이 들어갈 수 없을 것입니다. 또 우리 국가는 동방에 있어 마땅히 청색을 숭상해야 하니[26] 만들기도 쉽고 이를 쓰면 실용 가치도 있

---

23 이 인사는 얼마 전 7월 26일 사간원에서 올린 상소와 밀접하게 연결돼 있다. 그런데 사간원 좌사간 송우는 종3품이었다가 정3품 당상관인 참의가 됐다. 종3품에서 정3품은 그냥 승진이지만 정3품에는 당상관과 당하관이 있는데 종3품에서 당하관을 뛰어넘어 당상관이 됐음을 염두에 두고 이렇게 말한 것이다. 즉 극례의 비판은 송우를 향한 것이다. 이 점을 이해 못 한 기존의 번역은 무슨 뜻인지를 알 수가 없다. 다음은 기존 번역이다. "지금 주상께서는 도리어 비훼(非毁)를 받으면서 현재 공신에 있는 자만 자급(資級)을 뛰어 올리는가?" 오히려 전혀 반대로 번역한 측면도 있다.

24 갑옷의 하나로 종이를 접어 미늘[札]을 만들고 녹피(鹿皮)로써 엮어 짠 갑옷이다. 수은갑(水銀甲), 유엽갑(柳葉甲), 피갑(皮甲), 쇄자갑(鎖子甲), 경번갑(鏡幡甲)과 아울러 군용(軍用)에 쓰였다.

^찰

25 가슴을 가리는 갑옷이다.

26 색을 동서남북으로 하면 황색은 중앙인 중국이고 나머지 동서남북은 각각 청백적흑이 된다.

312

으며 또 좀이 먹어 망가지는 폐단도 없을 것입니다.'

드디어 이런 명령이 있었다.

임신일(壬申日-15일)에 비가 내렸다.

○ 상이 태평관에 가서 내사(內史) 박린(朴麟) 등에게 잔치를 베풀었다.

○ 의정부에 명해 기사년(己巳年-1389년)과 임오년(壬午年-1402년)의 범죄인의 속공 노비(屬公奴婢)들을 되돌려주게 했다. 조사의(趙思義)·강현(康顯)·조홍(趙洪)·홍순(洪淳)·강거신(康居信)·김권(金綣)·김자량(金自良)·황사란(黃似蘭)·이천부(李天富)·김온(金溫) 등이고, 기사년의 모역자[27]는 조방흥(趙方興)·김저(金佇) 등이다.

계유일(癸酉日-16일)에 박린(朴麟) 등이 지방으로 어버이를 뵈러 떠났다[省親]. 린은 (전라도) 낙안(樂安-순천)으로 돌아가 어머니를 보고자 하고 김희는 (경상도) 울주(蔚州)로 돌아가 아버지를 보고자 했다. 의정부에 명해 숭례문(崇禮門) 밖에서 전송하게 하고 두 사람의 집에 쌀과 콩 각각 50석을 내려주었다.

○ 상이 덕수궁에 나아갔다. 기거하기 위함이었다.

갑술일(甲戌日-17일)에 다시 사헌부에 명해 이저(李佇)의 고신(告身)을 바치게 하니 한상경(韓尙敬) 등이 아뢰었다.

---

27 고려 말 우왕 복위 미수사건 관련자들이다.

"신 등이 문안(文案)을 상세하게 살피건대[詳覈] 이저의 죄는 명백
하여 의심할 바가 없습니다. (게다가) 여러 신하가 합사(合辭)해서 죄
를 청하여 이미 윤허했었는데 이제 고신을 도로 주려 하시는 것은
안 되지 아니하겠습니까?"

상이 좌우를 시켜 상경 등을 꾸짖고 또 말했다.

"경 등은 누구의 지시를 받아[希] 이와 같이 명을 거스르는가
[方命]?"

○ 명하여 관복(冠服)에 자주색 명주[紫紬]를 쓰는 것을 거듭 밝혀
금지했다[申禁].

을해일(乙亥日-18일)에 서울과 지방에 명해 품은(品銀)²⁸을 바치도
록 했다. 이때 (중국에) 진헌(進獻)하는 금은(金銀)이 떨어지려 해 공
조(工曹)에서 바칠 사람을 모집했지만 끝내 바치는 사람이 없었다.
의정부에서 의견을 올렸다[建議].

"1품은 백은(白銀) 5냥을 바치게 하고, 2품은 4냥을, 3품은 3냥
을, 유수관(留守官)에서 대도호부(大都護府)까지는 50냥을, 목관
(牧官)과 단부관(單府官)은 30냥으로 하여, 이것으로 차등을 두어
독촉하여 진납(進納)하게 해서 진헌하는 기명(器皿)을 만들게 하
소서."

그것을 따랐다.

---

28 나라에서 중국에 은(銀)을 공납할 때 각 품관(品官)에게 차등 있게 부과하여 거두던 은
(銀)을 가리킨다. 그 밖에도 중국에 공납하던 금(金)과 말도 이와 같은 방법으로 거뒀다.

병자일(丙子日-19일)에 신유현(辛有賢)을 사면해 경외(京外)에 종편(從便)케 했다.

○ 사역원 판관 강유경(姜庾卿)을 보내 요동(遼東)으로 가게 했다. 절강(浙江) 금향위(金鄕衛) 전 천호소 총기(千戶所總旗) 황진보(黃進保) 등 55명은 본래부터 총병관(總兵官) 평강백(平江伯)을 따라 양곡을 바다로 운송해 베이징으로 가고자 하다가 바람을 만나 동해(東海)로 표류해 동북면(東北面) 길주(吉州)에 이르렀으므로 유경을 보내 압송(押送)케 한 것이다.

정축일(丁丑日-20일)에 지방 향교에 토지를 더 줄 것을 명했다. 호조에 가르쳐 말했다.

"지방 향교의 토지는 그 수가 매우 적으니 군자 속전(軍資屬田)을 덜어서 줌이 옳겠다."

정부에서 토의해 결론을 얻었다.

"유수관(留守官) 대도호부(大都護府) 목관(牧官)은 전과 같고, 부관(府官)에 한하여 그 전 15결(結)에다 이제 15결을 더하여 30결로 하되 수전(水田)으로 2분(分)을, 한전(旱田)으로 1분을 잘라서 지급하게 해야 합니다[折給]."
_{절급}

○ 대간(臺諫-사헌부와 사간원)에서 함께 소를 작성해[交章] 이저(李佇)의 고신(告身)을 주지 말 것을 청했다.
_{교장}

○ 개국(開國)·정사(定社)·좌명(佐命) 공신[29]이 이저의 고신을 주지

---

29 1392년(태조 1년)에 조선(朝鮮)의 개국(開國)에 공을 세운 배극렴(裵克廉) 등 45인을 개국

말 것을 청했다. 의안대군(義安大君) 이화(李和), 안평부원군(安平府院君) 이서(李舒) 등이 말씀을 올렸다.

'신 등이 가만히 보건대[竊謂] 임금을 업신여기는[無君] 마음이 있는 뒤라야 임금을 업신여기는 말이 있는 것입니다. 이거이(李居易)가 임금을 업신여기는 마음을 그 아들인 저(佇)가 반드시 알지 못했을 리가 없습니다. 이 때문에 대소 신료(大小臣僚)들이 그들 부자를 극형에 처하자고 청한 것인데 전하께서는 친척이요 훈구(勳舊)라 하여 사형에서 1등을 감해 폐하여 서인(庶人)으로 만드시고 자제(子弟)는 금고(禁錮)에 처하시니 다시 살려주려는[再生] 은혜는 진실로 저 하늘보다 더 높습니다. (그런데) 이제 서울[京師]로 불러들여 고신을 도로 주시려 한다는 것을 듣고서 대소 신료들 중에 놀라고 탄식하지 않는 사람이 없습니다. 엎드려 바라옵건대 전하께서는 종묘와 사직의 대계(大計)를 위해 저로 하여금 다시 시골[田里]로 돌아가 남은 생을 마치게 해야 할 것입니다.'

무인일(戊寅日-21일)에 상이 덕수궁에 나아가 기거했다.

○ 허응(許應), 이맹균(李孟畇), 이명덕(李明德), 허항(許恒), 강진(康鎭), 홍상검(洪尙儉)을 사면해 경외종편(京外從便)케 했다.

○ 내수(內竪-어린 내시)를 보내 이저(李佇)를 (경기도) 임강현(臨江縣)에서 불러오게 했다.

공신이라 하고, 1398년(정종 1년)에 1차 왕자의 난에 공을 세운 이화(李和) 등 29인을 정사공신이라 하고, 1400년(태종 1년)에 2차 왕자의 난에 공을 세운 이저(李佇) 등 47인을 좌명공신이라 한다.

○ 명하여 원단(圓壇)·적전(籍田)·사직(社稷)·산천단(山川壇)·성황당(城隍堂)의 단장(壇場)[30]과 난원(欄園)[31]을 수리하게 하고, 더불어 그곳을 지키는 인정(人丁-장정)을 차등 있게 주었다.

기묘일(己卯日-22일)에 이저(李佇)가 서울에 들어왔다. 저와 그 아우 청평군(淸平君) 백강(伯剛)이 바둑을 두면서 즐거워했다.

○ 대간(臺諫)이 말씀을 올려 이저에게 고신을 주지 말 것을 청했으나 윤허하지 않았다. 소(疏)는 이러했다.

'이저의 죄는 왕법(王法)으로 용서할 수 없는 것이기 때문에 신 등이 두 번, 세 번 말씀을 올려 그의 고신을 돌려주는 것은 불가하다고 했습니다. (그런데) 전하께서는 저의 죄가 아비와 같지 않다 하시어 윤허하지 않았을 뿐 아니라 마침내 즉시 서울로 소환하시고 또 그 고신(告身)을 돌려줄 것을 명하셨습니다. 신 등이 가만히 생각건대 죄가 만일 같지 아니했다면 당시의 여러 신하가 청을 올렸을 때 [上請] 전하께서 결단을 내리셨는데 어찌 (두 사람의 죄는) 같다고 하셨습니까? 저의 죄가 그 아비의 죄와 만일 혹시라도 같지 않다면 마땅히 분명하게 분별하도록 하여 나라의 사람들로 하여금 모두 그 실상을 알게 한 뒤에 시행하신다면 누가 불가하다고 하겠습니까? 그렇지 않다면 후세에서 전하에 대해 '사은(私恩)으로 왕법(王法)을 내버렸다'고 할까 두렵습니다. 엎드려 바라옵건대 전하께서는 유의(留意)

---

30 제사 지내는 마당을 가리킨다.
31 난간과 동산을 가리킨다.

하셔야 합니다.'

답하지 않았다. 대간이 마침내 대궐에 이르러 아뢰어 말했다.

"이저 부자는 만세에 용서 못 할 죄입니다. (그럼에도) 오늘날 그를 부르신 것은 사은(私恩)으로 공도(公道)를 없애는 것입니다."

상이 말했다.

"아버지와 아들은 죄가 서로 미치지 않는다[不及]. 오늘날 저를 부른 것은 사은이 아니라 곧 공도다."

대간이 또 아뢰어 말했다.

"그 당시에는 부자의 죄를 가리지 않으시다가 오늘날에 이르러 어찌 가볍고 무거움을 가리십니까?"

상은 끝까지 윤허하지 않고 여러 대언(代言)에게 일러 말했다.

"내가 되풀이해 생각해보았는데 대간(臺諫)들이 내 명령을 따르지 않는 것은 대간만의 뜻[意]이 아니라 바로 조정(朝廷)의 뜻이다. 내가 임금답지 못해[否德] 나라를 주관하기에[主國] 마땅하지 못하기 때문에 신하가 명령을 따르지 않는 것이니 내 감히 청정(聽政)할 수가 없다.[32] 너희들은 모두 나가라."

드디어 (환관) 노희봉(盧希鳳)에게 명해 대언들을 내보내고 승정원 문[院門]을 봉쇄했다. 지신사 황희(黃喜)와 입직 대언(入直代言) 윤향(尹向)이 물러나와 총제청(摠制廳)에 이르러 아뢰어 말했다.

"신 등에게 죄가 있으면 책벌(責罰)을 달게 받겠습니다[甘受]. (그런데) 지금 대간들로 인해 아울러 신들을 모두 내치시니 무슨 근거인

---

32 이 말은 얼마 후 일어날 선위(禪位) 파동의 실마리라는 점에서 주목할 필요가 있다.

지 알지 못하겠습니다. 인주(人主-임금)의 한마디 말과 한 가지 행동 [一言一動]은 만세(萬世)에 전해집니다. 신들이 어찌 출입의 어려움을 가지고 따지겠습니까? 또 중관(中官-환관)으로 하여금 대언사(代言司-승정원)를 닫게 하시니 신들은 위로는 엄하신 뜻[嚴旨]이 두렵고 아래로는 맡은 바 직책을 두려워합니다. 황공하고 정신이 나가[殞越=隕越] 어찌할 바를 알지 못하겠습니다."

상이 말했다.

"너희도 나를 가볍게 여기느냐?"

이윽고 희봉으로 하여금 대언사의 봉쇄를 풀게 하고는 명하여 말했다.

"당직 대언은 일을 아뢰지[啓事] 말라."

경진일(庚辰日-23일)에 의안대군(義安大君) 화(和), 영의정 부사 성석린(成石璘), 좌정승 하륜(河崙), 단산부원군(丹山府院君) 이무(李茂), 우정승 조영무(趙英茂) 등이 공신(功臣)·백사(百司)·대간(臺諫)·형조(刑曹)를 거느리고 대궐에 엎드려[伏闕] 이저(李佇)의 죄를 청했다. 상이 이를 알고 대언이 일을 아뢰는 것[啓事]을 금지하고 내신(內臣-환관)이 왕명을 전했기 때문에 황희 등이 감히 아뢰지 못한 채 날이 저물어서야 화(和) 등이 물러갔다. 이와 같이 하기를 3일 동안 계속했다.

신사일(辛巳日-24일)에 사헌부 대사헌 한상경(韓尚敬), 좌사간 대부 윤사영(尹思永) 등이 말이 행해지지 않는다[不行]고 하여 모두 전

(箋)을 올려 사직했다.

임오일(壬午日-25일)에 태백성이 낮에 보였다.

○사헌부 대사헌 한상경(韓尙敬), 집의(執義) 이양(李楊), 장령(掌
令) 한옹(韓雍)을 순금사(巡禁司)에 내리고 한성부 판사 이귀령(李貴
齡, 1346~1439년)[33]을 위관(委官)[34]으로 삼아 순금사와 공동으로 국
문(鞫問)하게 했다. 상이 이귀령을 편전(便殿)에서 불러 만나보고 친
히 명하여 말했다.

"이저(李佇)는 내가 잠저(潛邸)에 있을 때부터 즉위(卽位)할 때까
지 그 공(功)이 매우 커서 잊을 수가 없다. 거이(居易)가 죄를 얻게 되
자 공신과 대간들이 말하기를 '거이가 (다른 사람들에게) 말을 했다
면 저(佇)가 반드시 이를 알았을 것입니다'라고 해서 내 어쩔 수 없
이[不得已] 그를 지방에 내쳤다. (그런데) 금년 가을에 가뭄이 심하
부득이
니 혹 무고(無辜)한 사람이 의외의 횡액으로 죄벌(罪罰)에 걸려 원망
을 일으켜 화기를 상하지 않았나 하여 이죄(二罪) 이하는 이미 모두

---

33 1392년(태조 1년) 조선이 개국돼 태조가 즉위하자 잠저 때의 공으로 개국원종공신(開國
原從功臣)이 됐다. 1394년 중군사마(中軍司馬)를 거쳐 뒤에 형조와 예조의 전서(典書)를
지냈고 지방으로 나아가 길주도 도안무찰리사(吉州道都安撫察理使)와 동북면 도순문병
마도절제사(東北面都巡問兵馬都節制使) 등을 지냈다. 태종 때 원종공신이 돼 두 번이나 명
나라에 사신으로 다녀왔으며 판승녕부사(判承寧府事)·좌군도총제(左軍都摠制)·병조판
서·참찬의정부사(參贊議政府事)·판한성부사(判漢城府事)·판좌군도총제부사(判左軍都摠
制府事)·변정도감제조(辨定都監提調)·삼군판부사(三軍判府事) 등을 지냈다. 1415년(태종
15년) 검교 우의정(檢校右議政)을 거쳐 이듬해 검교 좌의정(檢校左議政)이 됐다가 곧이어
좌의정으로 사직했다.
34 죄인을 추국(推鞫)할 때 의정대신(議政大臣) 가운데서 임시로 뽑아서 임명하는 재판장
이다.

320

방면(放免)했다. 내 한 마음으로는 이저가 이미 종친(宗親)이 된 데다 또 큰 공도 있는데, 마침내 지방에 쫓겨나 떠돌면서[流離] 제자리를 얻지 못한 것을 볼 때, 이것도 화기를 상하는 일단(一端)이라 생각했다. 이에 소환하여 다시 고신(告身)을 주고자 했으나 대간이 교장(交章)하여 재삼 만류했다. 헌부(憲府)에서 내 명령을 따르지 않는 것은 반드시 지휘자(指揮者)가 있어서다. 만일 보통으로 물어서[平問] 승복하지 아니하거든 신장(訊杖)[35]을 가해서라도 그들을 추국(推鞫)하라."

○ 이날 입직총제 이숙번(李叔蕃)에게 명해 금병(禁兵-금군)으로 하여금 더욱 삼가서 궁문(宮門)을 지키게 하고, 조정의 신하 중에서 관대를 맨 자들도 아울러 모두 들어가는 것을 불허(不許)했다.

계미일(癸未日-26일)에 한상경(韓尙敬) 등 3인을 풀어주어 직사에 나아가게[就職] 했다. 하륜(河崙) 등이 아뢰어 말했다.

"전하께서 헌부(憲府)를 옥(獄)에 내리셨습니다. 비록 위엄을 떨치고자 하시지만 뒷날에 헌사(憲司)가 되는 자들까지 어찌[容] 다 금할 수 있겠습니까? 또 예전에 거이를 방치(放置)했을 때 전하께서 말씀하시기를 '거이(居易)가 불충한 말을 이미 타인(他人)과 말했으니, 어찌 그 아들과 말하지 않았겠는가?'라고 하셨습니다. 이 말씀은 전하에게서 나온 것이고, 다른 사람에게서 나온 것이 아닙니다. 그렇다

---

35 고신(拷訊)에 쓰는 매다. 중죄(重罪)의 증거가 명백함에도 문초(問招)에 자백하지 않을 때에는 문안(文案)을 만들어서 법대로 고문하게 되는데 이때에 쓰는 형장(刑杖)을 말한다.

면 이저가 죄가 있다는 것은 단연코 알 만한 것인데 이제 죄 없는 헌사(憲司)에게 장(杖)을 쳐서 국문(鞫問)하려고 하시니 빼어난 다움[聖德]에 누가 되지 않겠습니까? 전하께서 만일 헌사를 용서하신다 면 빼어난 다움을 훼손하는 바[虧損]가 없을 것이고 또 허물을 고치는 아름다움[改過之美]이 있을 것입니다.”

상이 이에 말했다.

“헌사의 죄는 정부(政府)를 위해 풀어주겠다. (그런데) 풀어준 뒤에 과연 내 명령을 따르겠는가?”

륜이 대답했다.

“아마도[容=或] 명을 받드는[奉命] 도리가 있을 것입니다.”

상이 옳다고 여긴 까닭에 이런 명이 있었다. 또 사간원을 불러 모두 일을 보게[視事] 하고, 드디어 의정부로 하여금 헌사에 전지(傳旨)해 이지(李佇)의 고신을 올리도록 독촉했다. 의정부에서는 상의 노여움이 심하기 때문에 황공하여 즉시 헌부(憲府)에 이문(移文)했다. 상경 등이 이에 이저의 고신(告身) 20장을 승정원(承政院)에 바쳤다. 우대언 윤사수(尹思修)를 이저의 집으로 보내 고신을 돌려주었다. 얼마후에 상은 (신하들의) 말에 압박을 받아 저에게 임강현(臨江縣) 별업(別業-별장)으로 돌아가라고 명했다.

을유일(乙酉日-28일)에 명하여 대신(大臣)의 예장(禮葬)에 석실(石室)을 쓰는 것을 금지했다. 정부에서 아뢰었다.

“전조(前朝)의 법으로는 대신의 예장에 석실을 쓰는 것을 허용했습니다. (그러나) 삼가 석실의 제도를 살피건대 예전(禮典)에는 없는

것이며, 산 사람만 괴롭히는 것이고 죽은 사람에게는 무익하니 바라
건대 『문공가례(文公家禮)』[36]에 의거해 회격(灰隔)[37]만 쓰고 석실은
쓰지 말게 해야 합니다."

그것을 따랐다.

○ (지난해) 세상을 떠난 전라도 수군도절제사 김빈길(金贇吉,
?~1405년)[38]에게 양혜공(襄惠公)의 시호를 추시(追諡)했다.

병술일(丙戌日-29일)에 태백성이 낮에 나타났다. 8월 6일까지 계속
되다가 마침내 없어졌다.

---

36 『주자가례(朱子家禮)』라고도 한다. 관혼상제(冠婚喪祭) 사례(四禮)에 관한 예제(禮制)로서
의 이 『주자가례』는 조선시대에 이르러 주자학이 국가 정교(政敎)의 기본 강령으로 확립
되면서 그 준행(遵行)이 강요돼 처음에는 왕가와 조정 중신에서부터 사대부(士大夫)의 집
안으로, 다시 일반 서민에게까지 보편화되기에 이르렀다. 그러나 송대(宋代)에 이뤄진 이
가례가 한국의 현실과 맞지 않아 많은 예송(禮訟)을 야기시키는 원인이 됐으며, 주자학과
함께 조선이 세계 문물에 뒤지는 낙후성(落後性)을 조장하기도 했다.

37 관(棺)과 광중(壙中) 사이에 석회를 다져 넣는 것을 말한다.

38 1405년(태종 5년)에 전라도 수군도절제사가 되었을 때에는 도내(道內)의 요해처(要害處)
에다 만호(萬戶)를 두고, 병선(兵船)을 나눠 정박시켰고 또한 여러 섬에 둔전(屯田)을 설치
하고 군비를 비축하게 해주는 것만을 바라는 폐단을 없애고, 평소 아랫사람을 대함에 한
치도 소홀함이 없었다. 예로 그가 수군절제사로 있을 때에도 항상 사졸(士卒)들과 더불
어 감고(甘苦)를 같이했고, 또한 도적을 쫓아 행선(行船)할 때에도 분연(奮然)히 몸을 돌
보지 않아 군사들이 모두 사력(死力)을 다했으므로 가는 곳마다 승리했다. 상을 받으면
항상 군사(軍士)의 공(功)이 있는 자에게 나눠 주었으므로 비록 외진 백성들이라도 그의
은혜를 입었다.

戊午朔 震金溝縣人.
무오 삭 진 금구현 인

命議政府會前衘耆老宰樞 議除弊事宜. 各道侍衛軍 無事時
명 의정부 회 전함 기로 재추 의 제폐 사의 각도 시위군 무사 시

春秋兩度點考外 除番上侍衛可否: 破亡寺社外 今革去寺社奴婢
춘추 양도 점고 외 제 번상 시위 가부 파망 사사 외 금 혁거 사사 노비

屬公可否及六曹臺諫陳言內事可否 擬議申聞. 時 司諫院上言:
속공 가부 급 육조 대간 진언 내사 가부 의의 신문 시 사간원 상언

'佛氏之敎 無益國家 吾東方惑之尤甚. 百姓之擅自髡髮者 國
불씨 지교 무익 국가 오 동방 혹지 우심 백성 지 천자 곤발 자 국

不痛禁 其徒寔繁 佛刹相望於山野. 況頃者僧徒 不遵其師之訓
불 통금 기도 식번 불찰 상망 어 산야 황 경자 승도 부준 기사 지훈

恣行不法. 殿下軫慮其弊 汰補外不緊寺社 乃於州府郡縣 皆
자행 불법 전하 진려 기폐 태 비보 외 불긴 사사 내어 주부 군현 개

定寺額 量寺之大小 僧之多寡 增減田民之數 使其徒群居而各正
정 사액 양 사지 대소 승지 다과 증감 전민 지수 사 기도 군거 이각정

其道 歷代以來所未曾有也. 然自三韓以來 大伽藍亦在汰去之例
기도 역대 이래 소미 증유 야 연자 삼한 이래 대가람 역재 태거 지례

其於亡廢寺院住持差下者 容或有之. 願殿下擇山水勝處大伽藍
기어 망폐 사원 주지 차하 자 용혹 유지 원 전하 택 산수 승처 대가람

以代亡廢寺院 則僧徒得居止之處矣.'
이 대 망폐 사원 즉 승도 득 거지 지처 의

又言各道歲貢材木之難. 議政府議得: "擇山水勝處大伽藍 以
우 언 각도 세공 재목 지난 의정부 의득 택 산수 승처 대가람 이

代亡廢寺院 請依所申. 歲貢材木 今年權行蠲免 待更有行移
대 망폐 사원 청의 소신 세공 재목 금년 권행 견면 대 갱유 행이

然後備辦上納." 從之.
연후 비판 상납 종지

敎議政府: "各道去歲改量之田 如有過中處① 當收租之際 許
교 의정부 각도 거세 개량 지전 여유 과중처 당 수조 지제 허

佃客陳告 覈實以聞."
전객 진고 핵실 이문

己未 暴風揚塵二日.

停三道侍衛軍番上. 命兵曹曰: "今玆旱甚 來八月朔慶尙 全羅
忠淸等道侍衛軍 毋令番上."

議政府啓奴婢決折條件 從之. 啓曰:

"奴婢相爭事 曲折多端. 其擊鼓申聞者 特下攸司 兩邊情狀
具錄申聞 取旨決折之後 更有擊鼓訟冤 或蒙改決者. 今後除
辭緣具錄取旨 許官吏從正決折後 以兩邊得失 分揀啓聞. 其下
司憲府者 憲府詳覈兩邊情狀 若妄告現然 則啓聞 依敎論罪; 或
涉錯誤者 待決折官員見代②後送都官 刻期決折 具由呈報 誤決
妄告之中 分揀申聞 依敎論罪; 或有訟冤者 則待分揀官員見代②
之後 又下憲府 精加分辨 妄告者 誤決者 竝加一等論罪; 其中有
相避事 移送刑曹分揀." 從之.

庚申 再祈雨于宗廟 社稷 北郊 封內山川.

司憲府請禁中外用酒. 右政丞趙英茂 請設祈雨道場於藏義寺

上曰: "就寺禱雨 未有古禮 豈可再誤!"

命議政府 詳錄各年屬公奴婢以聞. 戊辰年以後犯罪各人及
壬午年被罪人奴婢也.

流義勇巡禁司大護軍崔關于開寧縣. 初 工曹正郎柳佐等 怒
匠人法奴怠事 杖之而死 上命巡禁司鞫之. 關時爲掌務 以佐爲
其同年壯元柳亮之子 嫌於按問 乃曰: "佐父亮爲功臣 法當啓聞

取旨 而後逮捕." 同僚謂關曰: "君爲掌務 可自入傳." 關又難之
취지　이후체포　　동료위관왈　군위장무　가자입전　관우난지

及鞫佐之日 關托以妻疾先出. 上聞之 命司憲府 劾其循私滅公之
급국좌지일　관탁이처질선출　상문지　명사헌부　핵기순사멸공지

罪而流之.
죄이유지

日本回禮官李藝 以刷出被攎男女七十餘名還.
일본회례관이예　이쇄출피로남녀칠십여명환

辛酉 左政丞河崙上箋乞辭. 時爲匿名書 揭之鐘樓市街者非一
신유　좌정승하륜상전걸사　시위익명서　게지종루시가자비일

皆謂旱氣由崙執政所致 崙請避位. 上謂河崙曰: "辭箋言詞切至
개위한기유륜집정소치　륜청피위　상위하륜왈　사전언사절지

實乃諫疏. 予欲自爲答辭 則口欲言而才未逮 使文臣代筆 則豈
실내간소　여욕자위답사　즉구욕언이재미체　사문신대필　즉기

能寫出予肺肝乎? 予觀方冊 災異之來 非宰相之咎. 今之不雨 罪
능사출여폐간호　여관방책　재이지래　비재상지구　금지불우　죄

實在予 豈關於政丞乎? 甲申之夏 卿以久旱 固請避位 未幾復有
실재여　기관어정승호　갑신지하　경이구한　고청피위　미기부유

大水之沴 則今日之旱 不爲政丞明矣. 若夫飛語造謗 予固不信
대수지려　즉금일지한　불위정승명의　약부비어조방　여고불신

卿何嫌焉? 且使臣行至國都 又世子已壯 欲成吉禮. 須卿出定
경하혐언　차사신행지국도　우세자이장　욕성길례　수경출정

計議 無庸固辭 以弼予治." 崙對曰: "政令先自政府擬議. 臣不
계의　무용고사　이필여치　륜대왈　정령선자정부의의　신불

任責 將欲委誰?"
임책　장욕위수

癸亥 大雨. 上喜甚 令小宦問代言曰: "此雨果浹洽否?"
계해　대우　상희심　영소환문대언왈　차우과협흡부

命河崙復視事. 政府請復膳 且進酒.
명하륜부시사　정부청복선　차진주

上命兵曹 聚受田人于闕門之外 至者五百餘人. 使知申事黃喜
상명병조　취수전인우궐문지외　지자오백여인　사지신사황희

傳旨曰: "田制 明言居京城衛王室 非自今日. 爾等何故只欲自便
전지왈　전제　명언거경성위왕실　비자금일　이등하고지욕자편

爾衆人中 豈無曉義理者? 宜思君臣之義 毋爲紛紛. 若以五結
이중인중　기무효의리자　의사군신지의　무위분분　약이오결

十結 難以留京者 任從爾等 遞給子孫甥姪 各正乃心 無胥怨我."
십결　난이유경자　임종이등　체급자손서질　각정내심　무서원아

皆扣頭曰: "不敢." 乃退. 是時 屢爲匿名書 誹謗朝政 詆毀河崙
개구두왈　불감　내퇴　시시　누위익명서　비방조정　저훼하륜

言者皆謂受田品官所爲. 以故召而責之.

有僧名長願心者 本賤隷也. 故爲佯狂 見人飢寒者 必乞食解衣

而與之: 有疾病者 必極力而救恤: 死而無主者 必爲之埋瘞: 修治

道路橋梁 無所不至 閭里童稚 無不知其名者. 壬戌之夜 祈雨於

興天寺舍利殿 適是夜雨 上聞而嘉之 賜苧布一匹 正布二十五匹

米豆二十石.

司憲府大司憲韓尙敬等 上時務十事:

‘一曰 鰥寡孤獨 文王發政之所先也. 當今中外 豈無無告而

失所者乎 願令漢城府 留後司 各道觀察使 推考存恤 開寫其名

啓聞.

二曰 孟子云 人人親其親長其長 而天下平. 願京外孝子順孫

義夫節婦 考問褒賞 以勵風俗.

三曰 五部學堂敎授訓導官 聚集生徒 每日訓導 終日乃罷 而無

點心 亦無使令 反不如州郡鄕校. 宜給田與奴婢.

四曰 凡有赦 罪囚放免 則竊盜之人 以非一罪而放之 付于親戚

或同州里者. 其人慮徵臟物 尋卽逃匿 徵贓之日 責其所付之人

定日囚禁 或徵其物. 如是則放宥之恩 反爲無辜之害 誠爲未便.

願自今竊盜遇赦 只勿笞杖 仍置于獄 以待臟物畢徵而後放出.

五曰 城中凡有役使 漢城府乃令五部坊里人爲之. 然人皆規免

而役使者 皆無告之家兒童婦女 殊失殿下哀矜之意. 願自今里人

役使 惟緣路而居者 除其前路掃除外 一皆禁止.
역사 유 연로 이 거자 제기 전로 소제 외 일개 금지

六曰 無識之徒 農月田獵 大傷禾穀 無告之民 怨及于天. 願
육왈 무식 지도 농월 전렵 대상 화곡 무고 지민 원급 우천 원

自今京畿及外方 農月擅自畋獵者 痛行禁理.
자금 경기 급 외방 농월 천자 전렵 자 통행 금리

七曰 兩界鷹子進上之時 有持私鷹者頗多 來往之際 弊不勝言.
칠왈 양계 응자 진상 지시 유지 사응 사파다 내왕 지제 폐 불승언

願定都巡問使進上之數 而都兵馬使 毋得進上. 不惟鷹子一事
원정 도순문사 진상 지수 이 도병마사 무득 진상 불유 응자 일사

其他進上 除都巡問使外 亦皆禁斷.③ 諸郡守令與團練使 多畜
기타 진상 제 도순문사 외 역개 금단 제군 수령 여 단련사 다축

私鷹 貽弊於民 幷宜痛禁.
사응 이폐 어민 병의 통금

八曰 外方守令 凡於賦役之事 或有憑據古規 移文於吏 且於
팔왈 외방 수령 범어 부역 지사 혹유 빙거 고규 이문 어리 차어

田地踏驗 軍資納稅之際 亦定監考 皆不身親之. 於是奸吏鄕愿
전지 답험 군자 납세 지제 역정 감고 개불 신친지 어시 간리 향원

乃作威福 無告之民 受弊不淺. 監司詳加考察 如有不躬不親者
내작 위복 무고 지민 수폐 불천 감사 상가 고찰 여유 불궁 불친 자

痛行糾理; 其納稅之事 須令納者量槪 所餘雖一斗升 悉令還給.
통행 규리 기 납세 지사 수령 납자 양개 소여 수 일 두승 실영 환급

九曰 州郡各里方別監 進退官門 支應差使 且於里中 事或遲緩
구왈 주군 각 이방 별감 진퇴 관문 지응 차사 차어 이중 사혹 지완

則受鞭撻 其苦莫甚 故人皆規避. 無告者一受其任 或五六年或
즉수 편달 기고 막심 고인 개 규피 무고 자 일수 기임 혹 오육 년 혹

至十年而不遞 因是家産蕩盡 流移失所者有之. 守令令一里之人
지 십년 이 불체 인시 가산 탕진 유이 실소 자 유지 수령 영 일리 지인

每戶一朔相遞; 每月季 具錄其名 呈于監司 以爲恒式.
매호 일삭 상체 매월 계 구록 기명 정우 감사 이위 항식

十曰州郡廩給田租 或不足於支應 故許於其境擇陳荒可耕處
십왈 주군 늠급 전조 혹 부족 어 지응 고허 어기 경 택 진황 가경 처

無弊耕種 以補不足. 守令占移接人田 多置屯田 民受其弊 以致
무폐 경종 이보 부족 수령 점 이접인 전 다치 둔전 민수 기폐 이치

流亡者有之. 各官屯田 宜定其數 毋令泛濫 違者以不廉論罪.'
유망 자 유지 각관 둔전 의정 기수 무령 범람 위자 이 불렴 논죄

甲子 置世子吉禮色.
갑자 치 세자 길례색

乙丑 削前靑州府使朴希茂職 外方付處. 希茂爲內沈藏庫提擧
을축 삭전 청주부 사 박희무 직 외방 부처 희무 위 내침 장고 제거

潛奸庫婢成德于直宿所 其夫毛知者執而歐之 奪其寢衣而去.
잠간 고비 성덕 우 직숙소 기부 모지자 집이 구지 탈기 침의 이거

同僚告于憲府 憲府劾而流之.
동료 고우 헌부 헌부 핵이 유지

丙寅 雨.
병인 우

內史朴麟 金禧等 奉賜樂至. 初 上覺體氣未寧 遣注書柳翼之
내사 박린 김희 등 봉사악 지 초 상각 체기 미녕 견 주서 유익지

告曰: "不幸有疾 明日不能迎命. 請待他日小愈 可以行禮." 麟等
고왈 불행 유질 명일 불능 영명 청대 타일 소유 가이 행례 린등

對曰: "所齎公文 乃禮部咨也 不必出迎. 若以賜樂爲重 則某等
대왈 소재 공문 내 예부 자야 불필 출영 약이 사악 위중 즉 모등

至王京舍于館. 俟疾愈至館而受 亦豈不可!" 翼之還啓 又使代言
지 왕경 사우 관 사 질유 지관 이수 역기 불가 익지 환계 우사 대언

權瑗固止之. 至是麟等至 結山棚陳百戲. 命世子禔率百官郊迎
권원 고 지지 지시 린등 지 결 산붕 진 백희 명 세자 제 솔 백관 교영

禧等奉樂器置太平館 詣昌德宮問疾而退. 命議政府設下馬宴 使
희등 봉 악기 치 태평관 예 창덕궁 문질 이퇴 명 의정부 설 하마 연 사

知申事黃喜 贈二人鞍馬. 二人 皆本國所進宦者也.
지신사 황희 증 이인 안마 이인 개 본국 소진 환자 야

丁卯 雨.
정묘 우

戊辰 原州人故典書崔云嗣家婢蓋德 一産二男一女 命賜米豆
무진 원주인 고 전서 최운사 가비 개덕 일산 이남 일녀 명사 미두

十石.
십 석

己巳 司憲府請勿給李佇告身. 初 上召司憲掌令韓雍曰: "李佇
기사 사헌부 청물 급 이저 고신 초 상소 사헌 장령 한옹 왈 이저

之罪 本不如其父 予將用之 可將前日收聚佇之告身 悉皆封上."
지 죄 본 불여 기부 여장 용지 가장 전일 수취 저지 고신 실개 봉상

雍啓曰: "臣來自外郡 未知事之首尾 請退與同僚議之." 既而
옹 계왈 신 래자 외군 미지 사지 수미 청퇴 여 동료 의지 기이

大司憲韓尙敬等 詣闕啓曰: "李佇之罪 國人所知 臣等不敢
대사헌 한상경 등 예궐 계왈 이저 지죄 국인 소지 신등 불감

承命." 至是上言:
승명 지시 상언

"李佇 與其父陰懷貳心 將圖不軌 故於永樂二年 輔臣憲臣
이저 여 기부 음회 이심 장도 불궤 고 어 영락 이년 보신 헌신

交章以聞 欲置于法 殿下特垂私恩 廢爲庶人 得存性命 恩至渥
교장 이문 욕치 우법 전하 특수 사은 폐위 서인 득존 성명 은 지악

也. 今若還賜告身 以釋其罪 則竊恐賞罰無章 難以懲將來之惡"
야 금약환사고신 이석기죄 즉절공 상벌무장 난이징장래지악

於是 左司諫大夫宋愚等上疏曰:
어시 좌사간대부 송우등 상소왈

'爲國之道 在於信賞必罰. 苟或不中 民不見信矣. 竊見李居易
위국지도 재어 신상필벌 구혹부중 민불견신의 절견 이거이

父子潛懷不軌 言及社稷. 群臣臺諫合辭請罪 殿下俯從寬典
부자잠회불궤 언급사직 군신 대간합사청죄 전하부종관전

保全性命 廢爲庶人 群臣咸謂罪重罰輕. 今命憲府 俾還佇之職牒
보전 성명 폐위서인 군신함위죄중벌경 금명헌부 비환저지직첩

殿下之心 以爲父雖有罪 子無與焉. 臣等竊伏惟念 居易不忠之心
전하지심 이위부수유죄 자무여언 신등절복유념 거이불충지심

積中形外 尙與他人論說. 況於親子若④佇之才智過人乎? 佇之
적중 형외 상여타인논설 황어친자약 저지재지 과인호 저지

與聞 必無疑也. 伏望殿下 一依前旨 毋還職牒 以答群臣之望'
여문 필무의야 복망 전하 일의전지 무환직첩 이답 군신지망

庚午 太白晝見二日.
경오 태백 주견 이일

上率百官詣太平館 親受賜樂. 前導至昌德宮 使臣隨至 上
상 솔 백관 예 태평관 친 수 사악 전도 지 창덕궁 사신 수지 상

拜賜禮訖 以體未平復 命議政府宴使臣于太平館. 禮部咨曰:
배사례 흘 이체미평복 명 의정부 연 사신 우 태평관 예부 자왈

'先該朝鮮國王咨: "本國宗廟社稷樂器損舊 咨稟奏達 如蒙
선해 조선 국왕 자 본국 종묘 사직 악기 손구 자품주달 여몽

允許 隨後差人 齎價赴京收買 以備應用." 移咨到部. 查得 本國
윤허 수후 차인 재가 부경 수매 이 비용용 이자 도부 사득 본국

樂器 洪武年間 太祖皇帝曾經頒賜 今稱損舊 民間別無造賣 難
악기 홍무 연간 태조 황제 증경 반사 금칭 손구 민간 별무 조매 난

準所行. 永樂三年六月初八日早 本部官具奏 節該奉聖旨: "樂器
준 소행 영락 삼년 육월 초 팔일 조 본부관 구주 절해 봉성지 악기

與他." 欽此 已經欽遵 移咨工部 成造去後 今準造完 覆奏移咨
여타 흠차 이경 흠준 이자 공부 성조 거후 금준 조완 복주 이자

差內史朴麟等 齎奉同將樂器 管送前去 合行本國知會 照數收用.
차 내사 박린 등 재봉 동장 악기 관송 전거 합행 본국 지회 조수 수용

計發去祭祀樂器 編鐘一十六箇 編磬一十六片 琴四張 瑟二床
계 발거 제사 악기 편종 일십 육개 편경 일십 육편 금 사장 슬 이상

笙二攢 簫四管'
생 이찬 소 사관

議政府率百官上箋 賀受賜樂器 命止之.
의정부 솔 백관 상전 하 수 사악기 명 지지

330

以趙溫爲兵曹判書 南在議政府贊成事兼判義勇巡禁司事
이 조온 위 병조판서　남재 의정부 찬성 사 겸 판 의용 순금사 사

金希善刑曹判書 崔有慶 柳亮參贊議政府事 李來工曹判書
김희선 형조판서　최유경 유량 참찬 의정부 사 이래 공조판서

柳觀藝文館大提學 偰眉壽參知議政府事 李叔蕃兼中軍摠制
유관 예문관 대제학 설미수 참지 의정부 사 이숙번 겸 중군 총제

閔無疾兼右軍摠制 咸傅霖慶尙道都觀察使 金自粹忠淸道
민무질 겸 우군 총제 함부림 경상도 도관찰사 김자수 충청도

都觀察使. 罷李淑爲完川君 辛克禮爲鷲山君 左司諫宋愚拜禮曹
도관찰사 파 이숙 위 완천군 신극례 위 취산군 좌사간 송우 배 예조

參議 右獻納李安直拜吏曹正郞. 克禮聞之 怒曰: "太上王以旣死
참의 우헌납 이안직 배 이조 정랑 극례 문지 노왈 태상왕 이 기사

功臣諡號不善 悉罪奉常寺官. 今主上反將非毁見在功臣者 超遷
공신 시호 불선 실죄 봉상시 관 금 주상 반 장 비훼 현재 공신 자 초천

之乎?"
지 호

辛未 定諸道靑色防衣. 豐海道都觀察使申浩上言:
신미 정 제도 청색 방의 풍해도 도관찰사 신호 상언

'水陸軍士常言: "年例軍器內紙甲 本無色易蠹 造作不易 用之
수륙 군사 상언 연례 군기 내 지갑 본 무색 이두 조작 불이 용지

無實." 若代以靑掩心 則有色堅實 接戰時槍箭不得深入 且我
무실 약 대이 청 엄심 즉 유색 견실 접전 시 창전 부득 심입 차 아

國家在東方 宜尙靑色. 造作不難 用之有實 又無蟲損之弊.'
국가 재 동방 의 상 청색 조작 불난 용지 유실 우 무 충손 지 폐

遂有是命.
수 유 시명

壬申 雨.
임신 우

上如太平館 宴內史朴麟等.
상 여 태평관 연 내사 박린 등

命議政府 還給己巳年及壬午年犯罪人屬公奴婢. 壬午年犯罪
명 의정부 환급 기사년 급 임오년 범죄인 속공 노비 임오년 범죄

趙思義 康顯 趙洪 洪淳 康居信 金綣 金自良 黃似蘭 李天富
조사의 강현 조홍 홍순 강거신 김권 김자량 황사란 이천부

金溫等及己巳年謀逆 趙方興 金佇等也.
김온 등 급 기사년 모역 조방흥 김저 등 야

癸酉 朴麟等省親于外方. 麟歸樂安省母 金禧歸蔚州省父. 命
계유 박린 등 성친 우 외방 린 귀 낙안 성모 김희 귀 울주 성부 명

議政府餞之于崇禮門外 賜二人家米豆各五十石.
의정부 전지 우 숭례문 외 사 이인 가 미두 각 오십 석

上詣德壽宮. 起居也.

甲戌 復命司憲府 進李佇告身 韓尙敬等啓曰: "臣等詳覈文案 李佇之罪 明白無疑. 群臣合辭請罪 旣已允許 今欲還給告身 無乃不可乎?" 上使左右責尙敬等 且曰: "卿等希何人之指 如此 方命乎?"

命申禁冠服用紫紬.

乙亥 命京外納品銀. 時 進獻金銀將盡 工曹募人納之 竟無有 納者. 議政府建議: "一品納白銀五兩 二品四兩 三品三兩留守官 至大都護府五十兩 牧官單府官三十兩. 以此爲差 督令進納 以造 進獻器皿." 從之.

丙子 宥辛有賢京外從便.

遣司譯院判官姜庾卿如遼東. 浙江 金鄕衛前千戶所總旗 黃進保等五十五名 根隨總兵官平江伯 海運糧儲 欲往北京 遭風 飄過東海 至東北面吉州 遣庾卿以押送.

丁丑 命加給外方鄕校田. 敎戶曹曰: "外方鄕校之田 其數甚小 可除出軍資屬田以給之." 政府議得: "留守官 大都護府 牧官 仍舊 唯府官舊十五結 今加十五結爲三十結 以水田二分 旱田 一分折給."

臺諫交章請勿給李佇告身.

開國 定社 佐命功臣 請勿給李佇告身. 義安大君和 安平

府院君李舒等上言:
<small>부원군 이서 등 상언</small>

'臣等竊謂有無君之心 然後有無君之言. 李居易無君之心 其字
<small>신등 절위 유무군 지심 연후 유무군 지언 이거이 무군 지심 기자</small>

佇必無不知之理. 是以大小臣僚 請置父子極刑 殿下以親戚勳舊
<small>저 필무 부지 지리 시이 대소 신료 청치 부자 극형 전하 이 친척 훈구</small>

減死一等 廢爲庶人 子弟禁錮 再生之恩 實踰昊天. 今聞召致
<small>감사 일등 폐위 서인 자제 금고 재생 지은 실유 호천 금문 소치</small>

京師 欲還告身 大小臣僚 罔不驚痛. 伏望殿下爲宗社大計 使佇
<small>경사 욕환 고신 대소 신료 망불 경통 복망 전하 위 종사 대계 사저</small>

復還田里 以終餘生.'
<small>부환 전리 이종 여생</small>

戊寅 上詣德壽宮起居
<small>무인 상예 덕수궁 기거</small>

宥許應 李孟畇 李明德 許恒 康鎭 洪尙儉 京外從便.
<small>유 허응 이맹균 이명덕 허항 강진 홍상검 경외 종편</small>

遣內豎 召李佇于臨江縣.
<small>견 내수 소 이저 우 임강현</small>

命修治圓壇 籍田 社稷 山川壇 城隍堂壇場欄園 仍給守護人丁
<small>명 수치 원단 적전 사직 산천단 성황당 단장 난원 잉급 수호 인정</small>

有差.
<small>유차</small>

己卯 李佇入京. 佇與其弟淸平君伯剛 圍碁爲樂.
<small>기묘 이저 입경 저여 기제 청평군 백강 위기 위락</small>

臺諫上言請勿給李佇告身 不允. 疏曰:
<small>대간 상언 청물 급 이저 고신 불윤 소왈</small>

'李佇之罪 王法所不赦 故臣等再三上言其告身不可還賜. 殿下
<small>이저 지죄 왕법 소불사 고 신등 재삼 상언 기 고신 불가 환사 전하</small>

以爲佇之罪 與父不同 不惟不允 乃卽召還京師 又命給其告身.
<small>이위 저지죄 여부 부동 불유 불윤 내 즉 소환 경사 우 명급 기 고신</small>

臣等竊惟 罪若不同 當時群臣上請 殿下斷之 豈同一辭? 佇之
<small>신등 절유 죄약 부동 당시 군신 상청 전하 단지 기동 일사 저지</small>

罪 與其父若或不同 宜令明辨 使國人皆知其實 然後施行 誰曰
<small>죄 여 기부 약혹 부동 의령 명변 사 국인 개지 기실 연후 시행 수왈</small>

不可? 不然則恐後世謂殿下 以私恩廢王法也. 伏惟殿下留意.'
<small>불가 불연 즉공 후세 위 전하 이 사은 폐 왕법 야 복유 전하 유의</small>

不報.
<small>불보</small>

臺諫乃詣闕啓曰: "李佇父子 萬世不赦之罪也. 今日之召 是以
<small>대간 내 예궐 계왈 이저 부자 만세 불사 지죄야 금일 지소 시이</small>

私恩滅公道也.”上曰:“父子 罪不相及. 今日召佇 非私恩 乃公道

也.”臺諫又啓曰:“當其時不分父子之罪 至今日何以辨輕重乎?”

上終不允 謂諸代言曰:“予反復思之 臺諫之不從我命 非臺諫之

意也 乃朝廷之意也. 予否德不當主國 故臣下不從命 予不敢聽政

矣. 爾等幷出去.”遂命盧希鳳 出代言等 封鎖院門. 知申事黃喜

與入直代言尹向 退至摠制廳 啓曰:“臣等有罪 則甘受責罰. 今

以臺諫之故 竝黜臣等 未知何據? 人主一言一動 傳之萬世. 臣等

豈以出入之難爲計乎? 且使中官閉代言司 臣等上畏嚴旨 下畏

所司 惶恐殞越 罔知所措.”上曰:“汝等亦輕我乎?”既而 使希鳳

解代言司封 命之曰:“當直代言 毋得啓事.”

庚辰 義安大君和 領議政府事成石璘 左政丞河崙 丹山府院君

李茂 右政丞趙英茂 率功臣百司臺諫刑曹 伏闕請李佇之罪. 上

知之 禁代言啓事 內臣傳命 故黃喜等不敢啓 日暮 和等乃退.

如是者三日.

辛巳 司憲府大司憲韓尙敬 左司諫大夫尹思永等 以言不行 皆

上箋辭職.

壬午 太白晝見.

下司憲府大司憲韓尙敬 執義李楊 掌令韓雍于巡禁司 以判

漢城府事李貴齡爲委官 同巡禁司鞫之. 上引見貴齡于便殿 親

命之曰:“李佇 自予在潛邸 及至卽位 其功甚大 不可忘也. 及

居易得罪 功臣臺諫以爲 居易有言 佇必知之 予不得已放之

于外. 今秋旱甚 恐無辜之人 橫罹罪罰 起怨傷和 二罪以下 已皆

放免. 一心以爲李佇旣爲宗親 又有大功 顧乃流離外方 不得其所

是亦傷和氣之一端. 兹欲召還 復給告身 臺諫交章 止之再三.

憲府之不從予命 必有指揮者. 若平問不承 則加訊杖鞫之."

是日 命入直摠制李叔蕃 令禁兵謹守宮門 凡朝臣之束帶者 竝

不許入.

癸未 釋韓尚敬等三人 令就職. 河崙等啓曰:

"殿下下憲府于獄. 雖欲震之以威 後之爲憲司者 容可盡禁乎?

且昔日放置居易之時 殿下有曰:'居易說大言語 旣與他人言之

豈不與其子言乎?'此言出自殿下 非由他人. 然則佇之有罪 斷

可知矣. 今乃欲杖問無罪之憲司 無乃爲聖德之累乎? 殿下若宥

憲司 則旣不虧損於聖德 且有改過之美矣."

上乃曰:"憲司之罪 爲政府釋之. 旣釋之後 果從予命乎?"崙曰:

"容有奉命之理." 上然之 故有是命. 且召司諫院 皆令視事 遂令

議政府傳旨于憲司 督上李佇告身. 議政府以上怒甚惶恐 卽移文

憲府 尚敬等乃以佇之告身二十張 進于承政院. 遣右代言尹思修

于李佇之家 賜還告身. 旣而上迫於群言 命佇歸于臨江縣別業.

乙酉 命大臣禮葬 禁用石室. 政府啓:"前朝之法 大臣禮葬

許用石室. 謹按石室之制 禮典所無 只勞生人 無益死者. 乞依

文公家禮 只用灰隔 勿用石室." 從之.
문공 가례 지 용 회격 물용 석실 종지

追諡卒全羅道水軍都節制使金贇吉 襄惠公.
추시 졸 전라도 수군도절제사 김빈길 양혜공

丙戌 太白晝見. 至八月壬辰乃滅.
병술 태백 주견 지 팔월 임진 내 멸

| 원문 읽기를 위한 도움말 |

① 中處. 이때의 中은 '알맞다', '마땅하다', '적중하다'라는 뜻이다. 따라서
  중처   중
  中處란 적절한 지점 혹은 마땅한 척도 등을 뜻한다.
  중처

② 見代後, 見代之後. 見代後나 見代之後는 다 같은 뜻이고, 여기서 見은
  견대 후 견대 지 후 견대 후 견대 지 후   견
  代를 수동형으로 만들어주는 일종의 조동사다.
  대

③ 不惟鷹子一事 其他進上 除都巡問使外 亦皆禁斷. 이 문장은 '不惟~亦~'
  불유 응자 일사 기타 진상 제 도순문사 외 역개 금단   불유 역
  으로 전형적인 '~뿐만 아니라 ~도 또한 ~'라는 구문이다.

④ 若. 여기서 若은 '~ 같은' 혹은 '~처럼'이라는 뜻이다.
  약   약

태종 6년 병술년
8월

八月

기축일(己丑日-3일)에 고(故) 세자 방석(芳碩, 1382~1398년)[1]을 추시
(追諡)해 소도군(昭悼君)으로 삼고 무안군(撫安君) 방번(芳蕃, 1381~
1398년)[2]을 공순군(恭順君)으로 삼았다.

---

1   어머니는 신덕왕후 강씨(神德王后康氏)다. 초취(初娶)는 현빈 유씨(賢嬪柳氏)로 1393년(태
    조 2년) 6월에 폐출됐다. 재취(再娶)는 부유 심씨(富有沈氏) 예문춘추관 대제학 심효생
    (沈孝生)의 딸로 1394년 10월에 세자빈으로 삼았다가 1397년 9월에 현빈에 봉해졌으며
    1398년 8월에 길례를 올렸다. 아버지 이성계(李成桂)의 공훈으로 유년에 고려로부터 군기
    녹사(軍器錄事)에 제수됐다. 1392년(태조 1년) 8월 세자 책봉 문제가 일어났을 때 배극렴
    (裵克廉) 등이 왕비 한씨(韓氏) 소생의 정안군 이방원(李芳遠)의 책립을 주장했다. 이때 왕
    비 한씨는 이미 죽었으므로 태조는 계비 강씨의 의향을 중히 여겨 제7왕자인 무안군 이
    방번(撫安君 李芳蕃)을 세우고자 했다. 그러나 배극렴, 조준(趙浚), 정도전(鄭道傳) 등이 군
    이 강씨의 소생으로 세자를 삼으려면 성격이 광망(狂妄)하고 경솔한 이방번보다는 이방석
    으로 삼자고 청해 세자로 책봉됐다. 그 뒤 모후의 보살핌과 정도전, 남은(南誾) 등의 보도
    로 세자로서의 자질을 익혔으나 1396년 8월에 강비가 죽으면서 세자의 지위가 약화됐다.
    그리하여 1398년 8월 세자 책봉과 정도전 일파의 병권 집중에 반대한 이방원이 주동이
    된 1차 왕자의 난으로 정도전, 남은, 심효생 및 이방번과 함께 피살됐다. 1406년(태종 6년)
    8월 이날 소도(昭悼)의 시호를 받았다. 1437년(세종 19년) 6월 세종의 배려로 금성대군 이
    유(錦城大君 李瑜)를 후사로 정하면서 입묘봉사(立廟奉祀-사묘를 세우고 제사를 받듦)됐으
    며, 같은 해 11월 오원(五原)을 증읍(贈邑)받고 사우(祠宇)가 건립됐다. 1680년(숙종 6년)
    7월 영춘추관사 김수항(金壽恒) 등의 상언에 따라 의안(宜安)대군으로 추봉됐다.
2   어머니는 신덕왕후 강씨(神德王后康氏)이다. 부인은 개성 왕씨(開城王氏) 정양대군(定陽
    大君) 왕우(王瑀)의 딸이다. 이성계(李成桂)의 공로로 어려서 고려로부터 고공좌랑(考功
    佐郞)에 제수됐다. 조선이 개창된 직후인 1392년(태조 1년) 8월 무안군에 책봉되면서 의
    흥친군위절제사(義興親軍衛節制使)에 임명됐고, 1393년 10월 의흥삼군부좌군절제사(義
    興三軍府左軍節制使)로 제수됐다. 태조와 강비의 사랑을 받아 세자로 내정됐으나 배극렴
    (裵克廉), 조준(趙浚), 정도전(鄭道傳) 등이 "성격이 광망(狂妄)하고 경솔하다"고 반대해 세
    자 자리를 동모제(同母弟) 이방석(李芳碩)에게 빼앗겼다. 1398년 8월 정안군(靖安君) 이방
    원(李芳遠)이 이방석의 세자 책봉과 정도전 일파의 병권 장악에 반대하여 주동한 이른바
    1차 왕자의 난 때 세자 이방석과 함께 피살됐다. 1406년(태종 6년) 8월 이날 공순군(恭順

○ 이조(吏曹)에 명해 공신(功臣)과 여러 군(君)들의 상록(常祿-일정한 봉록)은 그 전대로 반사(頒賜-지급)하게 했다. 정부에서 이조로 하여금 역대(歷代)에 공신과 군들에게 상록이 있었는지의 여부를 상고하여 아뢰게 했는데 대개 덜어내거나 줄이고자 한 까닭에 이런 명이 있었다.

○ 이조참의 맹사성(孟思誠)을 (전라도) 낙안(樂安)에, 대호군 조비형(曹備衡)을 (경상도) 울주(蔚州)에 보내 박린(朴麟)과 김희(金禧) 등을 선위(宣慰-위무)하게 했다.

경인일(庚寅日-4일)에 상이 덕수궁에 나아가 기거했다.

○ 중국[朝廷]에서 서북면(西北面) 맹주(孟州) 사람 김수(金遂)를 돌려보냈다. 애초에 수(遂)는 중국에 교역하는 소[牛隻]를 끌고 가는 일로 갔다가 그 참에 요동(遼東)에 이르러 병을 핑계로 머물러 있었는데 요동도사(遼東都司)에서 호패(號牌)가 없다 하여 잡아서 명나라 서울[京城]로 보내니 제(帝)가 용서하여 돌려보냈다.

신묘일(辛卯日-5일)에 부엉이[鵂鶹]가 경복궁 누각과 침전(寢殿) 위에서 울었다.

君)의 시호를 받았다. 1437년(세종 19년) 6월 세종의 배려로 광평대군(廣平大君) 이여(李璵)를 후사(後嗣)로 정하면서 입묘봉사(立廟奉祀)됐다. 1680년(숙종 6년) 7월 영춘추관사(領春秋館事) 김수항(金壽恒) 등이 "이방번, 이방석은 신덕왕후의 부묘(祔廟-현종 10년 1월 신주를 종묘에 안치) 후 법으로써 마땅히 대군으로 증작(贈爵)해야 하는데 지금까지 빠뜨렸으니 진실로 법에 어그러진다"라고 상언해 무안(撫安)대군으로 추봉됐다.

○ 경상도 의성현(義城縣)에서 지진이 있었다.

○ 두 창고[兩倉]의 곡식을 경복궁의 양무(兩廡)³에 옮겨놓았다. 지
신사 황희(黃喜)가 아뢰어 말했다.

"풍저(豐儲), 광흥(廣興) 두 창고의 쌀을 밖에 그냥 쌓아놓아[露積]
젖어서 불어터지고 썩어서 손실되고 있으나 해마다 흉년이 들어 백
성을 사역시키는 것이 불가합니다. 각 도에서 놀고먹는 승도[遊手
僧徒] 600여 명을 골라내 두 창고를 짓기[營造]를 청합니다."

상이 말했다.

"사사(寺社)를 혁파하고 거기에 딸린 토지와 노비를 줄여 (가뜩이
나) 중들이 원망하고 있다. (그런데) 만일 또 (그들에게) 역사(役使)를
시킨다면 그들을 미워하는 것이 너무 심한 것이다."

이조판서 이직(李稷)이 진언(進言)했다.

"이른바 역승(役僧)이라 함은 종문승(宗門僧)이 아니라 바로 산승
(山僧)을 가리키는 것입니다."

상이 말했다.

"배불리 먹이고 옷을 주어 역사에 나오도록 권해서 원망과 탄식
[怨咨]이 없게 하면 좋을 것이다."

희가 대답했다.

"600여 명의 중에게 옷을 다 주기는 어려우나 배부르게 먹일 수는
있습니다."

상이 말했다.

---

3 무는 큰 집이나 건물을 뜻한다.

"그렇겠다."

얼마 후에 말했다.

"경복궁(景福宮)은 부왕께서 지으신 것으로 굉장히 크고 아름답다. (지금처럼) 버리고 거처하지 않는 것은 매우 옳지 못하다. 만일 좌무(左廡), 우무(右廡), 후무(後廡)를 수리해 양창(兩倉)의 곡식을 간직하면 거의[似] 두 가지를 온전하게 하는 도리인 듯한데 경 등은 어떻게 생각하는가?"

모두가 대답했다.

"옳습니다."

그것을 따랐다.

임진일(壬辰日-6일)에 (명나라의) 내사(內史-환관) 이원의(李原義), 윤봉(尹鳳) 등 19인이 와서 대궐에 나아가 숙배(肅拜)하고 태평관(太平館)에 머물렀다. 원의(原義) 등은 모두 본국에서 바친 환자(宦者)들이다. 제가 그들로 하여금 고향으로 돌아가 부모를 만나보게[省親] 한 것이다.

○ 일본 일기주 지주(一岐州知主) 원양희(源良喜)가 사인(使人)을 보내 포로 76명을 돌려보내고 예물(禮物)을 바쳤다. 종정무(宗貞茂)도 토산물을 바쳤다.

계사일(癸巳日-7일)에 사헌부에서 경기 도관찰사(京畿都觀察使)의 죄를 청했으나 용서해줄 것[原之=赦之]을 명했다. (도관찰사가) 공문[牒]을 (경기도) 고봉(高峯-고양 지역)에 내려보내 제멋대로 권귀(權貴-

342

실세 권력자)의 노예를 시켜 압도(鴨島)⁴의 갈대[正亂]를 침범해 베어
                                              정완
냈으므로 사헌부에서 탄핵한 것이다.

갑오일(甲午日-8일)에 오도리(吾都里) 전 호군 최구첩목아(崔仇帖木
兒)에게 의복, 신, 갓, 종이 100권을 내려주었다. 본토(本土)로 돌아
간다고 고했기 때문이다.

○이조판서 이직(李稷)이 글을 올려 전조(前朝-고려)의 무직 계급
(武職階級)의 제도를 복구할 것을 청했다. 글은 아래와 같다.

'신(臣)이 가만히 보건대 대(大) 송(宋)나라의 승상(丞相) 문정공(文
正公) 사마광(司馬光, 1019~1086년)⁵이 소(疏)⁶를 올려 말했습니다.

---

4 서울시 마포구 상암동에 있던 섬으로, 난지도·중초도·오리섬이라고도 했다.
5 자는 군실(君實)이고 호는 우부(迂夫) 또는 우수(迂叟)이며 시호는 문정(文正)이다. 속수
   선생(涑水先生)이라고도 하고 죽은 뒤 온국공(溫國公)에 봉해져 사마온공(司馬溫公)이라
   고도 한다. 어릴 때부터 총명해 배우기를 좋아했다. 부음(父蔭)으로 장작감주부(將作監主
   簿)가 되었다. 송나라 인종(仁宗) 보원(寶元) 1년(1038년) 진사가 됐다. 지간원(知諫院)과
   한림학사(翰林學士), 권어사중승(權御史中丞)을 역임하고 다시 한림 겸시 독학사(翰林兼
   侍讀學士)가 됐다. 왕안석(王安石)이 시행한 신법(新法)을 극력 반대하며 '조종의 법은 바뀔
   수 없다(祖宗之法不可變)'는 이유로 왕안석, 여혜경(呂惠卿) 등과 여러 차례 논쟁을 벌이다
   가 추밀부사(樞密副使)를 사퇴하고 영흥지군(永興知軍)으로 나갔다. 신종(神宗) 희녕(熙
   寧) 4년(1071년) 서경어사대(西京御史臺)에 있다가 물러나 15년 동안 낙양(洛陽)에 살면서
   역사서를 편찬하는 데 전념했을 뿐 시사(時事)는 입에 담지 않았다. 철종(哲宗)이 즉위해
   태황태후(太皇太后) 고씨(高氏)가 임조(臨朝)하자 문하시랑(門下侍郎)으로 기용되고 좌복
   야(左僕射)에 오르면서 조정을 장악했다. 유지(劉摯)와 범순인(范純仁), 범조우(范祖禹), 여
   대방(呂大防) 등을 기용하면서 신법을 철폐하고 옛 제도를 회복시켰다. 재상으로 있은 지
   8개월 만에 죽어 태사(太師)에 추증됐다. 처음에 전국시대부터 진2세(秦二世)까지의 역
   사를 엮어 『통지(通志)』 8권을 편찬했는데, 영종(英宗)의 명령으로 이를 속찬하게 되고,
   신종이 이름을 『자치통감(資治通鑑)』이라 고쳐 불렀다. 원풍(元豊) 7년(1084년)에 완성
   했다. 그 밖의 저서에 『속수기문(涑水紀聞)』과 『사마문정공집(司馬文正公集)』, 『계고록(稽
   古錄)』 등이 있다.
6 차논계급(劄論階級-계급을 논한 약식 상소)이다.

"신이 듣건대 군사를 다스리는 데 예(禮)가 없으면 위엄이 행해지지 못한다고 했습니다. 예(禮)란 위아래를 나누는 것, 그것입니다. 당(唐)나라 숙종(肅宗, 711~762년)[7]과 대종(代宗, 726~779년)[8] 이래로 과거를 그냥 따르며 임시변통하는[姑息] 정사를 힘써 행한 까닭에 이로 인해 번진(藩鎭)[9]이 날뛰어[跋扈] 조정(朝廷)을 위협하고 업신여겼으며 사졸(士卒)들은 교만하고 횡포하여 임금과 장수를 핍박하니[侵逼] 아랫사람이 윗사람을 능멸하고 윗사람의 권위가 떨어져[替=衰] 더 이상 기강(紀綱)이 없어졌습니다. 오대(五代)[10]에 이르러 천하가 크게 어지러워지고 국운[運祚]이 순조롭지 못해 백성들이 도탄에 빠졌습니다. 조종(祖宗)께서 하늘의 빛나는 명[景命]을 받으시고

---

7 756년 안사(安史)의 난으로 현종(玄宗)과 함께 사천(四川)으로 피난하던 도중에 마외역(馬嵬驛)에서 금군(禁軍)의 일부를 이끌고 북상(北上)하여 영무(靈武)에서 스스로 황위에 올랐다. 그 뒤 당군을 정비하고 곽자의(郭子儀), 이광필(李光弼) 등을 앞세워 장안과 낙양을 되찾았다.

8 현종(玄宗)의 손자이자 숙종(肅宗)의 큰아들로 안사의 난(亂) 때 공을 세웠다. 762년 즉위했으나 그의 치세에 위구르, 토번(티베트) 등의 침입이 잦았다. 이들을 막기 위해 증원된 절도사(節度使) 등의 세력이 커져 마치 제후(諸侯)와 같이 행세했지만 제압하지 못했다. 한때 평화를 유지하기도 했으나 당나라는 대종 때부터 점차 쇠망의 길로 접어들었다는 평가를 받는다.

9 710년 하서(河西)번진이 처음으로 설치됐으며 안사의 난 직전까지 변경에 10개가 설치됐다. 난이 평정된 뒤에는 내부 지방에도 잇따라 설치돼 약 45개가 출현했다. 오대와 송나라 초기에는 더욱 그 수가 늘었다. 2개 이상의 주(州)를 그 관할구역으로 했고, 절도사의 치소(治所)가 있는 주를 회부(會府), 그 관할 하의 모든 주를 지군(支郡)이라 했다. 회부에는 절도사의 친위군격인 아군(牙軍)이 있고, 지군에는 절도사와 주종(主從)관계를 가진 진장(鎭將)이 거느린 외진군(外鎭軍)이 요충지 진(鎭)에 주둔해 문관인 주자사(州刺史)·현령(縣令)을 억제하면서 무인(武人) 지배체제를 취했다.

10 당(唐)의 멸망으로부터 송(宋)의 건국까지 10세기 전반 약 반세기의 시기다. 오대라는 명칭은 중국의 북동쪽에 도읍을 두었던 5개의 왕실인 후량(後梁), 후당(後唐), 후진(後晉), 후한(後漢), 후주(後周)의 5왕조를 말한다.

빼어남과 다움[聖德], 귀 밝음과 눈 밝음[聰明]으로 천하의 어려움이 무례(無禮)에서 생겨난다는 것을 아시고는 군전(軍前-군대)의 제도를 세워 말하기를 '일계 일급(一階一級)이라도 모두 깍듯이 섬기는[伏事] 법식으로 돌리고 감히 어기거나 범하는 자가 있게 되면 죄가 사형에 이르게 하라'고 했습니다. 이에 위로는 도지휘사(都指揮使)로부터, 아래로는 압관(押官) 장행(長行)에 이르기까지 등급의 차이에 따라 서로 명령을 받으니 확실하게 차례가 생겨나 한 몸이 팔을 부리는 것과 같고, 팔이 손가락을 부리는 것과 같아서 감히 따르지 아니하는 바가 없었습니다. 그러므로 능히 동서(東西)를 정벌하여 천하를 평정했고 자손을 위해 오래가고 큰 기업[久大之業]을 세워서 오늘에 이르기까지 100여 년 동안 천하를 다스림이 모두 이 도리로 말미암은 것이었습니다. 근년 이래로 중외(中外)에서 병사를 주관하는 관리가 일의 큰 흐름[大體]을 알지 못해 작은 은혜 베풀기를 좋아하고 허명(虛名)만을 훔치려 하여 군중(軍中)에 계급을 범하는 자가 있어도 모두 너그럽게 용서하는 것을 힘써 행하니 이것은 군교(軍校-장교)가 대개 바르게 단속을 하지 못함에 이르게 하는 것이요, 장행(長行)은 감언과 기쁜 낯으로 간곡하게 부드러운 말을 더하여 나약하고 겁내는 군대가 되게 함에 이르게 하며 병관(兵官)도 또한 이러한 태도를 하여 드디어 항오(行伍-군대의 대오) 사이에 교만하고 방자하며 패역하고 게으름이 일어나 점점 제재할 수 없게 되고 보니 윗사람은 아랫사람을 두려워하여 낮은 사람에게 제재를 당해 이른바 아랫사람이 윗사람을 능멸하여 윗사람의 권위가 떨어짐[下陵上替]이 이보다 더한 것이 없게 됐습니다. 신이 듣건대 빼어난 왕[聖王]은 형벌을 쓰면서 형벌을 쓰지 않게 되는 세상을 기약한다고 했습니다[刑期於無刑]. (그런데) 지금 계급을 범한 사람을 너그럽게 용서한다면[寬貸=寬恕] 비록 한 사람의 생명은 살릴지 몰라도 특히 군법(軍法)이 제대로 서지 못함을 모를 뿐이고, 그리하여 점점 능멸하여 윗사람의 권위가 떨어지는 풍습이 이뤄지게 되면 그와 관계되는 것은 억조(億兆)의 인명(人命)입니다. 신의 어리석음으로 바라건대 폐하(陛下)께서 특별히 조지(詔旨)를 내리시어 거듭 계급의 법을 밝히시고 중외(中外)의 군사를 주관하는 신료(臣僚)들을 일깨워 한결같이 조종(祖宗)의 제도를 따르게 해야 할 것입니다. 만일 너그럽게 용서하여 부정하게 여러 군사의 마음을 거두는 자가 있게 되면 엄하게 죄벌(罪罰)을 가함으로써 그 나머지 사람을 경계하면 거의 기강이 다시 떨칠 것이고 단단한 기반과 지휘계통[基緒]은 길이길이 평안할 것입니다."

신이 가만히 살펴보건대 이 한 편의 논(論)은 단지 송나라 조정[宋朝]에만 적합할 뿐 아니라 실로 만세(萬世)가 마땅히 본받아야 할 내용입니다. 무릇 사람이 떼 지어 모였을 때 예(禮)로써 이를 제어하지 못한다면 반드시 다툼과 어지러움[爭亂]이 있게 되는 것은 그 형세상 그런 것입니다. 사람마다 각기 그 마음을 달리하여 서로 통속(統屬)하지 못하게 되면 비록 억만(億萬)의 군사가 있다 하더라도 믿고 편안히 여길 것이 못 됩니다. 이 때문에 예의 빼어나고 뛰어난 이들이 예(禮)를 제정하여 부리고[馭=使] 영(令)을 행하여 금지하며 그들로 하여금 화합됨으로 돌아가게 했습니다. 사람들이 화평하지 못하면 평상시에 있어서도 안 될 일인데 만일 긴급한 사태[緩急]가 있다면 무엇으로서 큰일을 치르겠습니까? 하늘의 뜻[天意]은 아득하여[玄玄] 진

실로 헤아려 알기 어려우나, 마땅히 해야 할 바는 사람의 일[人事]을
지극히 하는 것입니다. 엎드려 바라옵건대 전하께서는 편안할 때에
위태함을 생각하시어[居安思危] 사람들의 마음을 잘 살피시고 군정
(軍政)을 닦아야 할 것입니다. 대소 신료들에게 자문하시어 다시 전조
(前朝)의 무직 계급(武職階級)의 제도를 시행해 중외의 장졸(將卒)로
하여금 각각 자기 분수에 편안케 하여 그것을 익혀 일정한 관습으로
삼으시면 거의 도움과 유익함[裨益=補益]이 있을 것입니다.'

지신사 황희(黃喜)에게 명해 말했다.

"『경제육전(經濟六典)』을 상고하여 그것을 참작해 시행하는 것이
좋겠다."

병신일(丙申日-10일)에 태백성이 낮에 보였다.

○ 이원의(李原義) 등이 고향으로 돌아갔는데 부모를 만나보기
[覲親=省親] 위함이었다.

○ 형조도관(刑曹都官)이 노비에 대한 일 두 가지 조목을 올렸다.

'하나, 대개 노비를 부리는 자가 수양(收養)[11]한 사람이나 은혜를
입은 데다 노비를 주고 계권(契券-문서)을 작성한 뒤에도 혹 그 노비
를 다시 타인에게 주는 일이 있어 다툼의 단서를 일으킵니다. 지금부
터는 어쩔 수 없이 남에게 준 자일 경우 사연(辭緣)을 갖춰 기록하
여 관(官)에 고하게 하고, 이전의 계권을 거둬 관급 문안(官給文案)을

---

11 세살이 못 된 아이를 주어다 기르는 일을 가리킨다. 이런 아이에게는 동성·이성에 관계
없이 재산이나 노비를 상속할 수 있었다.

취소하게 해야 합니다. 만일 관에 고하지 아니하고 은밀히 계권을 고친 자가 있으면 모두 다 논죄해야 할 것입니다.

하나, 노비를 함부로 점거한 자는 그 잘못을 알면서도 역사(役使)시키고 지연하여 혹 해를 넘기고 피고[隻]와 대질하지 않거나, 혹 도피하여 나타나지 않아 이로 인한[緣此=由此] 쟁송(爭訟)이 끝이 없습니다. 지금부터는 경중(京中)은 30일, 가까운 도(道)는 60일, 먼 도는 90일로 기한을 정해 원고(元告)로 하여금 장차 이문(移文)을 가지고 피고인이 소재한 관에 보내 회보(回報)를 받아 와 바치게 한 뒤에 시일을 상고해 정해진 기한[定限]이 차지 못했으면, 원고와 피고의 송사가 사안에 맞는 자일 때에는 결급(決給-판결하여 지급함)해야 합니다. 그중에서 사신으로 나간 사람과 부모상 100일 이내인 자와 자기 몸에 병세가 현저한 자는 이 기한에 포함시키지 말아야 할 것입니다.'

정유일(丁酉日-11일)에 종실(宗室) 석근(石根)[12]을 봉해 익평군(益平君)으로 삼고 이직(李稷)을 예문관 대제학, 조온(趙溫)을 의정부 찬성사, 남재(南在)를 이조판서, 이귀령(李貴齡)을 병조판서, 안경공(安景恭)을 한성부 판사, 유관(柳觀)을 공안부 판사(恭安府判事)로 삼고 좌정승 하륜(河崙), 우정승 조영무(趙英茂)로 다시 이·병조 판사(吏兵曹判事)로 삼았다.

○ 사헌부와 사간원에서 조계(朝啓)[13]에 들어와 참석할 것[入參]을

---

12 태종의 형인 익안대군 이방의(李芳毅)의 아들이다.

13 상참 의식이 끝나면 계사(啓事)할 관원들은 사관(史官)과 함께 전내(殿內)에 들어가 부복

청하니 그것을 따랐다.

○ 남번(南蕃)의 조와국(爪哇國-지금의 인도네시아 자바섬) 사신 진언상(陳彦祥)이 전라도 군산도(群山島)에 이르러 왜구(倭寇)에게 약탈당해 배 안에 실었던 화계(火雞-타조), 공작(孔雀), 앵무(鸚鵡), 앵가(鸚哥-잉꼬), 침향(沈香), 용뇌(龍腦),[14] 호초(胡椒-후추), 소목(蘇木)[15], 향(香) 등 여러 가지 약재와 번포(蕃布)를 모두 겁탈당했다. 붙잡힌 자가 60인, 전사자가 21인이었으며, 오직 남부(男婦-남녀)를 합해 40인만이 죽음을 면해 해안으로 올라왔다. 진언상은 일찍이 갑술년(甲戌年-1394년)에 사신의 임무를 받들고[奉使] 내빙(來聘)했는데 우리 조정에서 조봉대부(朝奉大夫) 서운부정(書雲副正)을 제수했던 자다.

무술일(戊戌日-12일)에 사헌부에서 소(疏)를 올려 이저(李佇)의 죄를 청했으나 윤허하지 않았다. 장령 이계공(李季拱), 지평 허반석(許磐石)·조계생(趙啓生) 등이 소를 올렸는데 대략 이러했다.

'지난번에 이저 부자가 남몰래 두 마음[二心]을 품었으므로 종친과 백료가 합사(合辭)하여 죄주기를 청하니 폐하여 서인(庶人)을 만드시고, 자손은 금고(禁錮)에 처하신 지 이미 몇 해나 됐습니다. 근래에 전하께서 말씀하시기를 "아비는 죄가 있으나 저(佇)는 참여하

(俯伏)하고 차례로 용건을 계문(啓聞)했다.

14 약재(藥材)의 하나로 동인도(東印度)에서 나는 용뇌수(龍腦樹)의 줄기에서 덩어리로 되어 나오는 무색 투명한 결정체(結晶體)다. 방충제나 훈향(薰香) 등으로 쓰였다.

15 콩과의 나무로 동남아시아가 원산이다. 나무 속은 붉은 염료로 쓰이며 동방의학의 약재로도 쓰인다.

지 않았다"고 하여 고신(告身)을 도로 내려주셨습니다. 그러나 신 등이 가만히 생각건대 옛날부터 난신(亂臣)과 적자(賊子)는 반드시 당여(黨與-패거리)가 있었습니다. 거이(居易)가 두 마음을 품은 것도 이 아들이 있었기 때문입니다. 저의 천성은 본래부터 광망스러워 기운을 믿고 교만에 가득 차 있음은 전하께서 일찍이 아시는 바입니다. 이제 기내(畿內-경기도 안)에 불러다 두시고 또 고신까지 내려주시니 반드시 앞으로 그 교만한 기운[驕氣]이 더해지고, 그 광망(狂妄)이 방자해져서 경외(京外)를 출입함에 거의 절도가 없을 것입니다. 전날의 두 마음을 무엇으로 혼내주겠습니까? 엎드려 바라옵건대 먼 곳으로 이치(移置)하여 그 출입을 금함으로써 뒷날에 생길지도 모를 어지러움의 근원을 막아야 합니다.'

또 소(疏)를 올렸다.

'대사헌 한상경(韓尙敬), 집의 이양(李揚), 장령 한옹(韓雍) 등이 교지(教旨)를 누차 내려 이저(李佇)의 고신을 바치게 했을 때, 대궐에 나아가 청을 올리기를 "불가합니다"라고 했는데 의정부의 이문(移文)을 받게 되자 즉시 바쳤습니다. 군부(君父-임금)의 명령은 따르지 아니하고, 도리어 정부(政府)의 이문을 따른 것이므로 언관(言官)으로서 법을 지키는 뜻에 어긋남이 있습니다. 엎드려 바라옵건대 상께서 재가하여 시행하게 해야 할 것입니다.'

계공(季拱) 등을 불러 뜻을 밝혀[宣旨] 말했다.

"대사헌 등이 재삼 상소하여 이저(李佇)의 고신을 돌려주지 말라고 해도 내가 듣지 아니했는데, 하물며 먼 곳에 이치(移置)하여 그 출입을 금하겠느냐? 너희가 이미 나의 뜻을 깨달았으니 모름지기 다시 청하지 말라. 또 의정부의 이문 또한 나의 교지를 받든 것이니 상경 등이 무슨 죄가 있겠느냐?"

계공 등이 다시 이저를 먼 곳에 둘 것을 청하니 상이 말했다.

"저가 비록 기내(畿內)에 있다 하지만 이미 서울로 들어오지 못하게 했다."

헌부에서 또다시 청했으나 윤허하지 않았다.

○ 상이 인소전(仁昭殿)의 새로운 터에 가서 건축하는 것[營造]을 두루 살펴보았다.
_{영조}

기해일(己亥日-13일)에 부엉이가 경복궁(景福宮) 근정전(勤政殿)에서 울었다.

○ (충청도) 청양현(靑陽縣)에 서리가 내려 메밀[蕎麥]이 죽었다.
_{교맥}

경자일(庚子日-14일)에 부엉이가 경복궁 침전(寢殿)에서 울었다.

신축일(辛丑日-15일)에 부엉이가 경복궁 침전에서 울고 또 근정전 위에서 울었다.

○ 상이 덕수궁에 나아가 기거했다.

○ 경복궁을 수리했다[修茸].
_{수즙}

임인일(壬寅日-16일)에 겸 좌군총제 여성군(驪城君) 민무질(閔無疾)이 군무(軍務)에서 풀어줄 것을 청해 이를 허락했다. 무질의 휘하 병사인 행사직(行司直) 진명례(陳明禮), 사직(司直) 윤유택(尹惟澤) 등

100여 인이 글을 올려 말했다.

'여성군은 군정(軍政)을 장악한 지 여러 해가 되어[有年] 군사(軍士)의 수고로움과 편안함을 알지 못함이 없으므로 그들을 위무(慰撫)하는 데 은혜가 있으니 바라건대 그대로 구직(舊職)에 두시어 군사들의 바람을 위로하셔야 합니다.'

상이 노하여 말했다.

"장수도 모두 공가(公家)의 장수요, 병사도 모두 공가의 병사다. 너희들은 이미 금병(禁兵)이 되어 여성(驪城)이 있다는 것은 알고 유독 내가 있다는 것을 알지 못하느냐?"

명하여 순금사에 내려 주모자를 국문하여 아뢰라고 했다가 얼마 후에 모두 풀어주었다.

계묘일(癸卯日-17일)에 금성(金星)이 헌원성(軒轅星) 좌각(左角)을 범했다.

○ 승녕부 판사(承寧府判事) 김승주(金承霍), 의정부 참지사 이응(李膺)을 보내 경사(京師)로 떠나게 했다. (명나라 조정에서) 악기(樂器)를 내려준 것에 감사하기 위함이었다.

○ 사역원(司譯院) 직장(直長) 김유진(金有珍)을 보내 절강(浙江) 소흥위(紹興衛)의 삼강 천호소(三江千戶所) 총기(摠旗) 오진(吳進) 등을 요동으로 압송하게 했다. 애초에 진(進) 등이 양곡을 운반해 태창(太倉)의 양곡을 싣고 베이징으로 향하다가 바다에서 왜구(倭寇)를 만나 관군(官軍) 가운데 죽은 사람이 35명이었다. 진 등 25명은 뗏목을 묶어서 타고 조양진(兆陽鎭)에 표박(漂泊)했으므로 진관(鎭官)이 옷

과 먹을 것을 주었다. 유진(有珍)을 보내 그들을 압송하고 또 요동도사(遼東都司)에게 자문(咨文)을 보냈다.

'이제 장홍수(張洪壽)를 보내 도망쳐 온 군대[逃軍]를 관압하게 하는데, 9월 초1일에 압록강(鴨綠江)을 건너가기로 했으나 도망쳐 온 군대가 원래의 마음을 고치지 아니하고, 중도에서 다시 도망칠까 염려되니 심히 걱정스럽습니다. 번거롭지만 군병(軍兵)을 파견하여 나와서 중로에서 맞아주시오.'

○사역원 지사(司譯院知事) 장홍수(張洪壽)를 보내 만산군인(漫散軍人)을 관압(管押)해 요동도사(遼東都司)에 가서 교할(交割-교부)하게 하고 (명나라) 예부(禮部)에 자문(咨文)을 보냈다.

'근래에 온 자문(咨文)을 받아보니 도망쳐 온 인구(人口)에 대한 일이었습니다. 좌군도독부(左軍都督府)의 조회(照會)를 받았는데 요동도사(遼東都司)가 정문(呈文)한 것에 의거하면 "동녕위 백호(東寧衛百戶) 변림(邊林)의 아우 변련(邊連)이 아뢰기를 '여정(餘丁) 변도리가(邊都里哥)와 군인 황현(黃顯) 등이 고하기를, 처남(妻男) 황불개(黃不改)와 토관(土官) 천호(千戶) 고욱(高勗)과 하가인(下家人) 해서(海西) 등이 차례로 조선국(朝鮮國)으로 도망가서 숨어 산다고 했다'라고 하고, 또 '혁제 연간(革除年間)[16]에 도망간 만산토인(漫散土人)으로서 흠차 천호(欽差千戶) 왕득명(王得名) 등이 조선국(朝鮮國)으로 가서 초유(招諭)하여 본업(本業)에 복귀시킨 자들을 제외하고도 전자수(全者

---

16 건문 연간(建文年間)을 말한다. 명(明)나라 성조(成祖)가 건문제(建文帝)의 위(位)를 찬탈(簒奪)하고 그 연호(年號)를 없애니 그 신하(臣下)들이 건문 연간(建文年間)을 혁제 연간(革除年間)이라 고쳐 불렀다.

遂) 등 4,949명이 여전히 본국(本國)의 풍해도(豊海道) 등지에 숨어 살고 있다'라고 했다"고 하고 이어서 "본국에서 해송(解送)한 김봉(金奉) 등 19명이 회환(回還)한 것 외에 그 나머지는 보내오는 것을 보지 못했다'라고 하여 다시 이자(移咨)를 행(行)하니 번거롭지만 급히 보내오도록 하라고 했습니다.

이 자문을 받고 의정부(議政府)의 장계(狀啓)에 의거해 왕의 재가 [判付]를 삼가 받들어 즉시 내섬시 판사(內贍寺判事) 민약손(閔若孫)
을 차견(差遣-파견)하여 풍해도(豊海道) 등지와 서북면(西北面) 강계(江界), 이성(泥城)의 강(江) 연안(沿岸)의 구자(口子)와 유벽(幽僻)한 산곡간(山谷間)을 두루 다니며 샅샅이 찾아 뒤졌으나 위의 항목에서 말한 변도리가(邊都里哥), 황불개(黃不改), 해서(海西) 등의 성명(姓名)을 가진 군정(軍丁)으로서 도망쳐 와서 숨어 사는 자는 하나도 없었습니다. 당비차관(當備差官) 민약손(閔若孫)과 서북면 도순문사(西北面都巡問使) 조박(趙璞), 풍해도 도관찰사(豊海道都觀察使) 신호(申浩)
등이 정문(呈文)하기를 "각기 관내(管內)의 주·부·군·현(州府郡縣)과 강(江) 연안의 구자(口子)[17]에 이문(移文)하여 샅샅이 찾아 임오(壬午) 연간에 임천(林泉)과 같이 도망쳐 온 송덕현(宋德玄)·전소금(全小金)
등 남녀 모두 419명을 잡아 문초했더니 각각이 공술(供述)하기를 '같이 온 이매토(李賣土) 등 69명은 병(病) 때문이다'라고 했는데, 몸에 병고(病故)가 있어 공술한 바가 사실이었으므로 갖춰 정문(呈文)하

---

17 조선시대 변경(邊境) 지역인 압록강(鴨綠江), 두만강(豆滿江) 연안의 요해지(要害地)에 군사 시설을 갖춘 작은 관방(關防)을 말한다. 만호(萬戶)와 권관(權官)을 두었다.

니 조험(照驗)하여 이 장계(狀啓)를 시행하소서"라고 했습니다. 이것에 의거하여 조사(調查)해 먼저 여러 차례에 걸쳐 사역원 지사 장홍수(張洪壽), 대호군(大護軍) 매원저(梅原諸), 사역원 부사(副使) 장유신(張有信)[18] 등을 차견하여 차례로 잡아온 만산군인(漫散軍人) 장보(張甫)·김화(金禾) 등 남녀를 아울러 443명을 관압하여 요동 도사에 가서 교할했으며, 지금 앞에서 말한 대로 병고(病故)를 제외하고, 잡힌 송덕현·전소금 등 남녀를 아울러 419명을 배신(陪臣) 장홍수에게 맡겨 관압하여 요동도사에 가서 교할하게 합니다.'

갑진일(甲辰日-18일)에 부엉이가 창덕궁(昌德宮) 서쪽 건물에서 울었다. 이튿날은 전농시(典農寺) 제기고(祭器庫)에서 울었다.

○상이 세자 제(褆)에게 왕위를 물려주고자[傳位] 하니 여러 신하들이 굳게 간언했다. 애초에 상이 재이(災異)가 자주 보인다고 하여 세자 제에게 전위(傳位)하고자 하여 여흥부원군(驪興府院君) 민제(閔霽), 좌정승 하륜(河崙), 우정승 조영무(趙英茂), 안성군(安城君) 이숙번(李叔蕃) 등에게 비밀리에 일러주었다[密告]. 륜(崙) 등이 모두 안된다고 했으나 상이 따르지 않았다. 이날 의안대군(義安大君) 화(和), 영의정 부사 성석린(成石璘)이 백관과 기로(耆老-원로)를 이끌고 대궐 뜰에 서열에 맞춰 서서[班列] 지신사 황희(黃喜)를 시켜 들어가 아뢰게 했다.

"전하께서는 춘추(春秋)가 한창이시고[鼎盛] 세자의 나이는 성년

---

18 이들은 모두 통사, 즉 역관들이다.

[冠]이 못 되었고,[19] 아직 아무런 변고(變故)도 없는데 갑자기 전위(傳位)하고자 하시니 신 등은 그 이유를 알지 못해 두려워 어찌해야 할 바를 알지 못하고 있습니다."

상이 말했다.

"내가 아직 늙지 않았고, 세자가 어리다는 것도 내가 잘 알고 있다. 그러나 내 마음은 이미 결정되었으니 바꿀 수 없다. 내가 전위하려는 까닭을 두 정승이 이미 알고 있다."

이조판서 남재(南在)가 아뢰었다.

"나라가 창업(創業)한 지 오래되지 못하여 마치 물이 처음으로 얼어 아직 견고하지 못한 것과 같으니 나이 어린[幼冲] 임금이 왕위에 있을 때가 아닙니다."

하륜이 아뢰어 말했다.

"이제 나라가 겨우 안정되었으나[甫定] 전왕(前王)이 두 분 계시온데 전하께서 또 전위하시면 전왕이 세 분이나 계시는 것입니다. 중국에서 듣게 되면 무어라고 하겠으며 온 나라의 신하와 백성들도 또한 무어라고 하겠습니까?"

상이 말했다.

"이미 전왕이 두 분 계시니, 비록 전왕이 셋이 있은들 이 또한 무엇이 해롭겠는가? 또 주(周)나라의 성왕(成王)은 비록 어려서 천하(天下)에 군림했지만[莅=涖=臨] 천하가 태평했다. 내가 사직(社稷)을 타인(他人)에게 선위(禪位)한다면 여러 신하가 모두 간언해도 좋겠지만,

---

19 이때 태종은 39세, 세자 이제는 13세였다.

이제 내 아들에게 전하는 것인데 어찌 불가하겠는가!"

류과 재가 다시 아뢰어 말했다.

"성왕(成王)이 즉위한 것은 형세상으로 부득이했던 것이고 주공(周公)의 빼어남[聖]이 있어서 왕실(王室)을 도왔던 것입니다만, 그런데도 오히려 유언(流言)이 있어서 종사(宗社)가 거의 망할 뻔 했습니다.[20] 세자와 성왕(成王)이 어린 것으로 말하면 같으나 형세로 말하자면 다르니 같이 놓고 보면 안 됩니다. 하물며 주공(周公)과 같은 신하가 보익(輔翼)하는 것이 없지 않습니까? 종묘와 사직이 지극히 무거운데 전하께서 능히 유지하고 지켜감을 보장할 수 있겠습니까?

---

20 무왕은 주나라를 세우고 2년 후에 병으로 죽었다. 아들 희송(姬誦)이 왕위에 올랐는데 성왕(成王)이다. 성왕은 그때 13세밖에 안 되는 어린 소년이었다. 그래서 무왕의 동생인 주공이 성왕을 보필하면서 천자의 직권을 대행하여 정사를 다스렸다. 주공은 진심으로 성왕을 보필했다. 그런데 그의 동생들인 관숙(管叔)과 채숙(蔡叔)은 그가 왕위를 찬탈하려 한다는 터무니없는 의심을 품고 요사스러운 말을 퍼뜨렸다. 그때 주나라에서는 상나라 주왕의 아들 무경(武庚)에게 은후(殷侯)라는 작위를 봉해주었는데 무경은 이에 만족하지 않고 은상 때의 왕위를 되찾으려고 했다. 주나라 조정이 화평하지 못함을 안 그는 관숙, 채숙과 공모하여 상나라의 옛 귀족들을 끌어모으고 동이의 몇 개 부락을 선동하여 반란을 일으켰다. 무경과 관숙 등이 퍼뜨린 요사스러운 말은 호경까지 전해져 도성 안이 떠들썩했다. 소공석까지 그 말을 듣고 주공을 의심하는 지경에 이르렀고 나이 어린 성왕도 진위 여부를 분간하지 못하고 자신을 보필하는 숙부 주공을 믿지 않게 되었다. 주공은 소공석을 찾아가 자기는 그런 야심이 전혀 없으니 요사스러운 말을 믿지 말고 함께 주나라 정사를 잘 다스리자고 간곡히 이야기했다. 그 말은 소공석을 감동시켰을 뿐만 아니라 많은 사람들의 오해도 풀어주었다. 이렇게 내부의 갈등을 없앤 다음에 주공은 직접 군대를 거느리고 무경의 군대를 진압하러 갔다. 그때 동쪽 땅에서는 몇몇 부락이 무경과 결탁해 주나라 조정을 칠 준비를 하고 있었다. 주공은 주나라에 복종하지 않는 제후국들을 토벌하는 권한을 태공망에게 일임했다. 태공망은 군대를 거느리고 가서 동쪽 땅을 제어하고, 주공은 전력을 다해 무경을 토벌했다. 주공은 성왕을 보필하여 집정한 7년 동안 주나라 조정의 통치 지위를 강화했을 뿐만 아니라 일련의 법률과 제도들을 제정했다. 성왕이 20세가 되자 주공은 모든 정권을 넘겨주었다. 성왕이 죽은 다음에는 아들 강왕(康王)이 즉위했는데, 이 선후 50여 년이 주나라가 가장 강성하고 통일된 시기였다. 역사상 이 시기를 '성강지치(成康之治)'라고 부른다.

또 민심(民心)이 불안하게 되면 하늘의 뜻에도 맞지 않는 것입니다. 옛날에 인군(人君)의 제명(制命)이 옳지 않으면 신하가 따르지 않은 경우가 있었습니다. 신 등은 감히 왕지(王旨)를 받들지 못하겠습니다. 왕위(王位)가 지극히 무거운데 어찌 이와 같은 일을 받아들일 수 있겠습니까?"

상이 말했다.

"오늘 당장 전하려는 것은 아니다. 내 다시 생각할 터이니 경 등은 물러가는 것이 좋겠다."

○사간원 지사 권정(權定), 사헌부 장령(掌令) 이계공(李季拱)이 연장(連章)하여 소를 올려 그 불가(不可)함을 극론(極論)하니 상이 그 글을 읽어보고 말했다.

"이는 언관(言官)이라면 늘 하는 일[常事]일 뿐이다."
_{상사}

날이 저물어 여러 신하들이 마침내 물러났다. 도성에서 이 말을 들은 사람은 모두 실색(失色)하여 놀라움에 몸을 떨었다.

을사일(乙巳日-19일)에 성석린(成石璘)·하륜(河崙)·유창(劉敞)·이래(李來)·유관(柳觀)·조용(趙庸)을 모두 세자 빈객(世子賓客)에서 해직하고 길창군(吉昌君) 권근(權近), 우군총제(右軍摠制) 성석인(成石因)·김첨(金瞻)과 함께 모두 경연관(經筵官)에 제수했다.[21] 여성군(驪城君) 민무질(閔無疾)의 군사권[軍柄]을 빼앗았다. 이원(李原)을 사헌부 대
_{군병}

---

21 이는 전날의 발언이 허풍이 아님을 보이기 위한 조치다. 세자에게 전위하게 될 경우 빈객은 필요가 없고 세자가 아닌 왕이 되기 때문에 서연이 아닌 경연에서 신하들과 공부를 하게 되기 때문이다.

사헌, 김남수(金南秀)를 좌군도총제, 심구령(沈龜齡)을 겸 중군동지총제(中軍同知摠制), 민무회(閔無悔)를 여산군(驪山君), 노한(盧閈)을 좌군동지총제, 이응(李膺)을 의정부 참지사(參知議政府事), 성발도(成發道)를 중군동지총제, 정역(鄭易)을 우사간대부(右司諫大夫), 최부(崔府)를 사헌부 집의(司憲府執議)로 삼았다.

○ 성석린(成石璘), 하륜(河崙)과 검교 영의정부사 권중화(權仲和) 등이 백관을 거느리고 궁정(宮庭)으로 나아가 아뢰어 말했다.

"전날에 아뢴 바에 대해 아직 전하의 결단[宸斷]을 알지 못하니 바라건대 그리하겠다는 말씀[兪音]을 내려주십시오."

상이 말했다.

"내 비록 용렬한 자질[庸質]이지만 이런 큰일을 두고서 어찌 감히 일을 거꾸로 하여 망령되게 행동하겠는가! 다시 깊이 생각해[商量] 보려 한다."

석린(石璘)이 아뢰어 말했다.

"전날에 상께서 가르쳐 말씀하시기를 '내가 다시 생각할 것'이라고 하셨는데 오늘의 하교(下敎)도 그날과 같은 것은 무슨 까닭입니까? 옛날에 제왕(帝王)이 큰일을 당하면 도모하는 것이 경(卿)과 사(士)에 미쳤고, 도모하는 것이 서민(庶民)에 미쳤는데 모두가 '옳다'고 말해도 오히려 부족하게 여겨 이것을 복서(卜筮)에게 상고한 뒤 이에 행했으니 이는 그 일을 무겁게 여긴 때문입니다. 나라의 대통(大統)을 세자에게 전해주는 것보다 더 큰일이 없는데 온 나라 사람들이 그 이유를 알지 못합니다. 이는 전하께서 마음으로 독단(獨斷)하여 사사로이 왕위를 주고자 하는 것이니 진실로 안 될 일입니다."

륜(崙)도 말했다.

"이런 경우에는 마땅히 태상왕(太上王)께 고(告)해야 합니다."

드디어 (하륜 등이) 백관을 거느리고 (태상왕이 기거하는) 덕수궁(德壽宮)으로 나아가는데 행렬이 덕성방(德成坊)에 이르렀을 때 상이 황희(黃喜)를 보내 이를 중지시키고서 말했다.

"경들은 쓸데없이 부왕(父王)께 가서 고하지 말라. 나 또한 생각해 보겠다."

륜이 말했다.

"전하께서는 이미 '어찌 감히 망령되게 행동하겠는가! 다시 생각해 보려 한다'는 말씀이 계셨는데 이는 반드시 마음을 고치고 생각을 바꾸겠다는 것이니 일단 내일까지 기다렸다가 다시 청하는 것이 어떻습니까?"

여러 사람들이 옳다고 여겨 마침내 물러갔다.

병오일(丙午日-20일)에 성석린(成石璘) 등이 다시 백관을 거느리고 전정(殿庭)으로 들어가 아뢰어 말했다.

"신 등이 명(命)을 기다린 지 여러 날이 되었으나 아직까지 윤허를 받지 못해 번거롭지만 다시 아룁니다."

상이 황희(黃喜)를 시켜 대답했다.

"내 생각은 아직 결정되지 못했다. 또 근래에 침을 맞고 뜸을 뜨느라 나갈 수가 없으니 대엿새 기다리면 노정승(老政丞)과 정승(政丞)을 친히 만나보고 내 뜻을 자세히 말하겠다."

석린(石璘)과 영무(英茂)가 아뢰어 말했다.

"상의 말씀은 신 등의 청(請)에 적실한 대답이 아닙니다."

조영무가 울면서 말했다.

"신이 비록 궐내(闕內)의 일에 참여하지는 못하지만 어찌 알지 못하겠습니까? 전하께서는 완곡한 말씀[緩辭]으로 대답하시나 신 등은 실로 그 뜻을 빨리 행하고자 합니다. 전하께서는 한창 나이에 병환이 없으시고 세자께서는 아직 어리시니 이때가 어찌 자리를 내놓으실[釋位] 때입니까?"

단산부원군(丹山府院君) 이무(李茂)도 울면서 아뢰어 말했다.

"신이 비록 개국(開國)하던 초창기에 참여하지는 못했지만 원훈(元勳)에게 들으니 태상왕께서 비록 능히 창업(創業)을 하셨다 하더라도 도와서 추대한[翊戴] 공은 실로 전하께 있습니다. 전하께서는 원훈(元勳)들과 함께 백세(百歲)를 누리심이 마땅한데 어찌하여 이같이 서두르십니까? 상께서 연치(年齒)가 중년이 지나시고 세자도 나이 20~30세에 이르신 뒤에 세상이 싫어서 사양하고 신하와 백성들에게 알리고 예(禮)에 따라 전위하시면 누가 불가하다고 하겠습니까?"

희(喜-황희)가 들어가 아뢰었으나 상의 대답은 전과 같았다. 영무가 아뢰어 말했다.

"전하께서 만약 신을 보시려고 하신다면 어찌 후일(後日)을 기다리겠습니까? 또 신 등의 소망은 다만 아뢴 것을 윤허해주시는 데 있을 뿐입니다. 전하께서 신을 보지 않으신다 하더라도 어찌 신 등이 유감이 있겠습니까?"

○ 이조판서 남재(南在)가 아뢰어 말했다.

"일개 초야(草野)에 묻힌 선비의 말도 진실로 이치에 맞으면 진실

로 아름답게 여겨 받아들이는 것이 마땅합니다. 하물며 온 나라의
대신들이 나라를 걱정하는 말을 어찌 굳이 거절하는 이치가 있겠습
니까? 천명(天命)과 인심(人心)은 둘이면서도 하나입니다. 인심의 향
배(向背)에 천명(天命)의 존망(存亡)이 달려 있습니다. 종친(宗親), 공
신(功臣), 백관(百官), 대간(臺諫)이 말을 합하여[合辭] 상께 청하는데
_{합사}
전하께서 거스르고 따르지 아니하시니 이는 곧 천명(天命)을 거스르
는 것입니다."

길창군(吉昌君) 권근(權近)이 아뢰어 말했다.

"자로(子路)^{22}가 자고(子羔)^{23}를 (노나라의 요충지) 비(費) 땅의 읍재
(邑宰)로 삼자 공자께서 말씀하시기를 '남의 자식을 해치는구나'라고
했는데^{24} 이는 배우지 아니하고 일에 나아가는 것[莅事=臨事]을 지
_{이사}   _{임사}
적한 말씀입니다. 한 읍의 재(宰-책임자)도 배우지 않으면 오히려 불
가한데 하물며 한 나라의 임금이겠습니까? 세자께서는 기력(氣力)이
아직 장성하지 못하고 학문(學問)도 이루지 못했는데 갑자기[驟] 만
_취
기(萬幾)를 맡게 되면 기력이 번잡한 것을 견뎌내지 못할 것이요, (지
금의) 학문으로는 만사(萬事)에 대응할 수 없을 것입니다. 만약 세자
의 기력이 장성해지고 학문이 이루어지기를 기다린 뒤에 예(禮)로써

---

22 공자(孔子)의 제자로서 용감하기로 이름났다.
23 공자(孔子)의 제자로 성질이 어질고 착해 새와 곤충을 죽이지 않고 나무를 꺾지 않았다
고 한다.
24 『논어(論語)』「선진(先進)」편에 나오는 일화다. 자로가 계씨의 가신이 되어 자고를 비읍의
읍재로 삼자 공자는 탄식했다. "남의 자식을 해치는구나!" 이에 자로가 맞섰다. "백성과
사람이 있고 사직(社稷)이 있으니 어찌 반드시 책을 읽은 뒤에야 학문을 하겠습니까?" 공
자는 말했다. "바로 이런 너 때문에 나는 말 잘하는 사람을 미워하는 것이다."

전위하신다면 위로는 우리 부자(夫子-공자)의 책망을 받지 않을 것이요, 아래로는 신하와 백성들의 소망도 어기지 않을 것입니다."

희(喜)가 들어가 아뢰었으나 상의 대답은 또 처음과 같았다. 다시 승전색(承傳色) 노희봉(盧希鳳)을 질책하며 말했다.

"번거롭게[屑屑] 다시 들어와 아뢰지 말라!"
설설

석린(石璘) 등이 말했다.

"어쩌지[奈何]? 어쩌지?"
내하

청성군(清城君) 정탁(鄭擢)이 아뢰어 말했다.

"이미 이처럼 어찌할 수가 없다면 신 등은 마땅히 여기에 엎드려 밤에도 낮을 이어 꼭 유음(兪音)을 기다릴 것입니다. 어찌 물러가겠습니까?"

권근이 다시 아뢰어 말했다.

"대개 부모가 자식을 낳아 나이가 아직 장성하지 못한데 작위(爵位)가 날로 더해지면 두려워하고 근심하게 되는데, 이는 나이가 젊어 지위가 높으면 수명(壽命)을 덜어내기 때문입니다. 즉 부모의 마음으로 그 자식의 영현(榮顯)을 기뻐하지 않는 것은 아니나, 진실로 그 수명(壽命)을 재촉할까 두려워하기 때문입니다. 이러한 이유에서 본다면 인작(人爵-일반 벼슬)도 오히려 그러한데 하물며 천록(天祿-왕위)이야 어찌 두려워하지 않을 수 있겠습니까? (그런데) 지금 세자가 어린 것을 생각지 않으시고 빨리 천록(天祿)을 전하려는 것이 어찌 세자를 사랑하는 이치이겠습니까? 이것을 또한 신 등은 가슴 아프게 여기는 것입니다. 되풀이하여 생각해보아도 하나도 옳은 것이 없습니다만, 신 등은 지성(至誠)으로써 천심(天心)을 돌리지 못하는 것을 한스러워할 뿐입니다."

석린과 영무가 다시 희(喜)에게 일러 말했다.

"빼어나신 마음[聖心]으로는 비록 계책을 얻었다고 할 것이나 여러
사람의 소망에 맞지 아니하오[不合]. 마땅히 신 등이 말한 바를 일일
이 들어서[枚擧] 하나하나 다시 아뢰어야 할 것이오."

희가 들어가니 상이 희에게 일러 말했다.

"단순히 전위(傳位)하는 데 뜻이 있는 것만이 아니라 이미 세자에
게 전위했다. 바깥 사람들이 아무리 말을 많이 해도 어찌 (영향을)
미치겠는가! 아무 말 하지 않고 물러가는 것이 더 나을 것이다."

홀로 하륜(河崙)만이 생각에 잠겨서[沈思] 말을 않고 있다가 이때
에 이르러 마침내 아뢰어 말했다.

"전하의 제명(制命)이 옳지 않으시므로 노신(老臣)이 수상(首相)의
자리에 있는 한 절대로 교지(敎旨)를 받들지 않을 것입니다. 누구와
함께 전위(傳位)의 예(禮)를 행하시겠습니까?"

영무가 이어서 말했다.

"신 등이 비록 죽는다 해도 결코 명을 듣지 않을 것입니다."

또 희(喜)에게 눈짓하여[目] 말했다.

"지신사는 차마[忍] 이런 명을 따르려 하는가?"

희와 희봉이 같이 내정(內庭)에 들어갔으나 상이 진노(震怒)할까
두려워하여 우물쭈물하면서[逡巡] 몸을 움츠리고 오래도록 감히 아
뢰지 못했다. 상이 이에 말했다.

"전위(傳位)가 어렵다는 것은 내 이미 생각하고 있었다."

석린 등이 모두 말했다.

"전하의 이러한 명(命)은 바로 윤허(允許)하신 것이다."

곧바로 희봉을 시켜 사은(謝恩)할 것을 청하자 상은 짐짓[佯] 웃으면서 말했다.

"그러려무나."

하륜이 드디어 입번(入番)한 갑사(甲士)들도 하여금 조신(朝臣)의 반열 뒤에 늘어서게 하고 봉례랑(奉禮郞)으로 하여금 동서로 나눠 서게 하여 큰 소리로 부르짖었다.

"계수(稽首) 사배(四拜)!"

천세(千歲)를 세 번 부르니 소리가 궐정(闕庭)을 진동했고 다시 네 번 절했다. 이어서 정비전(靜妃殿)에 아뢰고 네 번 절하여 사례하고서 여러 신하들은 모두 기뻐하고 물러나면서 생각했다.

'상께서 정말로[眞] 윤허하신 것이다.'

밤이 2고(二鼓)[25]나 되어 상은 몰래 노희봉을 시켜 국새(國璽)를 세자궁(世子宮)에 보냈는데 상서사(尙瑞司)[26]의 관원도 이를 알지 못했다.

정미일(丁未日-21일)에 종친, 기로(耆老), 대소 신료가 대궐에 이르러 글을 올려 말했다.

'신 등이 가만히 생각건대 종묘사직의 대통(大統)을 아버지와 아

---

25 밤의 시간을 다섯으로 나눈 두 번째 시간이다. 이때에 두 번째 북을 울려서 알렸다. 계절에 따라 밤의 길이가 다르므로 이 시각에도 변동이 있으나, 대략 오후 10시를 전후한 시간을 말한다.

26 1392년(태조 1년) 7월에 설치돼 옥새, 부인(符印), 제배(除拜) 등의 일을 맡아본 관청이다.

들이 서로 주고받는 것이 옛날이나 지금이나 일관된 예(禮)입니다. 그렇지만 내선(內禪)하는 일은 반드시 변고(變故)가 있은 뒤에야 어쩔 수 없어서 그렇게 했을 뿐입니다. (그런데) 지금 우리 전하께서는 춘추(春秋)가 바야흐로 한창이시고 나라를 누리신 지[享國] 아직 오래되지 못했으나 다스린 공적이 지극히 나타나서 중외(中外)가 평안하여 여러 사람들의 마음이 어버이처럼 받들어 태평(太平)함이 영구하기를 바라고 있는데 이런 때에 만기(萬幾)를 싫어하시어 세자에게 전위(傳位)하시려 하시지만 세자는 나이가 아직 어려 젊어져야 할 소임을 감당하지 못할 것이고 온 나라의 신민(臣民)들이 마음 아파하며 실망하고 있습니다. 전일(前日)에 신 등이 대궐에 나아와 거듭 말씀드리기를 "그 일(전위)을 그만두시기를 청합니다"라고 하여 윤허를 받고서 온 나라가 기뻐했건만 도중에 이를 바꿔 국새(國璽)를 동궁(東宮)에 전하시리라고는 생각지도 못했습니다. 신 등은 이 말을 듣고 더욱더 마음이 아픕니다. 전하께서 종묘사직의 대통(大統)을 세자에게 전해 넘기시려면 주고받아야 하는 때에 마땅히 그 시작을 바로 하건만 지금 비밀리에 내수(內竪-환관)를 시켜 몰래 서로 주고받았습니다. 나라의 대통(大統)은 종묘와 사직에 관계되는 것이요, 국새(國璽)는 천자가 내려준 것입니다. (그런데) 전하께서 사사로운 물건처럼 여기시어 사사로이 세자에게 주는 것, 이것은 종묘와 사직을 가볍게 여기는 것이요, 황제의 명령을 소홀하게 여기는 것입니다. 그 시작을 삼가지 못하는 것이 이와 같다면 그 결과는 어찌 되겠습니까? 신 등이 이것을 생각하면 더욱더 가슴이 아픕니다.

또 믿음[信]이란 것은 임금의 큰 보배입니다. (그런데) 전하께서는

366

이미 윤허하시고서 지금에 이르러 갑자기[俄=遽] 다시 고치시니 믿
음이라는 것이 어디에 있습니까? 나라의 대통(大統)을 바르게 하고
자 하시면서 먼저 커다란 믿음[大信]을 잃어서야 되겠습니까? 나라
를 서로 전하는 것은 천하의 대사(大事)입니다. 진실로 민심(民心)
에 순응(順應)해야 하고, 민심에 부합해야 하늘의 뜻을 얻을 수 있습
니다. 이미 민심을 어겼는데 하늘의 뜻에 부합할 수 있겠습니까? 전
하께서는 민심을 어겨가면서 대통(大統)을 어린 세자에게 전해주고,
비록 스스로 편안하게 원하시는 대로 지내고 싶다고 하시지만 그것
이 하늘의 뜻에 어떠하겠습니까? 엎드려 바라옵건대 전하께서는 일
신(一身)이 스스로 안락한 것만을 꾀하지 마시고, 힘써 종묘사직의
대계(大計)를 넓히시어 국새를 도로 거두고 사직을 길이 보존하여 온
나라 신민(臣民)의 소망을 위로해주셔야 할 것입니다.'

   ○ 사간원과 사헌부에서 말씀을 올렸다.

"가만히 생각건대 천위(天位)[27]의 어려움은 실로 대보(大寶)뿐이므
로 주고받을 때 무겁게 여기지 않을 수 없습니다. 진실로 천위를 소
홀히 여겨 가벼이 주고받으신다면 종묘사직의 안위(安危)와 인심의
거취(去就)를 알 수가 없습니다. 옛날 당(唐)·우(虞)[28] 시대에 요(堯)
임금은 자리에 있은 지 70년 만에 순(舜)임금에게 선위(禪位)했고,
순임금은 재위한 지 50년 만에 우왕(禹王)에게 선위했는데 모두 나
이가 늙어서 정사를 부지런히 하는 데 싫증이 났기 때문입니다. 요임

---

27 임금 자리를 가리킨다.
28 당은 요임금, 우는 순임금을 가리킨다.

금과 순임금이 이와 같이 (선위)한 것은 진실로 천명(天命)은 바꿀 수가 없어 가볍게 주고받을 수가 없었기 때문입니다. 신 등의 생각으로는 전하께서 오늘날 (대보를) 주고받아서는 안 되는 까닭은 다섯 가지입니다.

전하께서 춘추(春秋)가 바야흐로 한창이시고 정신과 기력이 바야흐로 강성하시어 질병의 걱정도 없기 때문에 중외(中外)의 신하와 백성들이 억년(億年)의 다스림을 바라고 있는데, 이런 때에 마침 아무런 연고도 없이 왕위를 내놓으시니 그 해서는 안 되는 첫째입니다.

지금 세자는 아직 어리고 관례(冠禮)도 치르지 못해 학업에 뜻을 기울이고 온 힘을 다해 밤낮으로 교도(敎導)를 해야 할 때[秋]입니다. 만약 일신(一身)으로 하여금 만기(萬幾)를 총괄해서 살피게 하여 학문을 배울 겨를이 없게 하면 기업(基業)을 감당하지 못해 마침내 전왕(前王)의 공(功)을 실추(失墜)시킬까 두려우니 이것이 그 해서는 안 되는 둘째입니다.

우리 조정은 국경이 상국(上國-중국)과 인접하여 군국(軍國)의 중대사를 조심하지 않을 수 없습니다. 지금 세자께서 타고나신 자질이 웅대하고 성품도 귀 밝으며 눈 밝으시지만[聰明] 나이가 아직 어려 짊어지게 될 소임을 감당하지 못할까 두려우니 이것이 그 해서는 안 되는 셋째입니다.

태상왕 전하께서 창업하신 이후 (지금까지) 15년 동안 대위(大位)를 서로 전한 것이 두세 번에 이르렀습니다. (그런데) 지금 만약 아무런 까닭도 없이 갑자기[遽] 왕위를 내놓으시어 여러 사람의 귀를 놀라게 하신다면 비단 중외(中外)가 시끌벅적하여[嗷嗷] 실망(失望)할 뿐만 아니라 상국에서 이를 듣게 되면 반드시 '안 된다'고 할 것이니 이것이 그 해서는 안 되는 넷째입니다.

전하께서는 만 번이나 죽으실 뻔한 곳에서 벗어나 개국(開國)하고 정사(定社)했으며 평소[素] 빼어난 다움[聖德]과 신묘한 공로[神功]가 있어 천명(天命)이 모이고 인심(人心)이 귀부(歸付)한 것이 일조일석(一朝一夕)의 연고(緣故)가 아닌데 마침내 어찌하여 전하께서는 사직(社稷)의 만세(萬世)의 계책을 돌아보지 아니하시고 구차하게[苟] 한 몸의 편안함[淸燕]을 위한 여유만을 구하시어 거듭 하늘과 땅, 신하와 백성들의 소망을 어기십니까? 이것이 그 해서는 안 되는 다섯째입니다.

이 때문에 대소 신료들이 한편으로 두렵고 한편으로 무서워서 대궐에 나아와 다시 청했으나 그리하겠다는 말씀[兪音]을 아직 내리시지 않으셨습니다. 신 등의 직책이 간쟁(諫諍)을 맡고 있어 감히 입을 다물고 있을 수가 없어 삼가 죽음을 무릅쓰고[昧死] 말씀을 올리는 것입니다. 엎드려 바라옵건대 전하께서는 요임금과 순임금[唐虞]의 법을 취하시고 하늘과 사람의 마음에 고분고분하시어[順] 길이 천록(天祿)을 누리시어 생령(生靈-백성)을 지켜주셔야 합니다."

상이 모두 들어주지 않았다. 석린(石璘)이 아뢰어 말했다.

"어제 명(命)이 계시기를 '전위(傳位)가 어렵다는 것은 내 이미 생각하고 있었다'고 했는데 지금 들으니 중관(中官-내관)으로 하여금 동궁(東宮)에 대보(大寶)를 전하게 했다고 하니 신 등은 모두 실망했습니다. 자손에게 전하는 법을 이와 같이 은밀(隱密)하게 하여 나라 사람들로 하여금 알지 못하게 하는 것은 옳지 못하니 대보(大寶)를 도로 거두실 것을 청합니다."

하륜(河崙)이 말했다.

"인덕궁(仁德宮-정종)께서 전하께 자리를 양보하실[遜位] 때 (중국)
조정에 알리니 조정에서는 이를 의심하여 말하기를 '국왕의 나이 한
창이고 왕위에 오른 지 오래되지도 아니한데 갑자기 전위(傳位)한 것
은 반드시 그 나라에 난신적자(亂臣賊子)의 변고가 있었을 것이다.
그렇지 않으면 혹 형제(兄弟)가 상잔(相殘)하여 그러한 것이다'라고
했습니다. (그런데) 이제 전하께서 또 갑자기 왕위를 내놓으시면 중
국에서는 반드시 크게 의심할 것입니다. 전위(傳位)하시는 일은 (그래
서) 더욱 안 됩니다."

이무(李茂)가 아뢰어 말했다.

"예전에 표(表)와 전(箋)이 잘못돼 (명나라) 제(帝)가 정도전(鄭道傳)
을 불러 그 연고를 문책하고자 했습니다. (그런데) 지금 전하께서 마
음대로 스스로 왕위를 내놓으시면 제께서 반드시 집정대신(執政大
臣)을 불러 그 연고를 물을 것입니다. 이런 때를 당해 누가 능히 명
나라 서울[京師]에 가서 전대(專對)[29]할 수 있겠습니까?"
경사

남재(南在)가 말했다.

"예전에 태상왕께서 혁명(革命)하실 때 여러 신하가 공민왕 대비(恭

---

29 『논어(論語)』「자로(子路)」편에 나오는 공자의 말에서 나온 것이다. 외교관의 핵심 능력은
전대 능력이라고 본 것이다. 전대(專對)란 본국에 조회하지 않고서 현지에서 외교관이 독
자적으로 응답할 수 있는 능력을 말한다. 공자는 말했다. "『시경(詩經)』300편을 다 외우
더라도 정사를 맡겼을 때 잘하지 못하고, 외국에 사신으로 나가 혼자서 응대하여 처결하
지[專對] 못한다면 비록 많이 배웠다 한들 또한 어디에다 쓰겠는가?"
전대

愍王大妃) 앞에 나아가 교서(敎書)를 받들고 어보(御寶)를 받아서 태
상왕께 바쳐 나라 사람들로 하여금 분명히 이 일을 알게 했습니다.
혁명(革命)하는 때를 당하여 다른 나라의 어보(御寶)를 전하는 데도
오히려 이와 같이 했는데 하물며 내선(內禪)하는 때에 어찌 이와 같
이 은밀하게 하시어 나라 사람들로 하여금 알지 못하게 하는 것이
용납되겠습니까? 시작을 바르게 하는 도리[正始之道]는 반드시[定]
이와 같지는 않습니다."

황희(黃喜)가 들어가 갖춰 아뢰니 상이 말했다.

"일이 이미 이와 같으니 어찌 다시 고칠 수 있겠는가! 내 일찍이 경
(卿)에게 '동궁(東宮)으로 돌아가라'고 명했는데 아직도 여기에 머무
는 것은 어째서인가? 빨리 동궁(東宮)으로 돌아가고 다시는 들어오
지 말라."

석린, 륜, 이서(李舒) 등이 다시 아뢰고자 했으나 희(喜)와 희봉(希
鳳)은 모두 감히 들어가지 못했다. 다시 하륜(河崙) 등이 직접 들어
가 친히 아뢰고자 하여 편전(便殿) 밖에 이르렀으나 문이 닫혀 들어
갈 수가 없어 오랫동안 방황하다가 마침내 나왔다. 세자(世子)도 또
한 국새(國璽)를 받들어 정전(正殿)에 놓고 희봉을 시켜 들어가 아뢰
게 했다.

"신(臣-세자)은 나이 어리고 아는 것이 없어 감히 감당하지 못하겠
습니다. 감히 감당하지 못하겠습니다."[30]

상이 희봉을 시켜 세자의 시자내관(侍者內官) 황도(黃稻)를 꾸짖어

---

30 강조하는 의미에서 이 말을 두 번 반복했다.

말했다.

"네가 세자를 부추겼구나[敎]!"
_교

도(稻)가 대답했다.

"어젯밤에 국새(國璽)가 세자궁(世子宮)에 이르니 세자께서는 놀라서 울었습니다. 한밤중이 되어 서연관(書筵官)을 불러서 묻기를 '내가 봉환(奉還)하고자 하는데 어떠한가?'라고 하니 서연관이 말하기를 '오직 세자(世子)의 뜻대로 행하실 뿐입니다'라고 했습니다. 세자께서 이리하여 오셨을 뿐이지 종놈이 무엇을 알겠습니까?"

상이 명을 재촉해 국새를 세자에게 되돌려 주었다. 이에 의안대군 화(和), 봉녕군(奉寧君) 복근(福根), 검교 영의정부사 권중화(權仲和)와 성석린 이하가 다시 전정(殿庭)에 들어가 아뢰어 말했다.

"신 등이 궐문(闕門) 밖에 엎드려 명(命)을 기다리고 있는데 지금 세자께서 국새를 받들고 오시어 '왕위를 전하신다는 명을 감당할 수가 없다'고 하시니 신 등은 기쁘고 다행스럽게 여깁니다. 바라건대 전하께서는 세자가 사양하고 회피하는 것을 받아들이셔야 할 것입니다."

희봉이 들어가 아뢰니 상이 크게 노하여 화살을 끼우고서[注矢]
_{주시}
겨냥하는 바람에 희봉은 깜짝 놀라고 무서워[惶恐] 밖으로 나왔다.
_{황공}
상이 내전(內殿)의 종 수십 명을 시켜 국새를 가지고 들어오게 하니 석린과 영무 등이 말했다.

"대보(大寶-국새)는 천자(天子)가 하사하신 것이라 이보다 더 귀중한 것이 없습니다. (그런데) 이제 내전의 종을 보내시어 가져가는 것은 심히 안 될 일입니다. 마땅히 상서사(尙瑞司)의 관원에게 명해 받들어 들이셔야 할 것입니다."

얼마 뒤에[俄而=旣而] 내전의 종들이 다시 나왔는데 낯빛을 잃어
[失色] 엎어지고 자빠지면서[顚躓] 말했다.

"상께서 노배(奴輩-노비 무리)들에게 명하여 말씀하시기를 '만약 국
새를 가지고 들어오지 못하면 노배들을 죽이겠다'고 하시니 이 일을
어찌해야 합니까[乃何]? 이 일을 어찌해야 합니까?"

(이들은) 정전(正殿)으로 곧장 달려가 국새를 가지고 들어가려고
하니 영무가 성난 목소리로[厲聲] 꾸짖어 말했다.

"종놈들이 감히 이럴 수가 있느냐?"

상서사의 관원과 정부(政府-의정부)의 지인(知印)[31]을 시켜 함께 이
를 지키게 하니 내전의 종들이 빼앗아 가지 못했다. 륜이 세자에게
일러 말했다.

"마땅히 들어가 뵈옵고 면전(面前)에서 사양하셔야 합니다."

세자가 말했다.

"상께서 노하심이 이와 같으시니 내가 감히 들어갈 수가 없소. 어
쩌지요?"

륜이 말했다.

"그렇다면 마땅히 환궁하셔야 합니다."

영무가 통례문 지사(通禮門知事) 손윤조(孫閏祖)로 하여금 세자를
모시고 나가게 하니 상이 (이를 알고서) 중관(中官)을 시켜 뜻을 전해
[傳旨] 말했다.

---

31 행정잡무를 맡아보던 하급관리다.

"어찌하여 세자를 부추겨[敎] 이와 같은 무례(無禮)한 일을 행하
는가?"

영무가 대답해 말했다.

"비상(非常)한 일이므로 신 등은 감히 사소한 예문(禮文)에 구애될
수 없었습니다."

류이 아뢰어 말했다.

"전하께서 만약 반드시 전위하시겠다면 위로는 마땅히 (명나라) 조
정에 계품(啓稟)하시고, 아래로는 마땅히 신민(臣民)에게 포고하셔야
합니다. (명나라에 보내는) 자문(咨文)과 (신민에게 내리는) 교서(敎書)
에는 반드시 인장(印章)을 찍어서 신표(信標)를 삼아야 합니다. 이제
만약 대보(大寶)를 세자에게 전하시면 그때 가서 무슨 인장을 찍어
신표로 삼겠습니까?"

상이 말했다.

"국새를 세자에게 전하는 것을 이미 허용하지 않겠다면서 어찌하
여 (국새를) 내전(內殿)으로 들여보내지 아니하는가?"

류이 말했다.

"지금 몰래 세자궁(世子宮)으로 보내시고자 하시니 감히 명(命)을
따르지 못하는 것입니다. 들여다가 궁중(宮中)에 두는 것은 신 등의
소원입니다."

이에 상서사의 관원을 시켜 국새를 받들어 내전에다 갖다 놓았다.
상이 여러 신하가 시끄럽게 하는 것[紛紛]을 더 이상 듣고 싶지 아니
하여 궁문(宮門)을 닫으라고 명하니 여러 신하는 마침내 물러나왔다.
이날 저녁에 다시 중관을 보내 궁(宮)의 동문(東門)을 통해 국새를

세자궁에 보냈다.

무신일(戊申日-22일)에 사헌부와 사간원[臺諫]이 소(疏)를 올려 말
했다.

'가만히 생각건대 전(傳)에 이르기를 "믿음[信]은 임금의 큰 보
배다. 만일 믿음을 보이지 않는다면 백성이 무엇으로 보전되겠는
가?"[32]라고 했습니다. 근래에 문무(文武)의 대소 신료가 전하께서 왕
위를 세자에게 전위하고자 하신다는 말을 듣고 분주하게 궐에 이르
러 그래서는 안 된다는 것을 갖춰 진달(陳達)했으나, 윤허를 받지 못
하여 밤낮으로 답답했습니다[鬱悒]. 전일에 또 대궐 아래에 나아가
간곡하게 진달하여 두세 차례에 이르러서 마침내 윤허를 얻어 대소
신료들이 기뻐하여 날뛰었습니다. (그런데) 오늘날 전하께서 도로 왕
위를 내놓으시고자 한다는 말씀을 듣고 문무 신료들은 그 이유를
알지 못해 낭패하여 청했으나, 전하께서는 굳이 사양하시고 듣지 아
니하시니 믿음이라는 것이 어디에 있겠습니까? 공손히 생각건대 전
하께서는 춘추(春秋)가 바야흐로 한창이시고 아직 노년기(老年期)에
이르시지 아니했고 세자께서는 나이가 아직 어리고 학문도 아직 성
취하지 못했습니다. 오늘 전위(傳位)하는 일은 비록 어리석은 남자

---

32 여기서 전(傳)이란 사마광(司馬光)의 『자치통감(資治通鑑)』을 가리킨다. 주기(周紀) 현왕
(顯王) 10년(기원전 359년)에 실려 있는 사마광의 사평(史評)에 나오는 말을 약간 변용한
것이다. "무릇 믿음이란 임금의 큰 보배다. 나라는 백성에 의해 보전되고 백성은 믿음에
의해 보전된다. 믿음이 아니고서는 백성들을 부릴 수 없고 백성이 아니고서는 나라를 지
킬 수 없다[夫信者 人君之大寶也. 國保於民 民保於信. 非信無以使民 非民無以守國]."

나 어리석은 여자라 할지라도 모두 그것이 불가하다는 것을 알고 있는데 어찌 갑자기 대위(大位)를 내놓아 어린 세자에게 맡기려 하십니까? 대개 인심(人心)이 향하는 곳에는 하늘의 뜻이 있는 것이므로 소홀히 할 수 없는 것입니다. 바라건대 전하께서는 인심(人心)을 굽어 살피시고, 하늘의 뜻을 우러러 따르시어 전날의 윤허를 다시 내림으로써 신하와 백성들의 기대를 위로해주십시오.'

○ 여러 신하가 다시 대궐에 이르러 남재(南在)와 권근(權近)을 시켜 아뢰게 했다.

"지금 (명나라) 조정 사신들이 아직 돌아가지 않았는데 만약 국보(國寶)를 전해준[傳與] 일을 알게 된다면 돌아가서 반드시 천자(天子)에게 아뢸 것이니 진실로 작은 일이 아닙니다. 바라건대 국새를 도로 거뒀다가 사신이 돌아가기를 기다려서 예(禮)에 따라 전해야 할 것입니다."

상이 황희(黃喜)를 시켜 말하게 했다.

"어제 이미 내 뜻을 경(卿)들에게 일깨워주었는데 오늘 다시 백료(百僚)를 여기에 모아 이것을 가지고 시끄럽게 말하는 것은 무엇인가? 만약 사신이 돌아가기를 기다려서 전위하자는 것이라면 괜찮지만 국보(國寶)를 도로 거두자는 것은 불가(不可)하다."

륜 등이 대답했다.

"신 등이 백관을 부른 것이 아니고 다만 여러 신하들이 통분(痛憤)하여 스스로 왔을 뿐입니다."

또 말했다.

"전위하시는 일은 상의 뜻이 이미 정해진 것이라 감히 다시 청할 수는 없으나 다만 바라건대 위로는 천자에게 고하고, 아래로는 신민(臣民)에게 고하여 예(禮)로써 주고받도록 해야 할 것입니다."

석린이 말했다.

"전하께서는 매사(每事)를 반드시 대신과 더불어 도모하셨는데 전위하는 대사(大事)는 어찌하여 홀로 하시고 좌우의 대신과 더불어 도모하여 후세(後世)에 전할 수 있도록 하지 않으십니까?"

륜이 울면서 말했다.

"국보를 어찌 내수(內竪)를 시켜 몰래 전하게 할 수 있다는 말입니까?"

영무도 울면서 말했다.

"신은 무인(武人)이므로 아는 것은 없으나 바라건대 자세히 살펴서 도모하시어 후세(後世)의 웃음거리가 되어서는 안 될 것입니다."

상이 말했다.

"이미 주었거늘 어찌 다시 가져올 수 있겠는가! 결단코 경들의 말은 듣지 않을 것이다."

여러 신하들이 마침내 물러났다.

○ 신의왕후(神懿王后)의 신어(神御-신주나 어진)를 인소전(仁昭殿)으로 옮겨서 모셨다[移安]. 애초에 인소전이 아직 완성되지 못했을 때에는 임시로[權=姑] 왕후의 신어를 경복궁(景福宮)의 별전(別殿)에 모셨는데 이때에 이르러서 백관이 조복(朝服) 차림으로 받들어 맞이해 신전(新殿)에 옮겨서 모셨다.

○ 공조판서 이래(李來), 우부대언 윤향(尹向)을 보내 궁온(宮醞-술)·건장(乾獐-마른 노루고기)·생장(生獐-생 노루고기)과 생선을 권근(權

近)에게 내려주었다. 이때 근(近)이 아직 상중[制中=喪中]에 있었는데
오래도록 병이 낫지 않았기에 육선(肉膳)을 내려준 것이다.

경술일(庚戌日-24일)에 태백성이 낮에 보였다.

○ 광연루(廣延樓)에 나아가 종친들을 불러 술자리를 베풀었다.

○ 길창군(吉昌君) 권근(權近)이 글을 올렸다. 글은 아래와 같다.

'신이 천하의 일들을 가만히 생각해보건대[竊惟] 일은 같아도
[事同] 형세가 다른 것[勢異]이 있습니다. 다스려지고 태평하여[治平]
아무런 큰일도 없는 때를 당하면 상경(常經)을 지키고, 위태롭고
어지러워 변고 있어 다급한[變急] 때를 당하면 권도(權道)를 행합
니다.[33] 만일 태평한 때를 당했는데도 권도(權道)를 따르게 되면 시중
(時中)[34]의 마땅함을 잃어 도리어 화란(禍亂)이 생기게 되니 이를 깊
이 살피지 않을 수 없습니다. 무릇 천하(天下)나 국가를 소유한 이는
반드시 대대로 서로 왕위를 전해주는 것은 예(禮)의 상경(常經)이고
모든 제후(諸侯)가 나라를 전할 때 반드시 천자에게 명(命)을 받는
것 또한 예의 상경입니다. 옛날에 제후의 아들이 상복(喪服)을 벗은
[除喪] 뒤에 반드시 사복(士服)[35] 차림으로 들어가 천자를 뵈오면 천
자(天子)가 수레와 관복[車服]을 내려주었고 그런 뒤에야 작(爵)을 이

---

33 모든 것이 정상적인 상황에서 일반적인 원칙을 따르는 것이 상경 혹은 상도(常道)이고 특
   수한 상황에서 거기에 맞는 특수한 처방을 쓰는 것이 권도다.

34 그때와 상황에 맞아떨어진다는 뜻으로 공자가 권도를 발휘할 때는 때의 중요성을 강조한
   데서 온 말이다.

35 벼슬하지 않은 사람을 사(士)라고 한다.

어받고 돌아와서 그 나라를 다스릴 수 있었습니다.

　주(周)나라가 쇠퇴하기에 이르러 온갖 나라들[列國]이 강대해질 때
마다 분수를 넘어섰으니[僭=僭濫] 조(趙)나라 무령왕(武靈王)³⁶은 첩
의 사랑에 미혹돼 마침내 어린 얼자(孽子-서자)에게 왕위를 전해주
고 스스로를 주부(主父-임금의 아버지)라고 칭했는데, 뒤에 다른 아
들을 왕(王)으로 분봉(分封)하려다가 마침내 화난(禍難)을 불러일으
켜 결국 굶어 죽게 되는 바람에 나라는 어지러움으로 인해 멸망하고
만세(萬歲)에 웃음거리가 됐습니다. 당(唐)나라 천보(天寶)³⁷ 연간에
서 송(宋)나라 말기[宋季]에 이르기까지[迄=訖=至] 혹은 위난(危難)
에 핍박받거나, 혹은 대점(大漸-큰 병환)으로 인해 내선(內禪)한 일이
있었는데 모두 한때의 권도(權道)에 따른 것일 뿐이었고 아무런 까
닭도 없이 이를 행했다는 말은 듣지 못했습니다. 제후(諸侯)와 번방
(藩邦)이 천자에게 명(命)을 청하지도 아니하고 자기 마음대로[擅自]
후사(後嗣)를 세운 뒤에 천자에게 고하면 천자가 어쩔 수 없이 윤허
해주었던 것은 당(唐)나라 중기에 쇠약하여 번진(藩鎭)이 발호(跋扈)
하면서부터 시작되었던 것일 뿐입니다. 그러나 발길을 돌릴[旋踵] 틈
도 주지 않고 모두 토벌하여 없앴고 여태껏 능히 길이 보전한 나라
는 없었습니다.

---

36 중국 전국(戰國)시대 조(趙)나라의 왕(王)이다. 여러 번 진(秦)나라와 싸웠으며 재위(在
　位)는 27년간이었다.

37 당(唐)나라 현종(玄宗)의 후기(後期) 시대를 말한다. 곧 742~756년간이다. 현종(玄宗)의
　재위(在位)는 44년간이었는데 초기에 정사를 바로잡아 성당(盛唐)시대를 이룬 때가 개원
　(開元) 연간이었고, 후기에 양귀비(楊貴妃)에 빠져 정사를 돌보지 않다가 안녹산(安祿山)
　의 난(亂)을 만나 나라가 어지럽게 된 시대가 천보(天寶) 연간이다.

생각해보건대 전조(前朝-고려) 때에 있어서[在] 충선왕(忠宣王, 1275~1325년)³⁸이 충숙왕(忠肅王, 1294~1339년)³⁹에게 전위하고 충숙왕이 충혜왕(忠惠王, 1315~1344)⁴⁰에게 전위한 것은 태평하고 아무런

---

38 충렬왕의 큰아들이며 어머니는 원세조(元世祖) 쿠빌라이의 딸인 제국대장공주(齊國大長公主)다. 1277년 세자로 봉해지고 1295년 3개월 동안 왕권대행을 하다 원나라로 가서 이듬해 원나라 진왕(晉王)의 딸 계국대장공주(薊國大長公主)와 혼인했다. 혼인식에 참석하고 귀국한 모후 제국대장공주가 1297년 병사하자 세자는 부왕의 총애를 받던 무비(無比) 등 40여 명을 공주를 저주해 죽게 했다는 죄목으로 참살하거나 유배하고 이듬해 충렬왕의 선위를 받아 즉위했다. 즉위와 동시에 교서를 발표하고 개혁정치를 표명했는데, 이는 당시 정치·경제·사회의 폐단을 일으키는 권문세족을 제거하는 데 목적을 둔 것이었다. 또한 인사행정을 담당하던 정방(政房)을 폐지하고, 한림원을 강화한 사림원(詞林院)을 강력한 권력기구로 만들어 신진 세력을 기용해 개혁의 중심기관으로 삼았다. 그러나 이 개혁운동은 조비무고사건(趙妃誣告事件)을 계기로 원나라의 간섭을 받아 좌절되고, 왕위는 다시 충렬왕에게 돌아가 왕은 이후 10년 동안 원나라에 머무르게 됐다. 이후 충렬왕과 충선왕 부자간의 갈등이 깊어진 가운데 원나라의 황위계승 분쟁에서 충선왕이 지지하던 무종(武宗)이 승리를 거두자 1308년 심양왕(瀋陽王)에 봉지지고 충렬왕이 죽자 귀국해 다시 왕위에 올랐다. 복위 후 다시 원나라로 가 연경에서 국정을 행하며 몇 가지 개혁정치를 시도하기도 했으나 실패하고 1313년 아들(충숙왕(忠肅王))에게 왕위를 물려주었다. 이후 원나라 연경(燕京)의 저택 안에 만권당(萬卷堂)을 세워 서적을 수집하고 원나라의 명유(名儒)를 불러 경사(經史)를 연구하게 했다. 1320년 원나라 인종(仁宗)이 죽자 고려 출신 환관 빠앤투구스(伯顏禿古思)의 모략으로 토번에 유배됐다가 1323년 유배에서 풀려난 2년 후에 죽었다.

39 충선왕(忠宣王)의 둘째 아들로 어머니는 몽골녀(蒙古女) 야속진(也速眞)이다. 1313년(충선왕 5년) 강릉대군(江陵大君)으로 있다가 양위를 받아 즉위했으며 아버지 충선왕(忠宣王)은 상왕(上王)으로 있으면서 조카 연안군(延安君) 고(暠)를 심양왕(瀋陽王)의 세자로 삼아 양위하고 원나라 양왕(梁王)의 딸을 맞게 했다. 이리하여 원실의 대우를 받게 된 심양왕 고는 왕위 찬탈의 뜻을 품고 충숙왕이 주색과 사냥에 빠져 정사를 돌보지 않는다는 구실로 참소하여 충숙왕이 원나라에 갔을 때 왕인(王印)까지 빼앗긴 일이 있었다. 이러한 복잡한 사정으로 충숙왕은 심양왕(瀋陽王)에게 양위하려 했으나 한종유(韓宗愈) 등의 간언으로 중지하고 왕자 정(禎)을 세자로 삼아 1292년 원나라에 양위할 것을 청하고 다음 해에 양위하니 이가 충혜왕(忠惠王)이다. 그러나 나이가 어린 왕은 수렵·유희를 일삼아 소행이 옳지 못하자 즉위한 지 2년 만에 다시 충숙왕이 복위했고, 세 번이나 원나라 황실의 공주에게 장가들었다.

40 충숙왕의 아들로 어머니는 명덕태후(明德太后) 홍(洪)씨, 후비(后妃)는 덕령공주(德寧公主-충목왕의 생모)다. 1328년(충숙왕 15년) 세자로 원나라에 들어가 숙위(宿衛)하고, 1330년 충숙왕의 양위(讓位) 주청(奏請)으로 원나라 문종(文宗)으로부터 왕으로 책립되

일이 없는 때를 당하여 행한 것일 뿐입니다. 그러나 충선왕은 세조황제(世祖皇帝)[41]의 외손자로서 원(元)나라 조정의 태위(太尉)의 작명(爵命)을 받고 황제의 사랑을 특별히 받아서 연경[燕都-지금의 베이징]에 거주하기를 좋아하고 환국(還國)하기를 싫어했던 까닭에 친히 황제에게 아뢰어 마침내 본국(本國)을 충숙왕에게 전해주었고, 충숙왕도 또한 그 가법(家法)을 지키고자 하여, 또한 황제에게 아뢰어 충혜왕에게 왕위를 전해주었습니다. 이것은 모두 먼저 아뢰어 청하고서 허락을 받은 뒤에야 전한 것이니 예(禮)의 상경(常經)을 얻은 것입니다. 그런데도 충선왕은 오랫동안 연경에 거주했기 때문에 마침내 참소와 비방을 만나 토번(吐蕃)으로 유배를 가게 되었던 것입니다. 충숙왕은 바로 충혜왕에게 전위했음에도 도리어 혐의와 틈이 생겨 부자(父子)가 서로 송사하여 비방을 후세에 남겼습니다. 이것은 비록 먼저 아뢰고 뒤에 왕위를 전한 것[先奏而後傳]이므로 예(禮)의 상도(常道)를 얻었다고도 하겠지만, 그럼에도 그 장점을 얻지도 못하고서 해악의 단서[害端]가 벌써 뒤따른 것이므로 이는 아름다운 일이 아니니 거울로 삼을 만합니다.

고 돌아와 왕위에 올랐다. 1331년 충숙왕이 복위했으므로 충혜왕은 다시 원나라로 갔다. 1339년(충숙왕 복위 8년) 충숙왕이 죽고, 심양왕(瀋陽王) 고(暠)를 옹립하려는 일파의 모략·음모가 심하여 왕을 죽이려고 거병까지 했으나 실패해 충혜왕이 복위했다. 왕은 음학(淫虐)이 더욱 심하므로 1343년(충혜왕 복위 4년) 원나라 사신이 들어와 왕을 붙잡아서 계양(揭揚-광둥성)에 유배 보냈고 1344년 도중에 악양(岳陽)에서 사망했다.

41 몽고(蒙古)의 제5대 칸(Khan)인 쿠빌라이(khubilai)를 가리킨다. 남송(南宋)을 쳐서 멸망시킨 후에 연경(燕京)에 도읍하여 원(元)나라를 세웠다. 일본, 중앙아시아 등지에 원정군(遠征軍)을 보냈고 대제국(大帝國)을 건설했다.

가짜 왕조[僞朝][42]의 우왕(禑王)과 창왕(昌王) 때에 이르러 마침내
위조
감히 먼저 세우고[先立] 뒤에 아뢰었으니[後奏] 상도(常道-상경)를 잃
선립   후주
은 것입니다. 그러나 우왕의 교만하고 포악함이 하늘에 넘치고 또 군
대를 일으켜 요동(遼東)을 공격하는 틈이 있게 되자 우리 태상왕께
서 의로움을 들어[擧義] (위화도에서) 회군(回軍)하시고, 중국(中國)
거의
을 떠받들어[翊戴] 충성을 능히[克=能] 드러내시니 제(帝)께서 진심
익대   극 능
으로 가상하게 여긴 까닭에 그대로 두고 (그 연유를) 묻지 않았던 것
입니다. 그러나 그런 때에 있어서 신(臣) 근(近)이 문하평리(門下評
理) 윤승순(尹承順) 등과 함께 창왕의 명을 받들어 친히 경사(京師)
에 조근(朝覲)하기를 청했더니 (명나라 조정의) 예부상서(禮部尙書) 이
원명(李元名)이 신 등을 꾸짖어 말하기를 "그대는 국왕의 명을 받아
재상이 되었는데 그대가 왕에게 고하지도 않고 그대의 벼슬을 사사
로이 남에게 주며, 그 사람도 왕명(王命)이 없이 사사로이 그대에게서
벼슬을 받는다면 국왕이 그것을 죄주지 않겠는가? 그대 나라의 왕
은 황제의 명을 받고 왕작(王爵)을 받았는데 이제 주청(奏請)도 하지
않고 (왕위를) 사사로이 그 아들에게 주는 것은 무슨 예(禮)인가?"라
고 하기에 신이 "변고(變故)와 화단(禍端)이 매우 급박해 천조(天朝)
에 아뢰지 못했다"라고 대답했습니다. 그러나 그 회답하는 자문(咨
文)에 "이성(異姓)을 세워 왕을 삼으니 배신(陪臣) 중에 어질고 슬기
로운 사람이 없다"라는 말이 있었습니다. 창왕 부자는 이로 말미암

---

42 조선 초 건국 세력들은 고려 말 우왕과 창왕이 신돈의 핏줄이라 하여 가짜 왕조라고 불
렀다.

아 나라를 잃었는데 이런 때를 당해 우리 태상왕의 회군(回軍)이라는 충의(忠義)로운 공렬(功烈)이 아니었다면 한 나라 생령(生靈-백성)들이 받게 될 재앙을 어찌 이루 다 말할 수 있었겠습니까?

우리 태상왕께서 상왕께 왕위를 전해주실 때 태상왕께서는 병이 심하셨고 또한 정도전(鄭道傳)이 감히 제의 명을 거역함이 있었으며, 또 요동을 공격하려 하고, 탐욕스럽게도 어린 서얼(庶孽)을 세우려 하여 총적(冢嫡)⁴³을 죽이려고 도모해 재앙의 변고가 급했기 때문일 뿐이었습니다. 중국에서도 고제(高帝-주원장)가 돌아가시고[登遐= 昇遐] 건문제(建文帝)께서 새로 세워져 여러 가지 일에 겨를이 없었던 까닭에 묻지 않았을 뿐입니다. 상왕께서 전하께 왕위를 전해주실 때에는 마침 중국에 연란(燕亂)⁴⁴이 있어 외국과 트집을 잡을[生釁] 겨를이 없었기 때문에 다만 회답하는 자문(咨文)에다 거듭 그 뜻을 말함으로써 그 의중(意中)을 표시했습니다. 이것들은 모두 운이 좋아서 면한 것뿐이지 만전(萬全)을 다한 계책은 아니었습니다. (그런데) 바야흐로 지금은 중국이 당당하여 아무런 일이 없는 때이며, 우리나라 또한 급급(汲汲)한 위란(危亂)의 변고가 없는데 전하께서 전철(前轍)을 밟고자 하시어 먼저 (천자의) 명을 청하지도 않으시고 왕위를 세자에게 전해주신 뒤에 계품(計稟)하려 하시니 이것은 신이 말씀드린 바[所謂] '일은 같아도 형세는 다르다'라는 것입니다.

지난번에는 저들과 우리가 모두 위태로운 변란이 있었기 때문에

---

43 적자(嫡子) 혹은 세적(世嫡)이라고도 한다.
44 연나라 왕이었던 지금의 성제가 건문제를 내쫓은 내란을 가리킨다.

우리가 권도(權道)를 따를 수 있었고, 저들 또한 권도를 따라 그것을 허용했던 것입니다. (그런데) 지금은 그렇지 않아 우리에게 위급한 변란이 없으니 진실로 상경을 지켜[守經] 먼저 청하고 저들도 또한 변란이 없는 때이니 반드시 상경에 의거해 이를 토의할 것입니다. 저들이 상경으로써 꾸짖는다면 우리는 무슨 말로 대답하겠습니까? 이것이 어찌 일은 같으나 형세는 달라 깊이 살피지 않을 수 없는 일이 아니겠습니까? 전하의 생각에는 '반드시 먼저 아뢰면 세자가 어리다는 이유로 혹 명령을 얻지 못하게 될까'라고 여기시고, 또 '이미 전해주고 나서 아뢰게 되면 벌써 왕위를 전해주었으니 반드시 그대로 하라는 윤허를 받을 것이다'라고 여기십니다. 그러나 제명(帝命)의 윤허는 일의 마땅함 여부[當否]에 달려 있는 것이지, 어찌 오로지 (왕위를) 전해주고 전해주지 않고에 있다 하겠습니까? 천자께서 아악(雅樂)을 제후에게 내려주신 것은 참으로 세상에 드문 특별한 은총(恩寵)입니다. 제께서 특별한 은총을 전하께 더해주셨으니 마땅히 이것을 친행(親行)하는 고묘(告廟)의 예(禮)에 사용해야 할 것입니다. 그러나 오늘날 그렇지 아니하시고 갑자기 작명(爵命)을 사퇴하신다면 제의 뜻에 있어서 어떠하겠습니까?

신이 듣건대 근래에 사신 황엄(黃儼)이 늘상 사람들에게 말하기를 "전하께서 사대(事大)하는 열렬함[誠]은 전과 다름이 없으나 집정대신(執政大臣)들이 그것을 받들어 행하기를 삼가지 못한다[不謹]"라고 했다고 하니 반드시 이 말을 제의 귀에 전달할 것이고, 이어서 왕위를 전했다[遞位]는 보고가 있게 되면 제는 마음속으로 더욱 엄의 말을 그렇다고 여길 것입니다. 이렇게 되면 반드시 '권신(權臣)이 국명

(國命)을 잡고 마음대로 폐립(廢立)하고, 어린 임금을 끼고 중국에 항거하고자 함이 꼭 최영(崔瑩)과 같다'라고 여길 것입니다. 비록 갑자기 문죄(問罪)하는 군사를 일으키지는 않는다 해도 반드시 집정대신을 불러 그 연유를 따져 물을 것이니 집정대신이 정도전과 같이 그 명령을 거부하고 가지 않을 수 있겠습니까? 그렇게 한다면 분란의 씨앗[釁隙=釁端]이 이로 말미암아 생기게 되는 것입니다. (또) 만약
<small>흔극 흔단</small>
가지 않을 수 없다면 전하께서는 동맹(同盟)하신 원훈(元勳)들로서 마음을 다해 나라를 걱정했던 사람을 하루아침에 죄도 없이 헤아릴 수 없는 깊은 연못에 빠지게 하여 (그들을) 구원할 수 없게 될 것입니다. 집정대신이 일단[旣] 가게 되면 엄한 형벌로 힐문(詰問)할 것
<small>기</small>
이요, 그 죄가 짜여 이뤄진다면 어찌 그 한 몸만 죽음을 당하는 데 그칠 뿐이겠습니까? 반드시 이 때문에 우리의 죄명(罪名)을 빚어내어 문죄(問罪)하는 군사를 일으킬 것입니다.

병법(兵法)에 이르기를 '장차 차지하려면 반드시 잠시 동안은 그것을 내어준다'[45]라는 말이 있습니다. 제께서 아악을 전하께 내려주셨으니 어찌 그 뜻이 여기에 있지 않다고 하겠습니까? 전하께서 한갓 충성을 다해 사대(事大)하는 정성으로 제의 권우(眷遇-총애)를 믿고 계시나 제께서 동쪽 모퉁이에 건주위(建州衛)를 설치했으니 이는 우리의 인후(咽喉-목구멍)를 조르고 우리의 오른팔을 누르는 것입니다. (즉) 밖으로는 웅번(雄藩-큰 번국)을 세워 우리 인민(人民)을 달래

---

45 중국 전한시대의 유향(劉向)이 동주 후기인 전국시대 전략가들의 책략을 편집한 책『전국책(戰國策)』에 나오는 말이다.

고, 안으로는 남다른 은총을 더하여 우리의 방비를 늦추게 할 것이니 그 뜻은 진실로 헤아리기 어렵습니다. (그런데도) 전하께서 급하게 서두르시어 이를 개의치 아니하시고 읍양(揖讓)의 예(禮)를 행하여 어리고 약한 세자에게 나라를 맡기려 하시니 온 나라 신민(臣民)들이 통심(痛心)하지 않는 자가 없습니다. 엎드려 생각건대 전하께서는 깊이 생각하시고 자세히 살피시어 여기에 대처하셔야 할 것입니다. 전하께서는 반드시 신의 말을 가지고 '절대로 필요 없을 아득히 먼[迂遠] 말이다'라고 여기실 것입니다. 그러나 전하께서 처음에는 반드
우원
시 '총적(冢嫡-적장자)의 바름으로 나라의 대통(大統)을 전해주니 이름도 바르고 말도 순하여 온 나라 신민들이 반드시 기뻐서 따를 것이다'라고 여기셨을 것이지만 오늘날 의견이 분분하여 순종하지 아니함이 이와 같다면, 전하께서는 신민들이 순종하지 아니할 줄 헤아리지 못하셨던 것입니다. 그러니 또 어찌 중국(中國)이 묻지 않는다고 반드시 확신할 수 있겠습니까?

『주역(周易)』에 이르기를 '일을 함에 있어 그 처음을 잘 도모하라[作事謀始]'[46]고 했으니 그 처음 단계에서 잘 도모하지 못하면 마침
작사 모시
내 반드시 근심이 있는 법입니다. 작은 일도 오히려 그러한데 하물며 대사(大事)에 있어서이겠습니까? 세자께서 비록 총적(冢嫡)이라 하더라도 어리고 약하시어 여러 사람의 마음에 미흡하오니[未附=未洽]
미부   미흡
하늘의 뜻이 아직도 모이지 않았음을 진실로 알 만합니다. 전하께서

---

46 송괘(訟卦)의 상(象)에 대한 풀이에 나오는 말이다. "하늘과 물이 어긋나게 가는 것을 송(訟)이라 하는데 군자는 이를 보고서 일을 함에 있어 그 처음을 잘 도모한다."

나라의 형세가 염려스러운 것은 걱정하지 않으시고, 하늘의 뜻을 어기고 많은 사람의 마음을 거슬러가면서 억지로 어리고 약한 자에게 (나라를) 전해주려고 하시니 이는 종묘사직을 가벼이 여겨 내팽개치는 것입니다. 엎드려 바라옵건대 전하께서는 깊이 생각하시고 자세히 살펴 조치하시어 국새(國璽)를 다시 거두시고 친히 만기(萬幾)에 임하셔야 합니다. 그리하여 세자의 연기(年紀-나이)가 장성하여 공덕(功德)이 더욱 나타나고 백성들이 마음속으로 즐겨 따르며 천명(天命)이 모이기를 기다린 연후에 먼저 (명나라) 조정(朝廷)에 보고하고 명이 내려오기를 기다려서 그것을 전하신다면 종묘사직에 심히 다행할 것이요, 국가에도 심히 다행할 것입니다.'

상은 비록 윤허하지 않았지만 뜻이 조금은 움직였다[感悟].
감오

신해일(辛亥日-25일)에 태백성이 낮에 보였다.

○ 달이 헌원성(軒轅星)을 범했다.

임자일(壬子日-26일)에 비로소 세자에게 왕위를 전한다는 명을 거두었다[寢=收]. 종친, 원훈(元勳), 기로(耆老) 문무백관이 다시 창덕궁
침 수
(昌德宮)의 뜰로 나아갔고 세자 또한 국새를 받들고서 이르러 전상(殿上)에 놓았다. 애초에 상이 이숙번을 불러 비밀리에 말했다.

"밤마다[連夜] 꿈에 모후(母后)를 뵈었는데 우시면서 나에게 고하
연야
시기를 '너는 나를 굶기려 하는구나'라고 하시니 내 아직도 이를 모르겠으니 무슨 뜻인 것 같은가?"

숙번이 대답했다.

"전하께서 만약 약하고 어린 세자에게 전위하시면 종묘사직이 보전되지 못해 모후께서 굶으실 것입니다. 이것은 실로 모후께서 진심으로 고하시기를 '전위하는 것은 안 된다'라고 하신 것이니 어찌 신령과 사람[神人]이 모두 싫어하는 것이 아니겠습니까? 바라건대 세
신인
번 더 생각하셔야 합니다."

상이 말했다.

"내가 자식에게 전하는데 어찌하여 이와 같은가?"

숙번이 나와서 대신들에게 이런 내용을 전했다. 이때에 이르러 같은 말[47]로 굳게 청해 말했다.

"지혜로 뛰어난 이[智者]도 1,000번 생각하면 반드시 한 번은 실수
지자
가 있고, 어리석은 자도 1,000번 생각하면 반드시 한 번은 좋은 수를 얻는다고 했습니다. 신 등이 비록 지극히 어리석다 하나 어찌 한번의 수를 얻는[一得] 소견이야 없겠습니까? 모든 사람의 말이 한결
일득
같은데 그렇게 하자고 공모하여 일치한 것이 아니니 전하께서 어찌하여 윤허하지 않으십니까?"

상이 숙번을 반열(班列)에서 불러 말했다.

"오늘의 일은 반드시 경이 내 말을 누설했기 때문이다."

숙번이 대답했다.

"일이 종묘사직에 관계되는 것이라 감히 말하지 않을 수 없었습니다. 비록 신의 말이 아니더라도 진실로 굳게 청하는 것이 마땅합니다."

---

47 이숙번에게 전해 들은 말이라는 뜻이다.

상이 말했다.

"내 뜻이 벌써 정해졌으니 바꿀 수 없다."

숙번으로 하여금 나가서 뜻을 전하게 했다. 하륜이 아뢰어 말했다.

"며칠 후에 내사(內史)가 환도(還都)할 때 전하께서는 반드시 의장(儀仗)을 갖추고 그를 맞이해야만 하는데, 국새가 없어서는 안 됩니다."

숙번이 들어가 아뢰니 상이 말했다.

"오는 29일에 인소전(仁昭殿)으로 나아가 생(栍)[48]을 알아본 뒤에 계책을 정하겠다."

륜이 대답했다.

"그날의 위의(威儀-의례 절차)에도 국새가 없을 수 없습니다."

상이 마침내 숙번에게 명해 성석린 등에게 뜻을 전하게 하고, 또 겸상서윤(兼尙瑞尹-상서사 책임자) 황희(黃喜)와 소윤(少尹) 안순(安純)에게 명해 국새를 받아 상서사(尙瑞司)에 들여놓게 했다. 세자와 여러 신하가 네 번 절하고 천세(千歲)를 세 번 부른 다음 또 네 번 절하고 나왔다.

계축일(癸丑日-27일)에 큰 바람이 불었다.

○ 종부시 판사(判宗簿寺事) 정절(鄭節)을 보내 소도군(昭悼君) 이

---

48 점(占)을 치거나 강경(講經)을 하기 위해 글귀를 적어 통에 꽂아두는 대쪽들을 말한다. 그 대쪽을 뽑아 거기에 적힌 글귀를 보고 점(占)을 치기도 했고, 강경(講經)할 때 강생(講生)이 이 대쪽을 뽑아서 그 글귀에 따른 장(章) 또는 편(編)을 암송(暗誦)했다. 찌라고도 한다.

방석(李芳碩)에게 제사를 지냈고 봉상령(奉常令) 이양(李揚)을 보내 공순군(恭順君) 이방번(李芳蕃)에게 제사를 지냈다.

○ 충청도의 굶주린 백성을 진휼하고 또 요역(徭役)을 덜어주었다[蠲減].
견감

갑인일(甲寅日-28일)에 명하여 안암동(安巖洞) 검교 호조전서 김식(金軾)의 집을 수리하게 했다. 상이 술자(術者)의 말을 듣고 유후사(留後司-개경)로 피신하여 거처하려고 하륜을 불러 이 일을 모의했는데 륜이 가까운 곳으로 머물 것[次]을 청했다. 이때에 이르러 풍양현(豊壤縣)의 검암(儉巖) 전 공안부윤(恭安府尹) 김인귀(金仁貴)의 집으로 피방하려 하니[避方] 의정부에서 너무 멀다고 말하고 가까운 곳에 머물기를 청했기 때문이다.
피방

을묘일(乙卯日-29일)에 상이 백관을 거느리고 인소전(仁昭殿)에 친히 전(奠)을 올렸다. 모후(母后)의 신어(神御)를 옮겨서 모셨기 때문이다.

병진일(丙辰日-30일)에 상이 덕수궁(德壽宮)에 나아가 기거했다. 애초에 길창군(吉昌君) 권근(權近), 옥천군(玉川君) 유창(劉敞)이 덕수궁에 나아가 전위(傳位)가 불가하다는 뜻을 갖춰 아뢰니 태상왕이 말했다.

"이것은 하늘이 그렇게 시키는 것이다. 나라고 해서 어찌 능히 말릴 수 있겠는가? 나라에 대신(大臣)들이 있으니 더욱 힘쓰라."

이날 태상왕이 조용히 상에게 말했다.

"근래의 일을 문무 대신들 중에서 나에게 고해주는 사람이 없었는데, 오직 길창군과 옥천군만이 달려와 울면서 고해주었다. 나는 왕의 충신은 오직 이들 두 재신(宰臣)뿐이라 여긴다. 또 나라를 전하는 것은 국가의 큰일인데, 왕이 나에게 고하지 않는 것이 옳겠는가? 더구나 왕은 수염과 머리카락이 벌써 희어졌나? 학문(學問)이 아직 통하지 못했나? 사리(事理)를 알지 못하는가? 갑자기 물러나 편안히 쉬려 하는 것은 또한 무슨 뜻인가? 내가 죽은 뒤[百歲之後]에는 뜻대로 해도 되겠지만 아직 죽기 전에는 다시는 이 말을 듣고 싶지 않다."

드디어 큰 잔[大卮]에 술을 부어 벌(罰)을 주려 하자 상이 아뢰어 말했다.

"신(臣)이 혼자 들어와 곁에 모시고 있으니 부왕(父王)의 말씀을 누가 알 수 있겠습니까?"

태상이 말했다.

"그렇구나."

즉시 지신사 황희(黃喜)를 불러들여 앞서의 말을 전부 전하니 희가 말했다.

"여러 재상(宰相)들은 상감(上鑑)을 두려워하여 감히 모두 나오지 못하고, 권근과 유창을 시켜 온 나라 사람의 뜻으로 아뢰게 한 것뿐입니다."

태상이 말했다.

"옳도다. 내가 전날에 일찍이 대신들을 접견(接見)하지 아니한 까닭이다."

그러고 나서 희에게 말했다.

"그대는 큰 잔(盞)으로 그대의 주상에게 술을 부어라[浮].
_부"

상이 자리를 벗어나 부복(俯伏)했고 희로 하여금 먼저 태상에게
드리게 하니 태상이 말했다.

"비록 너의 벌주잔[罰杯]이지만 내가 먼저 마시겠다."
_{벌배}

이날 상은 몹시 취해[大醉] 궁으로 돌아왔다.
_{대취}

丁亥 朔
정해 삭

己丑 追謚故世子芳碩爲昭悼君 撫安君芳蕃爲恭順君.
기축 추시 고 세자 방석 위 소도군 무안군 방번 위 공순군

命吏曹 功臣諸君常祿 依舊頒賜. 政府令吏曹 稽歷代功臣諸君
명 이조 공신 제군 상록 의구 반사 정부 영 이조 계 역대 공신 제군

常祿有無以啓 蓋欲減省也. 故有是命
상록 유무 이계 개 욕 감생 야 고 유 시명

遣吏曹參議孟思誠于樂安 大護軍趙備衡于蔚州. 宣慰朴麟
견 이조 참의 맹사성 우 낙안 대호군 조비형 우 울주 선위 박린

金禧等也.
김희 등 야

庚寅 上詣德壽宮起居
경인 상 예 덕수궁 기거

朝廷遣還西北面孟州人金遂. 初 遂因牽易換牛隻至遼東 托疾
조정 견환 서북면 맹주 인 김수 초 수 인견 역환 우척 지 요동 탁질

留連 都司以無號牌 執送京城 帝宥而還之.
유련 도사 이무 호패 집송 경성 제 유 이 환지

辛卯 鵂鶹鳴于景福宮樓寢殿上.
신묘 휴류 명 우 경복궁 누 침전 상

慶尙道 義城縣地震.
경상도 의성현 지진

輸兩倉之穀於景福宮之兩廡. 知申事黃喜啓曰: "豐儲 廣興
수 양창 지 곡 어 경복궁 지 양무 지신사 황희 계왈 풍저 광흥

兩倉粒米露積 潤濕腐損 然歲比不登 不可役民. 請刷各道遊手
양창 입미 노적 윤습 부손 연 세비 부등 불가 역민 청쇄 각도 유수

僧徒六白餘名 營造兩倉." 上曰: "革寺社減田民 僧徒怨咨. 若又
승도 육백 영조 양창 상왈 혁 사사 감 전민 승도 원자 약우

役使 則疾之已甚矣." 吏曹判書李稷進曰: "所謂役僧者 非宗門
역사 즉 질지 이심 의 이조 판서 이직 진왈 소위 역승 자 비 종문

僧也 乃指山僧也." 上曰: "飽之以食 賜之以衣 勸之赴功 使不
승 야 내 지 산승 야 상왈 포지 이식 사지 이의 권지 부공 사불

怨咨 則可矣.” 喜對曰: “六百餘僧 難可給衣 使之飽食足矣.” 上
曰: “然” 旣而曰: “景福宮 父王之所營 宏壯巨麗. 棄而莫居 甚
不可也. 若修左右後廡 藏兩倉之穀 似爲兩全. 卿等以爲如何?”
皆對曰: “可.” 從之.

壬辰 內史李原義 尹鳳等十九人來 詣闕肅拜 館①于太平館.
原義等 皆本國所進宦者也. 帝使還鄉省親.

日本 一岐州知主源良喜 使人發還俘虜七十六口 獻禮物.

宗貞茂亦獻土物.

癸巳 司憲府請京畿都觀察使罪 命原之. 以牒下高峰 擅令權貴
奴隸侵刈鴨島正藘 司憲府劾之.

甲午 賜吾都里前護軍崔仇帖木兒 衣服靴笠 紙一百卷. 以告歸
本土也.②

吏曹判書李稷 上書請復前朝武職階級之制. 書曰:

'臣竊見大宋丞相文正公 司馬光奏疏云: “臣聞治軍無禮 則
威嚴不行. 禮者 上下之分是也. 唐自肅 代以降 務行姑息之政
是以藩鎭跋扈 威侮朝廷 士卒驕橫 侵逼主帥 下陵上替 無復
紀綱 以至五代 天下大亂 運祚迫蹙 生民塗炭. 祖宗受天景命
聖德聰明 知天下之難 生於無禮 乃立軍前之制曰: '一階一級 全
歸伏事之儀 敢有違犯 罪至於死.' 於是上自都指揮使 下至押官
長行 等衰相承 粲然有序 若身之使臂 臂之使指 莫敢不從. 故

394

能東征西伐 削平海內 爲子孫建久大之業 至今百有餘年天下者
능 동정 서벌 삭평 해내 위 자손 건 구대 지업 지금 백유 여년 천하 자

皆由此道也. 近歲以來 中外主兵之官 不識大體 好施小惠 以盜
개유 차도 야 근세 이래 중외 주병 지관 불식 대체 호시 소혜 이도

虛名 軍中有犯階級者 皆務行寬貸 是致軍校大率不敢鈐束 長行
허명 군중 유범 계급 자 개무 행관대 시치 군교 대솔 불감 검속 장행

甘言悅色 曲加嘔呴 以至懦怯 兵官亦爲此態 遂使行伍之間 驕
감언 열색 곡가 구구 이지 나겁 병관 역위 차태 수사 항오 지간 교

恣悖慢 寢不可制 上畏其下 尊制於卑 所謂下陵上替者 無過
자패만 침불가제 상외 기하 존제어비 소위 하릉 상체 자 무과

於此. 臣聞聖王 刑期於無刑. 今寬貸犯階級之人 雖活一人之命
어차 신문 성왕 형기어무형 금관대 범계급 지인 수활 일인 지명

殊不知軍法不立 漸成陵替之風 則所係皆億兆之人命也. 臣愚
수 부지 군법 불립 점성 능체 지풍 즉 소계 개 억조 지 인명 야 신우

欲望陛下 特降詔旨 申明階級之法 戒勅中外主兵臣僚 令一遵
욕망 폐하 특강 조지 신명 계급 지법 계칙 중외 주병 신료 영일준

祖宗之制 如敢有輒行寬貸 曲收衆心者 嚴加罪罰 以警其餘
조종 지제 여 감유 첩행 관대 곡수 중심 자 엄가 죄벌 이경 기여

庶幾綱紀復振 基緒永安."
서기 강기 부진 기서 영안

臣按此篇之論 非特宜於宋朝 實萬世之所當法也. 凡人群聚
신안 차편 지론 비특 의어 송조 실 만세 지 소당법 야 범인 군취

無禮以制之 則必有爭亂 其勢然也. 人各其心 不相統屬 雖有
무례 이제지 즉 필유 쟁란 기세 연야 인각 기심 불상 통속 수유

億萬之師 非所恃以爲安也. 是以古昔聖賢 制禮以馭之 令行
억만 지사 비 소시 이위 안야 시이 고석 성현 제례 이 어지 영행

禁止 使之歸於協和. 人不和平 在平時猶爲不可. 如有緩急 何以
금지 사지 귀어 협화 인불 화평 재 평시 유위 불가 여유 완급 하이

濟大事乎? 天意玄玄 故難測知 所當爲者 盡人事也. 伏望殿下
제 대사 호 천의 현현 고난 측지 소당위 자 진 인사 야 복망 전하

居安思危 察人心修軍政 咨於大小臣僚 復行前朝武職階級之制
거안 사위 찰 인심 수 군정 자어 대소 신료 부행 전조 무직 계급 지제

使中外將卒 各安其分 習以爲常 則庶有裨益.'
사 중외 장졸 각안 기분 습 이위상 즉 서유 비익

命知申事黃喜曰: "可考經濟六典 參酌施行."
명 지신사 황희 왈 가고 경제육전 참작 시행

丙申 太白晝見.
병신 태백 주견

李原義等歸鄉里 覲親也.
이원의 등 귀 향리 근친 야

刑曹都官 上奴婢事二條:

'一, 凡奴婢役使者 於收養及有恩處 給奴婢成契券之後 或

有以其奴婢 更給他人 以生爭端. 今後如有不得已給他者 具錄

辭緣告于官 收取前券 句鎖官給文案. 如有不告官 隱密改券者

竝皆論罪. 一, 奴婢濫執者 知非役使延拖 或經年不對隻 或逃避

不現身 緣此爭訟無際. 今後京中三十日 近道六十日 遠道九十

日定限 令元告者 將移文隻人所在官到付 受回報來呈後 日時

相考 定限不及 則元隻中時訟者決給. 其中出使人及父母喪百日

內 己身病狀現著 不在此限.'

丁酉 封宗室石根爲益平君. 以李稷爲藝文館大提學 趙溫

議政府贊成事 南在吏曹判書 李貴齡兵曹判書 安景恭判漢城府

事 柳觀判恭安府事. 以左政丞河崙 右政丞趙英茂 復兼判吏

兵曹事.

司憲府司諫院 請入參朝啓 從之.

南蕃爪蛙國 使陳彦祥 至全羅道群山島 爲倭所掠 船中所載

火雞 孔雀 鸚鵡 鸚哥 沈香 龍腦 胡椒 蘇木 香等諸般藥材

蕃布 盡被劫奪. 被攜者六十人 戰死者二十一人 唯男婦共四十

人脫死上岸. 彦祥 嘗於甲戌年 奉使來聘國朝 拜朝奉大夫書雲

副正者也.

戊戌 司憲府上疏請李佇之罪 不允. 掌令李季拱 持平許磐石

趙啓生等上疏 略曰:
조계생 등 상소 약왈

'往者 李佇父子 陰懷二心 故宗親百僚 合辭請罪 廢爲庶人
왕자 이저부자 음회 이심 고 종친 백료 합사 청죄 폐위 서인

子孫禁錮 已有年矣. 頃者 殿下以爲父則有罪 佇無與焉 還賜
자손 금고 이 유년 의 경자 전하 이위 부즉 유죄 저 무여 언 환사

告身. 然臣等竊謂 自古亂臣賊子 必有黨與. 居易之懷二心 由其
고신 연 신등 절위 자고 난신 적자 필유 당여 거이 지 회 이심 유기

有是子也. 佇性本狂妄 挾氣驕盈 殿下所曾知也. 今召置畿內 又
유 시자 야 저성 본 광망 협기 교영 전하 소증지 야 금 소치 기내 우

賜告身 必將增其驕氣 肆其狂妄 京外出入 殆無節矣. 前日之心
사 고신 필장 증기 교기 사기 광망 경외 출입 태 무절 의 전일 지심

何以懲乎? 伏望移置遠方 禁其出入 以杜後日生亂之源.'
하이 징호 복망 이치 원방 금기 출입 이두 후일 생란 지원

又上疏曰:
우 상소 왈

'大司憲韓尙敬 執義李揚 掌令韓雍等 於屢降教旨 使進李佇
대사헌 한상경 집의 이양 장령 한옹 등 어 누강 교지 사진 이저

告身之時 詣闕陳請 以爲不可 及承議政府移文 隨卽進呈. 不從
고신 지시 예궐 진청 이위 불가 급 승 의정부 이문 수즉 진정 부종

君父之命 反聽政府之移文 有乖言官守法之意 伏望上裁施行.'
군부 지명 반청 정부 지 이문 유괴 언관 수법 지의 복망 상재 시행

召季拱等宣旨曰: "大司憲再三上疏 請勿還李佇告身 予且
소 계공 등 선지 왈 대사헌 재삼 상소 청물 환 이저 고신 여 차

不聽. 況移置遠方 禁其出入乎? 爾等已諭予意 不須再請. 且
불청 황 이치 원방 금기 출입 호 이등 이유 여의 불수 재청 차

議政府移文 亦承予之旨也. 尙敬等有何罪?" 季拱等復請李佇
의정부 이문 역 승 여지 지야 상경 등 유 하죄 계공 등 부청 이저

宜置遠方 上曰: "佇雖在畿內 已不令入京矣." 憲府又再請 不允.
의치 원방 상왈 저 수재 기내 이 불령 입경 의 헌부 우 재청 불윤

上如仁昭殿新基 周視營構.
상 여 인소전 신기 주시 영구

己亥 鵂鶹鳴于景福宮 勤政殿.
기해 휴류 명우 경복궁 근정전

隕霜于靑陽縣 殺蕎麥.
운상 우 청양현 살 교맥

庚子 鵂鶹鳴于景福宮寢殿.
경자 휴류 명우 경복궁 침전

辛丑 鵂鶹鳴于景福宮寢殿 又鳴于勤政殿上.
신축 휴류 명우 경복궁 침전 우명우 근정전 상

上詣德壽宮起居.
<small>상 예 덕수궁 기거</small>

修葺景福宮.
<small>수즙 경복궁</small>

壬寅 兼左軍摠制驪城君閔無疾 乞解軍務 許之. 無疾麾下士
<small>임인 겸 좌군 총제 여성군 민무질 걸해 군무 허지 무질 휘하 사</small>

行司直陳明禮 司直尹惟澤等百餘人 上書曰: '驪城君掌軍政
<small>행사직 진명례 사직 윤유택 등 백 여인 상서 왈 여성군 장 군정</small>

有年 軍士勞逸 靡所不知 撫之有恩 乞仍舊職 以慰軍士之望.' 上
<small>유년 군사 노일 미 소부지 무지 유은 걸잉 구직 이위 군사 지망 상</small>

怒曰: "將皆公家之將 兵皆公家之兵. 汝等旣爲禁兵 知有驪城 而
<small>노왈 장개 공가 지장 병개 공가 지병 여등 기위 금병 지유 여성 이</small>

獨不知有我歟?" 命下巡禁司 鞫問首謀者以聞 旣而皆釋之.
<small>독 부지 유아 여 명하 순금사 국문 수모자 이문 기이 개 석지</small>

癸卯 金星犯軒轅左角.
<small>계묘 금성 범 헌원 좌각</small>

遣判承寧府事金承霔 參知議政府事李膺如京師. 謝賜樂器也.
<small>견 판 승녕부 사 김승주 참지 의정부 사 이응 여 경사 사사 악기 야</small>

遣司譯院直長金有珍 押送浙江 紹興衛 三江千戶所摠旗吳進
<small>견 사역원 직장 김유진 압송 절강 소흥위 삼강 천호소 총기 오진</small>

等于遼東. 初 進等運糧發太倉向北京 在海③逢倭寇 官軍死者
<small>등 우 요동 초 진등 운량 발 태창 향 북경 재해 봉 왜구 관군 사자</small>

三十五名. 進等二十五名結筏漂泊兆陽鎭 官給衣糧 遣有珍押送
<small>삼십 오명 진 등 이십 오명 결벌 표박 조양진 관급 의량 견 유진 압송</small>

之. 且咨都司曰: '今差張洪壽 管押逃軍 約於九月初一日 過
<small>지 차 자 도사 왈 금차 장홍수 관압 도군 약어 구월 초 일일 과</small>

鴨綠江. 慮恐逃軍不改原心 中途復行逃竄 深爲未便. 煩爲差發
<small>압록강 려공 도군 불개 원심 중도 부행 도찬 심위 미편 번위 차발</small>

軍兵前來 中路應接.'
<small>군병 전래 중로 응접</small>

遣知司譯院事張洪壽 管押漫散軍人 赴遼東都司交割 咨禮部
<small>견 지 사역원 사 장홍수 관압 만산군 인 부 요동 도사 교할 자 예부</small>

曰:
<small>왈</small>

'近承準來咨 該爲在逃人口事. 承準左軍都督府照會: "據遼東
<small>근 승준 내자 해위 재도 인구 사 승준 좌군 도독부 조회 거 요동</small>

都司呈備東寧衛百戶邊林弟邊連告有餘丁邊都里哥及軍人黃顯
<small>도사 정비 동녕위 백호 변림 제 변련 고유 여정 변도리가 급 군인 황현</small>

等告有妻嬬黃不改幷土官千戶高勗 下家人海西等 節次逃往
<small>등 고유 처남 황불개 병 토관 천호 고욱 하가인 해서 등 절차 도왕</small>

朝鮮國藏住. 又革除年間原逃漫散土人 除欽差千戶王得名等往

朝鮮國 招回復業外 有全者逐等四千九百四十九名 仍在本國

豐海等道藏住. 續該本國解送金奉等一十九名回還外 其餘不見

送到 再行移咨 煩爲作急發來." 準此 行據議政府狀啓: "敬奉

判付 卽差判內贍寺事閔若孫 遍往豐海等道西北面 江界 泥城

沿江口子 幽僻山谷間 窮搜挨究 竝無上項邊都里哥 黃不改

海西等姓名軍丁逃來潛住. 當備差官閔若孫及西北面都巡問使

趙璞 豐海道都觀察使申浩等呈 俱各行移槪管府州郡縣及沿江

口子根尋 獲到壬午年間一同林泉逃來宋德玄 全小金等男婦共

四百一十九名 就問得各人供稱: '同來李賣土等 六十九名 因

病身故.' 所供是實 具呈照驗." 得此狀啓施行. 據此照得 先經

陸續差知司譯院事張洪壽 大護軍梅原諸 司譯院副使張有信等

管押節次獲到漫散軍人張甫 金禾等男女共四百四十三名 解赴

遼東都司交割去後 今奉前因 除病故外 將見獲宋德玄 全小金等

男女共四百一十九名 責差陪臣張洪壽 管押解送遼東都司交割.'

甲辰 鶹鶹鳴于昌德宮西掖. 翼日 鳴于典農寺祭器庫.

上欲傳位于世子褆 群臣固諫. 初 上以災異屢見 欲傳位世子褆

密告驪興府院君閔霽 左政丞河崙 右政丞趙英茂 安城君李叔蕃

等. 崙等皆以爲不可 上不從. 是日 義安大君和 領議政府事

成石璘 率百官耆老班殿庭 使知申事黃喜入啓曰: "殿下春秋

鼎盛 世子年未及冠 未有變故 遽欲傳位 臣等未知其由 罔不
정성 세자 연미급관 미유변고 거욕전위 신등 미지 기유 망불

惶懼." 上曰: "予之未老 世子之幼 予亦知之. 然予心已決 不可易
황구 상왈 여지미로 세자 지유 여역 지지 연여심 이결 불가역

也. 若傳位之故 兩政丞已知之矣." 吏曹判書南在啓曰: "國家
야 약전위지고 양정승 이지지 의 이조판서 남재 계왈 국가

創業未久 如氷之始合而未固 非幼沖之主莅位之秋也." 河崙
창업미구 여빙지시합이미고 비유충지주 이위 지추야 하륜

啓曰: "今國家甫定 而有二前王 殿下又傳位 則是有三前王. 中國
계왈 금 국가 보정 이유이전왕 전하우전위 즉시유삼전왕 중국

聞之 謂之何哉 一國臣民亦且謂何?" 上曰: "旣有二前王矣 雖有
문지 위지하재 일국 신민 역차 위하 상왈 기유이전왕 의 수유

三前王 亦何害哉? 且成王雖幼 而莅天下 天下泰寧. 予以社稷
삼전왕 역하해재 차성왕 수유 이이천하 천하 태녕 여이사직

禪位于他人 則群臣咸諫可也 今以傳吾子 豈不可乎?" 崙 在復
선위우타인 즉군신 함간 가야 금이전오자 기불가호 륜 재부

啓曰: "成王之立 勢不得已也 又有周公之聖 輔翼王室 然尙有
계왈 성왕지립 세부득이 야 우유주공지성 보익 왕실 연상유

流言 宗社幾墜. 世子與成王 以幼則同 以勢則異 不可同日語也.
유언 종사 기추 세자 여성왕 이유즉동 이세즉이 불가 동일 어야

況無如周公之臣 爲之輔翼者 廟社至重 殿下能保其持守乎? 且
황무여주공지신 위지보익자 묘사지중 전하 능보기지수 호 차

民心之所不安 則不合於天意. 古之人君 制命不義 則臣下有不從
민심지 소불안 즉불합어천의 고지 인군 제명불의 즉신하유부종

者. 臣等不敢奉旨. 天位至重 豈容如此?" 上曰: "非必欲傳於
자 신등 불감봉지 천위지중 기용여차 상왈 비필 욕전어

今日也. 予更思之 卿等可退."
금일 야 여갱사지 경등 가퇴

知司諫院事權定 司憲掌令李季拱 連章上疏 極論不可 上覽之
지사간원사 권정 사헌 장령 이계공 연장 상소 극론 불가 상람지

曰: "此言官之常事耳." 日暮 群臣乃退. 都人聞者 皆失色震駭.
왈 차언관 지상사 이 일모 군신 내퇴 도인 문자 개 실색 진해

乙巳 成石璘 河崙 劉敞 李來 柳觀 趙庸 皆解世子賓客之
을사 성석린 하륜 유창 이래 유관 조용 개 해세자 빈객 지

職 與吉昌君權近 右軍摠制成石因 金瞻 俱授經筵官. 解驪城君
직 여길창군권근 우군 총제 성석인 김첨 구수 경연관 해 여성군

閔無疾軍柄. 以李原爲司憲府大司憲 金南秀左軍都摠制 沈龜齡
민무질 군병 이이원위 사헌부 대사헌 김남수 좌군 도총제 심구령

兼中軍同知摠制 閔無悔驪山君 盧閈左軍同知摠制 李膺參知
겸 중군 동지 총제 민무회 여산군 노한 좌군 동지 총제 이응 참지

400

議政府事 成發道中軍同知摠制 鄭易右司諫大夫 崔府司憲執義.
의정부 사 성발도 중군 동지 총제 정역 우사간대부 최부 사헌 집의

成石璘 河崙及檢校領議政府事權仲和等 率百官進宮庭啓曰:
성석린 하륜 급 검교 영의정부사 권중화 등 솔 백관 진 궁정 계왈

"前日所啓 未知宸斷 願賜俞音." 上曰: "予雖庸質 當此大事
전일 소계 미지 신단 원사 유음 상왈 여수용질 당차 대사

豈敢顚倒妄作! 欲更商量." 石璘啓曰: "前日上敎: '吾更思之.'
기감 전도 망작 욕갱 상량 석린 계왈 전일 상교 오갱 사지

今日之敎 復如前日 何也? 古昔帝王 當大事 謀及卿士 謀及庶人
금일 지교 부여 전일 하야 고석 제왕 당 대사 모급 경사 모급 서인

皆曰可 然猶不足 稽之卜筮 然後乃行 重其事也. 以國大統 傳付
개왈가 연유 부족 계지 복서 연후 내행 중 기사 야 이국 대통 전부

世子 事莫大焉 擧國罔知其由. 是殿下獨斷于心而欲私與之 誠
세자 사 막대 언 거국 망지 기유 시 전하 독단 우심 이욕 사여지 성

不可也." 崙曰: "如此則宜告于太上王." 遂率百官詣德壽宮 行至
불가 야 륜왈 여차즉 의 고우 태상왕 수솔 백관 예 덕수궁 행지

德成坊 上遣黃喜止之曰: "卿等毋庸卽告于父王. 予亦思之." 崙
덕성방 상견 황희 지지 왈 경등 무용 즉 고우 부왕 여역 사지 륜

曰: "殿下旣有豈敢妄作 欲更商量之語. 是必改心易慮矣. 姑待
왈 전하 기유 기감 망작 욕갱 상량 지어 시필 개심 역려 의 고대

明日 更請如何?" 衆曰: "然." 乃退.
명일 갱청 여하 중왈 연 내퇴

丙午 成石璘等復率百官 入殿庭啓曰: "臣等待命數日 尙未
병오 성석린 등부 솔 백관 입 전정 계왈 신등 대명 수일 상미

蒙允 須煩再啓." 上使黃喜對曰: "予思未決. 且近以針灸 未敢
몽윤 수번 자계 상사 황희 대왈 여사 미결 차근 이 침구 미감

出 請竢五六日 親見老政丞與政丞 備陳予意." 石璘 英茂啓曰:
출 청사 오륙 일 친견 노정승 여 정승 비진 여의 석린 영무 계왈

"上敎不切於臣等之請." 趙英茂泣曰: "臣雖不參於闕內之事 然豈
상교 부절 어 신등 지청 조영무 읍왈 신수 불참 어 궐내 지사 연기

不知乎? 殿下緩辭以答 臣等實欲亟行其志. 殿下盛年無疾 世子
부지 호 전하 완사 이답 신등 실욕 극행 기지 전하 성년 무질 세자

幼沖 此豈釋位之時乎?" 丹山府院君李茂亦泣啓曰: "臣雖不與
유충 차기 석위 지시 호 단산 부원군 이무 역 읍계왈 신수 불여

於開國之初 聞諸元勳 太上雖能創業 翊戴之功 實在殿下. 宜與
어 개국 지초 문저 원훈 태상 수능 창업 익대 지공 실재 전하 의여

元勳 共享百歲 何若是其亟乎? 上壽過於中身 世子年至二三十
원훈 공향 백세 하 약시 기극 호 상수 과어 중신 세자 연지 이삼십

然後厭辭 告諸臣民 傳之以禮 誰謂不可?" 喜入啓 上對如前.
연후 염사 고저 신민 전지 이례 수위 불가 희입계 상대 여전

英茂啓曰: "殿下如欲見臣 何待後日? 且臣等之望 但在允許所啓
영무 계왈　전하여 욕견신 하대 후일　차 신등 지망 단재 윤허 소계

而已. 殿下之不見臣 豈臣等之所憾乎哉?"
이이　전하 지 불견 신 기 신등 지 소감 호재

吏曹判書南在啓曰:
이조판서 남재 계왈

"一箇草茅之言 苟順於理 苟當嘉納. 況擧國大臣憂國之言 安
일개 초모 지언 구순 어리 구당 가납　황 거국 대신 우국 지언 안

有固拒之理乎? 天命人心 二而一者也. 人心之向背 天命之存亡
유고 거지 리호　천명 인심 이이 일자 야　인심 지 향배 천명 지 존망

繫焉. 宗親功臣百官臺諫合辭上請 殿下逆而不從 斯乃逆天命矣."
계언　종친 공신 백관 대간 합사 상청 전하 역이 부종 사내 역 천명 의

吉昌君權近啓曰:
길창군 권근 계왈

"子路以子羔爲費宰 孔子曰: '賊夫人之子.' 是指不學莅事而言
자로 이 자고 위비재 공자왈　적 부인 지자　시지 불학 이사 이언

也. 一邑之宰 不學則猶不可 況一國乎? 世子氣力未壯 學問未成
야　일읍 지재 불학 즉유 불가 황 일국 호　세자 기력 미장 학문 미성

驟當萬幾 氣不能支煩劇 學不能應萬事. 若竢世子氣力旣壯 學問
취 당 만기 기 불능 지 번극 학 불능 응 만사　약사 세자 기력 기장 학문

有成 然後傳之以禮 則上不受吾夫子之責 下不違臣庶之望."
유성 연후 전지 이례　즉 상 불수 오 부자 지책 하 불위 신서 지망

喜入啓 上對又如初. 復叱承傳色盧希鳳曰: "毋屑屑更入啓."
희 입계 상 대 우 여초　부질 승전색 노희봉 왈　무 설설 갱 입계

石璘等曰: "奈何奈何?" 淸城君鄭擢啓曰: "旣無如之何 則臣等
석린 등 왈　내하 내하　청성군 정탁 계왈　기무 여지하　즉 신등

宜伏於此 夜以繼日 必竢兪音 豈可退哉?" 權近復啓曰:
의복 어차 야 이 계일 필사 유음 기 가퇴 재　권근 부 계왈

"大抵父母生子 年未壯成 爵位日加 則恐懼虞疑以爲: '年少
대저 부모 생자 연 미 장성 작위 일가　즉 공구 우의 이위　연소

秩高 是成損壽.' 父母之心 非不喜其字之榮顯也 誠恐其命之促
질고 시성 손수　부모 지심 비불희 기자 지 영현 야 성공 기명 지촉

也. 由是觀之 人爵猶然 何況天祿可不畏哉? 今不恤世子之幼沖
야　유시 관지 인작 유연 하황 천록 가불외 재　금 불휼 세자 지 유충

亟傳天祿 豈所以愛世子哉? 此又臣等之所痛心也. 反復思之
극전 천록 기 소이 애 세자 재　차우 신등 지 소통심 야　반복 사지

無一而可 但臣等不能以至誠回天而已."
무일 이가 단 신등 불능 이 지성 회천 이이

石璘 英茂復 謂喜曰: "聖心雖謂得計 然群望不合 宜枚擧臣等
석린　영무 부 위 희왈　성심 수위 득계 연 군망 불합 의 매거 신등

402

所言 一一更啓." 喜入 上謂喜曰:"非特有志於傳位也 已傳位於
소언 일일 갱계 희입 상위희왈 비특 유지 어전위 야 이전위 어

世子矣. 外人雖多言 奚及! 莫若不言而退之爲愈也." 獨河崙沈思
세자 의 외인 수 다언 해급 막약 불언 이 퇴지 위유 야 독 하륜 침사

不言 及是乃啓曰:"殿下制命非義 老臣備位首相 固當不奉敎旨.
불언 급시 내 계왈 전하 제명 비의 노신 비위 수상 고당 불봉 교지

誰與成傳位之禮哉?" 英茂繼之曰:"臣等雖死 必不聞命." 且目
수 여성 전위 지 례 재 영무 계지 왈 신등 수사 필 불문 명 차목

喜曰:"知申事 忍欲從此命乎?" 喜與希鳳偕入內庭 畏上震怒
희왈 지신사 인 욕종 차명 호 희여 희봉 해입 내정 외상 진노

浚巡畏縮 久不敢啓. 上乃曰:"傳位之難 予已量之." 石璘等咸曰:
준순 외축 구 불감 계 상내왈 전위 지난 여이 양지 석린 등 함왈

"殿下此命 是乃允許也." 卽使希鳳請謝恩 上佯笑曰:"諾." 河崙
전하 차명 시내 윤허 야 즉사 희봉 청 사은 상양 소왈 낙 하륜

遂令入番甲士 列于朝班之後 使奉禮郎東西分立 大聲唱喝 稽首
수 영 입번 갑사 열우 조반 지후 사 봉례랑 동서 분립 대성 창갈 계수

四拜 三呼千歲 聲震闕庭 又四拜. 仍啓靜妃殿 四拜以謝 群臣
사배 삼호 천세 성진 궐정 우 사배 잉계 정비 전 사배 이사 군신

皆欣悅而退 以謂上眞許之也. 夜二鼓 上潛使盧希鳳 送國璽于
개 흔열 이퇴 이위 상진 허지 야 야 이고 상 잠사 노희봉 송 국새 우

世子宮 尙瑞司官亦不之知.
세자궁 상서사 관 역 부지지

丁未 宗親耆老大小臣僚 詣闕上書曰:
정미 종친 기로 대소 신료 예궐 상서 왈

'臣等竊謂 宗社大統 父子相傳 古今之達禮也. 然而內禪之擧
신등 절위 종사 대통 부자 상전 고금 지 달례 야 연이 내선 지 거

必因變故而後 有不得已而然爾. 今我殿下 春秋鼎盛 享國未久
필인 변고 이후 유 부득이 이연 이 금아 전하 춘추 정성 향국 미구

治功極著 中外乂安 群情親戴 顒望太平之永 乃厭萬幾 傳付
치공 극저 중외 예안 군정 친대 옹망 태평 지영 내염 만기 전부

世子 而世子年方幼沖 未堪負荷 擧國臣民痛心缺望 前日臣等
세자 이 세자 연방 유충 미감 부하 거국 신민 통심 결망 전일 신등

詣闕申聞 請寢其事 得蒙允許 擧國懽愉. 不期中變 密將國璽
예궐 신문 청침 기사 득몽 윤허 거국 환유 불기 중변 밀장 국새

傳付東宮 臣等聞之 倍增痛心. 殿下以宗社大統 傳付世子 授受
전부 동궁 신등 문지 배증 통심 전하 이 종사 대통 전부 세자 수수

之際 當正其始 今乃密令內豎 潛相授受. 國統 宗社之所係; 國璽
지제 당정 기시 금내 밀령 내수 잠상 수수 국통 종사 지 소계 국새

天子之所錫. 殿下視爲私物而私與之 是輕宗社而忽帝命也. 始之
천자 지 소석 전하 시위 사물 이 사여지 시경 종사 이 홀제명 야 시지

不謹如此 其終乃何? 臣等念此 倍增痛心. 且信者 人君之大寶.

殿下旣已許之 俄又改之 信安在乎? 欲正國統 而先失大信可乎?

以國相傳 天下之大事也. 固當順於民心 民心合而天意得矣. 旣

違民心 其合天意乎? 殿下欲違民心 而以大統傳付幼沖 殿下

縱自逸 其於天意何? 伏望殿下 勿爲一身自逸之計 務恢宗社之

大計 還收國璽 永保社稷 以愍一國臣民之望.

司諫院 司憲府上言:

'竊惟天位之艱 實惟大寶 授受之際 不可不重. 苟忽天位 而輕

以授受 則宗社之安危 人心之去就 未可知也. 昔在唐虞 堯在位

七十載而禪于舜 舜在位五十載而禪于禹 皆以耄期而倦于勤也.

堯舜之爲此者 誠以天命不易 不可輕以授受也. 臣等以謂殿下

今日授受之事 不可者有五.

殿下春秋鼎盛 神氣方强 罔有疾病之患 中外臣民 顒望億載之

治 今乃無故釋位 其不可者一也.

今世子幼沖未冠 銳意學業 正當夙夜敎導之秋也. 若使萬幾摠

于一身 無暇學問 則恐不克業 乃墜前功 此其不可者二也.

我朝境連上國 軍國重事 不可不愼 今世子天資雄偉 性稟聰明

然年方幼沖 恐不克負荷 此其不可者三也.

太上殿創業以後十五年間 大位相傳 至于再三 今若無故遽釋

以駭衆聽 則非特中外嗷嗷失望而已 上國聞之 必曰不可 此其

不可者四也.
불가자 사야

　殿下身出萬死 開國定社 素有聖德神功 天命之集 人心之歸 非
　전하 신출 만사 개국 정사 소유 성덕 신공 천명 지집 인심 지귀 비

一朝一夕之故. 乃何殿下不顧社稷萬世之計 苟安淸燕一己之暇
일조일석 지고 내하 전하 불고 사직 만세 지계 구안 청연 일기 지가

重違天地臣民之望乎? 此其不可者五也.
중위 천지 신민 지망 호 차기 불가자 오야

　是故大小臣僚 且恐且懼 詣闕再請 未降兪音. 臣等職掌諫諍
　시고 대소 신료 차공차구 예궐 재청 미강 유음 신등 직장 간쟁

不敢緘黙 謹昧死上言. 伏望殿下 取唐虞之法 順天人之心 永享
불감 함묵 근매사 상언 복망 전하 취 당우 지법 순 천인 지심 영향

天祿 以保生靈.'
천록 이보 생령

　上皆不聽. 石璘啓曰: "昨日有命: '傳位之難 予亦量之.' 今聞使
　상개 불청 석린 계왈 작일 유명 전위 지난 여역 양지 금문 사

中官傳大寶於東宮 臣等皆失望焉. 傳子傳孫之法 不宜如此隱密
중관 전 대보 어 동궁 신등 개 실망 언 전자 전손 지법 불의 여차 은밀

而不使國人知之. 請收還大寶." 河崙曰: "當仁德宮遜位於殿下
이 불사 국인 지지 청 수환 대보 하륜 왈 당 인덕궁 손위 어 전하

之時 聞于朝廷 朝廷疑之曰: '國王年富 踐祚未久 而遽傳位 必
지시 문우 조정 조정 의지 왈 국왕 연부 천조 미구 이 거 전위 필

其國有亂臣賊子之變也. 不然則或兄弟相殘而然也.' 今殿下又遽
기국 유 난신 적자 지변 야 불연 즉혹 형제 상잔 이 연야 금 전하 우거

釋位 則中國必大有疑焉. 傳位之事 尤爲不可也." 李茂啓曰: "昔
석위 즉 중국 필대유 의언 전위 지사 우위 불가 야 이무 계왈 석

表箋差誤 帝欲召鄭道傳而問其故. 今殿下擅自釋位 則帝必召
표전 차오 제 욕소 정도전 이 문 기고 금 전하 천자 석위 즉 제 필소

執政大臣而問其故. 當此之時 誰能赴京而專對乎?" 南在曰: "昔
집정 대신 이 문 기고 당 차지시 수능 부경 이 전대 호 남재 왈 석

太上王革命之日 群臣進于恭愍王大妃之前 奉敎書受寶 獻于
태상왕 혁명 지일 군신 진우 공민왕 대비 지전 봉 교서 수보 헌우

太上王 使國人曉然知之. 當革命之時 傳他國之寶 尙且如此. 況
태상왕 사 국인 효연 지지 당 혁명 지시 전 타국 지보 상차 여차 황

內禪之時 豈容如此其隱密 勿令④國人知之乎? 正始之道 定不
내선 지시 기용 여차 기 은밀 물령 국인 지지 호 정시 지도 정불

如此."
여차

　黃喜入 具以啓 上曰: "事已如此 豈容改作! 予曾命卿歸東宮
　황희 입 구 이계 상왈 사 이 여차 기용 개작 여 증명 경귀 동궁

尙何留於此乎? 速歸東宮 其勿復入來." 石璘 崙 李舒等欲更啓
상 하 류 어차 호　속귀 동궁 기 물부 입래　석린 륜 이서 등 욕 갱계

喜 希鳳皆不敢入 復崙等直入親啓 至便殿之外 門閉不得入
희 희봉 개 불감 입 부륜 등 직입 친계 지 편전 지외 문폐 부득 입

彷徨久之乃出. 世子亦奉國璽 置于正殿 使希鳳入啓曰:"臣年幼
방황 구지 내출　세자 역봉 국새 치우 정전 사 희봉 입계 왈 신 연유

無知 不敢當不敢當." 上使希鳳 責世子侍者內官黃稻曰:"汝敎
무지 불감당 불감당 상사 희봉 책 세자 시자 내관 황도 왈 여교

世子耶?" 稻對曰:"昨夕國璽至宮 世子驚啼 至夜半 召書筵官
세자 야 도 대왈 작석 국새 지궁 세자 경제 지 야반 소 서연관

問曰:'吾欲奉還如何?'書筵官曰:'惟行世子意耳.' 世子是以來
문왈 오욕 봉환 여하 서연관 왈 유행 세자 의이 세자 시이 래

耳 奴何知!"
이 노 하지

上促命以國璽還于世子. 於是 義安大君和 奉寧君福根 檢校
상 촉명 이 국새 환우 세자 어시 의안대군 화 봉녕군 복근 검교

領議政府事權仲和及石璘以下 復入殿庭啓曰:"臣等伏闕門外
영의정부사 권중화 급 석린 이하 부입 전정 계왈 신등 복궐문 외

待命 今世子奉國璽而來⑤ 不敢當傳付之命 臣等喜幸. 願殿下
대명 금 세자 봉 국새 이래 불감당 전부 지명 신등 희행 원 전하

聽納世子之辭避." 希鳳入啓 上大怒 注矢以擬之 希鳳惶恐而出.
청납 세자 지 사피 희봉 입계 상 대노 주시 이의지 희봉 황공 이출

上使內奴數十人取國璽以入 石璘 英茂等曰:"大寶 天子所賜 重
상사 내노 수십 인 취 국새 이입 석린 영무 등왈 대보 천자 소사 중

莫重焉. 今遣內奴而取之 甚爲不可. 宜命尙瑞司官奉入."
막중 언 금 견 내노 이 취지 심위 불가 의명 상서사 관 봉입

俄而 內奴復出 失色顚躓曰:"上勅奴輩曰:'若不持國璽而入
아이 내노 부출 실색 전지 왈 상칙 노배 왈 약 부지 국새 이입

奴輩當死.' 乃何乃何?" 欲直走正殿 取國璽而入 英茂厲聲
노배 당사 내하 내하 욕 직주 정전 취 국새 이입 영무 여성

叱之曰:"奴輩敢爾耶!" 使尙瑞司官及政府知印共守之 內奴
질지 왈 노배 감이 야 사 상서사 관급 정부 지인 공 수지 내노

不能奪. 崙謂世子曰:"宜入見面辭." 世子曰:"上怒如是 予不敢
불능 탈 륜위 세자 왈 의 입현 면사 세자 왈 상노 여시 여 불감

入 如何?" 崙曰:"然則當還宮." 英茂令知通禮門事孫闓祖 侍
입 여하 륜왈 연즉 당 환궁 영무 영지 통례문 사 손윤조 시

世子而出 上使中官傳旨曰:"奈何敎世子行如此無禮事?" 英茂
세자 이출 상사 중관 전지 왈 내하 교 세자 행 여차 무례 사 영무

對曰:"非常之事 臣等不敢苟小小禮文." 崙啓曰:"殿下若必欲
대왈 비상 지사 신등 불감 구 소소 예문 륜 계왈 전하 약 필욕

傳位 上則當啓稟於朝廷 下則當布告於臣民.⑥ 咨文敎書 須以
印章爲信. 今若傳大寶於世子 則當其時 用何印章爲信乎?"上
曰: "國璽旣不許于世子 則何不入送于內乎?" 崙曰: "今欲潛送
于世子宮 故未敢從命耳. 入而置著宮中 則臣等之願也." 乃使
尙瑞司官 奉國璽入于內. 上以群臣紛紛 不欲更聞 命閉宮門
群臣乃退. 是夕 復遣中官 由宮東門 送國璽于世子宮.

戊申 臺諫上疏曰:

'竊惟傳曰: "信者 人君之大寶. 苟不示信 民何以保!" 近者
文武大小臣僚 伏聞殿下欲傳位於世子 奔走詣闕 備陳不可 未蒙
兪允 夙夜鬱悒. 於前日又進闕下 以陳誠懇 至于再三 卽蒙允許
大小臣僚 欣抃踊躍. 今日竊聞殿下還欲釋位 文武臣僚 罔知所由
顚倒 以請 殿下固辭不聽 信安在乎? 恭惟殿下 春秋鼎盛 未及
勞倦 世子年方幼沖 學問未就. 今日傳授之事 雖愚夫愚夫 皆
知其不可 乃何遽釋大位 以付幼沖乎? 夫人心所向 則天意所在
不可忽也. 伏望殿下 俯察人心 上順天意⑦ 以復前日之允 以慰
臣民之望.

群臣復詣闕 使南在 權近啓曰: "今朝廷使臣未還 若知傳與
國寶之事 還必奏於天子 誠非小事. 願還國璽 待使臣之還 傳之
以禮." 上使黃喜語之曰: "昨已諭予意於卿等 今復會百僚於此
爲是紛紛 何哉? 若曰待使臣之還而傳位 則宜矣 還收國寶則

不可." 崙等對曰: "非臣等召百官也 特群臣皆痛憤自來耳." 且曰:

불가　륜등대왈　비신등소백관야　특군신개통분자래이　차왈

"傳位之事 上意已決 不敢復請 但望上告天子 下告臣民 以禮

전위지사　상의이결　불감부청　단망상고천자　하고신민　이례

授受耳." 石璘曰: "殿下每事 必與大臣謀之. 傳位大事也. 何獨

수수이　석린왈　전하매사　필여대신모지　전위대사야　하독

不與左右相圖之 使可傳於後世乎?" 崙泣曰: "國璽 豈可使內豎

불여좌우상도지　사가전어후세호　륜읍왈　국새　기가사내수

潛傳之?" 英茂亦泣曰: "臣武人 無所知 願審圖之 毋爲後世笑."

잠전지　영무역읍왈　신무인　무소지　원심도지　무위후세소

上曰: "已與之矣 豈可復取! 斷不聽卿言." 群臣乃退.

상왈　이여지의　기가부취　단불청경언　군신내퇴

移安神懿王后神御于仁昭殿. 初 仁昭殿未成 權安王后神御于

이안　신의왕후　신어우인소전　초　인소전미성　권안왕후신어우

景福宮之別殿 至是百官以朝服奉迎 移安于新殿.

경복궁지별전　지시백관이조복봉영　이안우신전

遣工曹判書李來 右副代言尹向 賜宮醞乾獐生獐鮮魚于權近.

견　공조판서이래　우부대언　윤향　사궁온건장생장선어우권근

時 近尙在制中 以久病未愈 故賜肉膳也.

시　근상재제중　이구병미유　고사육선야

庚戌 太白晝見.

경술　태백　주견

御廣延樓 召宗親置酒.

어　광연루　소종친치주

吉昌君權近上書. 書曰:

길창군　권근　상서　서왈

'臣竊惟天下之事 有事同而勢異者. 當治平無事之時 則守其經

신　절유천하지사　유사동이세이자　당치평무사지시　즉수기경

當危亂變急之際 則行其權. 苟當治平 而從其權 則失其時中之

당위란변급지제　즉행기권　구당치평　이종기권　즉실기시중지

宜 反致禍亂之生矣 此不可以不察也. 夫有天下國家者 必以世及

의　반치화란지생의　차불가이불찰야　부유천하국가자　필이세급

相傳 禮之經也; 凡諸侯之承國 必受命於天子 亦禮之經也. 古者

상전　예지경야　범제후지승국　필수명어천자　역예지경야　고자

諸侯之子除喪之後 必以士服入見天子 天子錫以車服 然後得襲

제후지자제상지후　필이사복입현천자　천자석이거복　연후습득

其爵 而歸治其國焉.

기작　이귀치기국언

及周之衰 列國强僭 趙武寧王 惑於嬖寵 乃傳幼孽 自稱

급　주지쇠　열국강참　조　무령왕　혹어폐총　내전유얼　자칭

主父 後欲分王它子 遂致禍難 終至餓死 國以亂亡 爲萬歲笑.
주부 후욕분왕 타자 수치화난 종지 아사 국 이란 망 위 만세 소

自唐天寶迄于宋季 或迫於危難 或因大漸 而有內禪之擧 皆因
자당천보흘우송계 혹박어위난 혹인대점 이유내선지거 개인

一時之權宜耳 未聞無故而行之者也. 若夫侯藩不行請命 擅自
일시지권 의이 미문무고이행지자야 약부후번불행청명 천자

立後 而後告于天子 天子不得已許之者 自唐中衰 藩鎭跋扈而始
입후 이후고우천자 천자부득이허지자 자당중쇠 번진발호이시

耳. 然不旋踵 皆至討除 未有能永保者也.
이 연불선종 개지토제 미유능영보자야

惟在前朝之時 忠宣傳於忠肅 忠肅傳於忠惠 則當治平無事之
유재전조지시 충선 전어 충숙 충숙 전어 충혜 즉당치평 무사지

時而行之耳. 然忠宣以世祖皇帝之外甥 受元朝太尉之爵命 特蒙
시이행지이 연충선이세조 황제지 외생 수원조 태위지작명 특몽

帝眷 樂居燕都 不欲還國 故親奏于帝 乃以本國 傳付忠肅 忠肅
제권 낙거 연도 불욕환국 고친주우제 내이본국 전부 충숙 충숙

亦欲守其家法 又奏于帝而傳付忠惠. 是皆先奏得請 而後傳之 得
역욕수기 가법 우주우제이전부 충혜 시개선주득청 이후전지 득

禮之經者也. 然忠宣以久居燕都 終遭讒謗 以有吐蕃之行; 忠肅
예지경 자야 연충선이구거연도 종조참방 이유토번지행 충숙

乃與忠惠反構嫌隙 父子相訟 貽譏後世. 是雖先奏後傳 得禮之常
내여충혜반구혐극 부자 상송 이기 후세 시수선주후전 득예지상

然其利未獲而害已隨之 此非美事 可以鑑矣.
연 기리 미획이해이수지 차비미사 가이감의

及至僞朝禑昌之際 乃敢先立而後奏 失於常經. 然禑之驕惡
급지 위조우창지제 내감선립이후주 실어상경 연우지 교악

滔天 又有擧兵攻遼之隙 而我太上王擧義回軍 翊戴中國 忠誠
도천 우유거병 공료지극 이아 태상왕 거의 회군 익대 중국 충성

克著 帝心嘉賞 故置而不問. 然在其時 臣近偕門下評理尹承順
극저 제심 가상 고치이불문 연재 기시 신근해 문하평리 윤승순

等 奉昌之命 請親朝覲于京師 禮部尙書李元名責臣等曰: "爾
등 봉 창지명 청친 조근우 경사 예부 상서 이원명 책 신등 왈 이

受國王之命而爲宰相 爾不告于王 而以爾爵私與於人 其人亦無
수 국왕지명이위재상 이불고우왕 이이이작 사여어인 기인역무

王命 而私受於爾 則國王其不罪之乎? 爾國之王 受帝之命 以承
왕명 이사수어이 즉국왕기불죄지호 이국지왕 수제지명 이승

王爵 今不奏請 私與其子 是何禮也?" 臣以變禍甚迫 不及聞天
왕작 금부주청 사여기자 시하례야 신이변화심박 불급 문천

對之. 然其回咨 有立異姓爲王 陪臣無賢智者之語. 昌之父子
대지 연기 회자 유립 이성위왕 배신무현지자지어 창지 부자

由是失國. 當是之時 非我太上王回軍忠義之烈 則一國生靈之禍
유시 실국　당 시지시　비아 태상왕　회군 충의 지열　즉 일국 생령 지화

豈可勝言也哉!
기 가 승언 야재

及我太上傳付上王之時 太上疾漸 亦有鄭道傳敢拒帝命 又
급아 태상 전부 상왕 지시　태상 질점　역유 정도전　감거 제명　우

欲攻遼; 貪立幼孽 謀戕冢嫡禍變之急故爾. 中國亦値高帝登遐
욕 공료　탐립 유얼　모장 총적 화변 지급고이　중국 역치 고제 등하

建文新立 庶事未遑 故不問爾. 上王傳付殿下之時 適中國方有
건문 신립　서사 미황　고 불문 이　상왕 전부 전하 지시　적 중국 방유

燕亂 不暇生釁於外國 但於回咨 反覆致意 以示其意. 此皆幸而
연란　불가 생흔 어외국　단어 회자　반복 치의　이시 기의　차 개행이

免耳 非萬全之計也. 方今當中國堂堂無事之時 我國亦無汲汲
면 이　비 만전지계 야　방금 당 중국 당당 무사 지시　아국 역무 급급

危亂之變 殿下欲效其前轍 不先請命 傳付世子 而後啓稟 是臣
위란 지변　전하 욕효 기 전철　불선 청명　전부 세자　이후 계품　시신

所謂事同而勢異者也.
소위 사동 이 세이 자야

其在曩時 彼我皆有危變 故我得以從權 而彼亦以從權而許之
기재 낭시　피아 개유 위변　고아 득이 종권　이피 역이 종권 이 허지

也. 今時則不然 我無危急之變 固當守經而先請 彼亦無變故之際
야　금시 즉 불연　아무 위급 지변　고당 수경 이 선청　피역무 변고 지제

亦必以據經而議之矣. 彼以經常而責 我以何辭對之乎? 此豈非
역 필이 거경 이 의지 의　피이 경상 이책　아이 하사 대지호　차 기비

事同而勢異 不可不察者乎? 殿下之意必以爲先聞 則以世子幼沖
사동 이 세이　불가 불찰 자호　전하 지의 필 이위 선문　즉 이 세자 유충

或不得命 旣傳而後聞 則業已傳之 必蒙兪允. 然帝命之允 在乎
혹 부득명　기전 이 후문　즉 업이 전지　필몽 유윤　연 제명 지윤　재호

事之當否 豈專在乎傳與不傳也哉? 天子以雅樂賜於諸侯 誠稀世
사지 당부　기전 재호 전여 부전 야재　천자 이 아악 사어 제후　성 희세

之異寵也. 帝以異寵加於殿下 宜卽用之 親行告廟之禮 今乃不然
지 이총 야　제 이 이총 가어 전하　의즉 용지　친행 고묘 지례　금내 불연

遽辭爵命 其於帝意以爲如何?
거사 작명　기어 제의 이위 여하

臣聞近日使臣黃儼 每語人云: "殿下事大之誠則如舊矣 執政
신문 근일 사신 황엄　매어인운　전하 사대 지성 즉 여구 의　집정

大臣奉行不謹." 必以此言聞于帝聰 繼有遞位之報 則帝心益以
대신 봉행 불근　필이 차언 문우 제총　계유 체위 지보　즉 제심 익이

儼言爲然 是必權臣執國命 擅自廢立 欲挾幼主 以抗中國 有如
엄언 위연　시필 권신 집 국명　천자 폐립　욕협 유주　이항 중국　유여

崔瑩之爲者矣. 雖不遽興問罪之師 必召執政 以詰其由. 執政能如
최영 지위자의 수불거흥 문죄 지사 필소 집정 이힐 기유 집정 능여

鄭道傳之拒命不往乎? 然則釁隙由此而成矣. 不能不往 則殿下
정도전 지 거명 불왕 호 연즉 흔극 유차 이성 의 불능 불왕 즉 전하

使同盟元勳盡心憂國者 一朝以無罪 陷之不測之淵 而莫之救
사 동맹 원훈 진심 우국 자 일조 이무죄 함지 불측 지연 이 막지 구

也. 執政旣往 嚴刑詰問 織成其罪 則豈止其身受戮而已乎? 必將
야 집정 기왕 엄형 힐문 직성 기죄 즉 기지 기신 수륙 이이 호 필장

以此成我罪名 以興問罪之師矣.
이차 성아 죄명 이흥 문죄 지사 의

　　兵法有曰: "將欲取之 必姑與之." 帝以雅樂賜之殿下 安知其意
병법 유왈 장욕 취지 필고 여지 제이 아악 사지 전하 안지 기의

不在於此乎? 殿下徒以盡忠事大之誠 而恃帝之眷遇 然帝於東隅
부재 어차 호 전하 도이 진충 사대 지성 이시 제지 권우 연제 어동우

置建州衛 是扼我咽喉撃我右臂也. 外立雄藩 以誘我人民 內加
치 건주위 시액아 인후 체아 우비 야 외립 웅번 이유 아 인민 내가

異寵 以懈我禦侮 其意固難測也. 殿下旋旋不以爲意 欲行揖讓
이총 이해아 어모 기의 고 난측 야 전하 선선 불이위 의 욕행 읍양

以委幼弱 舉國臣民 罔不痛心. 伏惟殿下 深思而審處之. 殿下必
이위 유약 거국 신민 망불 통심 복유 전하 심사 이심 처지 전하 필

以臣言爲必無之迂言 然而殿下初必以謂以冢嫡之正 傳付大統
이 신언 위 필무 지 우언 연이 전하 초필 이위 이총적 지정 전부 대통

名正言順 舉國臣民 必悅而從之矣 今乃紛紛 不順如此. 殿下
명정언순 거국 신민 필열 이종지 의 금내 분분 불순 여차 전하

不能料臣民之不順 又安能必上國之不問哉?
불능 료 신민 지 불순 우 안능 필 상국 지 불문 재

　　易曰: "作事謀始." 始之不謀 終必有患. 小事尙然 況大事乎?
역왈 작사 모시 시지 불모 종필 유환 소사 상연 황 대사 호

世子雖是嫡冢 以其幼弱 群情未附 則天意之未集 亦可知矣.
세자 수시 적총 이기 유약 군정 미부 즉 천의 지 미집 역 가지 의

殿下不恤國勢之可慮 乃欲違天違衆 強付幼弱 是輕宗社而棄之
전하 불휼 국세 지 가려 내욕 위천 위중 강부 유약 시경 종사 이 기지

也. 伏望殿下 深思而審處之. 收還國璽 親臨萬幾 以待世子年紀
야 복망 전하 심사 이심 처지 수환 국새 친림 만기 이대 세자 연기

旣壯 功德益著 民情樂附 天命是集 然後先報朝廷 以竢明降而
기장 공덕 익저 민정 낙부 천명 시집 연후 선보 조정 이사 명강 이

傳之 宗社幸甚 國家幸甚.'
전지 종사 행심 국가 행심

　　上雖不允 意稍感悟.
상 수 불윤 의초 감오

辛亥 太白晝見.
신해 태백 주견

月犯軒轅.
월 범 헌원

壬子 始寢傳位世子之命. 親勳耆老文武百官 復詣昌德宮庭
임자 시침 전위 세자 지명 친훈 기로 문무백관 부예 창덕궁 정

世子亦奉國璽而至 置于殿上. 初 上召李叔蕃密語之曰: "連夜夢
세자 역봉 국새 이지 치우 전상 초 상소 이숙번 밀 어지왈 연야 몽

母后泣涕告予曰: '汝欲使予飢矣.' 予未知是何意歟?" 叔蕃對曰:
모후 읍체 고여왈 여 욕사 여기의 여 미지 시 하의 여 숙번 대왈

"殿下若傳位於弱幼 則宗社不保 而母后飢矣. 此實母后丁寧告之
전하 약 전위 어 약유 즉 종사 불보 이 모후 기의 차실 모후 정녕 고지

以傳位之不可也 豈非神人之同所惡也? 願加三思." 上曰: "吾以
이 전위 지 불가 야 기비 신인 지동 소오 야 원가 삼사 상왈 오이

傳子 何若是耶?" 叔蕃出而告諸大臣. 至是同辭固請曰: "智者
전자 하약 시야 숙번 출이 고저 대신 지시 동사 고청왈 지자

千慮 必有一失; 愚者千慮 必有一得. 臣等雖至愚 豈無一得之見
천려 필유 일실 우자 천려 필유 일득 신등 수 지우 기무 일득 지견

乎? 萬口同辭 不謀而合 殿下何以不允乎?" 上召李叔蕃於班列
호 만구 동사 불모 이합 전하 하이 불윤 호 상소 이숙번 어 반열

謂之曰: "今日之事 必卿洩我語也." 叔蕃對曰: "事關宗社 不敢
위지왈 금일 지사 필경 설 아어 야 숙번 대왈 사관 종사 불감

不語. 雖非臣言 固當堅請." 上曰: "予志已定 不可改也." 令叔蕃
불어 수비 신언 고당 견청 상왈 여지 이정 불가 개야 영 숙번

出傳旨. 河崙啓曰: "近日內史還都之日 殿下必備儀仗而迎之
출 전지 하륜 계왈 근일 내사 환도 지일 전하 필비 의장 이 영지

國璽不可無也." 叔蕃入啓 上曰: "來二十九日 詣仁昭殿 知桂後
국새 불가 무야 숙번 입계 상왈 내 이십 구일 예 인소전 지생후

定計矣." 崙對曰: "其日威儀 亦不可無國璽也." 上乃命叔蕃 傳旨
정계 의 륜 대왈 기일 위의 역 불가 무 국새 야 상내 명 숙번 전지

于成石璘等 又命兼尙瑞尹黃喜 少尹安純 受國璽入置于司. 世子
우 성석린 등 우명 겸 상서 윤 황희 소윤 안순 수 국새 입 치우 사 세자

及群臣四拜 三呼千歲 又四拜而出.
급 군신 사배 삼호 천세 우 사배 이출

癸丑 大風.
계축 대풍

遣判宗簿寺事鄭節 祭昭悼君芳碩; 奉常令李揚 祭恭順君芳蕃.
견 판 종부시 사 정절 제 소도군 방석 봉상 령 이양 제 공순군 방번

賑忠淸道飢民 且蠲徭役.
진 충청도 기민 차 견 요역

412

甲寅 命修葺安巖洞檢校戶曹典書金軾之家. 上以術者之言 欲
避次于留後司 召河崙謀之 崙請次近地. 至是 欲避方於豐壤縣
儉巖前恭安府尹金仁貴之家 議政府言其太遠 請住近地故也.

乙卯 上率百官 親奠于仁昭殿. 以母后神御移安也.

丙辰 上詣德壽宮起居. 初 吉昌君權近 玉川君劉敞 詣德壽宮
具陳傳位不可之意 太上曰: "是或天之使然也. 予亦何能必止之
乎? 國有大臣 尙勉之哉!" 是日 太上從容謂上曰: "近日之事
文武大臣 無有告我者 唯吉昌君 玉川君 奔來泣告. 吾謂王之
忠臣 唯二宰臣耳. 且傳國 國之大事 而王不告於予可乎? 況王
鬚髮已白歟? 學問未通歟? 事理不識歟? 遽欲退安 亦何意歟?
値予百歲之後 任行自意 未死之前 不欲更聞此言." 遂欲酌大巵
罰之 上啓曰: "臣獨入侍側 父王之言 誰得知之?" 太上曰: "然."
卽召知申事黃喜入 具道前語 喜啓曰: "諸宰相畏上監 未敢咸
造 使權近 劉敞 以國人之意來啓耳." 太上曰: "然. 予前日未嘗
接對大臣故耳." 因謂喜曰: "汝以大杯 浮汝主上." 上離席俯伏 使
喜先進于太上 太上曰: "雖爾之罰杯 予亦先飮也." 是日 上大醉
還宮.

① 館于太平館. 이때 館은 동사로 '숙소에 머물다[舍]'라는 뜻이다.
　　관 우 태평관　　　관　　　　　　　　　　　　　　　사

② 以告歸本土也. '以~也'는 '왜냐하면 ~이기 때문이다'라는 구문이다.
　　이 고귀 본토 야　 이　 야

③ 在海. 이때 在는 '~에서[於]'라는 뜻이다.
　　재해　　　　재　　　　　어

④ 勿令은 '~하지 못하게 하다'라는 뜻으로 앞서 나온 不使와 같다.
　　물령　　　　　　　　　　　　　　　　　　　　　　　불사

⑤ 今世子奉國璽而來. 여기서 눈여겨봐야 할 표현은 '~而~'다. 즉 '奉~
　　금 세자 봉 국새 이래　　　　　　　　　　　　　　　　　　이　　　　봉
而來'는 '~를 받들고서 동시에 들어오다'라는 뜻이다. 이어지는 문장들
이래
에는 이와 같은 ~而出, 而入 등이 나온다. 다 같은 표현 방법이다.
　　　　　　　　이출　이입

⑥ 上則當啓稟於朝廷 下則當布告於臣民. 여기서 '上則~下則~'는 관용적
　　상즉 당 계품 어 조정　하즉 당 포고 어 신민　　　　　　　상즉　　하즉
인 표현법이다.

⑦ 俯察人心 上順天意. 이는 '俯~上~'이 대조를 이루는데 일반적으로는
　　부 찰 인심　상 순 천의　　　　　　부　상
'俯~仰~'이 짝을 이룬다.
　　부　앙

태종 6년 병술년
9월

九月

정사일(丁巳日-1일) 초하루에 사간원에서 소(疏)를 올려 거처를 옮기지[移御] 말 것을 청했으나 윤허하지 않았다. 소는 대략 이러했다.

'엎드려 듣건대 전하께서 근래의 재이(災異)로 인해 성 밖으로 거처를 옮기시려 하신다고 했습니다. 가만히 생각건대 하늘이 재이를 내어[出] 경고를 하는 것은 임금을 사랑하고 아껴서[仁愛] 스스로를 닦고 돌아보게 하려는 까닭입니다. 옛날에 은(殷)나라 고종(高宗)[1]은 장끼[雉雉]가 우는 변(變)을 만나자[遘=遭] 밤낮으로 두려워함으로 인해 향년(享年)이 길어졌으며 주(周)나라 선왕(宣王)[2]은 한발(旱魃)의 재변(災變)을 만나자 몸을 삼가고 다움을 닦아[側身修德] 중흥(中興)을 이뤄냈습니다. 이는 모두 열렬함과 삼감[誠敬]이 가져온 것이요, 하늘과 사람이 서로 감응(感應)하여 그렇게 된 것이며, 피방(避方)하여 빌고 푸닥거리를 한 때문이 아닙니다. 임금으로 하여금 피

---

1 59년 동안 재위했다. 전하는 말로 어릴 때 민간에서 성장해 농사의 어려움을 잘 알았고, 국세(國勢)가 기울어가는 상나라를 부흥시키고자 애썼다. 『사기(史記)』에 따르면 재상감을 구하지 못하자 3년 동안 정령(政令)을 선포하지 않는 등 철저하게 현명한 재상에게 정치를 맡겼다. 탕왕(湯王)을 제사할 때 꿩이 정(鼎)의 귀에 올라가서 우는 이상한 일이 발생하자 현신(賢臣) 조기(祖己)의 충고를 받아들여 정치를 고치고 다움을 행해 온 나라를 기쁘게 했다는 등 재상과 신하를 존중하고 신뢰한 것으로 유명하다. 부열(傅說)을 얻어 재상으로 삼아 대치(大治)를 이뤘다.

2 문왕(文王)·무왕(武王)의 유풍을 받아 선정을 했으며, 국위를 회복했다. 만년에는 정치에 태만해 서북 만족(蠻族)의 침입을 받아 서울을 동쪽의 낙양(洛陽)으로 옮겼다.

방하여 거처하게 함으로써 재앙을 면하게 하려고 한 것은 바로 후세(後世)의 술가(術家)들의 요사스런 말[妖言]입니다.

바라건대 전하께서는 은(殷)나라와 주(周)나라에서 재앙을 없앤 방법을 본받으시어[體=體認] 공구수성(恐懼修省)하시면 재앙이 도리어 상서(祥瑞)로움이 될 것이니 비록 피방하시어 기도하지 않더라도 각종 별들의 경계와 부엉이[鵂鶹]의 변괴는 염려할 것이 없습니다. 또 임금이 구중(九重-궁궐)에 깊숙이 계시며 환문 열위(環門列衛)하는 것은 존엄(尊嚴)을 보이고 뜻하지 아니한 변고를 방비하자는 목적입니다. 지금의 이어소(移御所)는 담장이 얕고 좁아서 지존(至尊)이 계실 곳이 아니며 근처에는 인가도 없어 시종(侍從)하는 사람들이 풀밭에서 비바람을 맞아야 하는 괴로움이 있으니 그 폐단이 작지 않습니다. 엎드려 바라옵건대 전하께서는 별전(別殿)으로 납시어 밤낮으로 조심하고 하늘을 공경하며 백성에게 부지런하시어 하늘의 뜻에 보답하셔야 할 것입니다.'

사헌부에서도 말씀을 올려 (대궐) 문밖으로 피방(避方)하는 것의 폐단을 말했다. 상이 장무(掌務)인 장령(掌令) 이계공(李季拱)과 (사간원) 정언(正言) 김위민(金爲民)을 불러 가르쳐 말했다.

"몸을 삼가고 행실을 닦는 것이 비록 고론(高論)은 되지만 내가 옛글을 보았더니 거처를 옮겼다는 글도 없지 않았다[不無]. 오늘날 야조(野鳥-부엉이)가 집으로 들어오고 또 지붕 위에서 우니 술자(術者)가 말하기를 '다른 곳으로 피하셔야 합니다'라고 하고, 또 근래에 태백성(太白星)이 대낮에 나타나고, 다시 헌원성(軒轅星)을 범하여 내 마지못해 이렇게 하는 것일 뿐이다. 그대들은 많은 말을 하지 말라."

○ 조와국(爪哇國-자바섬)의 사신 진언상(陳彦祥)이 전라도에서 (한양에) 이르렀는데 따르는 사람이 17명이었다. 중관(中官)에게 명해 서랑(西廊-소쪽 행랑)에서 음식을 대접하게 하고 각각 유의(襦衣-저고리) 한 벌과 갓, 신발을 내려주었으며 또 배에 머물러 있는 자에게도 감사(監司)를 시켜 의복(衣服)을 주게 했다.

○ (명나라) 조정에서 파견해서 온[差來] 왕벌응지(王伐應只)가 골을 간 올적합(骨乙看兀狄哈)³ 만호(萬戶) 두칭개(豆稱介) 부자(父子)와 부만호(副萬戶) 아지(阿知), 천호(千戶) 달빈개(達賓介) 등 25명을 불러 모아 경사(京師)로 떠났다. 동북면 도순문사(東北面都巡問使)가 아뢴 것이다.

○ (서북면) 은주(殷州-은산) 사람 전 호군(護軍) 이운계(李云界)를 목 베었다. 운계의 종 광대(廣大)가 서울[京城]에서 돌아와 운계에게 말했다.

"공신(功臣)과 각사(各司)의 관원은 자문(紫門)⁴으로 나아가고, 유후사(留後司)는 성문(城門)을 파수(把守)하고 있으며, 평양에 이르기까지 모두 파절(把截)⁵이 있습니다."

운계가 이 말을 듣고, 몰래 순주지사(順州知事) 김인의(金仁義)에게 말했다.

---

3 동해안의 포시예트(Posyet) 만 일대에 사는 별종 올적합(別種兀狄哈)이다.

4 조선시대 궁전(宮殿)을 둘러싼 자성(紫城)에 설치되었던 문(門)이다. 대개 신하들끼리 나라의 일을 의논할 때 모였던 곳이다.

5 지세가 험해 적을 방어하는 데 편리한 요해처(要害處)를 파수(把守)하며 경비하는 것 혹은 그런 사람을 가리킨다.

"요새 대언(代言)은 일을 아뢸 수가 없고, 공신(功臣)과 백관(百官)은 날마다 자문(紫門)에 모이고, 시위 갑사(侍衛甲士)도 모두 흩어졌다고 합니다. 그리고 지금 주상(主上)과 인덕궁(仁德宮)의 상왕(上王)은 틈이 생겨 공신과 백관들이 상왕에게 붙어서 '선왕(善王)'이라 지칭한다고 합니다. 이분으로 말하면 그대의 구주(舊主)이니 복위(復位)의 명(命)이 있을 것입니다."

인의는 본래 상왕을 잠저(潛邸)에서 섬기던 자라 이 말을 듣고는 기뻐하여 비밀리에 글을 이웃 고을 자주지사(慈州知事) 신보안(辛保安)에게 보냈다. 보안이 그 글을 도순문사(都巡問使) 조박(趙璞)에게 바치니 조박이 이를 나라에 보고했다. 이에 순금사 부사직(副司直) 송저(宋儲)를 보내 두 사람을 잡아다 신문하니 모두 스스로 털어놓았다. 운계는 주살(誅殺)하고 인의는 장(杖) 60대를 쳐서 일반 백성으로 만들었다.

기미일(己未日-3일)에 부엉이가 근정전에서 울었다.

○ 안암동(安巖洞) 김식(金軾)의 집으로 거처를 옮겼다. 애초에 경기 도관찰사(京畿都觀察使) 전백영(全伯英)이 안암동의 이어소에 초가(草家) 31칸을 지었다. 상이 지신사 황희를 꾸짖었다[詰].
힐

"지금 이어소를 손보라[修葺]고 한 것은 내가 경기의 백성들을 괴
수즙
롭히지 않으려고 한 때문이었다. 오늘날 집을 새로 지으면서도[營造]
영조
어찌하여 나에게 고하지 않았는가?"

희가 대답했다.

"신이 어제 명을 받들어[承命] 수리 제조관(修理提調官) 최유경(崔
승명

有慶) 등에게 가보았더니 유경이 말하기를 '집이 협소하여 조금 더 지어야 되겠다'라고 하기에 신이 '그리하라'고 했습니다. 하지만 그때 즉시 아뢰지 못한 것은 실로 신이 잘 잊어버리는[善忘] 죄입니다."

상이 말했다.

"지금 새로 지은 집은 모두 다 헐어버려라. 내일 가서 보고 만약 한 칸이라도 남아 있으면 내 옮겨 가지 않겠다."

유경이 명을 듣고 두려워하여 모두 헐어버렸다. 육조(六曹)와 대간(臺諫)에서 각 1명씩이 의막(依幕)[6]에서 시위(侍衛)하고, 나머지 각사(各司)는 한 달에 여섯 번씩만 조참(朝參)하고, 삼군 갑사(三軍甲士) 별시위(別侍衛) 외패(外牌)의 시위는 평상시와 같이 근무하게 했다.

신유일(辛酉日-5일)에 태백성이 낮에 보였고 금성이 태미성(太微星)으로 들어갔다.

○ 동교(東郊)에서 매사냥을 구경했다. 우사간 대부 정역(鄭易)과 (사헌부) 지평(持平) 조계생(趙啓生) 등이 간언하여 말했다.

"전하께서 초지(草地)에 옮겨 거처하시는 것은 매사 두려워하는 마음으로 스스로를 닦고 반성하여[恐懼修省] 이변(異變)을 없애고자 하심 때문입니다. (그런데) 오늘 사냥을 구경하시는 것은 옳지 못한 듯합니다."

상이 말했다.

"피방(避方)하여 거처하는 것을 말함인가? 이것은 둔갑(遁甲)하여

---

6 임시로 비 바람을 피하기 위해 지은 막사를 가리킨다.

몸을 숨기는 데 비할 것이 아니다. 내 어찌 중처럼 벽(壁)을 향하여 좌선(坐禪)해야만 하겠는가?"

역(易) 등이 또 말했다.

"사냥을 구경하시고 말을 몰아 들판을 달리는 것은 액(厄)을 피하는 도리에 어긋납니다. 또 아직 추수(秋收)도 절반이 끝나지 않았는데 기사(騎士)를 많이 거느리고 구경하시는 것은 신 등의 소망에 어긋납니다."

상이 말했다.

"곡식을 짓밟아 손상시킨다는 것은 그대들의 지레 걱정이다. 내 비록 사냥을 구경한다 하더라도 결코 곡식을 밟아 손상시키는 폐단은 없을 것이다. 내가 유후사(留後司-개경)에 있을 적에 문밖에 나가서 사냥을 구경한 일이 한 번뿐이 아니었지만, 곡식을 밟아서 손상시킨 폐단은 없었다. 이것은 그대들이 일찍이 아는 사실이다. 지금 매 한두 마리를 키워가지고 교외(郊外)에서 시험 삼아 놓아보고자 하는 것이니 피방해 있는 동안에는 다시는 이 같은 말을 하지 말라."

임술일(壬戌日-6일)에 태백성이 낮에 보였다.

○ 서북면 도순문사 조박(趙璞)에게 궁온(宮醞)을 내려주었다. 이때 박(璞)이 바야흐로[方] 안주(安州)에 성을 쌓기 때문이었다. 애초에 첨총제(僉摠制) 유구산(庾龜山)을 선위사(宣慰使)로 삼았는데 대사헌 이원(李原)이 아뢰어 말했다.

"선위사가 향례(享禮)를 베푸는 데는 술과 고기를 사용하게 됩니다. 지금 구산이 비록 기복(起復)됐다고 하지만 아직 삼년상을 벗

지[終制] 못했습니다. 그런데 사양하지 아니하고 가려 하니 이는 군
명(君命)으로 사람을 부리는 체통에 있어 서로 불가합니다."

상이 옳게 여겨 봉상령(奉常令) 이양(李揚)으로 교체하게 했다.

계해일(癸亥日-7일)에 박린(朴麟)과 김희(金禧)가 자신들의 고향에
서 돌아오니 의정부에 명해 숭례문(崇禮門) 밖에서 잔치를 베풀게
했다. 상은 박린과 김희에게 행전(行殿)[7]에서 잔치를 베풀었다.

○ 대간(臺諫)에서 잇달아 글을 올려[連章] 강무(講武)[8]를 그만둘
것을 상언(上言)했으나 윤허하지 않았다. 소는 이러했다.

---

7 행재소(行在所)에 임시로 마련한 장전(帳殿)을 가리킨다.
8 조선시대 왕의 친림 하에 실시하는 군사훈련으로서의 수렵대회다. 사냥을 말한다. 조선
   초기에 많이 시행되었으며 엄격한 의식 절차가 정해져 있었다. 1396년(태조 5년) 의흥삼
   군부(義興三軍府)의 건의에 따라 의식 규례가 마련됐다. 조선 초기의 강무는 서울에서는
   사계절 끝 무렵에, 지방에서는 봄·가을 두 계절에 수렵을 해 잡은 동물로 종묘사직과 지
   방사직에 제사하고 잔치를 베풀었다. 후기에는 봄·가을 두 차례만 하도록 규정했으나 거
   의 시행되지 않았다.
   절차를 보면 다음과 같다. 행사 7일 전에 병조에서 인원을 징발해 사냥할 들판에 경계를
   표시하고, 당일 새벽까지 군사를 집합시킨다. 그 뒤 병조에서 사냥하는 영(令)을 나눠 지
   시하면 군사들은 사냥터를 포위하는데 전면은 틔워놓는다. 왕의 수레가 사냥터에 이르면
   북을 치고 사냥이 시작된다. 여러 장수가 북을 치고 행진하여 들어가면 몰이하는 기병을
   출동시킨다. 그 뒤 임금이 말을 타고 남쪽으로 향하고 대군·왕자 등도 말을 타고 왕의
   앞뒤에 도열한다.
   담당자가 짐승을 몰아오면, 첫 번째 몰이에 유사(有司)가 활과 화살을 정돈하고, 두 번
   째 몰이에 병조에서 활과 화살을 올리며, 세 번째 몰이에 임금이 짐승의 왼쪽에서 활을
   쏜다. 몰이 때마다 반드시 임금이 세 짐승을 쏜 후에 여러 왕자가 활을 쏘고 장수와 군
   사들이 차례로 쏜다. 이를 마치고 몰이하는 기병이 철수하면 백성들의 사냥이 허락된다.
   행사가 끝날 무렵 병조에서 사냥터에 기를 올리면 여러 장수가 북을 치고 군사들이 함성
   을 지른다. 잡은 짐승은 모두 기 밑에 모으고 왼쪽 귀를 벤다. 큰 짐승은 관(官)에서 가지
   고 작은 짐승은 개인이 가지고 간다. 짐승을 잡아 좋은 고기는 사자를 시켜 종묘에 보내
   제사를 지내고, 나머지는 그 자리에서 요리해 잔치를 베풀었다.

'강무는 비록 옛 제도라 하지만 지금 가을걷이[刈穫]가 아직 끝나
지 않았으니 월말(月末)을 기다려 나가실 것을 청합니다.'

애초에 상이 11일에 강원도에서 강무하려고 했기 때문에 대간에
서 이런 말이 있었다. 사간원에서 다시 청했으나 역시 윤허하지 않
았다.

갑자일(甲子日-8일)에 상이 태평관(太平館)에 가서 내사(內史)에게
잔치를 베풀고 다시 덕수궁(德壽宮)으로 나아가 기거했다.

○ 경차관(敬差官) 김구덕(金九德) 등 60여 명을 나눠 보내 다시 논
밭을 측량하게 했다. 경기(京畿)·풍해(豊海)·강원도(江原道)에 모두
측량을 마치라고 명하니 의정부에서 그 경계(經界)가 바르지 못하다
고 말했기 때문이다.

을축일(乙丑日-9일)에 태백성이 낮에 보였다.

병인일(丙寅日-10일)에 박린(朴麟)과 김희(金禧) 등이 돌아갔다. 린
(麟) 등이 행전(行殿)에 나아가 하직 인사를 하니[告辭] 상이 반송정
(盤松亭)에 나가 전송연(餞送宴)을 베풀었다. 잔치가 끝나자 린 등이
청했다.

"사례(私禮)를 행하고자 하니 전하께서 남면(南面)하고 서시기 바
랍니다."⁹

---

9 비록 명나라 황제의 사신이기는 하지만 조선 출신이기 때문에 사사로운 예법을 통해 임

상이 그것을 따르니 린 등이 머리를 조아려 사배례(四拜禮)를 행하고 떠났다. 상이 돌아와 덕수궁에 나아가 강무(講武)하러 간다고 아뢰었다.

정묘일(丁卯日-11일)에 금성(金星)이 태미(太微)의 우집법(右執法)[10]을 범했다.

○ 강원도에서 강무했다.

무진일(戊辰日-12일)에 상이 사람을 보내 노루 세 마리를 덕수궁에 바쳤다. 상이 포천(抱川) 등성이에서 고정모(高頂帽)를 쓴 두어 사람이 뒤쫓아오는 것을 보고 좌우(左右)에 물었다.

"저들은 누군가?"

대답했다.

"대언(代言)입니다."

상이 말을 멈추고 여섯 대언(代言)을 불러 노희봉(盧希鳳)을 시켜서 각각 큰 잔[盂]에 술을 부어 내려주고 다시 큰 술잔[鍾]으로 한
                     우   종
잔씩을 내려주었다. 그리하여 좌대언 윤사수(尹思修)는 엉금엉금 기어서[匍匐] 물러가고, 우대언 권완(權緩)은 말을 타려 하다가 떨어지
       포복

금을 향해 예를 행하기 위해 남면하라고 한 것이다. 남면한다는 것은 곧 임금의 자리에 있다는 뜻이다.

10 태미원(太微垣) 남방 중앙의 두 별 사이를 단문(端門)이라 한다. 태미원은 천자의 궁정, 오제(五帝)의 좌(座), 12제후의 부(府) 등을 뜻하며, 단문 동쪽의 별은 좌집법(左執法)으로 정위(廷尉)를, 서쪽의 별은 우집법(右執法)으로 어사대부(御史大夫)를 뜻한다.

니 상이 그것을 보고 웃었다. 이숙번(李叔蕃)을 불러 말했다.

"이곳에는 짐승이 적고, 날이 흐린 데다 굳은비가 이처럼 내리니 내 환궁하려고 한다."

숙번이 대답했다.

"지나신 곳마다 예전부터 이와 같습니다. 만약 철원(鐵原) 지방으로 들어가시면 비로소 들이 평평하고 짐승도 꽤 많을 것입니다."

상이 그대로 따랐다. 13일[己巳]에 철원 지방에 들어가니 과연 숙번의 말대로였다. 저녁 때 철원의 신지(新池)에서 행차를 멈추었다. 상이 대열의 한가운데[中軸]에서 말을 달리며 짐승을 쫓았다.

경오일(庚午日-14일)에 철원 봉성(鳳城) 벌판[坪]에 머물렀다. 이계공(李季拱)과 김위민(金爲民)이 행악(行幄-임시 장막)으로 나아가 아뢰어 말했다.

"이곳은 비록 평탄하다 하지만 돌멩이가 소와 양처럼 풀밭에 묻혀 있는 곳이 매우 많으니 말을 모실 때 뜻하지 않은 일이 있을까 염려됩니다. 전하께서는 종묘(宗廟)를 위해 자중(自重)하시고 바른 길[直道]로만 가시기 바랍니다."

상이 말했다.

"내가 벌써 이곳이 험한 줄 알고 있으니 어찌 감히 말을 달려 몰겠는가?"

계공(季拱) 등이 다시 아뢰어 말했다.

"전하께서 이미 사냥터로 들어오셨는데 풀밭 사이에서 새가 날아서 앞에 오는 때에 만약 차마 달려가 쏘지 못하고 졸지에 말고삐를 놓치는 변(變)이라도 있게 되면 후회하신들 무엇하겠습니까?"

상이 말했다.

"사냥을 하는 것은 반드시 사냥터에서 해야만 되는 것이지 바른 길로 가는 것은 옳지 않다. 그러나 대열의 가운데를 따라가며 사졸(士卒)들의 용감함과 겁냄[勇怯]을 살펴볼 뿐이다. 그대들이 내 말을 믿지 못하겠거든 뒤를 따르면서 보라."

신미일(辛未日-15일)에 대가(大駕)가 평강현(平康縣)에 이르렀다.

임신일(壬申日-16일)에 태백성이 낮에 보였다.

○ 조와국(爪哇國)의 진언상(陳彦祥) 등이 돌아가니 상이 선물을 두텁게 내려주어 보냈다. 언상(彦祥)이 의정부에 글을 올려 말했다.

'영락(永樂) 4년(1406년) 5월 18일에 국왕께서 (저희를) 파견하여 "토산물(土産物)을 싸가지고 특별히 조선국에 가서 진하(進賀)하라"고 하시기에 같은 해 5월 22일 길을 떠나[起程] 해선(海船) 한 척을 타고 윤7월 초1일 미시(未時)에 조선국 전라도 진포(鎭浦-군산) 바깥 군산도(群山島) 밖에 닿았을 때 갑자기 왜선(倭船) 15척을 만나 당일(當日)에 둘이 서로 교전(交戰)했는데 초3일 오시(午時)에 이르러 적은 숫자로 많은 적을 대적하지 못하고 어찌할 수 없이 전부 겁탈을 당하여 번인(蕃人) 21명이 죽음을 당하고, 남녀(男女)를 아울러 60명이 잡혀가고 현재 살아남아 생명을 보전하여 해안에 상륙한 자는 언상(彦祥)과 남녀(男女)를 합하여 40명입니다. 진하(進賀)하려던 토산물과 제가 진헌(進獻)하려던 물건, 그리고 여러 사람이 배에 가득 실었던 물건들을 모두 약탈당했습니다. 지금 옷과 양식을 내려주셔서 본국으로 돌아가게 되었으나 저희 나라에서도 도적을 만난 일을 믿지 않을까 참으로 걱정이니, 생각건대 입으로 말해도 증거가 없으니 원컨대 회문(回文)을 내려주시어 증빙(證憑)을 삼게 해주시기 바랍니다.'

또 글을 바쳐[呈] 말했다.

'영락 4년 5월 18일에 국왕께서 (저희를) 파견하며 "특별히 토산물을 가지고 가서 진하(進賀)하라"고 하시기에 그해 5월 22일에 길을 떠나 새로 만든 2,200료(料)의 해선(海船) 한 척을 탔는데, 윤7월 초 1일에 조선국 전라도 진포(鎭浦) 바깥 군산도(郡山島) 밖에 닿았을 때, 뜻하지 않게도 왜적(倭賊)을 만나 겁탈을 당해 전부 없어지고 본선(本船)만 남았을 뿐입니다. 지금 돌아가도 좋다는 사령(使令)을 받았으나, 배를 타는 수수인(水手人)들이 왜적 때문에 태반이 살해되고, 남은 사람은 잡혀가서 배를 탈 사람이 적습니다. 본선(本船)은 무겁고 커서 타기가 어려우니 큰 바다에서 소실(疏失)되지나 않을까 염려되옵니다. 생명(生命)이 중하니 이제 가지고 온 큰 배를 헌납(獻納)할 터인즉, 40료(料)쯤 되는 경쾌한 소선(小船) 한 척과 바꿔주시기를 간절히 바랍니다. 내년에 다시 오겠습니다.'

상이 허락하라고 명했다.

갑술일(甲戌日-18일)에 징파도(澄波渡-경기도 연천 근처 나루)에 머물렀다. 경기 도관찰사 전백영(全伯英)이 행악(行幄)으로 들어가 뵈오니 상이 벼와 곡식의 흉풍(凶豐)을 묻고 또 말했다.

"손실(損失)을 당할 때마다 경차관(敬差官)을 나눠 보내는데 백성들이 (경차관이 오는 것을) 다 싫어하는 것은 무슨 까닭인가?"

백영이 대답했다.

"나라는 백성으로 근본을 삼습니다. 백성이 있은 뒤에 나라가 있는 것인데 경차관이 된 사람들이 가끔 백성의 병폐는 살피지 아니하고, 나라와 백성을 둘로 여겨 나라에만 이롭게 하려고 하여 민생(民生)에 불편함이 매우 많습니다. 이 까닭에 싫어하는 것입니다."

상이 매우 옳게 여겼다.

병자일(丙子日-20일)에 태백성이 낮에 보였다.

○ 거가(車駕)가 안암동(安巖洞)의 행전(行殿)으로 돌아왔다. 상이 태상이 장차 (황해도) 평주(平州) 온정(溫井-온천)에 행차한다는 말을 듣고 동소문(東小門)으로 들어가 말을 달려 덕수궁(德壽宮)에 나아가서 기거(起居)를 묻고 지송(祗送)한 다음 행전(行殿)에 돌아와서 지신사 황희를 시켜 유의(襦衣-저고리)와 초립(草笠)을 태상왕의 행재소(行在所)에 바치게 했다.

○ 상이 말했다.

"피방(避方)해 있는 곳이 성 밖에 있다 보니 육조(六曹)의 일이 번거롭다. 만약 조계(朝啓)한 뒤 본사(本司)에 나가 근무하려면 반드시 공무(公務)가 늦어질 것이니 환궁할 때까지는 조계를 행하지 않는 것이 좋겠다."

무인일(戊寅日-22일)에 우박이 내렸다.

신사일(辛巳日-25일)에 동교(東郊)에서 매사냥을 구경했다. 갑사(甲士)에게 명해 동대문(東大門)을 파수(把守)하게 하고, 오시(午時)에 이르도록 사람의 출입을 금했다. 행전(行殿)이 동대문 밖에 있어 오고 가는 데 번잡했기 때문이다. 대간(臺諫)과 장무(掌務)를 불러 말했다.

"소사(所司-관련 기관)에서 모두 매사냥을 그르게 여기나 내가 본래 깊은 궁궐에서 나고 자라지 않았기 때문에 잠저(潛邸) 때부터 즐겨 하던 것이다. 지금 그만둘 수 없으니 경들은 이상하게 여기지 말라."

좌사간 대부 윤사영(尹思永) 등이 말했다.

"이어소(移御所)는 액(厄)을 피하기 위함이고, 매를 놓는 것[放鷹] 은 사냥을 하는 것입니다. 액을 피하는 방법은 마땅히 매사를 두려워하며 자신을 닦고 성찰해야만 하는데 지금 사냥을 하시며 즐거움을 따르시니 신 등은 불가하게 여기는 것입니다."

상이 말했다.

"내 일단 시험해본 뒤에 그만둘 것이다. 경들이 끝내 나를 강제로 그만두게 하려는가?"

임오일(壬午日-26일)에 태백성이 낮에 보였다.

○ 대마도 수호(對馬島守護) 종정무(宗貞茂)가 사신을 보내 토산물, 소목(蘇木), 호초(胡椒), 공작(孔雀) 등을 바쳤다. 사자가 스스로 말하기를 남번(南蕃)의 배를 노략하여 얻은 것이라고 했다. 사간원에서 말씀을 올렸다.

"진기(珍奇)한 새와 짐승은 나라에서 기르지 아니하는 것이 옛 가르침입니다. 하물며 겁탈해 빼앗은 물건이야 말할 게 있겠습니까? 물리치고서 받지 않으시는 것이 옳겠습니다."

상이 먼 나라 사람과의 관계를 중하게 여겨 공작을 상림원(上林園)에서 기르라고 명했다.

○ 일본의 호자(呼子) 원강수(遠江守) 원서방(源瑞芳), 압타(鴨打) 삼천수(三川守) 원부(源傳)와 일기도 수호대(一岐島守護代) 원뢰광(源賴廣) 원거(源擧)가 각각 포로로 잡혔던 인구(人口)를 돌려보내고 예물(禮物)을 바쳤다.

○ 다시 성석린(成石璘)을 세자사(世子師)로 삼고, 하륜(河崙)을 이사(貳師), 이래(李來)를 좌빈객(左賓客), 유관(柳觀)과 조용(趙庸)을 좌우 부빈객(左右副賓客)으로 삼고, 한상경(韓尙敬)을 승녕부 판사(承寧府判事), 김승주(金承霔)를 의정부 지사, 김로(金輅)를 서북면 도순문찰리사 겸 평양윤(平壤尹)으로 삼았다.

갑신일(甲申日-28일)에 마전포(麻田浦)[11]에서 매사냥을 구경했다.

을유일(乙酉日-29일)에 길창군(吉昌君) 권근(權近)에게 노루와 기러기를 내려주었다.

○ 다시 호군방(護軍房)[12]을 두고 황상(黃象, ?~?)[13]을 방주(房主), 이

---

11 서울시 송파구 삼전동에 있던 마을로서 이 마을에 삼[麻]을 심었던 데서 마을 이름이 유래됐다.

12 조선조 태종 이후 호군(護軍) 이상이 모여 군사(軍事)를 의논하던 곳이다. 고려 때 중방(重房)이라 하다가 조선조에 들어와 장군방(將軍房)으로 개칭(改稱)했는데 1400년(정종 2년)에 회좌례(回坐禮)의 폐단이 있어 폐지했다가 이때 다시 부활시켰다.

13 아버지는 개국공신 황희석(黃希碩)이다. 1401년(태종 1년) 금주령을 어기고 술을 마시다

각(李慤)을 장무(掌務)로 삼았다. 예조(禮曹)에 명하여 앉고 일어나는 예법[坐起禮度]과 공사(公事)를 처리하는 절목(節目)을 상정(詳定)하게 하고 의정부에 내려 깊이 토의하게 했다[擬議]. 전조(前朝-고려)의 구제(舊制)를 참고해 약간씩 늘리거나 줄여서 아뢰었다.

'하나, 새로 임명된[新判] 호군은 사은 숙배(謝恩肅拜)하고 의정부에 당참례(堂參禮)¹⁴를 행한 뒤 본방(本房)에 참알(參謁)¹⁵ 회좌(回坐)¹⁶를 행하기 전에는 행수 상호군(行首上護軍), 장무 대호군(掌務大護軍), 친종 호군(親從護軍), 방주(房主), 장무(掌務) 10인과 망 10인의 호군(望十人護軍) 각처(各處)에만 명함(名銜)을 들이고, 다른 곳에는 출입할 수 없다.

영흥부로 유배되기도 했다. 1405년 무과회시(武科會試)에 급제하고 이때 호군방(護軍房)이 다시 설치되면서 방주(房主)가 됐다. 1407년 축첩 문제로 파직됐으나 개국공신의 후예라 하여 곧 사면되고 각 위(各衛)에 절제사를 두면서 1411년(태종 11년) 충좌사첨절제사(忠佐司僉節制使)가 됐다. 1419년(세종 1년) 왜구의 진원지 대마도(對馬島)를 정벌할 때 삼군도체찰사(三軍都體察使) 이종무(李從茂) 휘하의 중군장에 임명됐다. 1426년 도총제가 됐는데 세종이 군을 친열할 때 군법을 문란하게 했다 하여 편(鞭) 50의 벌을 받았다. 이듬해 병조판서로서 황희(黃喜) 등과 같이 양녕대군(讓寧大君)을 폐출할 것을 주장했으며, 육진(六鎭)의 하나인 경원이 여진의 침구가 빈번하니 곡창지 용성(龍城)으로 옮길 것을 건의한 바 있다. 그러나 1428년 병조판서의 중책을 지닌 자로, 기첩(妓妾)을 만나느라 왕을 호가하지 않았다는 사헌부의 탄핵을 받고 고성으로 유배됐다.

14 관리가 새로 임명되면 해당 전조(銓曹), 곧 이조(吏曹)나 병조(兵曹)에 가서 사례(謝禮)를 드리던 일이다. 이때 당참채(堂參債)를 지불하는 등 폐단이 많았으므로 한때 폐지하기도 했다.

15 새로운 관직에 임명된 중하급 관리들이 상급 관청을 인사차 방문하여 전래의 풍습에 따라 소속 관원들에게 사례하면서 주는 돈이나 물품을 가리킨다. 또는 그렇게 하는 행위를 가리킨다.

16 새로 장군(將軍)이나 호군(護軍)에 임명된 사람의 씨족(氏族), 가풍(家風), 재행(才行) 등을 조사해 결격(缺格) 사유가 없을 때 비로소 상관(上官)에게 배알(拜謁)하게 하고 제 좌석에 앉도록 허락하던 일을 가리킨다.

하나, 본방(本房)에 회좌(回坐)·참알(參謁)할 때의 명함(名銜)은 표지(表紙) 반 장(張)을 사용하고, 행수 상호군(行首上護軍) 이하 망10인(望十人) 이상의 호군(護軍) 각처(各處)의 명함은 도련지(擣鍊紙)[17] 반 장을 사용한다.

하나, 화려한 의복(衣服), 갓과 신발, 말안장과 말굴레 등의 장구(粧具)는 모두 사용하지 못한다. 다만 강무(講武)에 수가(隨駕)할 때는 이 제한[此限]에 포함시키지 않는다.

하나, 여러 시랑(侍郞)이 노상(路上)에서 상호군(上護軍) 이하 망10인 호군(望十人護軍) 이상을 만나면 모두 말에서 내린다.

하나, 새로 임명된 호군(護軍)은 각각 포(布) 25필씩 본방(本房)에 바친다.

하나, 참알례(參謁禮)는 호군방(護軍房)에 모이는 것이 6아일(六衙日) 이외의 날로 하는데, 각기 본령(本領)에서 근무하다가 그날에 이르러 참알(參謁) 회좌(回坐)할 때 새로 임명된 호군은 전직을 명함(名銜)에다 써서 본방(本房)에 들이고, 계하(階下)에 들어가서 몸을 굽히고[躬身]고 계상(階上)으로 올라간다. 그리고 다시 몸을 굽히고 이름을 고한 뒤 방주 호군(房主護軍) 앞에 나아가서 각각 머리를 조아려[頓首] 두 번 절하고, 또 여러 시랑(侍郞) 앞으로 나아가 일시(一時)에 머리를 조아려 두 번 절한다. 방주(房主) 장무(掌務)와 여러 시랑(侍郞)은 모두 머리를 숙이며[控首] 답배(答拜)한다. 예(禮)가 끝나면

---

17 네 귀퉁이를 가지런하게 자른 종이류를 두루 일컫는 말이다. 종류는 품질에 따라 다양했으며, 품질이 좋은 경우는 임금의 명령이나 중요한 문서 따위를 기록하는 데 쓰인다. '도련지(刀鍊紙)'라고도 한다.

도로 나온다.

하나, 회좌례(回坐禮) 때 방주 장무 등은 새로 임명된 호군의 조품
(祖品), 인품(人品)과 병서(兵書) 등의 일을 가지고 원의(圓議)를 행하
여 그 선후(先後)의 등급을 매긴다. 새로 임명된 호군으로 회자(回坐)
를 당한 자는 곧 새로 받은 직사(職事)를 명함(名銜)에 써서 본방(本
房)에 들이고, 시복(時服) 차림으로 들어가서 방주 호군(房主護軍) 이
하의 앞에 이르러 위와 같이 예(禮)를 행한다. (예(禮)를 마치고) 나온
뒤에는 현재의 직책[時職]을 명함에 써서 본방에 들인 뒤에 다시 들
       시직
어가서 앞서와 같이 예(禮)를 행한다. 답배(答拜)도 위와 같이 한다.
예(禮)가 끝나면 곧 들어가서 자리에 앉는다.

하나, 9월 9일 전과 3월 3일 뒤에는 겹옷을 입는 것을 금하고, 목
면(木緜)·포의(布衣)는 나라의 풍속을 따르는 것을 허락한다.

하나, 각령(各領)의 5원(五員)[18] 10장(十將)[19]으로 본령(本領)의 호군
에게 범마(犯馬)[20]하고 지나간 자와 오만하여 예(禮)를 어긴 자는 그
영(領)의 호군이 각자 요량하여 포(布)를 징수하고, 치죄(治罪)하게
한다.'

전조(前朝)의 옛 풍습에 방주(房主) 장무(掌務) 이외의 호군(護軍)
을 '여러 시랑(侍郎)'이라고 했다.

---

18 산원(散員) 5명을 가리킨다.

19 낭장(郎將) 5인, 별장(別將) 5인을 가리킨다.

20 신분이 낮은 아래 관원은 높은 관원의 앞을 지날 때 말에서 내리거나 또 높은 관원이 지
    나간 뒤에 가야 하는데 이것을 어긴 행위를 말한다.

丁巳朔 司諫院上疏請勿移御 不允. 疏略曰:
정사 삭 사간원 상소 청물 이어 불윤 소 약왈

‘伏聞殿下 近因災異 欲移御城外. 竊謂天出災異以譴告 是
복문 전하 근인 재이 욕 이어 성외 절위 천출 재이 이 견고 시

所以仁愛人君 而欲修省之也. 在昔殷高宗遘雊雉之變 夙夜
소이 인애 인군 이욕 수성 지야 재석 은 고종 구 구치 지변 숙야

祗懼 享年有永; 周宣王遭旱魃之災 側身修德 以致中興. 此皆
지구 향년 유영 주 선왕 조 한발 지재 측신 수덕 이치 중흥 차개

誠敬所格 天人相感之使然 非避禳之所致. 欲人君避居以禳禬
성경 소격 천인 상감 지사연 비 피양 지소치 욕 인군 피거 이 양회

乃後世術家之妖言. 願殿下體殷周弭災之道 恐懼修省 則變災
내 후세 술가 지요언 원 전하 체은주 미재 지도 공구 수성 즉 변재

爲祥 雖不避禳 星辰之警 鵂鶹之怪 不足慮也. 且人君深居九重
위상 수불 피양 성신 지경 휴류 지괴 부족 려야 차 인군 심거 구중

環門列衛 所以示尊嚴而防不虞也. 今移御所 垣墉淺狹 非至尊
환문 열위 소이 시 존엄 이방 불우 야 금 이어소 원용 천협 비 지존

之所御. 旁無人居 侍從之人 草野風雨之苦 弊不小矣. 伏望殿下
지 소어 방무 인거 시종 지인 초야 풍우 지고 폐불소의 복망 전하

出御別殿 日夜祗懼 敬天勤民 以答天意.’
출어 별전 일야 지구 경천 근민 이답 천의

司憲府亦上言門外避方之弊. 上召掌務掌令李季拱 正言
사헌부 역 상언 문외 피방 지폐 상소 장무 장령 이계공 정언

金爲民敎之曰: “側身修行 雖爲高論 予觀古書 不無移御之文.
김위민 교지 왈 측신 수행 수위 고론 여관 고서 불무 이어 지문

今野鳥入室 又鳴屋上 術者云: ‘當避他所.’ 又近日太白晝見 復犯
금 야조 입실 우명 옥상 술자 운 당피 타소 우 근일 태백 주견 부범

軒轅 予不得已而爲是擧耳. 爾等毋多言.”
헌원 여 부득이 이위 시거 이 이등 무 다언

爪蛙國使陳彦祥 至自全羅道 從者十七人. 命中官饋于西廊 各
조와국 사 진언상 지자 전라도 종자 십칠 인 명 중관 궤우 서랑 각

賜襦衣一襲及笠靴 其留船者 亦令監司給衣服.
사 유의 일습 급 입화 기 유선 자 역령 감사 급 의복

朝廷差來王伐應只 招安骨乙看兀狄哈萬戶豆稱介父子及副

萬戶阿知 千戶達賓介等二十五名赴京師. 東北面都巡問使所啓也.

誅殷州人前護軍李云界. 云界之奴廣大 自京城還 謂云界曰:

"功臣各司進紫門 留後司守把城門 至平壤皆有把截." 云界因此

潛謂知順州事金仁義曰: "今者 代言不得啓事 功臣百官 日會

紫門 侍衛甲士 亦皆退散. 今主上與仁德宮上王有隙 而功臣百官

歸仰上王 指謂善王. 是則子之舊主 有復位之命也." 仁義 本事

上王於潛邸者 聞之而喜 密以書通于隣官知慈州事辛保安 保安

呈其書于都巡問使趙璞. 璞以聞 遣巡禁司副司直宋儲 執二人來

訊之 皆服. 云界伏誅 仁義杖六十爲民.

己未 鵂鶹鳴于勤政殿.

移御于安巖洞金軾之家. 初 京畿都觀察使全伯英 於安巖洞

移御所 營造草屋三十一間. 上詰知申事黃喜曰: "今修葺移御所

予欲不勞圻甸之民. 今有營造 何不告予?" 喜對曰: "臣昨承命

往見修理提調官崔有慶等 有慶言: '屋宇狹小 須略加營造.' 臣

對曰: '然' 但其時卽不啓聞 實是愚臣善忘之罪." 上曰: "今新造

屋舍 悉皆破取. 明日予往觀之 如有一間尙在者 予卽不移御矣."

有慶聞命惶懼 悉皆撤. 六曹臺諫各一員 依幕侍衛 其餘各司

但六朝參 三軍甲士 別侍衛 外牌 侍衛如常.

辛酉 太白晝見 金星入太微.

觀放鷹于東郊. 右司諫大夫鄭易 持平趙啓生等諫曰: "殿下

出次草地 欲其恐懼修省 以消變異也. 今日觀獵 似乎未便" 上

曰: "避居乎此 非遁甲藏身之比也. 予豈若浮屠向壁 坐禪也?" 易

等又曰: "觀獵馳騎原野 乖於避厄之道. 且秋收未半 而多率騎士

觀獵 此臣等之所缺望也." 上曰: "踏損禾穀 乃爾等之先慮也. 予

雖觀獵 萬無踏損之弊. 予在留後司之時 觀獵門外者非一 亦無

踏損之弊 爾等之所曾知也. 今養一二鷹子 欲試放郊外. 避御之

間 毋再爲如此之言."

壬戌 太白晝見.

賜宮醞于西北面都巡問使趙璞. 時璞方城安州. 初 以僉摠制

庚龜山爲宣慰使 大司憲李原啓曰: "宣慰使設享 禮用酒肉. 今

龜山雖起復 然未終制 不辭而行 其於君命使人之體 交有不可."

上然之 以奉常令李揚代之.

癸亥 朴麟 金禧至自其鄉 命議政府設宴于崇禮門外. 上宴朴麟

金禧于行殿.

臺諫連章上言止講武 不允. 疏曰: '講武雖古制 然今刈穫未竟

請待月晦而出.' 初 上欲以十一日講武于江原道 故臺諫有是言.

司諫院再請 亦不許.

甲子上如太平館宴內史 還詣德壽宮起居.

分遣敬差官金九德等六十餘人改量田 京畿 豐海 江原道 命畢

打量. 議政府言其經界不正故也.

乙丑 太白晝見.

丙寅 朴麟 金禧還. 麟等詣行殿告辭 上出餞盤松亭. 宴畢 麟等
請曰: "欲行私禮 願殿下南面立." 上從之 麟等稽首四拜而辭. 上
還至德壽宮 告講武之行.

丁卯 金星犯太微右執法.

講武于江原道.

戊辰 上遣人獻獐三口于德壽宮. 上於抱川原上 望見戴高頂
帽數人從後來者 問左右曰: "此輩何人?" 對曰: "代言也." 上
駐馬 召六代言 使盧希鳳各酌酒一大盂以賜之 復賜一大鍾.
於是 左代言尹思修匍匐而退 右代言權緩欲乘馬而墜 上笑之.
召李叔蕃曰: "此地禽獸少 而陰雨如此 予欲還宮." 叔蕃對曰:
"所過之處 自古如此. 若入鐵原之境 則原野始平 禽獸攸同." 上
從之. 己巳 入鐵原境 果如叔蕃之言. 夕次鐵原 新池之野 上馳逐
于中軸之間.

庚午 次于鐵原 鳳城坪. 李季拱 金爲民詣行幄啓曰: "此地雖
曰平衍 然石之如牛羊 沒于草莽者甚多 驅馳之際 恐致不虞. 願
殿下爲宗廟自重 由直道而行." 上曰: "予旣知此地之嶮 何敢馳驅
乎?" 季拱等復啓曰: "殿下旣入獵場 草野之間 有禽當前 若不忍
馳射 卒有銜橛之變 則悔之何及!" 上曰: "觀獵必由射場 不可從

直路. 但從行中軸 以觀士卒之勇怯而已. 爾等不信予言 可隨後
而觀之."

辛未 駕至平康縣.

壬申 太白晝見.

爪蛙國陳彥祥等還 上厚賜以遣之. 彥祥呈議政府曰:

'永樂四年五月十八日 蒙國王差遣 齎擎方物 特爲朝鮮國進賀
事 於當年五月二十二日起程 駕坐海船一隻 至閏七月初一日
未時 到朝鮮 全羅道 鎭浦外群山島外 忽逢倭船一十五隻. 當日
兩相交戰 至初三日午時 寡不敵衆 力不能加 被刦掠一空 殺死
蕃人二十一名 捉去蕃人男婦幷六十名 現存性命上岸者 幷彥祥
男婦幷四十名. 進賀方物幷自己進獻 衆人滿船物貨 盡行被掠.
今蒙給賜衣糧 回還本國 誠恐我國未信遇賊事意 口說無憑 乞賜
回文爲照.'

又呈曰:

'永樂四年五月十八日 蒙國王敬差 特爲齎擎方物進賀事 於
當年五月二十二日起程 駕坐新造二千二百料海船一隻 至閏七月
初一日 到朝鮮 全羅道 鎭浦外群山島外 不期遭遇倭賊 刦掠
一空 只留本船. 今蒙使令回還乃可 駕船水手人等被倭殺害太半
餘者捉去. 駕船人少 本船重大 難以乘駕 惟恐洋海儻有疏失
性命爲重. 今情愿將來大船納獻 回換四十料輕快小船一隻 明年

再來.
재래

上命許之.
상 명 허지

甲戌 次于澄波渡. 京畿都觀察使全伯英入見于行幄 上問禾穀
갑술 차 우 징파도 경기 도관찰사 전백영 입현 우 행악 상문 화곡

豐歉 且曰:"每當損失之時 分遣敬差官 人皆厭之 何也?"伯英
풍겸 차 왈 매당 손실 지시 분견 경차관 인개 염지 하야 백영

對曰:"國以民爲本 有民然後有國. 爲敬差官者 往往不察民病
대왈 국이민위본 유민 연후유국 위 경차관 자 왕왕 불찰 민병

以國與民爲二① 欲專利於國 不便於民生者甚多. 是以厭之."上
이국여민위이 욕 전리 어국 불편 어민생 자 심다 시이 염지 상

深然之.
심 연지

丙子 太白晝見.
병자 태백 주견

駕還安巖洞行殿. 上聞太上將幸平州溫井 入自東小門 馳詣
가 환 안암동 행전 상문 태상 장행 평주 온정 입자 동소문 치예

德壽宮 問起居祇送 還行殿 使知申事黃喜 獻襦衣草笠于太上王
덕수궁 문 기거 지송 환 행전 사 지신사 황희 헌 유의 초립 우 태상왕

行在所.
행재소

上曰:"避方之處在城外 六曹事煩 若待朝啓後仕于本司 則必
상왈 피방 지처 재 성외 육조 사번 약대 조계 후사 우 본사 즉필

致公務稽緩. 還宮之間 可②除朝啓."
치 공무 계완 환궁 지간 가 제 조계

戊寅 雨雹.
무인 우박

辛巳 觀放鷹于東郊. 命甲士守把東大門 至午時禁人出入. 以
신사 관 방응 우 동교 명 갑사 수파 동대문 지 오시 금인 출입 이

行殿在東門外 往來煩擾故也. 召臺諫掌務曰:"所司皆以放鷹爲
행전 재 동문 외 왕래 번요 고야 소 대간 장무 왈 소사 개이 방응 위

非 然予本非生長深宮 在潛邸時所樂也. 今不能已 卿等無怪."
비 연 여 본비 생장 심궁 재 잠저 시 소락 야 금 불능 이 경등 무괴

左司諫大夫尹思永等進曰:"移御所以避厄 放鷹所以遊畋. 避厄
좌사간대부 윤사영 등 진왈 이어 소이 피액 방응 소이 유전 피액

之道 當恐懼修省 乃遊畋湛樂之從 臣等竊以爲不可."上曰:"予
지도 당 공구 수성 내 유전 담락 지종 신등 절 이위 불가 상왈 여

欲一試之而後已. 卿等乃强禁我耶?"
욕 일 시지 이후 이 경등 내 강금 아야

壬午 太白晝見.
임오 태백 주견

對馬島守護宗貞茂 遣使獻土物蘇木胡椒及孔雀. 使者自言掠
대마도 수호 종정무 견사 헌 토물 소목 호초 급 공작 사자 자언 약

南蕃船所得 司諫院上言: "珍禽奇獸 不畜於國 古之訓也. 況此
남번 선 소득 사간원 상언 진금 기수 불축 어국 고지훈야 황차

剽刦之物乎? 宜却而勿受" 上重絶遠人 命畜孔雀於上林園.
표겁 지 물호 의 각 이 물수 상 중 절원 인 명축 공작 어 상림원

日本 呼子遠江守源瑞芳 鴨打 三川守源傳 一岐島守護代
일본 호자 원강수 원서방 압타 삼천 수 원부 일기도 수호대

源賴廣源擧 各還被擄人口 獻禮物.
원뢰광 원거 각환 피로 인구 헌 예물

復以成石璘爲世子師 河崙貳師 李來左賓客 柳觀 趙庸左右
부 이 성석린 위 세자사 하륜 이사 이래 좌빈객 유관 조용 좌우

副賓客 韓尙敬判承寧府事 金承霆知議政府事 金輅西北面
부빈객 한상경 판 승녕부 사 김승주 지 의정부 사 김로 서북면

都巡問察理使兼平壤尹.
도순문찰리사 겸 평양 윤

甲申 觀放鷹于麻田浦.
갑신 관 방응 우 마전 포

乙酉 賜吉昌君權近獐雁.
을유 사 길창군 권근 장안

復置護軍房 以黃象爲房主 李慤爲掌務. 命禮曹詳定坐起禮度
부치 호군방 이 황상 위 방주 이각 위 장무 명 예조 상정 좌기 예도

公事行移節目 下議政府擬議. 參取前朝舊制 稍加減損以聞:
공사 행이 절목 하 의정부 의의 참취 전조 구제 초 가 감손 이문

'一. 新判護軍 謝恩肅拜 議政府堂參後 本房參謁 回坐前 只
일 신판 호군 사은 숙배 의정부 당참 후 본방 참알 회좌 전 지

於行首上護軍 掌務大護軍 親從護軍 房主 掌務十人 望十人
어 행수 상호군 장무 대호군 친종 호군 방주 장무 십인 망 십인

護軍各處 投達名銜 不得於他處出入.
호군 각처 투달 명함 부득 어 타처 출입

一. 本房回坐參謁時 名銜用表紙半張: 行首上護軍以下望十人
일 본방 회좌 참알 시 명함 용 표지 반장 행수 상호군 이하 망 십인

已上上護軍各處名銜 用擣鍊紙半張.
이상 상호군 각처 명함 용 도련지 반장

一. 華麗衣服 笠靴 鞍勒 粧具 竝不得用. 其講武隨駕時 不在
일 화려 의복 입화 안륵 장구 병 부득 용 기 강무 수가 시 부재

此限.
차한

一, 諸侍郞 於路上 遇上護軍以下望十人護軍已上 竝皆下馬.
일 제 시랑 어 노상 우 상호군 이하 망 십인 호군 이상 병개 하마

一, 新判護軍 各納布二十五匹於本房.
일 신판 호군 각 납포 이십 오필 어 본방

一, 參謁禮護軍房會 只用六衙日餘日 各於本領仕官 至其日當
일 참알 례 호군방 회 지용 육아일 여일 각 어 본령 사관 지 기일 당

參謁回坐 新判護軍以前職寫名銜 納房入階下 躬身至階上. 又
참알 회좌 신판 호군 이 전직 사명함 납방 입 계하 궁신 지 계상 우

躬身納名 進至房主 護軍前 各行頓首再拜 進就諸侍郞前 一時
궁신 납명 진 지 방주 호군 전 각행 돈수 재배 진취 제 시랑 전 일시

行頓首再拜 房主掌務諸侍郞 皆控首答拜 禮畢還出.
행 돈수 재배 방주 장무 제 시랑 개 공수 답배 예필 환출

一, 回坐禮房主掌務等 將新判護軍祖品人品兵書等事圓議 第
일 회좌 례 방주 장무 등 장 신판 호군 조품 인품 병서 등사 원의 제

其先後之等 新判護軍當回坐者 乃以新授職事 寫名銜納房 以
기 선후 지 등 신판 호군 당 회좌 자 내 이 신수 직사 사명함 납방 이

時服入 至房主護軍以下前 行禮如上. 出後 以時職寫名銜 納房
시복 입 지 방주 호군 이하 전 행례 여상 출후 이 시직 사명함 납방

後入 行禮如前 答拜竝同上 禮畢方入就坐.
후입 행례 여전 답배 병 동상 예필 방입 취좌

一, 九月九日前 三月三日後 禁著裌衣 其木棉布衣 許從國俗.
일 구월 구일 전 삼월 삼일 후 금저 겹의 기 목면 포의 허종 국속

一, 各領五員十將 於本領護軍 犯馬過行者 倨傲違禮者 許
일 각령 오원 십장 어 본령 호군 범마 과행 자 거오 위례 자 허

其領護軍各自量宜 徵布治罪.'
기령 호군 각자 양의 징포 치죄

前朝舊俗 號房主掌務外護軍爲諸侍郞.
전조 구속 호 방주 장무 외 호군 위 제 시랑

| 원문 읽기를 위한 도움말 |

① 以國與民爲二. '以~爲~'의 구문으로 '~를 ~로 여기다'라는 뜻이다.
  이 국 여 민 위 이   이   위

② 可除朝啓. 여기서 可는 조동사로 '~할 수 있다'라는 뜻보다는 별개로 除
  가 제 조 계   가   제
朝啓하는 것이 좋겠다는 뜻이다. 즉 可否라고 할 때의 可로 해석하는
  조계   가부   가
것이 보다 정확하다.

태종 6년 병술년
10월

十月

정해일(丁亥日) 초하루다.

무자일(戊子日-2일)에 전 전서(典書) 윤전(尹琠)[1]을 보내 경상도와 전라도에서 금은(金銀)을 캐게 했다.

경인일(庚寅日-4일)에 예조참의 안노생(安魯生)을 경사(京師-명나라 수도)에 보내 순백후지(純白厚紙) 3,000장을 바치게 하고, 예부(禮部)에 자문(咨文)을 보냈다.

'조사해보니 본국에서 조상(祖上)의 사당[廟]과 사직(社稷)에 제사하는 제복(祭服)이 만든 지가 오래되어 모두 다 낡고 해졌습니다. 가만히 보건대 본국에서는 나금 초단(羅錦綃段)이 전혀 생산되지 아니하여 다시 새로 만들기가 어려울 듯합니다. 이에 안노생을 파견해 백흑 저마포(白黑紵麻布) 300필을 가지고 경사(京師)에 가서 제복을 만들 재료를 바꿔 오게 하니 이를 잘 살펴보아 번거롭지만 (황제께) 주문(奏聞)해서 교역하여 환국(還國)하도록 허락해주시기 바랍니다.'

○ 태상왕이 평주(平州) 온정(溫井)에 이르렀다. 태상이 온정에 도

---

1 염흥방의 사위다.

착한 지 얼마 안 돼[未幾] 평주 공해(公廨-관청)로 옮겨서 거처하고
자 하니 상이 하륜(河崙), 조영무(趙英茂)와 모의하고서 바로 지인(知
印) 원욱(元郁)을 보내 승녕부 판사(承寧府判事) 한상경(韓尙敬), 경기
도관찰사 전백영(全伯英)에게 뜻을 전했다.

"경 등은 잠시 거마(車馬)와 복종(僕從)들을 뒤로 물리고[退留] 태
상께 아뢰기를 '평주는 대로(大路)의 요충지이기 때문에 (명나라) 조
정(朝廷) 사신이 지나는 곳이고, 관사(館舍)도 매우 좁고 누추하여
지존(至尊)께서 머무실 곳이 못 되니 마땅히 날씨가 추워지기 전에
빨리 서울로 돌아가십시오'라고 하라. 만약 허락을 얻지 못하면 배주
(白州)에 잠깐 머물기를 청하고, 태상께서 그 두 곳에 대해 처치(處
置)가 있기를 기다려서 거마(車馬)를 보내 배행(陪行)토록 하라."

이때 내사(內史) 이원의(李原義) 등이 장차 돌아갈 때 반드시 평주
를 거쳐 갈 것이므로 내사에게 태상의 행방을 알리지 않으려고 함이
었다. 이윽고[旣而] 태상은 평주로 가지 않고 바로 배주로 갔다.

신묘일(辛卯日-5일)에 왜인(倭人)에게 포로로 잡혀갔다 돌아온 사
람들을 그들 각자가 원하는 바에 따라 나눠두었다. 애초에 경상도
병마도절제사 겸 수군도절제사 유용생(柳龍生)이 말씀을 올렸다.

'왜인에게 잡혀갔다 돌아온 사람들을 옛 거처(居處)에서 복업(復
業)하게 허락했으나 그 가운데 부모(父母)와 친족(親族)이 없는 자
도 간혹 있어 의지할 곳이 없고, 생활의 방도가 없어 그 때문에 떠
돌아다니게 되니 국가(國家)의 본 뜻이 아닙니다. 또 왜사(倭使)를 호
송(護送)할 때마다 반드시 배 타는 데 익숙한 군정(軍丁)을 초공(梢

工-뱃사공)이나 인해(引海) 등의 명목으로 채워 넣고, 각 포구의 염간(鹽干)²을 데려다가 대신 그 수(數)를 충당하다 보니 이 때문에 염간의 일이 많아져서 공납(貢納)의 액수(額數)를 마련하기 어렵게 되고, 선군(船軍)은 결원으로 적어져 방어(防禦)가 허술합니다. 청컨대 포로가 되었다 돌아온 사람들 중에서 공사(公私)에 역(役)이 있는 복례(僕隷)나 유약한 자를 제외하고, 그중에 건장하고 튼튼한 자로서 역(役)이 없는 사람은 그들의 자원(自願)에 따라 연해(沿海) 부근의 주군(州郡)에 나눠 배치하고, 그들에게 전토(田土)를 주어 생활의 밑천이 되게 하소서. 만약 사신(使臣)의 배가 왕래하게 되면 초공(梢工)과 인해(引海)로 정하고, 그들의 식구대로 양곡을 계산해서 지급해 주어 선군(船軍)을 대신하게 하면 그들은 이미 물위에서 습관이 된 사람들이라 배를 타고 왕래하는 역사를 꺼리지 아니할 것이요, 각 포(各浦)의 선군(船軍)도 임지(任地)를 떠나지 아니하여 방어(防禦)가 견실(堅實)해질 것이니 거의[庶=庶幾] 양득(兩得)이 될 것입니다.'

상이 말했다.

"비록 부모가 모두 죽어 의지할 곳이 없는 사람이라 하더라도 반

<hr />

2 소금 굽는 사람이다. 조선시대 연해 주군의 염분(鹽盆)에서 직접 자염(煮鹽)에 종사한 신분 계층이다. 염호(鹽戶)와 더불어 염노(鹽奴), 염부(鹽夫)라고도 했다. 신분은 양인(良人)에 속하면서도 천역(賤役)에 종사한 신량역천(身良役賤) 계층이었다. 이러한 신분층은 고려 말 충선왕이 염전매 정책을 실시하면서 각 군현에서 백성을 징발해 염호로 지칭하면서 성립됐다. 염간의 존재는 조선 초기 1399년(정종 1년)에 나타난다. 그러나 실제로는 건국 전까지 세습적으로 공역(貢役)을 부담했던 염호에서 유래됐다고 볼 수 있다. 조선 초에 특정 물자를 공납하던 부류를 칭간자(稱干者-干이라는 칭호가 붙던 사람)라 하면서 염간도 정역 부담자가 되어 자염에 종사하게 됐던 것이다. 염간은 염업에 종사해 소금의 판매 수입으로 생활하던 사람들로서 매년 봄·가을 일정액의 염세(鹽稅)를 소속 염창(鹽倉)에 납부할 의무가 있었으나, 부역(賦役)은 면제됐다.

드시 스스로 원하는 자에 한해서만 허락하여 아뢴 바에 의거해 시행하라."

갑오일(甲午日-8일)에 공안부 판사(恭安府判事) 유관(柳觀)과 우군 총제 성석인(成石因)을 보내 경사(京師)에 가게 했다. 신정(新正)을 하례(賀禮)하기 위함이다.[3]

을미일(乙未日-9일)에 상이 친히 종묘(宗廟)에 강신(降神)했는데[裸]관 처음으로 중국 조정에서 내려준 새 악기(樂器)를 썼다. 예(禮)가 끝나자 재궁(齋宮)에서 백관(百官)의 조하(朝賀)를 받았다. 성균관 대사성(成均館大司成) 유백순(柳伯淳, ?~1420년)[4]이 눈이 어두워 하전(賀箋-하례의 글)을 제대로 읽지 못하니 상이 곧 명하여 그만두게 했다. 오는 11일이 태상왕의 탄일(誕日)이기 때문에 그날로 배주(白州)로 향하여 저녁에 원평(原平)의 광탄(廣灘) 천변(川邊)에서 머물렀다. 대간(臺諫)과 형조(刑曹)에서 호종하겠다고 두 번 청했으나 허락하지 않았다.

---

3 정기 사행으로 이런 사신을 하정사(賀正使)라고 했다. 유관이 정사(正使), 성석인이 부사(副使)로 간 것이다.

4 1406년(태종 6년) 대사성이 된 뒤 1408년에는 좌사간대부, 생원시원(生員試員)이 됐다. 당시 태종이 학문에 조예가 깊던 김과(金科)와 권근(權近) 등이 모두 여러 관직을 겸직해 바빴던 관계로 시학자(侍學者-왕과 왕세자와 학문을 논하는 일을 맡은 사람)를 청하자 유생 중에 이수(李隨)를 천거했다. 이수는 훗날 세종의 스승이 됐다. 그 후에 좌사간대부(左司諫大夫)를 지낸 뒤 인녕부윤(仁寧府尹)이 됐고, 경사(經史)에 통달해 국학장관(國學長官)을 지냈다.

정유일(丁酉日-11일)에 태상왕을 개성유후사(開城留後司)의 옛 궁궐[5]에서 뵙고 헌수(獻壽)했다. 상이 사천(沙川) 가에 머물러 태상의 행차를 기다렸다. 얼마 안 되어 태상도 배주에서 와서 옛 궁궐에서 연(輦-수레)을 내렸다. 상이 곧 달려가 뵙고 헌수했다. 날이 저물어 사천으로 돌아왔다.

무술일(戊戌日-12일)에 상이 태상왕의 행전(行殿)에 나아갔다가 드디어 제릉(齊陵)에 배례(拜禮)했다.

기해일(己亥日-13일)에 상이 태상왕 행전에 나아가 헌수(獻壽)했다.
○ 검교 내시부 판사(檢校內侍府判事) 주윤단(朱允端)[6]에게 쌀과 콩 20석과 약주(藥酒) 15병을 내려주었다. 이때에 윤단이 늙었기 때문에 사직(辭職)하고 유후사에 돌아와 있었다고 했다[云].

경자일(庚子日-14일)에 상이 태상왕 행전에 나아가 기거(起居)하다가 드디어 호곶(壺串)에서 매사냥을 구경하고 날이 저물어 사천(沙川)으로 돌아왔다.

신축일(辛丑日-15일)에 돌아오다가 임진(臨津) 강변에 머물렀다. 태상이 먼저 돌아가라고 명했기 때문이다.

5　배동(背洞)에 있다.
6　조선 출신 명나라 환관이다.

을사일(乙巳日-19일)에 상이 궁으로 돌아왔다.

○ (명나라) 내사(內史-환관) 이원의(李原義) 등에게 광연루(廣延樓)에서 잔치를 베풀었다. 원의 등 19인이 그들의 고향에서 돌아왔기 때문이다.

○ 살마주 방관(薩摩州傍官) 원사(元師)가 사람을 시켜 예물(禮物)을 바치고 포로로 잡혀갔던 사람들을 돌려보냈다.

○ 완천군(完川君) 이숙(李淑)이 졸(卒)했다. 숙(淑)은 화(和)의 둘째 아들이다. 국초(國初)에 응양위 전령 장군(鷹揚衛前領將軍)에 제배되었고, 무인년(戊寅年-1398년) 9월에 품계를 뛰어넘어 우부승지(右副承旨)에 임명됐다가[超拜] 우승지(右承旨)로 승진했다. 경진년(庚辰年-1400년) 5월에 종친(宗親)이기 때문에 완천군(完川君)으로 봉(封)했고 신사년(辛巳年-1401년) 정월에 좌명공신(佐命功臣) 제3등으로 녹훈(錄勳)되었다. 을유년(乙酉年-1405년) 겨울에 의정부 찬성사에 임명됐다가 간원(諫院)의 상소로 파직되어 죽으니 나이 34세였다. 숙은 용모와 거동이 정숙하고 우아했으며[閑雅] 글 읽기를 매우 좋아했다. 그리고 귀하고 총애를 받는다 하여 뽐내지도 않았다. 3일 동안 철조(輟朝)하고 제사를 내려 예(禮)로서 장사 지내주었으며 시호를 추증(追贈)하여 제의(齊懿)라고 했다. 두 아들이 있으니 양(穰)과 확(穫)이다.

○ 사헌부에서 화산군(花山君) 장사길(張思吉, ?~1418년)[7]의 죄를 청

7　개국공신 장사정(張思靖)의 형이다. 아버지의 직을 세습해 만호가 됐다. 이성계(李成桂)에게 무예를 인정받아 위화도에서 함께 회군한 뒤 회군공신(回軍功臣)에 서훈되고, 1390년(공양왕 2년) 밀직부사를 거쳐 동지밀직사사(同知密直司事)가 됐다. 1392년(태조 1년) 아

했으나 윤허하지 않았다. 아뢰어 말했다.

"사길은 그의 기첩(妓妾), 합주(陝州), 관비(官婢), 복덕(福德)의 양천(良賤) 문제로 말을 꾸며 신정(申呈)하여 성총(聖聰)을 기만(欺慢)했습니다. (이에) 본부에서는 두세 차례 죄줄 것을 청했는데도 사길은 헌부를 두려워하지 아니하고 마음대로 대가를 따라 출입하는 것이 예전과 같습니다. 신 등이 만일 탄핵하지 않는다면 도리어 황송하게도 법사(法司)에 누(累)가 되어 진퇴유곡(進退維谷)이 됩니다. 바라건대 밝으신 결단을 내려주소서."

상이 말했다.

"공신이라 가볍게 죄를 의논할 수 없으나 내 장차 잘 생각해보겠다[酌量]."
　　작량

사헌부에서 다시 청하니 상이 다시 도관(都官)에 내려 사길이 송사한 시비(是非)를 분별하고자 하니 사길은 마침내 스스로 굴복하여 아뢰어 말했다.

"신이 혼미하여 망령된 짓을 했으니 대질[對辨]을 원하지 않습
　　　　　　　　　　　　　　　　　　　　　　　　　　대변

우 사정과 함께 이성계를 추대해 개국공신 1등에 봉해지고, 지중추원사(知中樞院事)로서 의흥친군위동지절제사(義興親軍衛同知節制使)를 겸해 이성계의 친병(親兵)을 통솔했다. 이듬해 황해도의 문화·영녕(永寧)에 침입한 왜구를 격퇴했으며, 1398년 1차 왕자의 난 때 이방원(李芳遠)을 도와 정사공신(定社功臣) 2등으로 영가군(永嘉君)으로 개봉(改封)된 뒤 참찬문하부사(參贊門下府事)·판공조사(判工曹事)·의흥삼군부우군절제사(義興三軍府右軍節制使)를 지냈고, 이어 화산군(花山君)으로 개봉됐다.
1400년(정종 2년) 사헌부로부터 2차 왕자의 난 때 사정과 함께 반역을 모의했다는 탄핵을 받았으나 왕의 비호로 무사했다. 태종 때 우군총제(右軍摠制)·참찬의정부사(參贊議政府事) 등을 지낸 뒤, 화산부원군(花山府院君)에 진봉되어 공직을 물러났다. 용맹이 뛰어나고 병략(兵略)에 익숙했으며, 수염이 배까지 닿았다 한다. 첩기(妾妓)를 아내로 삼아 좋은 평을 얻지 못했다. 의주 토호의 반란이 멈추고, 의주에서 여연(閭延)에 이르는 압록강 연안 1,000리를 조선 영토로 편입하는 데 공헌했다.

니다."

상이 장령 이계공(李季拱)을 불러 말했다.

"화산군이 이미 스스로 자복(自服)했고 또 두 번이나 동맹을 맺었으며 율에는 공(功)을 의논한 조문도 있으니 이 문제는 다시 논하지 말라."

정미일(丁未日-21일)에 달이 태미좌(太微座)로 들어갔다.

기유일(己酉日-23일)에 이원의(李原義) 등 19인이 대궐에 나아와 하직하고 돌아가니 의정부에 명해 반송정(盤松亭)에서 전별하게 했다.

계축일(癸丑日-27일)에 사헌부에서 3도(道) 양전 경차관(量田敬差官)의 죄를 청하니 그것을 따랐다. 아뢰어 말했다.

'지난해[去年=昨年] 경상·전라·충청 3도(道)의 전지를 다시 양전(量田)한 뒤로 민간(民間)의 근심과 탄식[愁嘆]이 없지 않아 수조(收租)할 때 백성들로 하여금 고하게 하여 다시 분간하게 했습니다. 그러나 경차관이 양전한 상황을 보게 되면 간혹 용렬하고 게으른 무리가 있어 온 마음을 다해[用心] 정밀하게 살피지 못해 땅의 등급[地品]의 비옥하고 척박함과 결(結), 부[卜]의 높고 낮음이 마땅함을 잃었습니다. 바라건대 관찰사에게 자세하게 물어 만약 전과 같이 잘못이 있어 관민에 불편을 끼친 자가 있으면 즉시 수령관(首領官)을 보내 다시 심핵(審覈)하게 하고 (그 결과에 따라) 장차 경차관의 직명(職名)을 본부(本府)로 이관(移關)하여 신문(申聞) 논죄하게 하시고,

관찰사 가운데 직접 방문하여 고찰하지 않는 자와 수령관 가운데 사사로이 용납하여 벌을 왜곡한 것이 현저한 자는 함께 그 죄를 논해야 합니다.'

대사헌 이원(李原)이 또 아뢰었다.

"근래에 대간의 관원이 탄핵한 바 있어도 아직 핵실(覈實)하기 전에 간혹 내지(內旨)를 내려 탄핵받은 사람으로 하여금 직임(職任)에 나아가게 하는데도 대간관(臺諫官)은 알지 못하니 의리상 맞지 않습니다. 바라건대 먼저 대간의 관원으로 하여금 그 죄를 면해준 까닭을 알게 하시고, 또 대간의 관원이 아뢸 바가 있으면 대언방(代言房)에 나아가야 되므로 사리에 어긋난 듯하니 전정(殿庭)에 나아가 서 있게 하고, 아전으로 하여금 대언(代言)에게 알리게 하면 대언이 나와서 듣고 이를 계문(啓聞)하게 해야 할 것입니다."

그것을 따랐다.

병진일(丙辰日-30일)에 전라도 무안현(務安縣) 대굴포(大掘浦)의 바닷물이 붉은 빛으로 넘쳐흘렀다.

○ 호조에서 금년(今年) 여러 도(道)의 호구수(戶口數)를 올렸다. 경기좌도는 1만 739호(戶)에 정(丁)이 1만 9,319명이고, 경기우도는 9,990호에 정(丁)이 1만 8,819명이며, 충청도는 1만 9,560호에 정(丁)이 4만 4,476명이며, 경상도는 4만 8,993호에 정(丁)이 9만 8,915명이며, 전라도는 1만 5,714호에 정(丁)이 3만 9,167명이며, 풍해도는 1만 4,170호에 정(丁)이 2만 9,441명이며, 강원도는 1만 5,879호에 정(丁)이 2만 9,224명이며, 동북면(東北面)은 1만 1,311호에 정(丁)이 2만

8,683명이며, 서북면(西北面)은 3만 3,890호에 정(丁)이 6만 2,321명이었다.

○ 사간원에서 손흥종(孫興宗)[8]과 조림(趙琳, ?~1408년)[9]의 죄를 청했으나 윤허하지 않았다. 소(疏)는 이러했다.

'손효종(孫孝宗)과 조순화(趙順和)의 역란죄(逆亂罪-조사의의 난)는 크게 징벌해 다스려야 마땅합니다. (그런데) 오늘날 도망 중에 있는 손효종의 처자와 그 형 손흥종, 그리고 조순화의 처자와 그의 친숙(親叔) 조림 등은 책임을 지워 기한 내에 알려서 그들을 체포하게 해도 세월을 지연시켜 금일에 이르도록 알리지 않고 있습니다. 바라건대 유사(攸司)에 내려 국문해서 추핵(推覈)해야 할 것입니다.'

상이 말했다.

"효종 등이 만일 자진하여 나타난다면 내 그들을 놓아주려 한다. 지금 도망하여 있어 간 곳을 알 수 없는데 어찌 추핵하겠느냐? 하물며 흥종은 공신인데 어찌 죄줄 수가 있겠느냐?"

---

8   군호는 이천군(伊川君)이다. 1392년 7월 17일 조선 개국에 참여해 개국공신 3등에 녹훈됐다. 거제도에서 왕씨들을 바다에 빠뜨릴 때 참가했다. 1409년 동생 손효종(孫孝宗)의 반역죄에 연루돼 황해도 신은(新恩)에 유배됐는데, 이때 이숭인(李崇仁)과 이종학(李種學)을 죽인 혐의로 폐서인되고, 가산이 적몰됐으며 녹권을 추탈당했다.

9   1386년(우왕 12년) 한양도원수 겸 한양부윤이 됐고, 1388년 밀직사사가 되어 명나라에 다녀왔다. 위화도회군 뒤 이성계(李成桂)에 의해 최영(崔瑩)과 함께 요동을 친 죄로 풍주(豊州)에 장류(杖流)됐다. 1392년(태조 1년) 조선이 개국되자 풀려나서 개국원종공신이 됐고, 책봉주청사(冊封奏請使)로 명나라에 가서 태조를 권지고려국사(權知高麗國事)에 봉한다는 명제(明帝)의 조서를 받아 돌아왔다. 1394년 지문하부사(知門下府事)가 되어 성절사(聖節使)로 명나라에 다녀왔다. 나라의 중요한 임무를 띠고 외교사절로 세 번이나 명나라를 다녀왔지만, 그때마다 자기의 맡은 바를 충실히 수행했다. 1395년 찬성문하부사(贊成門下府事)가 되어 과전(科田)을 과다하게 받은 죄로 파직되었다가 죽은 뒤에 복직됐다.

丁亥 朔.
정해 삭

戊子 遣前典書尹琠 採金銀于慶尙 全羅道.
무자 견전전서 윤전 채금은 우경상 전라도

庚寅 遣禮曹參議安魯生如京師 進純白厚紙三千張. 就咨禮部
경인 견예조 참의 안노생 여경사 진순백 후지 삼천장 취자 예부

曰:
왈

'照得 本國祭祀祖廟社稷祭服 製造年久 盡行舊損. 竊緣本國
조득 본국제사 조묘 사직 제복 제조 연구 진행구손 절연본국

不産羅錦綃段 似難重新製造. 就差安魯生 將齎白黑紵麻布三百
불산 나금 초단 사난중신제조 취차 안노생 장재 백흑 저마포 삼백

匹赴京 易換祭服裁料 伏請照驗 煩爲奏聞 許令易換還國.'
필 부경 역환 제복 재료 복청 조험 번위 주문 허령 역환 환국

太上王至平州溫井. 太上至溫井未幾 欲移御平州公廨 上謀
태상왕 지평주 온정 태상 지온정 미기 욕이어 평주 공해 상모

諸河崙 趙英茂 乃遣知印元郁 傳旨于判承寧府事韓尙敬 京畿
저 하륜 조영무 내견 지인 원욱 전지 우판 승녕부 사 한상경 경기

都觀察使全伯英曰: "卿等姑退留車馬僕從 啓于太上以爲: '平州
도관찰사 전백영 왈 경등 고퇴류 거마 복종 계우 태상 이위 평주

當大路之衝 朝廷使臣經行之地 館舍又甚隘陋 非至尊所宜駐
당 대로 지충 조정 사신 경행 지지 관사 우심 애루 비지존 소의주

宜及天氣之未寒 速還京師.' 如不得 則請於白州暫駐 待太上有
의 급천기 지미한 속환 경사 여부득 즉청어 배주 잠주 대태상 유

所處置於斯二者 然後進車馬以陪行." 時內史李原義等將還 當經
소처치 어사 이자 연후 진거마 이배행 시 내사 이원의 등 장환 당경

平州 故不欲①內史知太上之所向也. 旣而 太上不果如平州 乃如
평주 고불욕 내사 지태상 지소향 야 기이 태상 불과 여평주 내여

白州.
배주

辛卯 被倭擴掠回還人 聽其自願分置. 初 慶尙道兵馬都節制使
신묘 피왜 노략 회환 인 청기 자원 분처 초 경상도 병마 도절제사

兼水軍都節制使柳龍生上言:

'被倭擄掠回還人物 許於舊居復業 其中或有父母族親俱沒
者 無所付托 生理無門 因致流移 殊非國家之本意. 又每於倭使
護送之際 必以船上慣熟軍丁 充定梢工引海等項名目 將各浦
鹽干 代充其數. 由是鹽干多事 貢額難辦; 船軍闕少 防禦虛疎.
乞將被擄回還人物 除公私有役僕隷及幼弱者外 其壯實無役人丁
聽從自願 分置沿海附近州郡 給之土田 俾資生理 如有使船往來
定爲梢工引海 計口給糧 以代船軍 則上項人等 旣是水上慣習
不憚乘船往來之役 各浦船軍 亦不離信地 防禦堅實 庶爲兩得.'

上曰: "雖父母俱沒無所付托之人 必須自願者 方許依所啓
施行."

甲午 遣判恭安府事柳觀 右軍摠制成石因如京師. 賀正也.

乙未 上親祼于宗廟 始用朝廷所賜新樂器. 禮畢 受百官朝賀于
齋宮. 成均大司成柳伯淳 眼暗不能讀賀箋 上遽命止之. 以十一
日爲太上王誕晨 卽日向白州 夕次原平 廣灘川邊. 臺諫刑曹再請
扈從 不許.

丁酉 謁太上王于開城留後司舊宮 獻壽. 上次于沙川邊 以竢
太上之行. 未幾 太上亦自白州下輦于舊宮 上卽趨謁獻壽 暮還
沙川【舊宮在於背洞】.

戊戌 上詣太上王行殿 遂拜齊陵.

己亥 上詣太上王行殿獻壽.

賜檢校判內侍府事朱允端米豆二十石 藥酒十五瓶. 時允端以老

乞還 居留後司云.

庚子 上詣太上王行殿起居 遂觀放鷹于壺串 暮還沙川.

辛丑 還次臨津江邊. 以太上有命先還也.

乙巳 上還宮.

宴內史李原義等于廣延樓. 原義等十九人還自其鄉也.

薩摩州傍官元師 使人獻禮物 發還被擄人口.

完川君李淑卒. 淑 和之第二子也. 國初 拜鷹揚衛前領將軍

戊寅九月 超拜右副承旨 進右承旨. 庚辰五月 以宗親 封完川君

辛巳正月 錄佐命功第爲三等. 乙酉冬 拜議政府贊成事 以諫院

上疏罷. 卒年三十四. 淑容儀閑雅 頗知讀書 不以貴寵自矜. 輟朝

三日 賜祭禮葬 贈諡齊懿. 有二子 穧 穡

司憲府請花山君張思吉之罪 不允. 啓曰: “思吉以其妓妾陜州

官婢福德良賤之事 飾辭申呈 欺慢上聰. 本府再三請罪 思吉

不畏所司 任然隨駕 出入自若. 臣等若不擧劾 反爲忝累法司

進退惟谷. 願賜明斷.” 上曰: “功臣也 不可輕議加罪 予且酌量.”

憲府再請 上欲更下都官 分析思吉所訟之是非 思吉乃自屈啓曰:

“臣昏迷妄作 不願對辨.” 上召掌令李季拱曰: “花山君已自服罪

且再與同盟 律有議功之文 其勿復論.”

丁未 月入太微.
정미 월입태미

己酉 李原義等十九人詣闕辭還 命議政府餞之于盤松亭.
기유 이원의 등 십구 인 예궐 사환 명 의정부 전지 우 반송정

癸丑 司憲府請三道量田敬差官之罪 從之. 啓曰: '去年慶尙
계축 사헌부 청 삼도 양전 경차관 지죄 종지 계왈 거년 경상

全羅 忠淸三道田地改量之後 民間不無愁嘆 故於收租之際 使民
전라 충청 삼도 전지 개량 지후 민간 불무 수탄 고어 수조 지제 사민

陳告 更令分揀. 然觀敬差官量田之狀 或有庸懶之徒 不能用心
진고 갱령 분간 연관 경차관 양전 지상 혹유 용라 지도 불능 용심

精察地品之肥瘠 結卜之高低 有失其宜. 乞於觀察使備細訪問
정찰 지품 지 비척 결복 지 고저 유실 기의 걸어 관찰사 비세 방문

如有依前失誤 以致官民不便者 卽遣首領官 更加審覈 將敬差官
여유 의전 실오 이치 관민 불편 자 즉견 수령관 갱가 심핵 장 경차관

職名 移關本府 申聞論罪. 觀察使不能訪問考察者 首領官容私
직명 이관 본부 신문 논죄 관찰사 불능 방문 고찰 자 수령관 용사

撓法現露者 竝論其罪.'
요법 현로 자 병론 기죄

大司憲李原又啓: "近日臺諫官有所彈劾 未及覈實之前 或降
대사헌 이원 우계 근일 대간 관유 소탄핵 미급 핵실 지전 혹강

內旨 使被劾人就職 而臺諫官不之知 於義未便. 乞先使臺諫官與
내지 사 피핵인 취직 이 대간 관부지지 어의 미편 걸선 사 대간관 여

知放罪之故. 又臺諫官有所啓聞 就代言房 似爲褻慢. 乞詣殿庭
지 방죄 지고 우 대간 관유 소계문 취 대언 방 사위 설만 걸예 전정

而立 使吏告代言 代言出廳以啓." 從之.
이립 사리고 대언 대언 출청 이계 종지

丙辰 全羅道務安縣 大堀浦海水色赤漲流.
병진 전라도 무안현 대굴포 해수 색 적 창류

戶曹上今歲諸道戶口之數: 京畿左道戶一萬七百三十九 丁
호조 상 금세 제도 호구 지수 경기좌도 호 일만 칠백 삼십 구 정

一萬九千三百十九: 右道戶九千九百九十 丁一萬八千八百十九.
일만 구천 삼백 십구 우도 호 구천 구백 구십 정 일만 팔천 팔백 십구

忠淸道戶一萬九千五百六十 丁四萬四千四百七十六. 慶尙道
충청도 호 일만 구천 오백 육십 정 사만 사천 사백 칠십 육 경상도

戶四萬八千九百九十三 丁九萬八千九百十五. 全羅道戶
호 사만 팔천 구백 구십 삼 정 구만 팔천 구백 십오 전라도 호

一萬五千七百十四 丁三萬九千一百六十七. 豊海道戶
일만 오천 칠백 십사 정 삼만 구천 일백 육십 칠 풍해도 호

一萬四千一百七十 丁二萬九千四百四十一. 江原道戶
일만 사천 일백 칠십 정 이만 구천 사백 사십 일 강원도 호

一萬五千八百七十九 丁二萬九千二百二十四. 東北面戶
일만 오천 팔백 칠십 구 정 이만 구천 이백 이십 사 동북면 호

一萬一千三百十一 丁二萬八千六百八十三. 西北面戶三萬
일만 일천 삼백 십일 정 이만 팔천 육백 팔십 삼 서북면 호 삼만

三千八百九十 丁六萬二千三百二十一.
삼천 팔백 구십 정 육만 이천 삼백 이십 일

司諫院請孫興宗 趙琳之罪 不允. 疏曰:
사간원 청 손흥종 조림 지 죄 불윤 소왈

'孫孝宗 趙順和逆亂之罪 所當大懲. 今者在逃孝宗妻子及
손효종 조순화 역란 지 죄 소당 대징 금자 재도 효종 처자 급

其兄興宗 順和妻子及其親叔趙琳等 責限告捕 淹延歲月 至今
기형 흥종 순화 처자 급 기 친숙 조림 등 책 한 고포 엄연 세월 지금

不告. 乞下攸司 鞫問現推.
불고 걸 하 유사 국문 현추

上曰: "孝宗等若自現 則吾將放之矣. 今旣在逃 不得其所之
상 왈 효종 등 약 자현 즉 오 장 방지 의 금 기 재도 부득 기 소지

何得現推乎? 況興宗功臣 其可罪之?"
하득 현추 호 황 흥종 공신 기 가 죄지

| 원문 읽기를 위한 도움말 |

① 不欲. '~하지 못하게 하다'라는 뜻이기 때문에 不使와 같은 뜻이다.
　　불욕　　　　　　　　　　　　　　　　　　　　　　　　　　불사

태종 6년 병술년
11월

十一月

정사일(丁巳日-1일) 초하루에 편전(便殿)에 나아가 급전법(給田法)을 토의했다. 임금이 호조판서 이지(李至)에게 말했다.

"오늘날 과전(科田)을 물려받는[遞受] 예(例)는 지아비가 죽고 자식이 있는데도 남에게 개가한 자는 그 전토를 거둬들이고 죽은 지아비의 자녀에게도 또한 주지 아니한다. 어미는 비록 절개를 잃었다 하더라도 아비의 마음으로 본다면 그 자녀에게 어찌 사랑하는 마음이 없겠는가? 아비의 마음으로 그 자녀에게 넘겨서 지급하는[移給] 것이 어찌 불가하겠는가?"

예조판서 이문화(李文和)가 대답했다.

"『경제육전(經濟六典)』에 이르기를 '지아비가 죽었어도 자식이 있는 자는 전부[全科]를 물려받고, 자식이 없는 자도 또한 반감(半減)하여 물려받는다. 그러나 본래부터 절개를 지키지 아니한 자는 이 제한에 들지 않는다'라고 했으니 이는 신의를 지키는 것을 권장한 까닭입니다."

상이 말했다.

"그렇다면 다른 데로 시집간 부인과 그 자녀에게도 아울러 아비의 전지를 주지 않는다면 어떻게 절개를 지키는 것을 권장할 수 있겠는가?"

이 일을 의정부에 내려 깊이 토의하게 했으나 결국 시행되지 않았다.

○ 일본 살마주수(薩摩州守) 등원뢰구(藤原賴久)가 사인(使人)을 보내 예물을 바치고 포로로 잡혀갔던 사람들을 돌려보냈다. 상은 등원뢰구가 바친 소목(蘇木) 100근을 덕수궁(德壽宮)에 드리고 또 종친(宗親), 공신(功臣), 정부 당상(政府堂上), 육조판서(六曹判書), 대언(代言) 등에게 각기 차등 있게 나눠 주었다.

○ 능침(陵寢-왕릉)의 보수법(步數法)을 정했다. 예조에서 아뢰었다.

"삼가 역대 능실의 보수(步數)를 살펴보니 후한(後漢) 광무제(光武帝)의 원릉산(原陵山)은 사방이 323보(步)였습니다. 이를 반감(半減)하여 161보로 하면 사면(四面)이 각각 80보가 됩니다. 금조(今朝) 선대(先代)의 여러 산릉(山陵)의 능실(陵室) 보수(步數-걸음 수)를 원릉(原陵)의 예(例)에 따라 사방 각각 161보로 하소서."

그것을 따랐다.

기미일(己未日-3일)에 서북면에 지진이 있었다.

신유일(辛酉日-5일)에 상이 양주(楊州) 남교(南郊)에 나가 머물렀는데 태상의 환가(還駕)를 기다리기 위함이었다. 태상왕이 양주 객사(客舍)에 머무르니 상이 알현(謁見)하고 술을 올려 매우 즐겼다. 날이 저물어서 남교의 장전(帳殿)으로 돌아왔다. 이튿날 새벽에 태상왕이 출발해 해촌(海村)의 들에 머무르니 상이 따라와 술을 올리고 냇가의 행전(行殿)으로 물러나와 머물렀다.

갑자일(甲子日-8일)에 나무에 성에가 꼈다.

○ 태상왕이 서울에 들어와 연희방(燕喜坊) 최경운(崔慶雲)의 집에 머물렀다. 상이 따라와서 알현하고서 드디어 궁으로 돌아갔다. 백관이 태상전(太上殿)에 나아가 숙배(肅拜)하고 물러왔다.

○ 좌사간 윤사영(尹思永)과 우정언 김위민(金爲民)을 파직(罷職)했다. 이에 앞서 상이 사헌부 장무(掌務)를 불러 말했다.

"형조(刑曹)와 간원(諫院)에서 서로를 힐난(詰難)한 일의 실상을 파헤쳐[覈實] 보고하라."

이날 사헌부에서 말씀을 올렸다.

"형조에서 사간원 소속 사령(使令)인 신량(身良-신분상 양인) 수군(水軍) 석이(石伊)를 전옥(典獄)에 가두었는데 이는 대개 석이의 본래 주인이 도관(都官)에 종천(從賤)으로 판결을 받아 고장(告狀)을 냈기 때문이었습니다. (그런데) 사영과 위민 등이 석이를 가지고 여전히 본원(本院)의 사령(使令)이라 일컬어 형조에서 본원에 알리지 아니하고 직접 가두었습니다. 이리하여 (본원에서) 이문(移文)을 번잡하게 내어 형조로 하여금 여러 날 동안 근무하지 못하게 했습니다. 또 위민은 이미 본부(本府)의 탄핵을 받았는데, 일이 아직 결정(決定)되기도 전에 그 어버이가 광주(光州)에서 병이 났다는 말을 듣고 곧 정사(呈辭)하여 성화(星火)같이 달려간 것은 오히려 좋습니다. 그러나 여러 날 동안 머물면서 포마(鋪馬)를 간청(干請)했고, 조사(朝辭)할 때에도 탄핵을 받은 이유를 아뢰지 않은 것은 더욱 부당합니다. 바라건대 성상께서 재단(裁斷)하여 시행하소서."

두 사람의 직을 파면하라고 명했다.

○ 예조에서 종친의 국장(國葬) 등급을 아뢰었다.

"대군(大君)은 1등으로, 제군(諸君)은 2등으로, 원윤(元尹)과 정윤 (正尹)은 3등으로 해야 합니다."

그것을 따랐다.

○ 순금사에 명했다.

"신문고(申聞鼓)를 쳐서 호소하는 것을 금하지 말라. 만일 이를 어 겨 막거나 지체하는 자는 헌사(憲司)에서 규찰하고, 이를 신문(申聞) 해서 논죄(論罪)하라."

을축일(乙丑日-9일)에 안개가 끼고 나무에 서리가 내려 얼어붙었는 데 낮에 이르러서야 개었다.

병인일(丙寅日-10일)에 해에 2개의 햇무리[兩珥]가 있었다.
<small>양이</small>

○ (사간원) 좌헌납 곽덕연(郭德淵)[2]을 공주(公州)로 유배 보냈다. 애초에 덕연(德淵)이 가기(家忌)로 인해 윤사영과 김위민의 피핵(被 劾) 사건에 끼이지 않았었다. 이날 본원(本院)에 출근해 장령 조사 (趙師)를 핵문(劾問)하고 사헌부와 형조가 서로 사사로이 보복(報 復)하기 때문이라는 상소문을 초(草)하여 헌사(憲司)의 죄를 청하려

---

1 고려 초에는 종친을 원군(院君)·대군(大君)이라 칭했으며, 1012년(현종 3년)에 종실제 군(宗室諸君)을 공(公)·후(侯)로 봉하고 그 이하를 원윤·정윤(正尹)이라 했다. 그 뒤 1298년(충렬왕 24년)에 충선왕이 종실의 관제를 개혁했는데 대군 원군은 정1품, 제군(諸 君)은 종1품, 원윤은 정2품, 정윤은 종2품으로 했다. 그리고 1390년(공양왕 2년)에 원윤과 정윤은 나이 15세가 되어야 제수하도록 했고, 나이가 차지 않았을 경우에는 임명됐더라 도 녹을 받지 못하게 했다.

2 정희계(鄭熙啓)의 사위다.

했다. 대사헌 이원(李原)이 이 말을 듣고서 먼저 대궐에 이르러 덕연을 탄핵하고 서리(書吏)와 소유(所由)로 하여금 간원을 에워싸 지키게 하여 소(疏)를 올리지 못하게 하고서 또 아뢰어 말했다.

"덕연이 만일 신 등을 그르다고 여겼었다면 마땅히 사간원이 속산(屬散)³되기 전에 신 등의 죄를 신청(申請)했어야 합니다. (그런데) 그때에는 일찍이 이에 대해 한마디 언급이 없다가 동료가 속산된 뒤 홀로 사간원에 앉아서 본부(本府)를 핵문(劾問)하려 합니다. 이로 말미암아 본다면 사헌부와 형조가 서로 보복하는 것이 아니라, 결국 덕연이야말로 정말로[眞] 보복하는 것입니다. 더구나 사간원의 행수(行首) 장무(掌務)가 속산(屬散)된 뒤로 덕연은 이를 관망(觀望)하면서 나오지 아니하여 오랫동안 생기(省記)를 감신(監申)하는 것을 빠뜨렸습니다. 신의 생각으로는 덕연도 속산의 예(例)에 들었다고 여겨지는데 지금 공공연하게 본원(本院)에 출근하니 신이 이 때문에 덕연을 탄핵하는 것입니다. 덕연은 문을 닫고 받아들이지 아니하며 본부에서 보낸 소유(所由) 2명을 가두었으니 매우 부당합니다."

상이 말했다.

"그렇다면 글을 갖춰 아뢰라."

원(原)이 즉시 아뢴 말을 불러 글장을 만들고 글장 말미에 더하기를 직첩(職牒)을 거두고 그 죄를 국문(鞫問)하라고 했다.

상이 곽덕연을 공주(公州)에 부처(付處-유배)하라고 명했다.

---

3 조선시대에 관인(官人)으로서 관직 없이 산직(散職)에 속해 있는 것을 말한다.

기사일(己巳日-13일)에 상이 성균관(成均館)에 나아갔다. 상이 곤면(袞冕) 차림에 평천관(平天冠)을 쓰고 친히 전(奠)을 문선왕(文宣王)[4]에게 올렸고 집사관(執事官)은 제복(祭服)을 입고 배제관(陪祭官)은 공복(公服)을 입고서 학관(學官)[5]으로 하여금 나눠 십철(十哲)[6] 이하에게 전을 올리게 했다. 예(禮)를 마치고 궁으로 돌아와 겸 예빈시 판사(禮賓寺判事) 반성군(潘城君) 박은(朴訔)에게 명해 학관과 제생(諸生)에게 음식을 대접하게 했다. 이튿날 성균대사성(成均大司成) 유백순(柳伯淳) 등이 전(箋)을 올려 사례했다.

○ 밤에 천둥·번개가 치고 비가 내렸다.

신미일(辛未日-15일)에 십학(十學)을 설치했다.[7] 좌정승 하륜(河崙)

---

4 공자(孔子)의 존호(尊號)다. 중국 당(唐)나라 현종(玄宗)이 개원(開元) 27년(739년)에 추증(追贈)했다.

5 학생들을 대상으로 학업을 가르치는 일을 담당하던 관원을 이르는 말이다. 교관(教官) 혹은 교수관(教授官)이라고도 했다.

6 공자(孔子) 문하(門下)의 열 사람의 고제(高弟)로, 곧 안회(顏回)·민자건(閔子騫)·염백우(冉伯牛)·중궁(仲弓)·재아(宰我)·자공(子貢)·염유(冉有)·자로(子路)·자유(子游)·자하(子夏)를 가리킨다. 이들은 모두 『논어(論語)』에 등장하는 제자들이다.

7 10학체계가 제도적으로 처음 정비된 것은 고려 말의 일이다. 즉 1390년(공양왕 1년) 예학(禮學-유학(儒學))·악학·병학(兵學-무학(武學))·율학·자학(字學)·의학·음양풍수학(陰陽風水學)·이학(吏學)·역학·산학 등의 10학을 두고, 10학 교수관(十學教授官)의 지도 아래 전문교육을 실시했다. 이는 고려 전기에 경외(京外)의 학교에서 가르치던 유학·무학·의학·율학·서학·산학·음양학 등의 7학에 중·후기를 거치면서 역학·이학·악학 등의 3학이 추가되어 10학으로 확장된 것이었다. 역학과 이학은 대명외교의 필요성에서, 그리고 악학은 성리학(性理學)과 대성악(大晟樂)의 전래 이후 참된 유교정치의 구현을 위해 신설되었다. 이후 선초에 한때 유학을 독립시키고 풍수음양학·이학·악학 등은 폐지해 6학체계로 바뀌었으나 이때인 1406년(태종 6년)에 다시 원래의 10학 체계로 환원됐다. 그러나 현실적인 요구에 따라 이러한 10학의 편성에 약간의 변화가 있었다. 즉 세종 연간에 자학과 이학이 10학에서 빠지는 대신, 이후 도학(道學)과 화학(畫學)이 신설됨으로써 『경국대

의 건의에 따른 것이다. 첫째는 유학(儒學), 둘째는 무학(武學), 셋째는 이학(吏學), 넷째는 역학(譯學), 다섯째는 음양풍수학(陰陽風水學), 여섯째는 의학(醫學), 일곱째는 자학(字學), 여덟째는 율학(律學), 아홉째는 산학(算學), 열째는 악학(樂學)인데 각기 제조관(提調官)을 두었다. 그중에 유학(儒學)은 현임(見任) 삼관(三館)의 7품 이하만으로 시험하게 하고, 나머지 구학(九學)은 시산(時散)을 물론하고 4품 이하부터 4중월(仲月)에 고시(考試)하게 하여 그 고하(高下)를 정해 출척(黜陟-인사고과)의 빙거(憑據)를 삼게 했다.

○ 요인(妖人) 문가학(文可學)과 그 당여(黨與)를 붙잡아 순금사 옥(獄)에 가두었다. 의정부 참찬사 최유경(崔有慶)에게 명해 위관(委官)으로 삼고, 겸 의용순금사 판사(義勇巡禁司判事) 이숙번(李叔蕃)·윤저(尹柢), 형조판서 김희선(金希善), 사헌집의 최부(崔府) 등과 함께 국문(鞫問)하게 했다. 가학(可學)은 진주(晉州) 사람으로 대강 태일산법(太一算法)을 익혀 스스로 말하기를 "비가 내리고 볕이 날 낌새를 미리 안다"라고 하여 나라 사람들 중에 점점 이를 믿는 자가 늘어

전』상의 10학 체계가 완성됐다. 도학의 신설은 도교(道教)를 조선 왕조의 이데올로기 체계에 정식으로 편입시킨 것이며, 화학도 국가의 각종 시설 행사에 불가결한 요소로 인정했기 때문이다. 이러한 10학 중에서 유학과 무학은 양반들이 입속했고, 나머지 8학은 잡학이라 하여 주로 중인층(中人層)의 기술관(技術官)이 담당했다. 8학 중에서도 화학·도학·악학에는 양인(良人) 및 천인(賤人)들도 종사할 수 있었다. 한편 유학과 무학 중 양반들은 유학을 훨씬 선호했다. 그런 만큼 10학 중 유학이 가장 우위에 있었다 하겠는데, 이의 교육을 위해 성균관(成均館)·4학(四學)·향교(鄉校) 등 별도의 교육체계가 갖춰졌다. 반면 무학과 나머지 잡학으로서의 8학은 해당 관청이나 지방 관아에서 그 교육을 담당했다. 즉 무학은 훈련원(訓練院), 역학은 사역원(司譯院)과 유관 지방 관아, 의학은 전의감(典醫監)·혜민국(惠民局) 및 지방 관아, 율학은 형조(刑曹) 및 지방 관아, 음양학은 관상감(觀象監), 산학은 호조(戶曹), 화학은 도화서(圖畵署), 도학은 소격서(昭格署), 그리고 악학은 장악원(掌樂院)에서 교육했다.

났다. (예전에) 상이 불러 시험하고자 하여 서운관(書雲觀)의 버슬에 임명했는데 오랜 날이 지났어도 효험이 없어 그를 내쫓았다. 그가 개성 유후사(開城留後司)에 있으면서 어리석은 백성들을 거짓으로 유혹하며 은밀히 생원(生員) 김천(金薦)에게 말했다.

"이제 불법(佛法)은 쇠잔(衰殘)하고 천문(天文)이 여러 번 변했소. 내 신중경(神衆經)을 외워 신(神)이 들면 귀신[鬼物]을 부릴 수 있고 천병(天兵)과 신병(神兵)도 부르기 어렵지 않소. 만일 인병(人兵)을 얻는다면 거사(擧事)할 수 있소."

천이 그렇다고 여기고 곧 전 봉상시 주부(奉常寺注簿) 임빙(任聘), 생원 조방휘(趙方輝), 전 부정(副正) 조한생(趙漢生), 전 소윤(少尹) 김양(金亮) 등과 함께 모두 그에게 붙어[附] 드디어 작란(作亂)을 꾸몄다. 임빙의 외조부[母舅] 부사직(副司直) 조곤(趙昆)이 그 음모를 알게 되어 고(告)하여 문가학과 그 무리들을 붙잡아 국문하게 된 것이다. 상이 여러 신하에게 일러 말했다.

"내 가학(可學)을 미친놈이라 여긴다. 천병(天兵)과 신병(神兵)을 제가 부를 수가 있다 하니 이것이 바로 미친놈의 말이 아니겠는가?"

황희(黃喜)가 아뢰어 말했다.

"한 놈의 가학은 미친놈이라 하겠으나 그를 따른 자들이야 어찌 다 그렇겠습니까?"

상이 국옥관(鞫獄官)에게 말했다.

"지금 가학 때문에 무죄(無罪)한 사람 중에 갇힌 자도 많을 것이니 빨리 분변(分辨)하는 것이 마땅할 것이다."

○ 전 직예문관(直藝文館) 이적(李逖), 내섬소윤(內贍少尹) 유직(劉

直), 성균학유(成均學諭) 양질(楊秩)을 순금사의 옥(獄)에 내렸다. 가학의 공사(供辭)가 직(直)을 끌어들였기 때문이었다. 또 순금사 사직(巡禁司司直) 박미(朴楣)가 가학을 처음 체포할 때 적(逖)은 돌아가신 어머니[亡母]의 제사로 인해 배주(白州)의 서산사(西山寺)에서 수륙재(水陸齋)를 베풀고 있었다. 가학(可學)이 평소부터 적과 교분이 있었던 터에 마침 그 절에 있었기 때문에 이리하여 적도 함께 수금(囚禁)된 것이었다. 질(秩)의 경우에는 임빙의 친구의 사위인데 사실을 조사했으나 실증이 없었으므로 곧 이들을 모두 풀어주었다.

○ 상당군(上黨君) 이저(李佇), 개성유후(開城留後) 강사덕(姜思德), 전 동북면 도순문사(東北面都巡問使) 여칭(呂稱), 검교 의정부 참찬사 오사종(吳嗣宗) 이옥(李沃), 승녕부소윤(承寧府少尹) 김매경(金邁卿) 등 6인을 순금사에 내렸다. 공사(供辭)가 문가학과 관련되었기 때문이다. 이튿날 모두 풀어주었다.

임신일(壬申日-16일)에 경상도에 붉은 요기[赤祲]가 있었다.

계유일(癸酉日-17일)에 의정부에서 연호미(煙戶米)를 거두는 법을 정해 보고했다.

'경중(京中)의 현임(見任) 1·2품은 상호(上戶)로 삼아 쌀 10두(斗)를, 3·4품은 중호(中戶)로 삼아 6두를, 5·6품은 하오(下戶)로 삼아 4두를 내고, 참외(參外)는 하하호(下下戶)로 하여 2두를, 서인(庶人)은 1두를 내게 하되 전함 각품(前衛各品)은 각각 그 반(半)으로 줄여주고, 외방(外方)은 전지(田地) 15결(結)에 남녀(男女) 15구(口) 이상을 상호(上戶)로, 전지 10결에 남녀 10구 이상을 중호(中戶)로, 전지 5결에 남녀 5구 이상을 하호(下戶)로 하고, 전지 1·2결에 남녀 1·2구는 성호(成戶)가 못 되는 것으로 해서 3호(戶)를 합하여 1호(戶)로 하고, 경중(京中) 3등의 예(例)에 따라 출미(出米)하게 하되 차등이 있게 해야 합니다. 그리고 전지 20결 이상은 전결(田結)과 인구(人口)를 계산하여 차등대로 가납(加納)케 하되 풍년(豊年)이면 정수(定數)에 의하고, 중년(中年)이면 반감(半減)하고, 흉년(凶年)이면 완전히 면제해야 합니다.'

○ 길창군(吉昌君) 권근(權近)이 『예기천견록(禮記淺見錄)』[8]을 편찬하여 올렸다.

기묘일(己卯日-23일)에 상이 덕수궁에 나아가 기거(起居)했다.

○ 좌정승 하륜(河崙) 등이 백성들이 겪는 폐단[民弊]을 털어내는[祛=去] 몇 가지 조목을 올렸다. 아뢰어 말했다.

"전조(前朝-고려)의 말기에 백성들이 겪는 폐단들이 수도 없이 많았으나 우리 조정에 이르러 점차 혁거(革去)했습니다만 백성들 사이에는 아직도 그 남은 폐단들[餘弊]이 남아 있습니다. 주(州)와 현(縣)

8　원래 저자의 스승인 이색(李穡)이 『예기』의 간편(簡編)을 다시 편찬하면서 글의 뜻을 변론하려 했으나 노환으로 마치지 못한 것을 스승의 유지를 받들어 저술을 마쳤다. 그 뒤 저자는 성균관에서 몇 해 동안 『예기』를 강론하면서 얻은 견해를 첨삭(添削)해 이 책을 완성했다. 1405년(태종 5년) 왕명으로 처음 간행됐다. 1418년 제주목사 하담(河澹)이 중간하고, 1705년(숙종 31년) 제주목사 송정규(宋廷奎)가 하담본에 약간의 보충과 정정을 가해 개간했다. 권두에 진호(陳澔)의 『예기집설』 서(序)와 하륜(河崙)의 서문이 있고, 권말에 하담의 발문과 송정규의 후지(後識)·보각기(補刻記)가 있다.

의 둔전(屯田)은 이미 금령(禁令)이 있는데도 수령(守令)들이 멋대로 행하여 혹은 백성을 모아다가 경작하고, 혹은 종자를 뿌려서 세(稅)를 거둬 국용(國用)에 돌리지 않고 이를 전적으로 사비(私費)로 쓰며, 혹은 백성을 모아 배[船]를 만들어 선세(船稅)를 거두는가 하면, 어량(漁梁-고기잡이용 물막이)을 만들어 어리(漁利)를 거두고, 또는 숯을 묻어 탄가(炭價)를 거두기도 하며, 혹은 민간(民間)에서 심은 왕골[莞]·모시[苧]·대[竹]·칠(漆)을 빼앗기도 하고, 심지어는 과실(菓實)이 익기도 전에 감봉(監封)[9]했다가, 그것이 익으면 핍박하여 수효를 채우게 하니 도리어 본호(本戶)를 침요(侵擾)하여 고의로 손해를 끼칩니다.

또 품관(品官)[10]과 향리(鄕吏)들이 전토(田土)를 널리 점령하고 유망인(流亡人)을 불러들여 병작(竝作)하여 그 반(半)을 거두니 그 폐단이 사전(私田)보다도 심합니다. 사전(私田) 1결에서는 풍년이 든 해에

---

9 바치는 물건이 중간에서 훼손되는 것을 막기 위해 봉(封)하는 과정을 감독하는 것을 말한다.

10 관품(官品), 즉 산관(散官)만을 가진 관인을 말한다. 품관은 관인이 처하고 있는 상태에 따라 여러 가지 명칭이 붙을 수 있다. 한량품관(閑良品官), 전함품관(前銜品官), 재외품관(在外品官), 부경품관(赴京品官), 도내대소품관(道內大小品官), 거경품관(居京品官), 수전품관(受田品官), 유향품관(留鄕品官), 토성품관(土姓品官) 등이 그것이다. 한량품관은 한산 상태(閑散狀態)에 있는 품관이고, 전함품관은 전함관(前銜官), 즉 전직 관료이며, 부경·거경·수전품관은 군전(軍田)이나 과전(科田)을 받고 거경시위(居京侍衛)하는 품관이다. 재외·도내대소·유향·토성품관은 거경시위할 대상자로서 아직 지방에 머물러 있거나 거경시위 제도가 완화된 뒤 지방에 머물러 있던 품관들을 말한다. 품관들은 고려시대부터 토착사회의 지배자로서 군림해왔다. 이들은 재지지주(在地地主)로서 강력한 경제적 부(富)를 기반으로 중앙 정계에 진출할 수 있는 부류들이었다. 따라서 당장은 관직을 가지고 있지 않지만 이미 관직을 가지고 있었거나 언젠가는 관직을 차지할 수 있는 사람들이었다.

만 2석(石)을 거두는데, 병작(竝作) 1결에서는 많으면 10여 석까지는 받아냅니다. 유이자(流移者)는 이것을 빙자하여 역(役)을 피하고, 영점자(影占者)[11]는 이것을 빙자하여 몰래 숨기니 부역(賦役)이 고르지 못한 것이 오로지 여기에 있습니다. 또 호강(豪强)한 노예(奴隷)들이 대천(大川)을 점거하여 어리(漁利)를 독차지하기 때문에 백성들은 손을 대지 못해 민간에 어물(漁物)이 적게 되니 이들 폐단을 혁거하지 않을 수 없습니다. 그러니 주(州)와 현(縣)의 둔전(屯田)과 배를 만들어 선세(船稅)를 거두는 일, 어량(漁梁)을 만들어 어리(漁利)를 취한 일, 숯을 묻어 탄가(炭價)를 거두는 일, 민간에서 심은 왕골·모시·대나무·칠을 취하는 등의 일을 일절 금단(禁斷)하고, 백성의 과실을 취하고 그 값을 치르지 않는 자는 『경제육전(經濟六典)』에 의해 또한 금지해야 합니다.

그리고 민가에서 대전(代田)한 이외의 산야(山野)에다 심은 과실은 10분의 1을 세(稅)로 하여 호주(戶主)로 하여금 자진 납부케 하고 감봉(監封)해서 수를 채워 호주를 침요(侵擾)케 하지 말며, 전지(田地)의 병작(竝作)은 환과고독(鰥寡孤獨)으로 자식이 없고, 노비가 없는 자로서 3·4결(結) 이하를 경작하는 자 이외는 일절 금단하고, 어량에서 이익을 독차지하여 백성이 손을 못 대게 하는 자는 엄히 금단해야 합니다. 그리고 백성들 중에서 자원(自願)하는 자는 어리(漁利)를 얻게 하되 10분의 1을 세(稅)로 하고, 모두 도관찰사(都觀察使)에

---

11 남의 명의(名義)나 문서 따위를 이용하거나 아무런 근거 없이 다른 사람의 물건, 노비, 토지 따위를 억지로 차지한 사람을 가리킨다.

게 보고케 하여 그 수대로 출납(出納)하게 해야 합니다. 이렇게 해도 여전히 폐단을 일으키는 자가 있으면 관찰사가 엄격하게 규찰하게 하여 그것을 (관찰사에 대한) 출척(黜陟)의 빙거(憑據)로 삼고, 관찰사로서 이런 문제들을 제대로 살피지 않는 자는 사헌부에서 방문하여 핵실(劾實)하고, 이를 신문(申聞)하여 논죄(論罪)케 해야 합니다."

또 아뢰어 말했다.

"아무리 추운 때라 하더라도 모이엄(毛耳掩)[12]과 분투혜(分套鞋)[13]는 전정(殿庭)의 조회(朝會) 때나 행행(行幸-행차)의 영송(迎送) 때 이외에는 착용하지 말게 해야 합니다. 그러나 그 외에 궐문(闕門) 밖에서 조회를 기다릴 때나 행행 시의 노차(路次)에서 시위(侍衛)할 때, 그리고 각 아문(衙門)에 좌기(坐起)할 때에는 나이 늙고 병이 들어 자원(自願)하여 착용하는 자는 금하지 말게 해야 할 것입니다."

모두 그대로 따랐다.

갑신일(甲申日-28일)에 태백성이 낮에 보였다.

○ 허척(許倜)과 곽덕연(郭德淵)을 사면해 경외(京外)에 종편(從便)케 하고, 설연(雪然)·혜정(惠正) 등도 외방(外方)에 종편케 했다.

---

12 사모 밑에 쓰는 털로 만든 방한구다.
13 추울 때에 신위에 덧대어 신는 방한화다.

丁巳朔 御便殿 議給田法. 上謂戶曹判書李至曰: "今科田遞受
정사 삭 어 편전 의 급전 법 상위호조 판서 이지왈 금 과전 체수

之例 夫亡有子而更適人者 收奪其田: 亡夫子女 亦不之給. 母
지 례 부망 유자 이 갱적 인자 수탈 기전 망부 자녀 역불지급 모

雖失節 以父之心觀之 則於其子女 豈無慈愛之心乎? 以父之心
수 실절 이부지심 관지 즉어기 자녀 기무 자애 지심호 이부지심

移給於子女 豈不可乎?" 禮曹判書李文和對曰: "經濟六典有云:
이급 어 자녀 기 불가 호 예조판서 이문화 대왈 경제육전 유운

'夫死有子息者 全科遞受: 無子息者 半減遞受: 本非守信者 不在
부사 유 자식 자 전과 체수 무자식 자 반감 체수 본비 수신 자 부재

此限.' 所以勸守信也." 上曰: "然則適他之婦 竝其子女不給其父
차한 소이 권 수신 야 상왈 연즉 적타 지부 병기 자녀 불급 기부

之田地 豈能勒令守信耶?" 事下政府擬議 竟不施行.
지 전지 기능 늑령 수신 야 사하 정부 의의 경불 시행

日本 薩摩州守藤原賴久 使人獻禮物 發還被擄人口. 上以所獻
일본 살마주 수 등원뢰구 사인 헌 예물 발환 피로 인구 상 이 소헌

蘇木百斤 獻于德壽宮 又分賜于宗親 功臣 政府堂上 六曹判書
소목 백근 헌우 덕수궁 우 분사 우 종친 공신 정부 당상 육조 판서

代言 各有差.
대언 각 유차

定陵寢步數之法. 禮曹啓: "謹按歷代陵室步數 後漢 光武
정 능침 보수 지 법 예조 계 근안 역대 능실 보수 후한 광무

原陵山方三百二十三步 半減一百六十一步 則四面各八十步.
원릉산 방 삼백 이십 삼보 반감 일백 육십 일보 즉 사면 각 팔십 보

今朝先代諸山陵陵室步數 乞依原陵之例. 四方各一百六十一步."
금조 선대 제 산릉 능실 보수 걸의 원릉 지 례 사방 각 일백 육십 일보

從之.
종지

己未 西北面地震.
기미 서북면 지진

辛酉 上出次楊州南郊 候太上之還也. 太上次楊州客舍 上謁見
신유 상 출차 양주 남교 후 태상 지 환야 태상 차 양주 객사 상 알현

476

進酒極歡. 暮 還南郊帳殿. 翼日 太上王曉發 次于海村之郊 上
隨至進酒 退次于川邊行殿.

甲子 木稼.

太上王入京 次于燕喜坊 崔慶雲之家. 上隨至謁見 遂還宮.

百官詣太上殿肅拜而退.

罷左司諫尹思永 右正言金爲民職. 先是 上召司憲府掌務曰:
"刑曹諫院相詰之事 劾實以聞."

是日 憲府上言:

"刑曹以司諫院屬使令身良水軍石伊 囚諸典獄 蓋以石伊本主
都官從賤得決後告狀也. 思永 爲民等將石伊仍稱本院使令 以
刑曹不報本院 擅自直囚 顚倒移文 致令刑曹累日未仕. 且爲民已
被本府之劾 事未決正①之間 聞其親在光州有疾 及時呈辭 星馳
而去 則猶之可也 顧乃留連經日 干請鋪馬 朝辭之際 又不啓達
被劾之由 尤爲不當. 乞上裁施行."

命罷二人職.

禮曹啓宗親國葬等例: "大君爲一等 諸君爲二等 元尹 正尹爲
三等." 從之.

命巡禁司 摭申聞鼓所言者毋禁 如違背阻滯者 許憲司糾察
申聞論罪.

乙丑 霧 木氷 迨午乃霽.

丙寅 日兩珥.
병인 일 양이

流左獻納郭德淵于公州. 初德淵以家忌 不與思永 爲民被劾
유 좌헌납 곽덕연 우 공주 초 덕연 이 가기 불여 사영 위민 피핵

之事. 是日赴院 劾問掌令趙師 以司憲府與刑曹私相報復之故
지사 시일 부원 핵문 장령 조사 이 사헌부 여 형조 사상 보복 지고

草疏 將請憲司之罪. 大司憲李原聞之 先詣闕劾德淵 令書吏所由
초소 장청 헌사 지죄 대사헌 이원 문지 선예궐핵 덕연 영서리 소유

圍守諫院 使不得②上疏 且啓曰: "德淵若以臣等爲非 則當於
위수 간원 사부득 상소 차계왈 덕연 약이 신등 위비 즉당어

司諫院未屬散之前 申請臣等之罪. 當其時 曾無一言及此 至同僚
사간원 미 속산 지전 신청 신등 지죄 당기시 증무일 언급 차 지 동료

屬散之後 獨坐諫院 劾問本府. 由是觀之 非特憲府刑曹相報復
속산 지후 독좌 간원 핵문 본부 유시 관지 비특 헌부 형조 상 보복

也 乃德淵眞報復也. 況諫院行首掌務屬散之後 德淵觀望不出
야 내 덕연 진 보복 야 황 간원 행수 장무 속산 지후 덕연 관망 불출

久闕監臣省記. 臣意德淵與於屬散之例矣 今乃公然赴院 臣以此
구궐 감신 성기 신의 덕연 여어 속산 지례의 금내 공연 부원 신 이차

劾問德淵 德淵閉門不納 囚本府所遣所由二名 甚爲不當" 上曰:
핵문 덕연 덕연 폐문 불납 수 본부 소견 소유 이명 심위 부당 상왈

"然則具狀以聞." 原卽以所啓之言 口占爲狀 狀尾益以乞收職牒
연즉 구장 이문 원즉 이 소계 지언 구점 위장 장미 익이 걸수 직첩

鞫問其罪 上命德淵於公州付處.
국문 기죄 상명 덕연 어 공주 부처

己巳 上詣成均館. 上服衮冕平天冠 親奠于文宣王 執事官服
기사 상 예 성균관 상복 곤면 평천관 친전 우 문선왕 집사관 복

祭服 陪祭官服公服 令學官分奠于十哲以下. 禮訖還宮 命兼判
제복 배제관 복 공복 영 학관 분전 우 십철 이하 예흘 환궁 명 겸판

禮賓寺事潘城君朴訔 饋學官諸生. 翌日 成均大司成柳伯淳等
예빈시 사 반성군 박은 궤 학관 제생 익일 성균 대사성 유백순 등

上箋以謝.
상전 이사

夜 雷雨.
야 뇌우

辛未 置十學. 從左政丞河崙之啓也. 一曰儒 二曰武 三曰吏 四
신미 치 십학 종 좌정승 하륜 지계야 일왈유 이왈무 삼왈이 사

曰譯 五曰陰陽風水 六曰醫 七曰字 八曰律 九曰算 十曰樂 各置
왈역 오왈 음양 풍수 육왈의 칠왈자 팔왈율 구왈산 십왈악 각치

提調官. 其儒學 只試見任三館七品以下: 餘九學 勿論時散 自
제조관 기 유학 지시 현임 삼관 칠품 이하 여 구학 물론 시산 자

四品以下 四仲月考試 第其高下 以憑黜陟.
사품 이하 사 중월 고시 제 기 고하 이빙 출척

捕妖人文可學及其黨與 囚于巡禁司獄 命參贊議政府事崔有慶
포 요인 문가학 급 기 당여 수 우 순금사 옥 명 참찬 의정부 사 최유경

爲委官 與兼判義勇巡禁司事李叔蕃 尹柢 刑曹判書金希善 司憲
위 위관 여 겸판 의용 순금사 사 이숙번 윤지 형조판서 김희선 사헌

執義崔府等鞫之. 可學 晋州人 粗習太一算法 自謂前知雨暘之
집의 최부 등 국지 가학 진주 인 조습 태일 산법 자위 전지 우양 지

徵 國人稍有信之者 上召試之 拜書雲 視日久而無效 斥遣之. 居
징 국인 초 유신지 자 상 소시지 배 서운 시일 구 이 무효 척 견지 거

開城留後司 誑誘愚民 密謂生員金蔵曰: "今佛法衰殘 天文屢變
개성 유후사 광유 우민 밀위 생원 김천 왈 금 불법 쇠잔 천문 누변

吾誦神衆經入神 能役使鬼物 天兵神兵 不難致也. 若得人兵則
오 송 신중경 입신 능 역사 귀물 천병 신병 불난 치야 약 득 인병 즉

大事可擧也." 蔵然之 乃與前奉常注簿任聘 生員趙方輝 前副正
대사 가거 야 천 연지 내 여 전 봉상 주부 임빙 생원 조방휘 전 부정

曹漢生 前少尹金亮等皆信附之 遂謀作亂. 任聘之母舅副司直
조한생 전 소윤 김량 등 개 신부 지 수모 작란 임빙 지 모구 부사직

趙昆知其謀以告 捕可學及其黨鞫之. 上謂群臣曰: "予謂可學爲
조곤 지 기모 이고 포 가학 급 기당 국지 상위 군신 왈 여위 가학 위

顚狂者 天兵神兵 吾能召致 此非狂者之言乎!" 黃喜啓曰: "一
전광 자 천병 신병 오 능 소치 차비 광자 지언 호 황희 계왈 일

可學雖顚狂 其從之者 豈盡然乎!" 上謂鞫獄官曰: "今以可學之
가학 수 전광 기 종지 자 기진 연호 상위 국옥 관왈 금 이 가학 지

故 無罪之人 被囚者多 宜速分辨."
고 무죄 지인 피수 자다 의 속 분변

下前直藝文館李遴 內贍少尹劉直 成均學諭楊秩于巡禁司
하 전 직 예문관 이적 내섬 소윤 유직 성균 학유 양질 우 순금사

獄. 可學辭引直. 又巡禁司司直朴楣初捕可學之時 遴薦亡母 設
옥 가학 사인 직 우 순금사 사직 박미 초 포 가학 지시 적 천 망모 설

水陸齋于白州之西山寺. 可學素與遴交 方在其寺 故幷囚遴. 秩則
수륙재 우 배주 지 서산사 가학 소 여적 교 방재 기사 고 병수 적 질 즉

任聘之友壻也. 按驗無實 尋皆釋之.
임빙 지 우서 야 안험 무실 심 개 석지

下上黨君李佇 開城留後姜思德 前東北面都巡問使呂稱 檢校
하 상당군 이저 개성 유후 강사덕 전 동북면 도순문사 여칭 검교

參贊議政府事吳嗣宗 李沃 承寧府少尹金邁卿等六人于巡禁司.
참찬 의정부 사 오사종 이옥 승녕부 소윤 김매경 등 육인 우 순금사

以辭連可學也. 翼日 皆釋之.
이 사연 가학 야 익일 개 석지

壬申 慶尙道赤祲.

癸酉 議政府定收煙戶米之法以聞.

'京中 見任一二品爲上戶 出米十斗; 三四品爲中戶 出六斗;

五六品爲下戶 出四斗; 參外爲下下戶 出二斗; 庶人出一斗. 前銜

各品 各減其半. 外方 則有田十五結男女十五口以上爲上戶 田

十結男女十口以上爲中戶 田五結男女五口以上爲下戶 田一二結

男女一二口爲不成戶 幷三戶爲一戶 依京中三等例 出米有差. 田

二十結以上 計田結人口 以次加納 豊年則依定數 中年則減半

凶年則全免.'

吉昌君權近上所撰禮記淺見錄.

己卯 上詣德壽宮起居.

左政丞河崙等 上袪民弊數條. 啓曰:

"前朝之季 民弊多端 至于我朝 漸次革去 民間尙有餘弊. 州縣

屯田 已有禁令 爲守令者 任然行之 或聚民屯種 或散種科斂

不歸國用 全爲私費 或聚民造船 以收船稅 作梁以收漁利 埋炭

以收炭價 或取民間所種莞苧竹漆 至於菓實 當未熟之時監封

待熟摘取 逼令充數 反擾本戶 以致故損.

又品官鄕吏廣占土田 招納流亡 竝作半收 其弊甚於私田. 私田

一結 豊年只收二石 竝作一結 多取十餘石 流移者托此避役

影占者托此容隱. 賦役不均 專在於此.

又豪强奴隷占斷大川 以專漁利 禁民入手 以致民間漁物乏少

此等之弊 不可不革.

州縣屯田造船收稅 作梁取利 埋炭收價 取民莞芧竹漆等事

一皆禁斷; 取民菓實 不給其直者 依經濟六典 亦行禁斷; 人家

代田外山野所種菓實 十分稅一 令戶主自納 勿行監封充數 以擾

主戶; 田地竝作 除鰥寡孤獨無子息無奴婢三四結以下作者

外 一行禁斷; 魚梁專利 禁民入手者 痛行禁斷; 令民自願者 皆

獲漁利 十分稅一 皆報都觀察使 知數出納. 其有如前作弊者

觀察使痛行糾理 以憑黜陟 觀察使不爲考察者 司憲府訪問劾實

申聞論罪."

又啓:

"當極寒日 毛耳掩分套鞋 除殿庭朝會行幸迎送時 不許穿著

外. 闕門外待朝時 行幸路次侍衛時 各衙門坐起時 年老有疾

自願穿着者 勿許禁止."

皆從之.

甲申 太白晝見.

宥許偶 郭德淵 京外從便; 雪然 惠正等 外方從便.

① 決正. 決定의 잘못인 듯하다.
　　결정　　결정

② 使不得上疏. 使不得은 '~하지 못하게 하다'라는 뜻으로 不使와 같다.
　　사 부득 상소　　사 부득　　　　　　　　　　　　　　　　　　　　불사

태종 6년 병술년
12월

十二月

병술일(丙戌日-1일) 초하루에 검은 안개[黑霧]¹가 꼈다.
_{흑무}

○ 사헌부에서 토지를 지급하는 법을 올리니 그것을 따랐다. 소
(疏)는 이러했다.

'나라에 3년의 저축이 없으면 그 나라는 나라가 아닙니다. 본조
(本朝)는 토지가 척박하여 소출이 많지 아니한데 해마다 손실(損實)
을 답험(踏驗)할 때 각 고을의 수령이 대체(大體)를 돌보지 아니하
고 오로지 백성을 기쁘게 하기를 꾀하여 손실을 보상하는 것[給損]
이 지나치게 많아서 공가(公家-관)에 들어오는 것은 해마다 줄어듭
_{급손}
니다. 바라건대 경기좌우도(京畿左右道)에서 전후(前後)로 개량(改
量)하여 그 남아도는 전지(田地)는 모두 군자전(軍資田)에 소속시켜
야 할 것입니다. 또 전토(田土)는 신하가 사사로이 얻을 수 없는 것
인데 호조에서 과전(科田)을 절급(折給)할 때 먼저 준 것의 많고 적
음을 돌보지 아니하고 서로 아는 자라 하여 먼저 절급했으며, 심지
어는 국가에 요긴하지 아니한 잡류인(雜類人)들까지도 모두 절급하
여 공전(公田)을 자기의 사은(私恩)으로 삼으니 매우 잘못됐습니다.
이제부터는 과전(科田)의 부족(不足)과 새로 종사(從仕)하는 사람의

---

1 요사스러운 기운이라 하여 이것이 나타나면 불길하다 여겼다. 조선시대에는 흑무(黑霧),
   침무(沈霧), 연무(煙霧), 황무(黃霧), 운무(雲霧) 등으로 구별했다.

전후(前後) 전지수(田地數)와 진고전(陳告田)의 수를 일일이 써서 계
문(啓聞)하여 (상의) 뜻을 받은 뒤에 이를 절급하도록 해야 할 것입
니다.'

의정부에 내려 깊이 토의케 하니 (사헌부가) 아뢴 대로 시행할 것
을 청했다.

○ 의정부에서 형률(刑律)의 예(例)를 올리니 그대로 따랐다.

'형률(刑律)에 이르기를 "투구 살인자(鬪毆殺人者)[2]는 손발이나 다
른 도구를 사용했는지를 불문하고 모두 교형(絞刑)에 처하고 위핍인
치사자(威逼人致死者)[3]는 장(杖) 100대에, 매장은(埋葬銀)[4] 10냥(兩)
을 추징한다"라고 했습니다. 율문(律文)의 본의(本意)에 이르기를 "대
체로 사람을 죽여 사형(死刑)이 되는 자에게는 매장은을 징수하지
아니하며, 살인을 하고도 감사(減死)되어 죽음을 당하지 않는 자에
게는 매장은을 징수하여 지급한다"라고 했으니 이제부터는 살인을
하고도 죄가 사형에 이르지 아니하는 자와 사형이 될 자로서 유사
(宥赦-사면)를 만나 사형을 면하게 되는 자는 모두 매장은을 징수해
피살된 사람의 집에 주게 해야 할 것입니다.'

계사일(癸巳日-8일)에 이서(李舒)를 영의정 부사로 삼아 그대로[仍]
치사(致仕)하게 하고 하륜(河崙)을 세자부(世子傅), 권근(權近)을 세

---

2 때리고 서로 싸우다가 살인한 자를 가리킨다.
3 위협하고 핍박하여 사람을 죽게 한 자를 가리킨다.
4 매장비로 징수하는 돈을 가리킨다.

자이사(世子貳師), 이원(李原)을 한성부 판사, 이화영(李和英)을 우군
도총제, 민무질(閔無疾)을 사헌부 대사헌, 조곤(趙昆)을 승녕부 판관
(承寧府判官)으로 삼았다. 무질(無疾)은 병권(兵權)을 내놓게 되어 늘
불만스러운 마음[怏怏]을 품고 있었던 까닭에 이런 명령이 있었다.
곤(昆)은 가학(可學)의 음모를 고발한 자다.

갑오일(甲午日-9일)에 우군동지총제 이현(李玄, ?~1415년)[5]에게 (충청
도) 임주(林州-임천)를 본향(本鄕)으로 삼게 했다. 현(玄)이 말씀을 올
렸다.

"신(臣)의 증조(曾祖) 대도로 총관(大都路摠官) 백안(伯顏)은 지원
(至元) 병술년(丙戌年-1286년)에 황제의 고모[皇姑] 제국대장 공주
(齊國大長公主)[6]를 받들고 왔는데 자손 대대로 내려오면서 나라의 은
혜[國恩]를 받았습니다. 그러나 지금껏 본국(本國)에 적(籍)을 두지

---

5   귀화인의 후손으로 한어(漢語)에 능통해 주로 중국에 사신으로 파견됐다. 1394년(태조
    3년) 사역원 부사(司譯院副使)로 명나라에 다녀왔고, 정종이 즉위하자 통사(通事)의 직함
    으로 중추원 부사(中樞院副使) 김륙(金陸)과 명나라 서울에 이르러 승습(承襲)을 허락받
    은 외교술로 내구마(內廐馬) 1필이 하사됐다.
    전중시 판사(殿中寺判事)로 근무 중 태종이 즉위하자 사은사(謝恩使) 서장관(書狀官) 안
    윤시(安允時)와 함께 태종 승습을 이자(移咨-중국과 왕복하는 외교문서를 보냄)한 공으로
    안마(鞍馬)와 밭 50결, 노비 4구가 하사됐다. 1403년(태종 3년)에는 전 호조전서의 신분
    으로 대명외교에서 수고한 공로로 내구마(內廐馬) 1필이 하사됐고, 이듬해 호조참의에 올
    랐다가 이때인 1406년 주문사(奏聞使)의 임무를 성공리에 마친 뒤에 태종으로부터 임주
    (林州)를 사향(賜鄕)받았다.
    1407년 세자와 황녀의 결혼을 의논한 죄로 구금됐으나, 곧 동지총제(同知摠制)에 올라
    정조(正朝)를 하례(賀禮)하기 위해 파견된 세자의 시종관(侍從官)으로 입조(入朝)하여 쌀
    60석과 상포(常布) 100필이 하사됐다. 그 뒤 중군총제(中軍摠制), 검교 판한성부사(檢校
    判漢城府事)를 거쳐 1415년(태종 15년) 경승부윤(敬承府尹)으로 있다 죽었다.
6   고려 충렬왕의 비(妃)다.

못했습니다. 바라건대 다른 귀화인(歸化人)의 예(例)에 의거해 본향을 내려주소서[賜鄕]."

그것을 따랐다.

을미일(乙未日-10일)에 여흥부원군(驪興府院君) 민제(閔霽)의 집으로 행차하니 정비(靜妃)가 따르고 여러 왕자(王子)도 모두 따라가 술자리를 베풀었다. 제(霽)가 시(詩) 3편을 지어서 올렸는데 그 첫째는 문정(文定)의 초년(初年)에 집안 살림이 곤궁했음을 서술한 것이요, 둘째는 전하가 왕위에 즉위하여 기뻐서 축하하는 마음을 서술한 것이며, 셋째는 민씨 일문(閔氏一門)이 두텁게 은혜를 받은 사사로움을 서술한 것이었다. 상이 매우 즐거워하여 서로 대하기를 잠저(潛邸) 때처럼 했다. 제가 상을 선달(先達)[7]이라 칭(稱)하니 상도 민제를 사부(師傅)라 불렀다. 술자리가 끝나자 제가 상을 전송하며 대문 밖에 서 있으니 상이 제에게 들어가라고 청했으나 제가 황공함을 견디지 못하여 말 앞으로 나아가서 서자 아들 무질(無疾)이 말했다.

"아버님[家君]이 들어가셔야 상께서 마침내 말에 오르실[御馬] 것입니다."

제가 말했다.

"네가 어찌 알겠느냐[汝何知]!"[8]

---

7 문무과(文武科)에 급제하고 아직 벼슬에 나아가지 않은 사람을 가리킨다. 이방원과 민제가 처음 만날 무렵에 바로 이방원이 선달이었기 때문에 친근감의 표시로 이렇게 부른 것이다.

8 얼마 후 민무질에게 일어날 비극을 염두에 둔다면 매사에 조심했던 민제가 그렇지 못했

두 손 모아 서서 물러가지 않았고 상은 10여 보(步)쯤 걷다가 마침내 말에 올랐다.

기해일(己亥日-14일)에 상이 덕수궁(德壽宮)에 나아가 헌수(獻壽)했다.

경자일(庚子日-15일)에 문가학(文可學), 임빙(任聘), 김량(金亮), 김천(金蕆), 조방휘(趙方輝), 조한생(趙漢生) 등을 저자[市]에서 환형(轘刑)[9]에 처하고 가학의 아들 젖먹이도 교형(絞刑)에 처했다. 애초에 가학 등이 역모할 때 약속하기를 일이 성공한 뒤에는 가학을 추대하여 임금으로 삼고, 천은 좌상(左相)이 되고, 빙은 우상(右相)이 되고, 조방휘는 이상(二相-참찬)이 되고, 조한생은 서북면 도순문사(西北面都巡問使)가 될 것이라고 했다.

밤에 보은사(報恩寺) 솔밭에 모여 여러 부처[諸佛]와 천신(天神) 지기(地祇)에게 고(告)하고는 함께 가학을 임금으로 추대하고 빙으로 하여금 교서(敎書) 두 통[道]을 짓게 했으며 연철(鉛鐵)을 사다가 어인(御印), 의정부인(議政府印), 병조포마인(兵曹鋪馬印), 봉사인(奉使印) 등 4개를 만들어 한생을 시켜 먼저 평양(平壤)으로 들어가 내응(內應)하도록 모의하니 가학 등이 모두 평양에 가고자 했다. 가

던 아들들의 처신에 대해 걱정하는 마음이 담겨 있는 표현으로 보인다.

9 두 발을 각각(各各) 다른 수레에 매고 수레를 끌어서 죄인(罪人)을 찢어 죽이던 형벌(刑罰)이다. 거열형(車裂刑)이라고도 한다.

학은 거짓으로 도체찰사(都體察使)라 칭하고, 천은 도진무(都鎭撫)라 사칭(詐稱)하여 12월 21일에 도순문사(都巡問使)를 죽이고 군사를 일으켜 난(亂)을 꾀하기로 했다. 그러나 이미 계책을 정하고도 빙은 도리어 의심쩍게 여겨 계책을 조곤(趙昆)에게 물으니 곤이 거짓으로[陽=僞] 허락하는 체하고는 드디어 자수했다[首告]. 옥사(獄事)가 이뤄지자 가학 등의 처자는 모두 연좌(連坐)됐으나 홀로 빙의 처자와 형제만은 용서를 받았으니 이는 조곤이 자수했기 때문이다.

○ (서북면) 자주(慈州) 사람 조수(曹守)에게 장(杖) 100대를 쳐서 (경상도) 거제현(巨濟縣)으로 유배 보내 봉졸(烽卒)로 삼았다. 수(守)는 방휘의 누이의 아들로 실정을 알고도 자수하지 않았기 때문이다. 또 중 묘혜(妙惠)를 (전라도) 무안현(務安縣)으로, 자주 호장(慈州戶長) 김양의(金良義)를 (경상도) 기장현(機張縣)으로 유배 보내 봉졸로 삼았다. 묘혜는 방휘(方輝)의 숙부이고 김양의는 김량(金亮)의 조카였다.

임인일(壬寅日-17일)에 달이 태미좌(太微座)로 들어갔다.

갑진일(甲辰日-19일)에 정복주(鄭復周)[10]를 폐(廢)하여 서민(庶民)으로 삼았다. 사헌부에서 말씀을 올렸다.

'이달 초6일에 전 첨절제사(僉節制使) 정복주(鄭復周)는 원래의 부

---

10 태종과는 고려 말부터 오랜 친분이 있었다.

인을 버리고 화산군(花山君) 장사길(張思吉)의 기첩(妓妾) 복덕(福德)의 딸에게 장가들어 성례(成禮)하여 계실(繼室)로 삼았습니다. 복주(復周)는 중외(中外)에서 벼슬을 지내 관직이 3품에 이르렀으니 혼인의 예(禮)를 모르지 않을 터인데 제멋대로 행하여 선비의 기풍에 누(累)를 끼쳤습니다. 바라건대 직첩(職牒)을 거두고 율(律)에 따라 논죄(論罪)해서 풍속을 바로잡아야 합니다.'

상이 말했다.

"정복주는 나와 동년(同年)이니 지금 이미 늙었다. 그런데 조강지처(糟糠之妻)를 버리고 천인(賤人)을 얻어 스스로 배필을 삼았으니 진실로 미워할 만하지 않은가? 만일 폐하여 서민으로 삼으면 복덕(福德)의 신분과 맞을 것이고 그녀의 사위가 될 만할 것이다."

곧 명하여 삭직(削職)하고 백성으로 만들었다.

을사일(乙巳日-20일)에 사헌부에서 어가 앞에서 곧바로 아뢰는 것[直呈]을 금지하는 법과 수령(守令)을 포폄(褒貶-평가)하는 법을 올리니 그것을 따랐다. 아뢰어 말했다.

'일을 담당하는[主掌] 각사(各司)에서 송사를 잘못 판결하면 북을 쳐서 신문(申聞)하도록 허락했습니다. (그런데도) 근래에 대소 신민들이 무릇 억울함을 송사할 일만 있으면 (상께서) 행행(行幸-행차)하는 날을 엿보아[伺=窺] 느닷없이 어가 앞에서 직접 아뢰니 이미 있는 격고(擊鼓-신문고)의 법에도 어긋나고 진퇴(進退)가 격식에 맞지 아니하며, 간혹 어마(御馬)까지 놀라게 합니다. 이제부터는 억울함을 송사할 자가 있으면 법에 따라 북을 치게 하고 어가 앞에서 난잡하게 곧

장 아뢰는 자는 판지(判旨-임금의 명)를 좇지 않은 것으로 간주하여 논죄(論罪)해야 합니다.'

또 아뢰었다.

'수령들을 포폄하는 데 다움과 행실[德行] 및 등급을 모두 평가하고[稱] 실효(實效)에 맞아떨어지는지의 유무(有無)를 논하지 아니하는 까닭에 수령은 힘써 헛된 명예를 구하고, 사신(使臣)과 과객(過客)에게 아첨하며, 품관(品官)과 향리(鄕吏)에게 잘 보이려 하여 힘써 행해 실효(實效)가 있는 자가 없습니다. 금후로는 장(狀)의 뒤에 적은 7가지 일[七事]로써 고찰하고 등급과 실효(實效)의 사목(事目)을 나눠 만들어 각각 이름 아래에다 갖춰 기록하여 신문(申聞)해서 출척(黜陟)의 빙거(憑據)로 삼아야 합니다.

하나, 마음을 어짊과 내 마음같이[仁恕]에 두어 궁핍한 사람을 진휼(賑恤)한 것이 몇 사람이고, 늙고 병든 사람을 은혜로 길러준 것이[惠養] 몇 사람인가?

하나, 몸소 행함에 청렴근신(淸廉謹愼)하여 쓸데없는 비용을 어떠어떠한 일에서 절감(節減)했는가? 수렴(收斂)을 감손(減損)한 것이 어떠어떠한 일이며, 아침저녁으로 노고한 것은 어떠어떠한 일인가?

하나, 조령(條令)을 봉행(奉行)하였으되, 도임(到任) 이래 봉행한 것이 어떠어떠한 일이며, 판방(板牓-게시판)에 걸어놓고 대중에게 깨우쳐 거듭해서 밝힌 것이 몇 조(條)인가?

하나, 농상(農桑)을 권과(勸課)하여 경내에 제언(堤堰)을 수축한 곳이 몇 곳이며, 부임 후 백성에게 뽕나무 심기를 권고하여 매 1호에 몇 주(株)씩 심었으며, 관(官)에서 심은 뽕나무를 나눠 주어서 심은 것은 매 1호에 몇 주씩인가? 백성에게 수차(水車)를 만들도록 권한 것은 한 마을에 몇 개씩이며, 관에서 만들어 나눠 준 것은 한 마을에 몇 개씩인가? 권경(勸耕)한 것은 몇이며, 온 집안이 병을 앓고 있는 자는 이웃[隣理]으로 하여금 경작해주게 하고, 그가 회복되기를 기다려 값을 갚아주게 한 것이 몇인가?

하나, 학교를 닦아서 밝힌 것으로 학교 몇 칸 내에서 수리한 것이 몇 칸이며, 생도(生徒) 몇 사람 내에서 독서하는 사람이 몇 명인데 무슨무슨 경서(經書)를 통한 사람은 몇 명인가?

하나, 부역(賦役)을 골고루 했으되, 공부(貢賦)의 수렴(收斂)은 어떠어떠한 일이 골고루였으며, 군역(軍役)의 차정(差定)은 어떠어떠한 일이 골고루인가?

하나, 결송(決訟)을 밝게 하여 노비의 상송(相訟)이 몇 건 내에 결절(決絶)한 것이 몇 건(件)이며, 잡송(雜訟)은 몇 건(件)이었는가?'

병오일(丙午日-21일)에 일본국 단주수(丹州守)와 비주수(肥州守)가 사신을 보내 소목(蘇木), 호초(胡椒), 옥대(玉帶), 창검(槍劍), 물소뿔 등의 물건을 바쳤다.

정미일(丁未日-22일)에 (명나라) 조정의 내사(內史) 한첩목아(韓帖木兒), 양녕(楊寧) 등이 왔다. 상이 시복(時服) 차림으로 백관을 거느리고 반송정(盤松亭)에 나가서 맞이해 산붕(山棚)을 베풀고 백희(百戲)로 인도하여 창덕궁(昌德宮)에 이르렀다. 첩목아(帖木兒)가 조칙을 선포하고 상에게 산호간가람향모주(珊瑚間茄藍香帽珠) 1관(串), 저사(紵

絲) 30필, 숙견(熟絹) 30필, 상아(象牙) 2척(隻), 서각(犀角-코뿔소 뿔)

2개, 『통감강목(通鑑綱目)』[11]·『한준(漢準)』[12]·『사서연의(四書衍義)』[13]·

『대학연의(大學衍義)』[14] 각 1부(部), 편뇌(片腦)·침향(沈香)·속향(束香)·

단향(檀香)·소합유(蘇合油)·백화사(白花蛇)·주사(朱砂)·사향(麝香)·

부자(附子)·금앵자(金櫻子)·육총용(肉蓯蓉)·파극(巴戟)·당귀(當歸)·

유향(乳香)·몰약(沒藥)·곽향(藿香)·영릉향(零陵香)·감송향(甘松香)

등의 약재(藥材) 18종[味]을 내려주었다. 우리가 동불(銅佛)을 바친

것을 제(帝)가 기뻐하여 이런 하사(下賜)가 있었다.

○ 동녕위(東寧衛)[15] 천호(千戶) 김성(金聲), 백호(百戶) 이빈(李賓)

이 (명나라) 예부(禮部)의 자문(咨文)을 가지고 (한첩목아 등과) 함께

왔다. 자문은 이러했다.

'영락(永樂) 4년(1406년) 10월 초8일에 예과(禮科)에서 초출(抄出)

---

11 송(宋)나라 주희(朱熹, 1130~1200년)가 쓴 역사서다. 59권이다. 『자치통감강목(資治通鑑
綱目)』, 『강목(綱目)』이라고도 한다. 사마광의 『자치통감(資治通鑑)』 294권을 강목(綱目)으
로 만든 책이며, 기원전 403년에서부터 960년에 이르기까지 1362년간의 정통(正統)·비
정통을 분별하고 대요(大要-綱)와 세목(細目-目)으로 나눠 기술했다. 주희는 대요만을 썼
고 그의 제자 조사연(趙師淵)이 세목을 완성했다. 역사적인 사실의 기술보다는 의리(義
理)를 중히 여기는 데 치중하느라 너무 간단히 적어 앞뒤가 모순되거나 틀린 내용도 적
지 않다. 삼국시대에는 촉한(蜀漢)을 정통으로 하고 위(魏)나라를 비정통으로 하는 등 송
학(宋學)의 도덕적 사관이 엿보이는 곳도 많다. 한국에서는 세종 때 교주(校註)한 사정전
훈의본(思政殿訓義本)인 『훈의자치통감강목(訓義資治通鑑綱目)』이 유행했으며, 그 후에 여
러 차례 중간(重刊)됐다.
12 지금은 어떤 책인지 알 수가 없다.
13 송나라 학자 주염(周燄)이 쓴 사서 풀이다.
14 송나라 진덕수(眞德秀)가 지은 제왕학 책이다.
15 중국 명나라에서 홍무(洪武) 19년(1386년)에 요양(遼陽)에 설치한 위소(衛所)다. 호발도
(胡拔都)가 납치해 간 고려의 동북면 백성과 여진으로 구성했다.

한바, 요동도사(遼東都司)의 동녕위 천호 김성(金聲)이 상주(上奏)한 것을 보니 "영락 3년 12월에 칙유를 받들고 동량(東良) 등지에 가서 초유(招諭)할 때 조선국(朝鮮國) 후방에 있는 지명(地名) 해통(海通)을 경과하다가 본위(本衛)의 원타토군(原垜土軍), 소기(小旗), 유산성(劉山城) 등을 만났습니다. 그들이 고(告)하기를 '홍무(洪武) 35년(1402년)에 만산군(漫散軍)으로 도망 와 본국(本國) 풍해도(豐海道) 등지에 살고 있는데 원위(原衛)로 돌아가서 다시 생업을 일삼고자 하나 돌아갈 수 없습니다'라고 했습니다. 지금 생각건대 그들은 원래 오정타집(五丁垜集)의 토군(土軍)에 속한 사람들로 만일 행이(行移)하여 돌아오게 해서 둔전(屯田)을 경작하게 하면 편익(便益)할 것입니다. 지금 조선에 있는 군여(軍餘)의 가속(家屬), 전자수(全者邃) 등 4,949명을 열록(列錄)하여 구본(具本)합니다"라고 했다. 그러므로 해당 병과관(兵科官)이 우순문(右順門)에 가지고 가서 상주(上奏)하여 해당 아문(衙門)에 알리고, 성지(聖旨)를 받들어 공경히 준행(遵行)하는 바이다. 그리고 먼젓번의 좌군도독부(左軍都督府)의 조회(照會)를 조사해보니, 요동도사에서 동녕위가 정개(呈開-보고)한 바에 의거하면 "백호(百戶) 변림(邊林)의 아우 변련(邊連)이 고하기를 여정(餘丁) 변도리가(邊都里哥) 등이 조선국으로 도망하여 갈개 만호부(葛開萬戶府)에 살고 있다"라고 하고, 군인(軍人) 황현(黃顯) 등이 각각 고하기를 "부모(父母)·숙제(叔弟-조카)·처남(妻娚)과 황불개(黃不改) 등이 도망쳐 본국(本國)의 장 판사(張判事) 집에 있다"라고 하며, 또 "토인(土人)·전자수(全者邃) 등 4,940구(口)와 천호(千戶) 고욱(高勖) 등의 하가인(下家人) 해서(海西) 등 14명이 모두 본국에 도망가서 숨어 살고 있는데, 그들을 돌아오게 하여 생업에 복귀토록 해야 합니다"라고 했다. 이리하여 본부(本部)에서 여러 차례 본국에 행이(行移)하여 회답을 주고받았는데, 본국의 자문(咨文)에 이르기를 "동서북면(東西北面) 연강(沿江)의 파절 관사(把截官司)와 각 도(各道)의 주부군현(州府郡縣)에 행이(行移)하여 샅샅이 조사하게 하고, 그 잡은 사람들은 요동도사(遼東都司)에 모두 해송(解送)하겠다"라고 했다. 회자(回咨)한 것으로서 본부(本部)에 도착된 것이 모두 위 항의 사실을 공경히 받들겠다고 했으니 이치상 다시 사람을 보내 독촉해 잡게 하고, 사실을 갖추어 아뢰는 것이 합당하다. 지금 천호 김성(金聲) 등을 보내 자문(咨文)을 가지고 가서 본국에 이자(移咨)한다. 번거롭지만 변련(邊連) 등이 말한 장소에 급히 사람을 보내 소속 수령에게 두루 알리고, 동시에 힘써서 전항의 도망 중인 인구(人口)를 모조리 체포하여 요동도사로 해송(解送)하여 넘기고, 해송한 사람의 이름과 숫자를 회보해 시행하기 바란다.'

상이 칙서(勅書)에 절하고 하사품을 받고 나서 첩목아, 김성 등과 더불어 사례(私禮)를 행하고 잔치를 베풀었다. 처음에는 황제가 하사한 모주(帽珠)를 갓에 달고 나왔으나 술이 몇 순배 돌자 갓을 벗고 사모(紗帽)를 쓴 다음 잔치를 끝마쳤다.

○ 밤에 땅이 흔들렸다.

무신일(戊申日-23일)에 상이 태평관(太平館)에 가서 사신에게 잔치를 베풀었다.

기유일(己酉日-24일)에 한첩목아(韓帖木兒)가 대궐에 나아와 사례했다.

임자일(壬子日-27일)에 한첩목아 등을 위해 광연루(廣延樓) 아래에서 잔치를 벌였다. 한첩목아가 중궁(中宮)으로 나아가 상아 얼레빗[象牙梳] 2개, 참빗[篦子] 7개, 솔[刷牙] 1개를 바쳤다.

계축일(癸丑日-28일)에 상이 덕수궁(德壽宮)에 나아가 기거(起居)했다.

○ 제주(濟州)의 굶주림을 진휼(賑恤)했다. 전라도 관창(官倉)의 벼와 콩을 내어서[發] 가서 빌려주었다[貸=賑貸].

을묘일(乙卯日-30일)에 큰비가 내리고 천둥·번개가 쳤는데 한밤중이 되어서야 그쳤다. 꿩[野雞]이 한꺼번에 울고 기후가 뒤바뀌어[渾] 봄 날씨 같았다.

丙戌朔 黑霧.
병술 삭 흑무

司憲府上給田之法 從之. 疏曰:
사헌부 상급전 지법 종지 소왈

'國無三年之畜 則國非其國. 本朝土地瘠薄 所出不多 每年
국무 삼년 지축 즉국 비 기국 본조 토지 척박 소출 부다 매년

損實踏驗之際 各官守令 不顧大體 專以悅民爲計 給損過多
손실 답험 지제 각관 수령 불고 대체 전 이 열민 위계 급손 과다

公家所入 隨歲而減. 乞以京畿左右道前後改量剩出田地 皆屬
공가 소입 수세 이감 걸 이 경기 좌우도 전후 개량 잉출 전지 개속

軍資. 且土田 非臣子所得私 戶曹於科田折給之時 不顧前給多少
군자 차 토전 비 신자 소득사 호조 어 과전 절급 지시 불고 전급 다소

以相知者爲先折給 乃至國家不緊雜類人 幷行折給 以公田爲己
이 상지자 위선 절급 내지 국가 불긴 잡류인 병행 절급 이 공전 위기

私恩 甚爲未便. 自今科田不足及新來從仕人前後田地數及陳告
사은 심 위 미편 자금 과전 부족 급 신래 종사 인 전후 전지 수급 진고

田數開寫 啓聞取旨 方行折給.'
전수 개사 계문 취지 방행 절급

下議政府擬議 請依所啓施行.
하 의정부 의의 청의 소계 시행

議政府上刑律之例 從之.
의정부 상 형률 지례 종지

'刑律云: "鬪歐殺人者 不問手足他物 並絞: 威逼人致死者 杖
형률 운 투구 살인자 불문 수족 타물 병교 위핍 인 치사자 장

一百 追埋葬銀一十兩." 律文本意謂凡殺人而至死者 不徵埋葬
일백 추 매장 은 일십 냥 율문 본의 위범 살인 이 지사자 부징 매장

銀 殺人而減死者 徵給埋葬銀. 自今殺人而罪不至死者及至死而
은 살인 이 감사자 징급 매장은 자금 살인 이 죄 부지사자 급 지사 이

遇宥免死者 並徵埋葬銀 給付被殺人家.'
우유 면사자 병징 매장은 급부 피살인 가

癸巳 以李舒領議政府事 仍令致仕 河崙爲世子傅 權近世子
계사 이 이서 영의정부사 잉령 치사 하륜 위 세자부 권근 세자

貳師 李原判漢城府事 李和英右軍都摠制 閔無疾司憲府大司憲
이사 이원 판 한성부 사 이화영 우군 도총제 민무질 사헌부 대사헌

趙昆判承寧府官. 無疾 旣解兵權 常懷怏怏 故有是命. 昆 告可學
조곤 판 승녕부 관 무질 기해 병권 상회 앙앙 고유 시명 곤 고 가학

之謀者也.
지 모 자야

甲午 賜鄕右軍同知摠制李玄 林州. 玄上言: "臣曾祖大都路
갑오 사향 우군 동지 총제 이현 임주 현 상언 신 증조 대도로

摠管伯顔 至元丙戌之歲 奉皇姑 齊國大長公主而來 子孫相繼
총관 백안 지원 병술 지세 봉 황고 제국대장공주 이래 자손 상계

世受國恩 至今尙未得於本國付籍. 乞依他向國人例賜鄕." 從之.
세수 국은 지금 상 미득 어 본국 부적 걸의 타 향국인 예 사향 종지

乙未 幸驪興府院君閔霽第 靜妃從之 諸王子皆從 置酒. 霽
을미 행 여흥 부원군 민제 제 정비 종지 제 왕자 개종 치주 제

作詩三篇以獻 其一敍文定之初 居家之窮約也 其二敍殿下卽
작시 삼편 이헌 기일 서 문정 지초 거가 지 궁약 야 기이 서 전하 즉

大寶喜賀之情也 其三敍閔氏一門厚蒙恩渥之私也. 上歡甚 相待
대보 희하 지정 야 기삼 서 민씨 일문 후몽 은악 지사 야 상 환심 상대

如潛邸時 霽稱上爲先達 上呼霽爲師傅① 酒罷 霽送上立于大門
여 잠저 시 제 칭 상 위 선달 상 호 제 위 사부 주파 제 송 상 입우 대문

之外 上請霽入 霽惶恐不敢 乃進立于馬前 子無疾曰: "家君入
지외 상 청 제입 제 황공 불감 내 진 입우 마전 자 무질 왈 가군 입

上乃御馬矣." 霽曰: "汝何知!" 拱立不退 上行十餘步 乃御馬.
상 내 어마 의 제 왈 여 하지 공립 불퇴 상 행 십여 보 내 어마

己亥 上詣德壽宮獻壽.
기해 상 예 덕수궁 헌수

庚子 轘文可學 任聘 金亮 金藏 趙方輝 曹漢生等于市 可學之
경자 환 문가학 임빙 김량 김천 조방휘 조한생 등 우시 가학 지

子乳 亦處絞. 初 可學等 謀逆 約事成之後 推可學爲主 藏爲左相
자유 역 처교 초 가학 등 모역 약 사성 지후 추 가학 위주 천 위 좌상

聘爲右相 方輝爲二相 漢生爲西北面都巡問使. 夜會報恩寺松間
빙 위 우상 방휘 위 이상 한생 위 서북면 도순문사 야 회 보은사 송간

告于諸佛神祇 共拜可學爲君 使聘製敎書二道 買鉛鐵 造御印
고우 제불 신기 공배 가학 위군 사 빙 제 교서 이도 매 연철 조 어인

議政府印 兵曹鋪馬印 奉使印等四顆 謀使漢生先至平壤爲內應
의정부 인 병조 포마 인 봉사 인 등 사과 모사 한생 선지 평양 위 내응

可學等欲俱至平壤. 可學僞稱都體察使 藏僞稱都鎭撫 以十二
가학 등 욕 구지 평양 가학 위칭 도체찰사 천 위칭 도진무 이 십이

月二十一日 殺都巡問使 因起兵爲亂. 旣定計 聘反自疑 問計於
월 이십일 일 살 도순문사 인 기병 위란 기 정계 빙 반 자의 문계 어

趙昆 昆陽許之 遂以首告. 獄成 可學等妻孥皆連坐 獨宥聘之
조곤 곤양 허지 수이 수고 옥성 가학 등 처노 개 연좌 독유 빙지

妻子兄弟 以趙昆首告也.②
처자 형제 이 조곤 수고 야

　杖慈州人曹守一百 配巨濟縣烽卒. 守 方輝之姊子 知情不首者
　장 자주 인 조수 일백 배 거제현 봉졸 수 방휘 지 자자 지정 불수 자

也. 又流僧妙惠于務安縣 慈州戶長金良義于機張縣爲烽卒. 妙惠
야 우 유승 묘혜 우 무안현 자주 호장 김양의 우 기장현 위 봉졸 묘혜

方輝之叔父 良義 金亮之姪也.
방휘 지 숙부 양의 김량 지 질 야

　壬寅 月入太微.
　임인 월입 태미

　甲辰 廢鄭復周爲民. 司憲府上言:
　갑진 폐 정복주 위민 사헌부 상언

‘今月初六日 前僉節制使鄭復周 棄其舊妻 娶花山君張思吉
금월 초 육일 전 첨절제사 정복주 기 기 구처 취 화산군 장사길

妓妾福德之女 成禮爲繼室. 復周歷仕中外 官至三品 婚姻之禮
기첩 복덕 지녀 성례 위 계실 복주 역사 중외 관지 삼품 혼인 지례

非所不知 恣情而行 以累士風. 乞收職牒 依律論罪 以正風俗.
비 소부지 자정 이행 이누 사풍 걸수 직첩 의율 논죄 이정 풍속

　上曰:"復周 予同年也. 今已老矣 棄糟糠之妻 而娶賤人以自配
　상왈 복주 여 동년 야 금이 노의 기 조강지처 이취 천인 이 자배

不亦可憎乎! 若廢爲民 則與福德相稱 可以爲其女壻矣."乃命
불역 가증 호 약 폐 위민 즉 여 복덕 상칭 가이 위 기녀 서의 내명

削職爲民.
삭직 위민

　乙巳 司憲府上禁駕前直呈及守令褒貶之法 從之. 啓曰: ‘主掌
　을사 사헌부 상금 가전 직정 급 수령 포폄 지법 종지 계왈 주장

各司誤決訟詞 許令擊鼓申聞. 近間大小臣民 凡有訟冤 伺行幸
각사 오결 송사 허령 격고 신문 근간 대소 신민 범유 송원 사 행행

之日 輒於駕前直呈 旣違擊鼓之法 進退不中程式 或致御馬驚駭.
지일 첩어 가전 직정 기위 격고 지법 진퇴 부중 정식 혹치 어마 경해

後有訟冤者 依式擊鼓; 其駕前亂雜直呈者 以判旨不從論罪.'
후 유 송원 자 의식 격고 기 가전 난잡 직정 자 이 판지 부종 논죄

　又啓:
　우 계

‘守令褒貶 汎稱德行等第 不論實效有無. 以故守令務求虛譽
수령 포폄 범칭 덕행 등제 불론 실효 유무 이고 수령 무구 허예

行媚於使臣過客 取悅於品官鄕吏 未有力行實效者. 今後以狀後
행미 어 사신 과객 취열 어 품관 향리 미유 역행 실효 자 금후 이 장후

500

七事考察 分爲等第實效事目 各於名下 具錄申聞 以憑黜陟.

一, 存心仁恕: 賑恤窮乏者幾人 惠養老疾者幾人.

一, 行己廉謹: 裁省冗費某某事 減損收斂某某事 早暮劬勞某某事.

一, 奉行條令: 到任以來 奉行某某事 板牓張掛 諭衆申明幾條.

一, 勸課農桑: 境內堤堰幾所內 修築幾所; 任後勸民植桑椹 每一戶幾株; 官種桑椹 分給裁植 每一戶幾株; 勸民造水車 每一里幾具: 官造作分給每一里幾具 勸耕幾: 合家疾病者 令隣里耕耨 待其平復 償價者幾.

一, 修明學校: 學校幾間內 修治幾間; 生徒幾人內 讀書幾人; 通幾經幾人.

一, 賦役均平: 貢賦收斂 某某事均平; 軍役差定 某某事均平.

一, 決訟明允: 奴婢相訟幾 道內決折幾道 雜訟幾道.'

丙午 日本國 丹州守 肥州守 遣使來獻蘇木胡椒玉帶槍劍水牛角等物.

丁未 朝廷內史韓帖木兒 楊寧等來. 上以時服 率百官出迎于盤松亭 結山棚 百戲前導 至昌德宮. 帖木兒宣勅 賜王珊瑚間茄藍香帽珠一串 紵絲三十匹 熟絹三十匹 象牙二隻 犀角二箇通鑑綱目 漢準 四書衍義 大學衍義 各一部 片腦 沈香 束香

檀香 蘇合油 白花蛇 朱砂 麝香 附子 金櫻子 肉蓯蓉 巴戟
단향 소합유 백화사 주사 사향 부자 금앵자 육총용 파극

當歸 乳香 沒藥 藿香 零陵香 甘松香等藥材十八味. 帝喜我進
당귀 유향 몰약 곽향 영릉향 감송향 등 약재 십팔 미 제 희 아 진

銅佛 故有是賜.
동불 고유 시사

東寧衛千戶金聲 百戶李賓 齎禮部咨偕來. 咨曰:
동녕위 천호 김성 백호 이빈 재 예부 자 해래 자왈

'永樂四年十月初八日 禮科抄出遼東都司東寧衛千戶金聲奏:
영락 사년 십월 초 팔일 예과 초출 요동 도사 동녕위 천호 김성 주

"永樂三年十二月內 齎擎勑諭 往東良等處地面招諭 經過朝鮮國
영락 삼년 십이월 내 재경 칙유 왕 동량 등처 지면 초유 경과 조선국

後門地名海通 遇有本衛原垜土軍小旗劉山城等 告稱: '洪武
후문 지명 해통 우유 본위 원타 토군 소기 유산성 등 고칭 홍무

三十五年 漫散逃來本國豊海道等處住坐 欲歸原衛復業 不得
삼십 오년 만산 도래 본국 풍해도 등처 주좌 욕귀 원위 복업 부득

回還具告.' 今思各人 原係五丁垜集土軍 如蒙行移取回 着役屯種
회환 구고 금사 각인 원계 오정 타집 토군 여몽 행이 취회 착역 둔종

便益. 將見在朝鮮軍餘家小全者遂等四千九百四十九口 開坐
편익 장 현재 조선 군여 가소 전자수 등 사천 구백 사십 구구 개좌

具本."
구본

該兵科官齎於右順門奏 合着該衙門知道 奉聖旨是. 欽此 除
해 병과 관재어 우순문 주 합착 해 아문 지도 봉 성지 시 흠차 제

欽遵外 案照先承左軍都督府照會 據遼東都司備東寧衛呈開:
흠준 외 안조 선승 좌군 도독부 조회 거 요동 도사 비 동녕위 정개

"百戶邊林弟邊連告 有餘丁邊都里哥等 逃在朝鮮國 葛開萬戶府
백호 변림 제 변련 고 유 여정 변도리가 등 도재 조선국 갈개 만호부

住坐 及軍人黃顯等各告 有父母 叔弟 妻娚 黃不改等 逃在本國
주좌 급 군인 황현 등 각고 유 부모 숙제 처남 황불개 등 도재 본국

張判事家 又有土人全者遂等四千九百四十口 幷千戶高勗等
장 판사 가 우유 토인 전자수 등 사천 구백 사십 구 병 천호 고욱 등

下家人海西等一十四口 俱各逃移本國藏躲 告乞取回復業."
하가인 해서 등 일십 사구 구각 도이 본국 장타 고걸 취회 복업

本部累經行移本國取發回 準本國咨 稱除行東西北面沿江把截
본부 누경 행이 본국 취발 회 준 본국 자 칭제 행 동서북면 연강 파절

官司及各道府州郡縣分投挨究 得獲解送遼東都司外 回咨到部.
관사 급 각도 부주 군현 분투 애구 득획 해송 요동 도사 외 회자 도부

行間欽奉前因 理合再行差人 催取除具奏外 今差千戶金聲等
행간 흠봉 전인 이합 재행 차인 최취 제 구주 외 금차 천호 김성 등

齎文移咨本國. 煩爲照依邊連等所告處所 作急差人 遍行所屬
재문 이자 본국　번 위 조 의 변련 등 소고 처소　작급 차인　편행 소속

守 倂務要根捕前項在逃人口 得獲解發遼東都司交割 仍希解過
수 병 무요 근포 전항 재도 인구　득획 해발 요동 도사 교할　잉 희 해과

人名口數 回報施行.'
인명 구수　회보 시행

上拜勑 受賜訖 與帖木兒及聲等行私禮 仍設宴. 初 以帝所賜
상 배칙　수사 흘　여 첩목아 급 성 등 행 사례　잉 설연　초　이 제 소사

帽珠繫于笠以出 酒數行 卽脫笠着紗帽以終宴.
모주 계 우 립 이출　주 수행　즉 탈립 착 사모 이 종연

夜 地震.
야　지진

戊申 上如太平館 宴使臣.
무신 상 여 태평관　연 사신

己酉 韓帖木兒詣闕謝.
기유　한첩목아　예궐 사

壬子 宴韓帖木兒等于廣延樓下. 韓帖木兒詣中宮獻象牙梳二
임자　연 한첩목아 등 우 광연루 하　한첩목아　예 중궁 헌 상아 소 이

篦子七 刷牙一.
비자 칠　쇄아 일

癸丑 上詣德壽宮起居.
계축 상 예 덕수궁 기거

賑濟州飢. 發全羅道官倉稻豆 往貸之.
진 제주 기　발 전라도 관창 도두　왕 대지

乙卯 大雨雷電 夜半而止. 野雞皆鳴 渾似春氣.
을묘 대우 뇌전　야반 이지　야계 개 명 혼 사 춘기

| 원문 읽기를 위한 도움말 |

① 隲稱上爲先達 上呼隲爲師傅. 여기서는 '稱~爲~'나 '呼~爲~' 모두 '~를
　제 칭 상 위 선달 상 호 제 위 사부　　　　　　청 위　　　호 위
~라고 부르다'라는 뜻이다.

② 以趙昆首告也. '以~也'는 전형적으로 '왜냐하면 ~때문이다'라는 구문
　이 조 곤 수고 야　이 야
이다.

KI신서 7226

이한우의 태종실록 재위 6년

1판 1쇄 인쇄 2017년 12월 22일
1판 1쇄 발행 2017년 12월 29일

옮긴이 이한우
펴낸이 김영곤
펴낸곳 (주)북이십일 21세기북스

정보개발본부장 정지은 **인문기획팀장** 장보라 **책임편집** 김찬성 윤홍 **교정교열** 주태진 최태성
디자인 표지 씨디자인: 조혁준 함지은 김하얀 이수빈 **본문** 이수정
출판영업팀 이경희 이은혜 권오권
출판마케팅팀 김홍선 최성환 배상현 신혜진 김선영 나은경
홍보기획팀 이혜연 최수아 김미임 박혜림 문소라 전효은 염진아
제작팀 이영민

출판등록 2000년 5월 6일 제406-2003-061호
주소 (10881) 경기도 파주시 회동길 201(문발동)
대표전화 031-955-2100 **팩스** 031-955-2151 **이메일** book21@book21.co.kr
페이스북 facebook.com/21cbooks **블로그** b.book21.com
인스타그램 instagram.com/21cbooks **홈페이지** www.book21.com

ⓒ 이한우, 2017

ISBN 978-89-509-7273-8 04900
      978-89-509-7105-2 (세트)